D1279765

Maladies imaginaires, maladies réelles?

Données de catalogage avant publication (Canada)

Cantor, Carla

Maladies imaginaires, maladies réelles?

Traduction de: Phantom illness.

1. Manifestations psychologiques des maladies. 2. Médecine psychosomatique. 3. Hypocondrie – Cas, Études de. I. Fallon Brian A., M.D. II. Titre.

RC552.H8C3614 1997 616.85'25 C97-941087-8

DISTRIBUTEURS EXCLUSIFS:

- Pour le Canada et les États-Unis:
  MESSAGERIES ADP*
  955, rue Amherst
  Montréal, Québec
  H2L 3K4
  Tél.: (514) 523-1182
  Téléc.: (514) 939-0406
  * Filiale de Sogides ltée
- Pour la Belgique et le Luxembourg:
  PRESSES DE BELGIQUE S.A.
  Boulevard de l'Europe, 117
  B-1301 Wavre
  Tél.:(010) 42-03-20
  Téléc.: (010) 41-20-24
- Pour la Suisse:
  TRANSAT S.A.
  Route des Jeunes, 4 Ter
  C.P. 125
  1211 Genève 26
  Tél.: (41-22) 342-77-40
  Téléc.: (41-22) 343-46-46
- Pour la France et les autres pays:
  INTER FORUM
  Immeuble Paryseine, 3, Allée de la Seine,
  94854 Ivry cedex
  Tél.: 01 49 59 11 89/91
  Téléc.: 01 49 59 11 96
  Commandes: Tél.: 02 38 32 71 00
  Téléc.: 02 38 32 71 28

L'ouvrage original américain a été publié par Houghton Mifflin Company,
sous le titre *Phantom Illness: Shattering the Myth of Hypochondria*

Dépôt légal: 4e trimestre 1997
Bibliothèque nationale du Québec

ISBN 2-7619-1388-4

Carla Cantor

Avec la collaboration du Dr Brian A. Fallon

Maladies imaginaires, maladies réelles?

Traduit de l'américain
par Nicole Bureau-Lévesque

Préface

Perçu comme un égocentrique qui passe son temps à se lamenter, comme un flemmard qui simule la maladie sans avoir le moindre bobo ou comme un hurluberlu qui a désespérément besoin qu'on le rassure mais refuse systématiquement qu'on l'aide, l'hypocondriaque n'a pas la cote auprès des médecins. Aussi le tourment qui l'afflige est-il rarement pris au sérieux, et encore moins mis au compte d'une possible maladie. Et pourtant est-il âme plus sensible, plus profondément troublée que la sienne?

Toujours en proie à l'incertitude, appréhendant constamment quelque malheur, son esprit est constamment aux aguets. D'une vigilance sans faille, il repère le moindre indice, susceptible dans chaque cas d'annoncer une maladie mortelle. Habité par cette frayeur, qui va toujours en s'intensifiant, il cherche à se rassurer auprès des siens ou de son médecin traitant. Sans jamais y parvenir tout à fait… Et le cycle s'enclenche à nouveau, condamnant l'hypocondriaque à attendre interminablement le diagnostic qui expliquerait, une fois pour toutes, ses étranges malaises, sinon à s'enfermer dans une terreur muette pour se soustraire au regard dédaigneux des médecins ou pour prévenir toute démarche rendant possible l'identification de ses symptômes ou la confirmation de ses doutes.*

En mettant en évidence le fait que l'hypocondrie peut se traduire par des manifestations physiologiques bien réelles, qui auraient toutefois à voir davantage avec un déséquilibre neurochimique qu'avec la maladie dont le sujet se croit atteint, la recherche médicale a considérablement modifié depuis quelques années le tableau clinique et thérapeutique de

* N. D. T. L'emploi non marqué du genre masculin tout au long de l'ouvrage désigne aussi bien les femmes que les hommes; ce choix est motivé essentiellement par le souci de ne pas alourdir ni allonger un texte déjà substantiel.

ce trouble psychique. Attribuable vraisemblablement à des facteurs de stress, au bagage génétique et/ou au conditionnement progressif exercé par un environnement donné, ce déséquilibre affectant les concentrations de certaines substances chimiques dans les cellules du cerveau jouerait un rôle important dans l'incapacité du sujet à se libérer de son anxiété. Il est facile d'imaginer toutes les répercussions que pourrait entraîner la confirmation de cette hypothèse sur le traitement de l'hypocondrie et tout l'espoir dont elle est porteuse pour ceux et celles que la peur de la maladie enferme dans l'effroi.

C'est à la suite de ma rencontre avec M. A., durant mon internat de psychiatrie à l'Université Columbia, que j'ai commencé à m'intéresser de plus près à la question de l'hypocondrie. Agent de change dans la cinquantaine, M. A. souffrait de maux de tête persistants, dont il craignait qu'ils soient un symptôme de tumeur en formation. Il avait consulté pas moins de dix spécialistes et s'était soumis à quatre encéphalographies au cours de l'année précédente, pour recevoir chaque fois le même diagnostic: «Rien d'anormal.» Mais il lui fallait plus qu'une batterie de tests et d'examens sophistiqués pour le rassurer. Car comment savoir si les médecins avaient procédé à tous les tests nécessaires? Et leur avait-il bien décrit tous ses symptômes? Peut-être lui cachaient-ils la vérité? Persuadé d'être atteint d'une maladie grave, M. A. ne pouvait faire l'économie d'aucune question.

Après l'avoir atteint corps et âme, ses obsessions avaient complètement ruiné sa vie familiale. Incapable de vivre plus longtemps avec un homme «qui ne pensait qu'à sa petite personne», sa femme avait fini par le quitter. Les enfants avaient suivi. Sa vie professionnelle s'en était, elle aussi, profondément ressentie. Le moindre ralentissement des activités à la Bourse étant prétexte à se replier sur lui-même pour ruminer ses idées morbides, son rendement avait considérablement diminué. Il risquait à chaque jour de perdre son emploi.

Lors de notre première rencontre à mon cabinet, il n'avait pas manqué de s'enquérir de mes qualifications, après quoi il avait senti le besoin de me dire que, à tout considérer, je ne pourrais l'aider en aucune façon: «Je ne vois vraiment pas ce que vous pourriez faire pour moi. Je n'ai pas de problèmes "psychologiques"! J'ai des douleurs physiques — physiques, *vous m'entendez? Je dois le savoir, non? J'ai tout le temps mal à la tête! Cette* fois-ci, c'est grave, je le sais. Mais aucun médecin ne veut me dire de quoi il s'agit. Et vous, qu'est-ce que vous pourriez faire pour moi, hein? Ce dont j'ai besoin, ce n'est pas d'un psychiatre, avec qui je pourrais "parler de mes problèmes"! Et puis je me fiche de savoir si vous avez ou non une bonne formation, puisque, de toute manière, vous ne pouvez pas m'aider! Mon problème est physique, je vous le répète — je ne suis pas un malade mental! Si je suis là aujourd'hui, c'est uniquement parce que le Dr Fink m'a demandé de voir un psy. Alors voilà! je suis là! Mais pas question que je revienne! Une fois, ça suffit! »

Je dois avouer franchement que, devant la hargne et la méfiance de cet homme, je me suis demandé pendant un instant si je pourrais effectivement lui être de quelque secours. Mais, malgré son mépris des psychiatres et son manque de confiance flagrant à l'endroit des médecins, n'était-il pas venu me consulter? Je devais donc tenter de lui venir en aide. Mais comment m'y prendre?

J'ai commencé par écouter ce qu'il avait à me dire.

Ses malaises l'accablaient depuis une dizaine d'années environ. Son anxiété à l'égard de la maladie remontait toutefois à une époque beaucoup plus lointaine, peut-être même à son enfance, sur laquelle avaient lourdement pesé, semblait-il, les inquiétudes d'une mère hyperanxieuse pour tout ce qui concernait la santé de ses petits. Il avait suivi pendant huit ans une psychothérapie et s'était vu prescrire tous les médicaments possibles et imaginables contre la dépression et l'anxiété. Sans grand résultat toutefois. La peur qu'il éprouvait depuis trois ans à la perspective d'être atteint d'un cancer du cerveau avait fini par perturber complètement sa vie familiale, et par écarter sa femme et ses enfants, qu'il adorait. Ses amis s'étaient éclipsés, eux aussi, les uns après les autres. L'année précédente, ses migraines s'étaient faites de plus en plus intenses, avait-il cru bon me rappeler.

Me référant à divers ouvrages spécialisés pour parfaire mes connaissances sur le traitement de l'hypocondrie, j'ai bien été forcé de constater que le pessimisme était de rigueur dans la littérature médicale pour ce qui touchait cette affection bien particulière: aucune cure possible, à part le soutien moral du psychiatre, disait-on, à moins qu'aux malaises du patient ne soient associés des troubles anxieux ou dépressifs, auxquels cas il était possible de recourir à certains médicaments ou même à la psychothérapie, qui donnait d'assez bons résultats en général. Or rien ne per-

mettait à première vue de relier les symptômes dont M. A. avait fait état à une dépression caractérisée, à un «trouble panique» ou à un «trouble obsessionnel-compulsif». Le pronostic initial était donc assez peu encourageant, c'est le moins que je puisse dire.

En révélant, à peu près à la même époque que celle de ma rencontre avec M. A., que un Américain sur cinquante souffrait du trouble obsessionnel-compulsif, incidence beaucoup plus élevée qu'on l'avait cru jusque-là, des chercheurs créaient bien des remous dans le milieu de la psychiatrie. Précisons, avant de poursuivre, que le trouble obsessionnel-compulsif se caractérise par l'irruption de pensées malvenues qui s'imposent involontairement à l'esprit de manière obsédante, et/ou par des actes compulsifs ou répétitifs, proches du rituel: impressions pénibles (le sentiment, par exemple, d'avoir fait du mal à quelqu'un), visions terrifiantes, images violentes, peur de la contamination (qui amènera, par exemple, le sujet à se brosser les mains sans arrêt), doutes continuels qui incitent à faire des calculs ou des vérifications sans relâche — pour ne nommer que les traits les plus courants de cette pathologie. Dans bien des cas, les personnes atteintes sont parfaitement conscientes que leurs obsessions ou leurs rites sont insensés, ce qui les incite souvent à cacher leur problème ou à ne pas révéler la teneur réelle des pensées ou des visions qui les préoccupent à ce point.

Ce n'est toutefois qu'au milieu des années quatre-vingt, où commencèrent à être appliquées avec succès des stratégies thérapeutiques adaptées tout spécialement aux obsessionnels — entre autres la découverte de l'efficacité de certains médicaments agissant sur la sérotonine, *médiateur chimique qui participe à la transmission de l'influx nerveux —, que se dissipa enfin le pessimisme qui avait empêché jusque-là d'entrevoir toute perspective de traitement de ces patients, comme des hypocondriaques d'ailleurs, et pour qu'ils voient enfin luire un peu d'espoir. En informant le grand public de l'existence et des propriétés spécifiques de médicaments tels que la clomipramine (Anafranil)*, la*

* N. D. T. La première mention (exemple: «clomipramine») renvoie, dans chaque cas, à la dénomination commune du médicament, c'est-à-dire au nom officiel de l'ingrédient responsable de l'action du produit sur le plan biochimique; la mention suivante, entre parenthèses et portant la majuscule (exemple: «Anafranil»), est la dénomination commerciale ou le nom déposé du médicament, tel que choisi par le fabricant. Cette remarque vaut pour tout le reste de l'ouvrage.

fluoxétine (Prozac), la fluvoxamine (Luvox) et la sertraline (Zoloft), certains magazines d'information télévisés auront, de ce point de vue, joué un grand rôle. Nombre de personnes souffrant du trouble obsessionnel-compulsif sont, en effet, grâce à ces informations, sorties de leur mutisme et ont courageusement décidé d'en parler à leur médecin ou à un psychiatre. Le coup d'envoi étant donné, on assista au cours de la décennie suivante, soit ces dix dernières années, à une explosion sans précédent des connaissances sur les manifestations biologiques et le traitement des troubles obsessionnels.

Que savons-nous aujourd'hui de cette question, et en quoi peut-elle être rapprochée de celle de l'hypocondrie?

L'obsessionnel est tourmenté non seulement par le doute mais aussi, très fréquemment du moins, par l'anticipation du mal qu'il pourrait occasionner ou subir en agissant de telle ou telle manière. Une question le harcèle constamment: «Ai-je fait le nécessaire pour que rien de fâcheux ne survienne?» («Ai-je bien vérifié les brûleurs de la cuisinière à gaz?», «Me suis-je bien lavé les mains?», etc.)

On peut en dire autant de l'hypocondriaque. La moindre sensation inhabituelle lui fera craindre l'imminence d'un mal beaucoup plus grave, comme si la maladie s'était subrepticement infiltrée à travers tous ses pores. Pour chasser ce fantasme, il ne négligera aucun moyen. Livres de médecine, magazines, tribunes téléphoniques — toute source d'information susceptible de lui fournir des antidotes à son anxiété sera exploitée et souvent passée au crible. Puis il en parlera à ses proches, ensuite au médecin. Après avoir vérifié et re-vérifié auprès de toutes les sources dignes de foi qu'il n'y a pas lieu de s'inquiéter, il s'apaisera temporairement — durant quelques heures ou quelques jours —, soit juste le temps que germe à nouveau l'incertitude. «Et qu'est-ce qui me dit que le médecin a fait le nécessaire?… », «Lui ai-je bien expliqué ce que je ressentais?», «Peut-être qu'il n'a pas compris ce que j'ai essayé de lui dire?». Torturé par la peur, l'hypocondriaque passe toutes ses heures de veille à se laisser consumer par l'obsession de la maladie.

M'appuyant sur ces similitudes, j'en suis venu à me demander si les nouveaux traitements dont on vantait les mérites dans le traitement des troubles obsessionnels ne pourraient pas atténuer de la même manière les malaises reliés à l'hypocondrie, ceux de M. A. en particulier. Celui-ci n'ayant répondu auparavant à aucun autre traitement, je craignais fort, je dois le dire, que mes attentes ne soient que des vœux pieux. J'avais quelque doute aussi quant à l'efficacité des médicaments sur les états d'âme d'un homme aussi hostile et aussi méfiant, traits de caractère que je considérais être un problème de personnalité très profond. Sans attendre de résultats mirobolants, je lui ai donc suggéré de faire l'essai d'une dose quotidienne de fluoxétine, en respectant les doses prescrites habituellement aux patients atteints de troubles obsessionnels. En moins de six semaines, ses troubles ont diminué de façon significative. Puis son état a continué de s'améliorer. Si ses malaises n'étaient pas tous disparus, il pouvait néanmoins maîtriser les peurs irrationnelles qu'ils faisaient surgir momentanément. L'amélioration était notable non seulement sur le plan des symptômes hypocondriaques mais de sa personnalité en général: il était nettement moins agressif, et s'est même empressé de me remercier de l'avoir aidé à retrouver sa sérénité. Je dois ajouter que ce nouvel état d'esprit n'a pas été que transitoire: il s'est bel et bien maintenu au cours des mois et des années qui ont suivi.

Impressionné par le rétablissement remarquable de cet homme après des années de souffrance et d'abattement, j'ai décidé de mettre à l'épreuve le traitement auprès d'autres patients atteints d'hypocondrie. Les résultats ont été, là encore, très encourageants. L'efficacité incontestable de cette thérapeutique chez un grand nombre de patients, jointe aux résultats extrêmement encourageants des recherches que je menais au New York State Psychiatric Institute sur les troubles reliés à la peur de la maladie, a fini par susciter un intérêt croissant à l'extérieur des murs de Columbia. Et c'est ainsi que j'ai fait la rencontre de Carla Cantor, l'auteur de cet ouvrage.

Par la fascination qu'exerce le récit de son expérience personnelle, par la démarche minutieuse qui transparaît à chaque page des informations qu'elle a recueillies sur l'hypocondrie à travers les âges et par la profondeur qui se dégage des entrevues qu'elle a données à de nombreux patients et aux plus grands spécialistes de la question au pays, Carla Cantor a su réaliser un livre absolument remarquable, qui profitera, j'en suis sûr, à ceux et celles qui souffrent de cette affection ainsi qu'aux membres de leur famille et à tous les professionnels de la santé en général. Je suis très heureux d'avoir pu y collaborer en participant à la définition de son contenu et en révisant les informations à caractère médical qui y sont communiquées.

Qu'est-ce qui incitera un hypocondriaque à lire ce livre? L'espoir et le courage: l'espoir d'arriver à maîtriser ses peurs; et le courage de chercher de nouveaux moyens pour se libérer de l'emprise de ses obsessions. Plusieurs personnes ont participé, de par leur témoignage, à l'élaboration de cet ouvrage. J'espère que ces histoires extrêmement émouvantes et l'espérance qu'autorisent les nouvelles approches de la psychiatrie contemporaine, comme on pourra le voir à travers ces pages, sauront convaincre le lecteur qu'il est bel et bien possible de dompter sa peur de la maladie.

Dr Brian A. Fallon

Notice

Les *appels de note avec astérisque* renvoient aux notes à caractère explicatif placées en bas de page.

Les *appels de note avec chiffre supérieur* renvoient aux notes à caractère bibliographique placées en fin de chapitre.

Les *définitions de termes scientifiques placées entre crochets* dans le corps du texte ont été ajoutées par la traductrice pour faciliter la compréhension du texte.

Prologue

De toute évidence, [l'hypocondrie] fait partie des mécanismes de défense de la psyché: refusant de se voir peu à peu dépérir, l'esprit fait signe, jusque dans les replis les plus éloignés de la conscience, que c'est le corps, sujet sans doute à des dérèglements transitoires, et non lui — l'unique et irremplaçable esprit —, qui est en train de se détraquer.

WILLIAM STYRON,
Darkness Visible: A Memoir of Madness

Je me revois encore, un soir de juin, séquestrée dans la salle commune d'un service de psychiatrie. Malgré la canicule, je m'étais quelques heures plus tôt présentée au service des urgences d'un hôpital situé à quelques kilomètres de chez moi: je n'en pouvais plus, il fallait à tout prix que je parle à quelqu'un! J'étais loin toutefois de pouvoir imaginer ce qui m'attendait.

Une douleur persistante au poignet, des cheveux de plus en plus clairsemés, une anxiété insurmontable liée à la peur d'être atteinte d'une maladie grave, toutes sortes de symptômes me harcelaient depuis un an.

Les élancements au poignet gauche avaient commencé à affleurer peu après la naissance de mon fils, en avril 1990. Rien ne semblait pourtant faire ombrage, en ce début de printemps, au bonheur immense que nous procurait la venue de ce deuxième enfant, un garçon au surplus (nous avions déjà une fille de trois ans).

Diagnostic de l'interniste: «Syndrome du canal carpien», affection bénigne mais très douloureuse, due vraisemblablement à des changements hormonaux, m'avait-il expliqué. Puis il m'avait suggéré d'interrompre aussitôt l'allaitement, pour pouvoir mettre mon poignet au repos. J'avais consulté également un orthopédiste, qui m'avait suggéré, pour sa part, de porter une attelle. Aucune amélioration. Un autre spécialiste m'avait recommandé des injections de cortisone. Sans succès. Rien ne semblait pouvoir calmer cette douleur atroce, qui avait fini par s'étendre à l'épaule. Et, pour comble, les tests sur lesquels s'était appuyé l'interniste pour établir son diagnostic s'étaient finalement avérés négatifs! À en perdre son latin!

Comment faire confiance aux médecins, me disais-je, quand aucun n'était en mesure de déterminer ce qui avait bien pu me mettre dans un état aussi lamentable — s'ils se souciaient, bien sûr, de mes malaises!, ce dont je doutais fortement. Je ressentais cet affront comme une trahison du corps médical tout entier. Il ne me restait plus qu'à mener ma propre investigation. Il n'y avait pas d'autre moyen de m'assurer que je n'étais pas atteinte de l'un ou l'autre de ces troubles mal connus dont mes récentes lectures m'avaient révélé l'existence: peut-être souffrais-je sans le savoir du «syndrome de traversée thoraco-cervico-brachiale»? ou de la «maladie de De Quervain»? à moins qu'il ne s'agisse d'une «ténosynovite»?

Après m'être soumise à une série d'examens médicaux, dont une scintigraphie osseuse, technique exploratoire fort délicate et extrêmement coûteuse, utilisée notamment pour le dépistage de l'arthrite et du cancer, j'avais bien été forcée d'accepter l'ultime verdict: «Une légère inflammation du poignet.» Rien de très alarmant, m'avaient-ils répété l'un après l'autre. Une raideur au poignet! elle était bien bonne, celle-là! Quant aux traitements de physiothérapie qu'on m'avait prescrits, ils n'avaient fait qu'aggraver le mal.

Il m'avait donc fallu trancher moi-même: je souffrais du lupus. J'avais lu quelque part que cette maladie auto-immune s'accompagnait d'une série de symptômes terrifiants (arthrite, perte des cheveux, rougeurs, lésions buccales), et que c'était une affection invalidante, presque aussi dangereuse que le cancer.

Je connaissais bien les symptômes de cette abominable maladie pour avoir déjà épluché à la bibliothèque tous les ouvrages disponibles sur le sujet, comme me l'avaient conseillé d'ailleurs des médecins que j'avais consultés à propos de malaises inexplicables ressentis au cours de l'hiver de 1983, à la suite de ma rupture avec l'homme dont j'avais jusque-là partagé la vie.

Quel hiver j'avais passé! Chaque jour que Dieu amenait, je réexaminais chacun de mes symptômes. Douleurs articulaires, rougeurs, démangeaisons subites, ecchymoses, épuisement — rien ne manquait au tableau classique du lupus. J'avais même soumis cet autodiagnostic à plusieurs médecins, espérant que l'un ou l'autre y donnerait foi. J'avais tant insisté auprès d'un rhumatologue qu'il avait fini par recommander que je sois hospitalisée pour un bilan de santé complet. Cinq jours d'examens, de tests, de traitements; mais cinq jours aussi de petites attentions de mes proches, cinq jours sans m'échiner au travail (je travaillais pour un journal, à titre de reporter), cinq jours de repos pour le corps et l'esprit — tout ce dont, en somme, j'avais le plus grand besoin. Ce rhumatologue avait vu juste. Diagnostic final? «Réaction psychophysiologique affectant le système musculo-squelettique.» Je m'étais laissé convaincre que ce qui se passait en moi n'avait rien à voir avec une maladie mortelle, sans faire trop de cas cependant des allusions non voilées à la dimension proprement «psychologique» de mes troubles physiques. Avant même la fin des examens, j'étais prête à laisser derrière moi toutes mes craintes à propos du lupus et tous les fantasmes que j'avais conçus autour de cette maladie. Sans m'en rendre compte, il m'avait fallu tous ces mois de souffrance et de prostration pour faire le deuil de ma relation amoureuse. Rassurée sur ma santé, et sur moi-même, je n'avais pas tardé à reprendre mes activités. Sur les conseils de mon médecin, j'avais néanmoins entrepris de consulter un psychiatre. Ce qui ne m'empêchait pas de continuer à résister dans mon for intérieur à l'introspection, préférant mettre les symptômes qui m'avaient affligée jusque-là au compte d'une «mauvaise passe», assez singulière j'en conviens. Et la vie avait repris son cours: j'étais retournée au travail comme si de rien n'était (quelques vagues explications à mes collègues, tout au plus), puis j'avais commencé à nouer avec mon nouvel amoureux une relation qui s'annonçait bien. Voilà pour l'épisode de 1983.

Et si, cette fois, c'était vraiment le lupus? me demandais-je huit ans plus tard, déjà à moitié convaincue. J'étais incapable de plier le poignet sans qu'une douleur aiguë ne se pointe aussitôt, mes cheveux semblaient de plus en plus cassants, et plus moyen de m'exposer au soleil sans développer une réaction allergique! Toutes ces manifestations correspondaient, je ne le savais que trop, aux symptômes habituels de la maladie. Bien que les tests se soient révélés négatifs et que plusieurs médecins aient usé de tous les arguments possibles pour me convaincre que je n'avais rien de grave, je n'arrivais pas à m'enlever de la tête que le lupus avait bel et bien infiltré mon corps. Je savais pertinemment que les symptômes étranges, et très fluctuants, de cette affection en rendent difficile le diagnostic et qu'aucun test ne peut, à coup sûr, écarter toute possibilité qu'un sujet en soit atteint; personne n'aurait donc pu me garantir à 100 % — et je ne visais rien de moins qu'un diagnostic sûr à 100 % — que la maladie n'en était pas à son premier stade. Peut-être le précédent épisode n'était-il que l'étape initiale de son développement?

J'étais de plus en plus distraite, et morose. Je sentais croître chez mon mari le ressentiment et l'impatience. Mon travail (j'étais devenue rédactrice à la pige) commençait à s'en ressentir. Et, me disais-je, dévorée par la culpabilité, mes deux enfants étaient loin de recevoir tout l'amour et toute l'attention qu'ils méritaient. Pourquoi donc aucun médecin ne voulait-il pas poser le diagnostic que je craignais tant, mais que j'espérais inconsciemment, de façon quasi perverse?

Le jeune rhumatologue à qui j'avais eu affaire en 1983, sans doute le plus futé qu'il m'ait été donné de rencontrer, m'avait laissé entendre à l'époque que les obsessions que j'entretenais à propos de cette douleur au poignet et de mon bien-être physique en général pouvaient être reliées à la naissance de mon fils, qu'elles étaient peut-être un symptôme de dépression post-partum latente, et qu'il conviendrait peut-être, dans les circonstances, de prendre rendez-vous avec un psychothérapeute. J'avais d'abord repoussé l'idée de toute démarche en ce sens, jusqu'à ce que, au plus profond du désespoir, je me présente à l'urgence, ce vendredi de juin 1991.

J'étais, sans le savoir, en pleine dépression. Était-ce à cause de ces intolérables symptômes qui me tourmentaient sans relâche? Ou parce que les médecins n'arrivaient pas à identifier la cause de mes problèmes? Peut-être la peur de la folie était-elle en train de me rendre folle? J'avais résolument besoin d'aide. Et, malgré la chaleur accablante qui enveloppait l'atmosphère, la journée me semblait tout indiquée: je venais tout juste de terminer un texte pour un de mes clients, et mes beaux-parents, qui habitaient à l'extérieur de la ville, s'étaient annoncés. Je savais que je pourrais compter sur eux si j'avais à m'absenter pendant quelque temps; ils sauraient faire le nécessaire pour que ni les enfants ni mon mari ne manquent de rien.

Une fois arrivée à l'hôpital, j'avais été contrainte d'attendre pendant des heures que soit disponible le médecin de garde. Après un bref examen, il m'avait référée à un tout jeune homme qui, m'avait-il annoncé, en était à sa troisième année d'internat en psychiatrie. Il m'avait fallu, une fois encore, faire le récit des tourments qui m'assaillaient depuis un an: la névralgie, les tests, les innombrables consultations, ma quête incessante d'un diagnostic fiable, tout y avait passé. Après m'avoir posé quelques questions, l'aspirant-médecin, me regardant droit dans les yeux d'un air impudent, avait déclaré: «Vous souffrez d'une dépression majeure, selon moi. Je vais faire les arrangements nécessaires pour que vous soyez admise au service de psychiatrie.»

J'étais en état de choc — mais, en même temps, un peu soulagée. Aussitôt que je fus assise sur le bord de la table d'examen, attendant calmement qu'une infirmière me conduise à ma chambre, la tension qui me traversait les épaules se relâcha et mon estomac se dénoua presque instantanément. Un homme en sarrau me demanda gentiment si j'avais faim, puis m'apporta un sandwich et une tasse de thé; je n'avais rien mangé de la journée. J'allais enfin savoir ce qui me tourmentait depuis si longtemps! On examinerait mon poignet enflammé, on me laisserait parler de ce que j'avais enduré tout au long de l'année, et on me dirait franchement si j'étais vraiment malade ou complètement dingue. Il faut dire aussi que le seul fait d'être à l'hôpital — excuse parfaitement valable, me disais-je — et d'avoir laissé derrière moi toutes mes responsabilités, sans compter le stress qu'engendrent quotidiennement le travail de rédacteur et la prise en charge de deux jeunes enfants, me permettait de relâcher un peu.

Mais lorsque l'infirmière s'approcha avec la chaise roulante («Politique de l'hôpital!»), je me sentis envahie à nouveau par toutes sortes d'impressions étranges. Je ne pus m'empêcher de baisser la tête pour éviter de croiser le regard des autres personnes qui avaient pris l'ascenseur en même temps que nous. Et si je n'étais pas malade? Et si c'était de la pure mystification, de la fraude, et rien de plus?... me demandai-je subitement, tout effrayée. Puis elle me conduisit vers une salle commune, défraîchie, sans âme, pour le moins inhospitalière. En un rien de temps, j'avais repéré tous les éléments rébarbatifs du lieu: les patients affalés sur les canapés en vinyle, abasourdis par les médicaments, et fixant un téléviseur commun accroché au plafond; l'horaire des séances d'ergothérapie sur le babillard; et l'écriteau portant l'affreux message: «Pas de visiteurs.» Rien à voir avec le Club Med — ça, j'en étais sûre!

«Ouvrez-moi ce sac-là, mam'zelle», me dit d'une voix de sergent major une femme à l'allure sévère. Puis elle se mit à fouiller sans retenue mon sac à main. Lorsqu'elle s'empara de ma pince à épiler, je me mis à crier, avec une pointe d'hystérie dans la voix: «Non, pas ça! J'en ai besoin!» (Cette fois, ils vont vraiment croire que je suis cinglée, pensai-je.) «Vous allez la ravoir, mam'zelle, ne vous inquiétez pas. Politique de l'hôpital: les patients n'ont pas le droit d'avoir en leur possession des objets contondants.» «Je veux m'en aller à la maison, je veux m'en aller à la maison», hurlai-je, prise de panique.

Je savais que mon mari arriverait d'un moment à l'autre avec mes vêtements. Je demandai donc à la dame qui était assise au poste de surveillance si je pourrais repartir avec lui. Elle plissa le front, puis, après avoir décroché le combiné du téléphone, composa machinalement un numéro, puis un autre, et un autre encore, interrompus constamment par une série d'appels qui rentraient, pour finalement m'apprendre une bien mauvaise nouvelle: je ne pourrais recevoir mon congé de l'hôpital avant le lendemain matin, où il me faudrait rencontrer un autre médecin, qui devait évaluer «mon cas». J'étais sous leur entière dépendance — et ne pouvais en blâmer personne d'autre que moi!

Il était 22 heures environ quand David arriva, un sac sous le bras. Je courus à toutes jambes vers l'entrée du service, pour me faire dire par un surveillant que les visites étaient interdites en dehors des heures réglementaires, ou plutôt de *l'heure* réglementaire, puisque la durée des visites se limitait à une heure par jour. J'eus à peine le temps d'envoyer un baiser à David à travers la porte vitrée que le surveillant avait déjà rassemblé mes effets personnels. «Je serai de retour à la maison demain matin», tentai-je de lui dire à travers la vitre en articulant silencieusement chaque syllabe.

Telle fut ma seule (et unique, je le souhaite!) soirée dans un service de psychiatrie. Cette soirée mémorable, je la passai dans une chambre désolée, et désolante, étendue sur un lit inconfortable, à converser avec ma compagne de chambre, une jeune femme de 23 ans hospitalisée pour au moins six semaines pour cause de schizophrénie. Quelle chance j'ai! me dis-je. Comme j'avais hâte de revoir les enfants! En y réfléchissant bien, ma maladie n'avait rien de si dramatique... Je finirais par m'y faire... Peut-être n'étais-je pas si perturbée après tout?...

Le lendemain matin, à la première heure, je quittais l'hôpital, non sans avoir laissé savoir au directeur que tout cela n'était qu'un simple malentendu. Que pouvait-il rétorquer? Je repartis la joie dans l'âme et profondément soulagée de m'être enfin réveillée de ce cauchemar. Mes beaux-parents, toujours si compréhensifs et si affables, ne me posèrent aucune question. Et les enfants furent ravis, cela va sans dire, de voir leur maman de retour à la maison.

Le temps était venu pour moi de faire le point. Peut-être la seule mesure à prendre était-elle, en fin de compte, d'oublier mes douleurs. Accepte-les, ignore-les! me disait une voix intérieure. J'y parvins pendant un certain temps après mon inénarrable séjour à l'hôpital, ce qui me donna un peu de répit, mais n'empêcha pas toutefois certaines pensées, souvent terrifiantes, de continuer à surgir de façon intempestive. Et toujours cette raideur au poignet! Je m'en tins néanmoins à quelques consultations occasionnelles, histoire de faire faire quelques prélèvements sanguins et d'avoir l'âme en paix, ne serait-ce que temporairement.

C'est à cette époque que je pris connaissance, dans le *New York Times,* d'un article de Daniel Goleman sur l'hypocondrie[1]. Je n'avais jamais rien lu sur le sujet avant ce jour-là. Goleman faisait allusion dans son article aux personnes affectées par divers symptômes quasi impossibles à diagnostiquer et qui donnaient lieu à des plaintes excessives. Incapables de trouver un médecin qui prenne au sérieux leurs malaises, ces «somatiseurs», qui traduisaient inconsciemment leurs émotions en affections physiques, n'avaient pas d'autre choix, disait-il, que de faire la navette entre les laboratoires médicaux, les cabinets de spécialistes et les hôpitaux. Des médecins s'employaient justement à mettre en œuvre divers moyens d'entrer en contact avec ces individus, que leurs problèmes aient trait à la peur phobique du cancer ou à la fatigue chronique, pour tenter de leur venir en aide.

Un déclic s'était aussitôt fait dans ma tête: les tests en série, les factures de médecin plein mon classeur, les douzaines de maladies hypothétiques dont les médecins ne trouvaient jamais la cause — il y avait bel et bien quelque chose qui ne tournait pas rond dans ma tête. Et, si les chercheurs disaient vrai, je n'étais pas la seule à «somatiser»: des millions d'autres personnes, semblait-il, en étaient victimes. Un pourcentage de 25 % au moins (d'autres études n'hésitaient pas à avancer le taux de 75 %) de tous les patients qui prenaient avis auprès d'un médecin faisaient état de symptômes non fondés médicalement; et 10 % continuaient d'avoir peur de souffrir d'une maladie même si l'on faisait tout pour les rassurer à ce propos. Je n'avais donc pas à avoir honte de mes idées fixes ni de mes frayeurs. Je me réjouissais par ailleurs de savoir que «mon cas» n'était pas désespéré.

Je m'empressai donc, malgré une certaine fébrilité je dois le dire, de téléphoner au Dr Arthur Barsky, alors psychiatre au Massachusetts General Hospital, mentionné dans l'article comme étant l'un des quelques grands spécialistes au pays de la question de l'hypocondrie. Il retourna aussitôt mon appel. Après lui avoir parlé de cet article du *Times* sur les «somatiseurs» et sur les bègues, je lui confiai timidement: «Je suis aux prises, moi aussi, avec ce type de problème, du moins je le pense», pour lui demander enfin, un peu hésitante: «Pourriez-vous me recommander quelqu'un qui se spécialise dans le traitement des troubles de somatisation?» Il me suggéra de contacter le Dr Brian A. Fallon, alors psychiatre au Columbia Presbyterian Medical Center* et coordonnateur d'une étude sur les effets d'un antidépresseur, la fluoxétine (dénomination commune du Prozac), sur les hypocondriaques.

Le Dr Fallon m'expliqua lors de notre première rencontre que les études qu'il menait représentaient une toute nouvelle approche de la question. Il m'expliqua que l'hypocondrie, qui a pendant longtemps confondu la médecine parce qu'elle résistait à toutes les thérapeutiques, est fréquemment reliée à des troubles plus profonds, et peut même, dans certains cas, être causée par un déséquilibre biochimique affectant les cellules du cerveau. Les essais cliniques qu'il dirigeait visaient précisément à savoir jusqu'à quel point il était possible d'agir sur la transmission de l'influx nerveux en ayant recours à la fluoxétine, substance qui s'était révélée efficace dans le traitement du trouble obsessionnel-compulsif, et partant, de traiter l'hypocondrie. Ses travaux semblaient très prometteurs. Sur ses conseils, je me portai volontaire pour participer à l'expérimentation.

---

* N. D. T. Tous les organismes, instituts de recherche et établissements auxquels il est fait référence dans l'ouvrage sont, sauf mention contraire, situés aux États-Unis.

Après avoir passé en revue tous les symptômes qui m'accablaient — sans oublier de mentionner qu'ils n'étaient pas sans analogies, selon moi, avec les manifestations du lupus —, je remplis un questionnaire permettant d'évaluer d'éventuels problèmes psychologiques. Le Dr Fallon me proposa plus tard de me joindre au groupe qui participait aux épreuves en double aveugle sur la fluoxétine. [Les épreuves en double aveugle sont des expériences où seule une tierce personne connaît la nature du produit administré — le médicament testé ou une substance placebo, selon le cas —, ce qui suppose que ni les sujets de l'expérience ni les chercheurs ne savent avant la fin des essais qui a reçu ou non le médicament à l'étude. Cette méthode vise à éliminer tout élément subjectif dans l'appréciation des résultats.] Je n'étais pas sûre de vouloir me prêter à ce type d'expérience. Mon mari et mes parents m'encouragèrent à y donner suite, en me suggérant toutefois de mettre à l'essai le traitement en dehors de tout contexte d'expérimentation; j'éviterais ainsi de ne recevoir qu'un placebo pendant toute la durée de l'étude. J'entrai donc en contact avec un autre psychiatre, sous la surveillance duquel je mis à l'épreuve, pendant une période de cinq mois (moins que la durée habituelle du traitement, donc), les prétendues vertus thérapeutiques de l'antidépresseur vedette.

Mon état commença à s'améliorer quelques mois seulement après le début du traitement: moins d'idées obsessionnelles, moins de douleurs et de raideurs articulaires, et des cheveux moins clairsemés. Considérant l'année de misère que je venais de passer, j'étais ravie de ces changements, et heureuse d'entrevoir un meilleur rendement professionnel.

Je communiquai avec le Dr Fallon qui fut, bien sûr, enchanté d'apprendre que la médication avait donné des résultats aussi positifs; il était aussi très curieux de savoir dans quelles conditions j'avais fait l'essai du fameux médicament. Comment expliquer que j'aie répondu aussi rapidement au traitement? Difficile à dire... Peut-être l'antidépresseur avait-il simplement joué le rôle d'un catalyseur dans mon besoin de changement? Peut-être le fait d'avoir résolu certains problèmes à travers ma thérapie y était-il pour quelque chose? Peut-être avais-je enfin pris conscience que, depuis des années, toutes mes émotions se traduisaient en symptômes somatiques (un psychothérapeute avait déjà tenté de me convaincre que mes craintes et mes troubles physiologiques n'étaient que la pointe de l'iceberg, mais cette idée n'avait pas fait son chemin à l'époque). Peut-être n'étais-je pas prête auparavant à faire face à mes difficultés, ni même à envisager que ces idées affolantes qui m'envahissaient constamment puissent être le signe de problèmes psychologiques plus profonds ou d'un déséquilibre biochimique? Difficile, en effet, de savoir quel facteur avait pesé le plus dans la balance. Je ne pouvais trancher, lui dis-je.

C'est à la suite de cet échange avec le Dr Fallon que me vint l'idée d'écrire un ouvrage sur l'hypocondrie. J'avais commencé à accumuler de la documentation sur le sujet, assez du moins pour m'apercevoir qu'il était souvent traité dans les ouvrages scientifiques mais presque totalement ignoré des livres destinés au grand public. Pourtant, des millions de personnes souffrent en silence, et souvent dans la honte, de cette maladie; tous ceux qui luttent quotidiennement contre ce trouble mystérieux pourraient sans doute profiter de ma propre expérience et des connaissances que j'ai acquises à ce propos, me suis-je dit. Il y avait place, à n'en pas douter, parmi les ouvrages de psychologie populaire, pour un livre où serait abordée sans détour, mais avec toute la sensibilité qu'elle exige, cette question délicate. Nous discutons volontiers, et avec grand intérêt, entre parents ou entre amis, d'inceste, de boulimie ou de viol. Mais quand parlons-nous d'hypocondrie? Pourquoi évitons-nous systématiquement d'aborder le problème? Et pourquoi notre société tolère-t-elle si facilement le phénomène de la maladie, mais répudie-t-elle avec autant de cruauté ceux que la maladie terrorise?

Si l'hypocondrie n'affecte pas la santé mentale au même point que la schizophrénie ou la psychose maniacodépressive, pour prendre ces exemples, tous ceux et celles qui ont déjà connu cette peur incontrôlable de la maladie et ont été envahis par des symptômes à ce point troublants qu'ils leur enlevaient presque toute joie de vivre vous diront combien elle peut être invalidante.

En 1980, l'hypocondrie, définie comme «une inquiétude profonde reliée à la crainte, ou à la conviction, d'être atteint d'une maladie grave, fondée sur l'interprétation que fait lui-même le sujet concerné de signes ou sensations physiques qu'il perçoit», était répertoriée comme «trouble mental» par l'American Psychiatric Association. Cette préoccupation injustifiée à propos de sa santé, dans la mesure où elle persiste malgré les propos rassurants du médecin, doit toutefois durer plus de six mois pour être considérée comme un trouble mental, au sens strict, c'est-à-dire relevant de la psychiatrie.

Mais l'hypocondriaque a rarement besoin d'un avis officiel pour savoir que quelque chose ne va pas: comme l'obsessionnel-compulsif, qui, tout en reconnaissant le caractère absurde de ses idées fixes, ne peut les empêcher de s'imposer à son esprit, l'hypocondriaque est parfaitement — et douloureusement — conscient en général de la nature irrationnelle de ses peurs. Il est assailli par toutes sortes de pensées à contenu morbide, qu'il est incapable de chasser de son esprit. Ces préoccupations peuvent être épisodiques ou permanentes, avoir des effets bénins ou paralyser gravement ses activités, mais deviennent rarement délirantes. S'il arrive que l'obsession de la maladie prenne des proportions telles qu'elle frôle la psychose (comme la peur irraisonnée que j'avais moi-même du lupus) ou revête tous les caractères de la psychose, ce qui est un cas rare toutefois, cette dernière se limite habituellement à cette obsession.

Écoutons un jeune cadre de 45 ans, lui-même aux prises avec une peur obsédante du cancer, décrire le cercle vicieux de l'hypocondrie: «Si j'ai le malheur de m'affoler à propos de tel ou tel symptôme, j'ai honte de moi... et je ne peux pas m'empêcher de me demander quels effets cela pourra avoir sur ma femme ou sur mes enfants. Mon estime de moi en prend un coup, c'est sûr! Et quand je me mets à me détester, mes malaises deviennent encore plus intenses. Je me dis: "Il faut que ça cesse!" J'essaie de me raisonner:

"Voyons, Pierre! Ce n'est pas la première fois que ça t'arrive! Ça doit faire des dizaines de fois, au moins, que tu ressens ces drôles de sensations! Tu te fais des peurs pour rien!" Mais la même petite voix passe son temps à me rappeler des choses terribles: "Mon cousin est mort d'une leucémie à 30 ans" ou "Un adulte sur trois développe un cancer", et cetera. C'est bien facile pour les autres de me dire: "Mais arrête d'y penser!" J'ai beau savoir que le risque que mes migraines soient le symptôme d'une tumeur est infime, je n'arrive pas à me libérer de cette obsession!»

Si dévastateurs que puissent être ses tourments, il est rare que l'hypocondriaque en vienne à faire une dépression nerveuse ou se retrouve dans un hôpital psychiatrique. Non, l'hypocondriaque — perfectionniste comme pas un! — ne «craque» pas. Il arrive à fonctionner assez bien dans son milieu, même à réaliser de grandes choses, mais souvent au prix de son propre bonheur et de ses relations avec les personnes qu'il aime le plus au monde.

Durant les dix années qui se sont écoulées entre mes deux épisodes hypocondriaques, j'ai moi-même connu une vie extrêmement tendue, tout en étant très active: j'ai suivi des cours à l'université, occupé plusieurs emplois et donné naissance à deux enfants. Mais mon existence était constamment chamboulée par des troubles physiques. Quand la vie m'en demandait trop, je tombais malade. Quand tout semblait bien aller, je trouvais le moyen de détecter quelque symptôme, du moins ce que j'interprétais comme tel: tantôt des maux d'estomac, tantôt des vertiges, à un autre moment des ecchymoses, ou une glande plus enflée que d'habitude, sinon une douleur au talon. Tout symptôme était, pour moi, un signe précurseur de grave maladie: leucémie, sclérose latérale amyotrophique, sclérodermie, toute la terminologie médicale pouvait y passer. J'en savais juste assez sur la plupart des maladies pour me mettre chaque fois dans tous mes états.

Je finissais toujours, après un certain temps, par me sortir de cet état d'anxiété insupportable. Quelques tests négatifs en série, conjugués à une atténuation des symptômes et à des changements favorables dans ma vie suffisaient souvent à me remettre sur pied.

Une fois sortie de ces moments de crise, le seul fait de prendre conscience que j'étais bien en vie et que je n'allais pas mourir, du moins pas tout de suite, m'apportait un regain de vitalité: un nouvel élan, un nouveau sursis, un second souffle en quelque sorte — jusqu'à la prochaine alarme! Mes deux séjours à l'hôpital, l'un pour m'enquérir de ma santé physique, l'autre de ma santé mentale, représentent, de ce point de vue, deux points limites (l'image de deux serre-livres me vient tout de suite à l'esprit) entre lesquels mes malaises, qu'ils aient été étiquetés comme étant des troubles «organiques» ou des troubles «psychiques», persistaient — deux pôles entre lesquels, autrement dit, la manière dont je composais habituellement avec la vie ne fonctionnait tout simplement pas.

Pendant presque toute la durée de cette descente aux Enfers, j'étais en thérapie, comme beaucoup d'autres personnes que j'ai interviewées pour les besoins de cet ouvrage, avec un psychiatre d'orientation analytique. Nous avons fait ensemble un travail extraordinaire, sauf pendant mes épisodes hypocondriaques, où, dès qu'un symptôme surgissait, je retombais dans mes vieilles habitudes: je reprenais le périple insensé qui me conduisait frénétiquement d'un médecin à un autre et j'épluchais chaque page du *Merck Manual*[2] qui aurait pu me concerner. Bien des personnes que j'ai interviewées m'ont fait part de réactions semblables. «Durant ces épisodes-là, tu sens le besoin, me dit l'une d'elles, de décrire dans le menu détail la bosse que tu as au sein, mais on dirait que ça ne marche pas: l'analyste semble intéressé bien davantage par le rêve que tu as fait la veille que par cette petite masse.» Mon analyste m'a souvent donné l'impression, à moi aussi, que mes symptômes étaient une intrusion, une façon de résister au traitement, un obstacle à l'introspection, en quelque sorte.

Pour ce qui est du traitement à la fluoxétine, je dois reconnaître qu'il m'a aidée à éclipser ces idées obsédantes qui m'assiégeaient sans cesse et à me sentir mieux dans ma peau. Comme si la sagesse que j'avais acquise au cours de mes longues années de thérapie donnait enfin ses fruits. Le médicament semblait libérer ce que j'avais de meilleur en moi, ou peut-être «mon moi le meilleur», si je puis parler ainsi: le moi hors du champ de bataille où trop souvent il s'épuise à se battre. Je retrouvais le plaisir de simplement jouir de la vie. Mes symptômes ne sont pas tous disparus pour autant, mais ils ne me terrifiaient plus autant qu'avant. Ce nouvel équilibre émotionnel s'est installé si naturellement, les effets secondaires de l'antidépresseur étant peu marqués, que j'avais l'impression d'être parvenue par moi-même à cet état de bien-être.

Pour m'en assurer, j'ai tenté à deux reprises de mettre fin à la médication, mais chaque fois mes inquiétudes ont refait surface, soit sous forme d'obsessions morbides soit sous forme de préoccupations extrêmement pénibles au sujet de mon travail, de ma capacité à être une bonne mère, de ma relation à mon mari ou de mes rapports à mes amis. J'en suis venue à reconnaître, avec l'aide de mon thérapeute, que cette tendance à me ronger les sangs, à me fixer sur telle ou telle chose sans en démordre, à me laisser envahir par des idées noires ayant trait à toutes les sphères de ma vie, était indiscutablement le signe d'un tempérament obsessionnel; à travers mon hypocondrie, je me trouvais en somme à centrer mes craintes sur une cible particulière.

J'ai recommencé il y a deux ans à prendre de la fluoxétine: cela m'aide à maîtriser mon anxiété et mes tendances phobiques, et à tenir à distance mes lubies hypocondriaques. Si le médicament m'aide à mieux fonctionner dans ma vie de tous les jours, il ne constitue toutefois pas une panacée. Bien des personnes parmi celles que j'ai interviewées, moi y compris, se méfient des effets des médicaments, surtout lorsqu'il s'agit de produits mis sur le marché depuis une période relativement récente, ce qui suppose que les essais cliniques visant à apprécier leurs effets à long terme en sont encore à leurs tout premiers stades. D'autres résistent au traitement pharmacologique, par trop déshumanisant, selon elles: pas question d'avaler chaque jour mécaniquement une pilule qui altère leur façon de penser et de réagir! Les hypocondriaques, qui n'aiment pas perdre le contrôle, ont tendance à se méfier de la dépendance à l'égard des substances chimiques; plusieurs personnes m'ont confié tenir mordicus à s'en sortir par elles-mêmes, à dominer leurs peurs par leurs propres moyens, sans aide psychopharmacologique ou médicale.

La thérapie comportementale, où le sujet est appelé à faire face à sa peur de la maladie et à substituer à ses représentations obsédantes, inadaptées à la réalité, des façons plus saines de penser et d'agir, est une autre approche dont on peut attendre des effets positifs.

Il faut savoir toutefois qu'il n'y a pas de cure miracle — médicamenteuse ou autre — à l'hypocondrie. Ce qui m'a aidée le plus, dans ma propre odyssée, c'est de me rendre compte que je n'étais pas la seule à livrer ce combat. Prendre conscience qu'on n'est pas seul à souffrir suffit, dans bien des cas, à enclencher une démarche déterminante vers l'auto-acceptation et vers la guérison. Les personnes que j'ai interviewées m'ont dit combien cela les avait soulagées et réconfortées de pouvoir se confier à quelqu'un qui était passé par là et pouvait les comprendre. Il est si réconfortant, pour ceux et celles qui se sentent humiliés et isolés par ce trouble si déstabilisant, de se rendre compte qu'ils ne sont pas d'incurables égoïstes, incapables d'aimer, et toujours en train de se plaindre de tout et de rien, comme on le leur a trop souvent laissé croire, mais des individus extrêmement sensibles et pleins de ressources, qui peuvent toutefois se laisser drainer complètement par leurs inquiétudes.

L'hypocondrie étant une affection trop souvent voilée et encore mal comprise, il peut arriver qu'il soit difficile de trouver de l'aide. Les ressources permettant aux personnes qui en sont atteintes d'échanger des informations, de partager leurs expériences et leurs sentiments ou de proposer des solutions — en un mot, de faire *ensemble* ce voyage — restent encore aujourd'hui très modestes. Si l'on trouve répertoriés à l'échelle nationale pas moins de 700 groupes de soutien de tous ordres, depuis les associations de jeunes filles perturbées par une relation problématique à leur père jusqu'aux regroupements de victimes de la foudre, pas un seul n'a été constitué, à ce jour, pour venir en aide aux hypocondriaques!

Lorsque j'ai parlé pour la première fois à mes amis et à quelques connaissances de mon projet d'écrire un livre sur l'hypocondrie, j'ai vu bien des yeux rouler dans leur orbite. «Ne te rends pas malade avec ça!» m'a-t-on plus d'une fois lancé sur un ton moqueur. J'ai pu constater toutefois que, si elle provoque souvent le rire, l'hypocondrie suscite en même temps un grand intérêt, quelquefois même une certaine fascination. Combien de fois les personnes avec qui j'en ai parlé ont-elles fait allusion à un ami ou à un proche parent qui était aux prises avec ce problème!

Une amie intime, que je soupçonnais depuis toujours de souffrir d'hypocondrie, m'a confié qu'elle éprouvait depuis des années de vagues symptômes analogues à ceux que je ressentais moi-même. Elle se croyait atteinte de sclérose en plaques. Incommodée par des fourmillements, des engourdissements et des douleurs articulaires, elle rendait visite à son médecin plusieurs fois par année. Chaque fois elle se soumettait à une série de tests, pour se voir dire invariablement qu'il n'y avait rien d'anormal. «Ces douleurs sont pourtant bien réelles, me dit-elle, au moment où tu les ressens. Une fois, j'arrivais à peine à marcher! Puis elles disparaissent subitement, après une consultation. C'est plus tard seulement, quand je fais un retour sur moi-même — une fois que la douleur a complètement disparu — que je me demande si ce ne pourrait pas être le stress qui s'insinue ainsi à travers tout mon corps.» Mon amie est-elle hypocondriaque? Et, si elle l'était, aurait-elle droit, je vous le demande, à de la compassion ou à du mépris?

Ce livre, je l'ai écrit pour tous ceux et celles qui, comme cette jeune femme, souffrent non seulement de douleurs physiques éprouvantes mais aussi et surtout de cette souffrance intolérable que leur inflige le fait d'être prisonniers de leur corps, de voir leur bonheur, leur bien-être, *leur santé* même, menacés constamment par des fantasmes destructeurs que leur esprit n'arrive pas à chasser. J'ose espérer que mon ouvrage contribuera à sensibiliser le grand public à ce trouble mal compris qu'est l'hypocondrie et encouragera les personnes qui ne peuvent s'empêcher de projeter leurs émotions sur leur corps ou qui vivent dans la peur morbide de la maladie à pousser l'interrogation au-delà de leurs symptômes et, s'il y a lieu, à chercher de l'aide. Je souhaite également qu'il profite aux amis et aux familles des hypocondriaques, qui souvent perdent patience, en les incitant à apporter à ces derniers le soutien et la compréhension dont ils ont tant besoin; les mécanismes de l'hypocondrie sont aujourd'hui mieux connus, de même que sont mieux circonscrits les moyens de traiter ou de soulager les malaises qui y sont reliés, ce qui devrait donner espoir aux uns et aux autres. J'espère enfin que ces pages seront utiles aux professionnels de la santé, qui, tout attentionnés à soigner leurs patients, peuvent éprouver une grande frustration et même une certaine colère à ne pouvoir venir en aide à ceux «qui refusent d'être bien».

La réflexion à laquelle je vous invite ici pourrait mettre à découvert certaines vérités sur vous-même (sur votre style de vie, vos mécanismes de défense ou votre façon de composer avec la situation), auxquelles vous pourriez ne pas vouloir vous confronter. Dites-vous bien toutefois qu'il y a une limite à vivre constamment dans la peur de la catastrophe ou à se laisser dévorer par la douleur, insidieux rempart contre le bonheur et l'accomplissement, capable d'ailleurs de mettre l'un et l'autre en péril. Il faut consentir à aller au-delà des apparences, à débusquer ce qui se cache sous ses symptômes et à découvrir de nouvelles manières de faire face à son stress et à ses émotions. Mais cela prend du temps, de la détermination et, par-dessus tout, du courage. Ayant moi-même perdu beaucoup d'instants précieux à me laisser dévorer par la peur de la maladie et de la mort, à être obsédée par la moindre névralgie, par la plus petite courbature, je sais que pour quiconque a fait le choix une fois pour toutes d'être bien dans sa peau — non seulement dans son corps mais aussi dans sa tête —, rien n'est plus précieux que ce bien-être enfin accessible. Une fois qu'il aura goûté ce plaisir, il ne voudra *plus jamais* fuir dans la maladie.

Prologue

1. Daniel GOLEMAN, «Patients Refusing to Be Well: A Disease of Many Symptoms», *New York Times*, 21 août 1991, p. C-11.

2. *The Merck Manual*, Rahway (New Jersey), Merck, Sharp and Dohme Research Labs, 16e édition, 1992.

Chapitre premier

L'hypocondrie, d'hier à demain

L'obscurité qui pèse sur toute la question de l'hypocondrie m'est toujours apparue comme une grave lacune de la psychanalyse.

FREUD, dans une lettre à Ferenczi

L'une de vos anciennes camarades de classe vient de mourir d'un lymphosarcome. Jour après jour, pendant des semaines, cet événement vous hante. Votre sommeil est agité. Vous ruminez les pires scénarios. Aux petites heures du matin, vous vous réveillez en sueur. Vous vous tâtez le cou, en palpez fébrilement chaque protubérance, chaque repli. Cette glande-là est plus enflée que d'habitude, non?... Je me sens aussi plus fatiguée que d'habitude, c'est étrange... Je devrais peut-être prendre rendez-vous avec le médecin... À quand remonte mon dernier bilan de santé?... Des idées noires font surface. L'angoisse vous saisit tout à coup. Et si j'étais vraiment malade? Mais qui va prendre soin des enfants?! Jamais auparavant n'avez-vous été aussi consciente de votre vulnérabilité. Jamais la mort n'a semblé aussi proche.

Vous avez sans doute éprouvé, un jour ou l'autre, comme tout adulte (et certains enfants et adolescents), cette forme d'anxiété que les psychiatres appellent l'*hypocondrie transitoire*. Le phénomène est fréquent chez les patients qui relèvent d'une maladie grave. D'autres facteurs peuvent toutefois déclencher cette inquiétude exagérée pour tout ce qui concerne les phénomènes somatiques: la mort d'un ami cher, une émission de télévision sur un syndrome rarissime ou même un simple dépliant sur le cancer. Près des trois quarts des étudiants en première année de médecine disent se préoccuper davantage de leur état de santé une fois qu'ils ont pris connaissance à travers leurs cours et leurs lectures des pathologies les plus redoutables. De telles réactions n'ont rien d'anormal, ni ne condamnent le sujet affecté à être jusqu'à la fin de ses jours en proie à la peur de la maladie. Il peut arriver d'ailleurs que cette forme atténuée et passagère d'hypocondrie ne soit qu'une façon de réagir au stress ou de digérer de nouvelles informations; ainsi en est-il, par exemple, de la peur de l'avion, que même le voyageur le plus aguerri peut développer subitement après avoir appris par la voie des journaux qu'une catastrophe aérienne vient de se produire. La plupart des individus arrivent à maîtriser assez rapidement ce type d'appréhension.

Mais, pour des millions d'autres personnes, qui n'ont par ailleurs rien d'anormal et peuvent même donner un excellent rendement malgré leurs hantises, l'obsession de la maladie est une tout autre réalité, avec laquelle elles sont forcées de composer tous les jours — un trait essentiel de leur identité. Combien d'hommes et de femmes sont harcelés constamment par des symptômes étranges, souvent terrifiants, qui déjouent tout diagnostic ou donnent lieu à des interprétations contradictoires, insatisfaisantes en général! Ils naviguent d'un port à l'autre, en quête de la cure miracle qui mettra fin à leur supplice ou du vocable qui leur permettra enfin de *nommer* la source de leur tourment, quand ils ne s'abstiennent pas systématiquement de consulter les médecins, de peur de découvrir la nature réelle du mal qui les ronge. Las de les entendre se plaindre interminablement, leurs proches finissent par ne plus prêter attention aux doléances de ces «hypocondriaques». Et voilà lâché, ou chuchoté plutôt, le mot fatal! Et entamé le cycle de l'humiliation. Car depuis toujours l'hypocondriaque est porteur d'un terrible stigmate qui excite le rire: celui de feindre d'être malade pour attirer l'attention — insupportable grincheux, intraitable fraudeur dont on dira que c'est «dans sa tête» que ça ne marche pas. On sait la fortune de ce prototype dans l'industrie de l'humour.

Ainsi, dans un texte satirique paru dans le *New York Magazine*[1] en 1993, l'auteur (dont la cible est en réalité un ouvrage publié la même année sur les vertus du Prozac) prend manifestement plaisir à décrire chacune des petites manies de Fred, son patient. Évoquant, par exemple, les lubies du pauvre homme, qui se disait convaincu d'avoir contracté la variole dans le métro, il écrit: «Fred voulait que je fasse les arrangements nécessaires pour qu'il puisse assister à un congrès médical qui devait avoir lieu au Pays de Galles; il pourrait ainsi, espérait-il, entrer en contact avec les chercheurs qui menaient sur la question des études longitudinales, ce qui aurait pu lui valoir en outre de figurer dans un film documentaire et, qui sait?, de se voir remettre un jour un Oscar!» La réponse qu'avait servie le médecin au patient, qui, tentant de se rassurer, cherchait à savoir si les douleurs lancinantes qu'il éprouvait dans la partie frontale du cerveau pouvaient être le symptôme d'une grave affection, est, elle aussi, assez édifiante: «Les patients qui ont une tumeur cérébrale, mon cher monsieur, présentent habituellement d'autres symptômes qu'un petit mal de tête. Ils sont en train de mourir, entre autres»!... L'auteur se vante finalement d'être parvenu à guérir Fred en ayant recours tout simplement à des comprimés d'Advil.

Ceux qui n'ont jamais été confrontés eux-mêmes à l'hypocondrie ou n'ont jamais eu à accompagner à travers cette difficile expérience un de leurs proches peuvent, en effet, trouver loufoques les scénarios où se déploient dans toute leur démesure la pratique du soupçon et la peur de la maladie qui la sous-tend. Savent-ils seulement quelle souffrance engendre cette affection? quelles répercussions elle peut entraîner? Savent-ils que les frais médicaux en examens et en interventions, pour la plupart inutiles, se chiffrent par milliards de dollars? Savent-ils aussi, ceux qui font des gorges chaudes des phobies de ces patients, qu'elles prennent parfois des proportions telles qu'elles peuvent devenir débilitantes et même, dans les cas extrêmes, se dégrader en une pathologie capable de ruiner complètement la vie d'un individu? Les spécialistes de la santé mentale émettent d'ailleurs maintenant avec la plus grande prudence un diagnostic d'hypocondrie, réservant ce terme aux situations où le patient ne souffre pas tant de douleurs physiques inexpliquées que d'une inquiétude exagérée, génératrice d'une angoisse profonde, à propos de leur santé.

On distingue en général deux types d'hypocondriaques: ceux qui, à la suite d'une maladie bien réelle, ne cessent de s'inquiéter de leur état de santé, et ce, même si leur état s'est stabilisé; et ceux qui se croient malades, bien que des tests et des examens aient prouvé le contraire.

Il est intéressant de savoir que:

- l'hypocondrie est un trouble aussi fréquent chez les hommes que chez les femmes;
- l'hypocondrie fait surface en général dans la vingtaine ou la trentaine;
- une proportion de 6 % à 10 %* de la clientèle habituelle des médecins présentent, à différents degrés, des traits hypocondriaques. (On notera toutefois que ces pourcentages ont été établis à partir de la population qui fréquente les cliniques et les hôpitaux, ce qui ne prend pas en compte, par conséquent, les personnes qui ne consultent jamais un médecin ou qui ont opté pour les médecines parallèles.)

* N.D.T. Toutes les données à caractère statistique mentionnées dans l'ouvrage s'appliquent strictement, sauf mention contraire, à la population américaine.

Si la prévalence de l'hypocondrie dans notre société est un fait reconnu, il est rare néanmoins qu'un diagnostic établi en bonne et due forme vienne le confirmer. Il est loin d'être facile également pour les patients hypocondriaques de trouver l'aide dont ils ont besoin. Les généralistes, qui hésitent à employer le terme à cause de sa connotation péjorative, ont presque toujours ignoré le phénomène (le fait que le manuel de 2000 pages qui leur sert d'ouvrage de référence ne consacre qu'une seule page à l'hypocondrie est déjà bien significatif), préférant laisser les patients trouver eux-mêmes, dans la peur et la confusion, leur chemin à travers le labyrinthe médical[2]. Les psychiatres s'intéressent depuis longtemps, quant à eux, à la question; ils sont donc mieux informés à ce propos. Malheureusement, ils ne sont pas très populaires auprès des hypocondriaques, qui préféreront la plupart du temps consulter un interniste, un cardiologue ou un neurologue, spécialistes qui n'ont pas toujours le temps, ni la propension, ni l'expertise nécessaires pour traiter ce type de patients.

La résistance des médecins à s'impliquer dans le traitement des hypocondriaques est, pour une part du moins, assez compréhensible. D'abord, l'hypocondrie n'est pas facile à diagnostiquer et il peut être risqué de poser un diagnostic qui écarte toute possibilité qu'une cause organique soit à l'origine des symptômes somatiques rapportés; certains médecins préféreront alors ne pas se mouiller, ne serait-ce que pour ne pas s'exposer au risque d'une poursuite judiciaire en cas d'évaluation erronée. Il faut reconnaître en outre que l'hypocondrie est un sujet très délicat, et que ce n'est pas nécessairement (loin de là!) le type de diagnostic que les patients ont envie d'entendre; il est bien connu qu'elle masque ou signale habituellement d'autres troubles émotifs, mais les personnes qui se sentent mal en point n'aiment pas se voir répondre qu'elles ont besoin d'aide «psychologique».

Il n'est pas facile d'être l'ami, le conjoint ou le médecin d'une personne qui traverse une crise aiguë d'hypocondrie; ceux qui ont déjà été dans cette situation le savent. Car rien ne suffit à la rassurer. Et elle est si absorbée dans ses pensées qu'elle semble complètement indifférente aux soucis des autres. Mais, contrairement à ce qu'on a coutume de croire, elle ne tire aucun plaisir de sa maladie (elle n'est pas perverse, comme on le pense trop souvent); elle souffre terriblement, au contraire, et, dans bien des cas, se donne bien du mal pour dissimuler son angoisse. Le stigmate de l'hypocondrie est, de ce point de vue, doublement cruel: la personne affectée s'abandonne inconsciemment à la maladie non seulement pour éviter de faire face à ses problèmes affectifs mais aussi pour protéger ceux qu'elle aime des conséquences possibles de sa vulnérabilité. En exprimant par divers symptômes somatiques la souffrance profonde qu'engendrent ses conflits intérieurs, elle évite de se laisser aller à des comportements répréhensibles — battre ses enfants, par exemple, ou sombrer dans l'alcool ou l'abus des drogues ou des médicaments.

Après tant d'années, de siècles même, de mépris et de négligence à l'égard des patients hypocondriaques, on voit poindre enfin un peu d'espoir. De nouveaux traitements, qu'on dit prometteurs, et un intérêt renouvelé pour les phénomènes somatiques où l'esprit a aussi son mot à dire, conjugués à la reconnaissance du fait que l'indifférence se traduit, dans ce cas-ci, en milliards de dollars, sont en train de modifier l'attitude de la communauté médicale à l'endroit de ce type bien particulier de patient. Depuis deux décennies, un nombre croissant de psychiatres et de généralistes tentent en effet de percer le mystère de l'hypocondrie, de déterminer les causes sous-jacentes des symptômes qui l'accompagnent et d'en faciliter le dépistage. «L'hypocondrie est souvent associée dans l'esprit des gens à l'amplification, comme si la personne affectée avait la pleine maîtrise de ses symptômes, comme s'ils n'étaient pas réels, d'une certaine manière[3]», explique le psychiatre Arthur Barsky, grand spécialiste de la question. Or les hypocondriaques ne jouent pas les malades: leur souffrance et leur angoisse sont «aussi réelles qu'intenses», ajoute-t-il.

Le Dr Barsky sait de quoi il parle. Ce professeur de Harvard, qui coordonne d'importantes recherches sur les maladies psychosomatiques au Brigham and Women's Hospital de Boston, se dégageait pendant deux sessions de ses obligations académiques, il y a une dizaine d'années, pour rédiger un ouvrage sur les inquiétudes des Américains à propos de leur santé[4]. La nécessité s'imposait, selon lui, d'informer le grand public et le corps médical de la véritable nature de l'hypocondrie et de les amener à prendre conscience, une fois pour toutes, que les personnes qui en sont victimes éprouvent des douleurs et des symptômes bien réels. Il fut forcé de se rendre compte cependant, à la suite de la publication du livre en 1988 — dont le message avait provoqué, dans plusieurs cas, des réactions contraires à celles qu'il avait souhaitées — qu'il n'est pas aisé d'effacer le stigmate qui pèse sur cette affection. Ce commentaire, par exemple, si souvent entendu lors de talk-shows télévisés: «Comment pouvez-vous perdre votre temps à vous occuper de ces personnes-là, quand il y en a tant d'autres qui, elles, vivent de *vraies* tragédies — celles qui sont victimes du cancer ou du sida, par exemple!»

Si l'hypocondrie est une maladie décriée, c'est en grande partie parce qu'on en connaît mal la nature. La médecine ne peut s'enorgueillir, de ce point de vue, d'avoir accompli à travers les âges des pas décisifs. Après deux millénaires de conceptualisation et d'expérimentation médicales, la nature et la cause de ce trouble mystérieux restent toujours aussi confuses, et les explications qu'on en propose aussi controversées. On assiste en effet, depuis Hippocrate jusqu'à aujourd'hui, en passant par Freud, à d'interminables débats sur la question, de même qu'à une variation constante des attitudes et des interprétations, comme si l'hypocondrie changeait de visage au gré des modes ou des aléas du jour. On retrouve dans la littérature médicale pas moins de 18 acceptions différentes du terme[5] ! Comme le remarque fort à propos le Dr Donald R. Lipsitt, directeur du service de psychiatrie au Mount Auburn Hospital (Cambridge, Massachusetts), «aucun autre mot du vocabulaire médical et de la langue profane n'est autant employé à tort que celui-là[6]». Quant à savoir comment il a acquis sa connotation péjorative, la lumière reste à faire sur cette question.

Le sens même du terme d'«hypocondrie» a constamment évolué à travers l'histoire. Entre son acception initiale et celle qu'il a aujourd'hui — on s'entend de nos jours pour attacher cette étiquette à tout trouble émotif caractérisé par des préoccupations morbides —, sens qui ne s'est d'ailleurs cristallisé qu'au début du XIXe siècle, se dessine un long et sinueux parcours.

Les leçons du passé

On trouve déjà mention chez le médecin grec Hippocrate, au IVe siècle avant Jésus-Christ, du terme *hypocondrium*, transcription latine des mots grecs *hupo* (qui veut dire «au-dessous») et *khondros* («cartilage des côtes»), pour désigner une région située sous la cage thoracique: l'hypocondre. [Dans le vocabulaire médical actuel, l'hypocondre désigne les deux côtés de la partie supérieure de l'abdomen, dans la région des côtes.] Il s'agit donc à l'origine d'un concept essentiellement anatomique. Quant au terme d'«hypocondrie», il fait surface dans les premiers textes de la littérature médicale à propos, cette fois, des troubles digestifs affectant les organes mous, en particulier le foie, la vésicule biliaire et la rate.

Comment expliquer qu'un terme qui désignait à l'origine une partie du corps en soit venu à caractériser à l'époque moderne une représentation imaginaire de l'esprit? Suivre les méandres de cette métamorphose exigerait de déployer, en fait, toute l'histoire de la médecine, histoire au cours de laquelle se creuse peu à peu un fossé entre la psychologie et la physiologie, ou, si l'on veut, entre la médecine de l'âme et la médecine du corps. L'idée, fondamentale chez les Grecs, que tout ce qui touche le corps affecte en même temps l'esprit, les deux étant inséparables et s'influençant mutuellement — à tel point d'ailleurs qu'il eût paru redondant ou tout simplement absurde, à l'époque, de parler d'une maladie «psychosomatique» ou de laisser entendre que c'est «dans sa tête» que l'hypocondriaque élabore tous ses symptômes —, a été en effet peu à peu gommée par les praticiens de la médecine.

Les Grecs étaient convaincus qu'une bonne santé était le signe d'un équilibre harmonieux entre les forces internes et les forces externes de l'organisme humain et que, par un mécanisme quelconque, l'âme (*psukhê*: psyché) et le corps (*sôma*) communiquaient entre eux de façon harmonieuse; tout déséquilibre sur ce plan se traduisait par une maladie, n'hésitaient-ils pas à soutenir. On retrouve plus tard mention, au IIe siècle après Jésus-Christ, chez Galien [médecin d'origine grecque qui exerçait à Pergame et à Rome], d'un état pathologique, appelé *morbus hypocondriacus*, accompagné de manifestations physiologiques *et* psychiques — douleur physique, troubles digestifs, insomnie, irritabilité, malaises — analogues à celles qui caractérisent, dans la médecine actuelle, l'anxiété et la dépression[7].

Cette définition de la santé et de la maladie comme entités indissociables prévalut jusqu'au XVIIe siècle où, après avoir été peaufinée, elle commença à s'afficher comme théorie des «humeurs».

La théorie des humeurs

La théorie des humeurs voulait que le corps soit constitué de liquides (appelés «humeurs») qui déterminaient tant les caractéristiques physiologiques que les dispositions d'un individu; certaines pathologies, dont plusieurs seraient aujourd'hui du ressort de la psychiatrie, étaient alors mises en relation avec des déséquilibres chimiques attribuables à des anomalies humorales — concept qui fait écho, sous des atours plus modestes, aux théories actuelles sur la biochimie des neurotransmetteurs. Ainsi, la dépression ou «mélancolie» (l'hypocondrie deviendrait plus tard synonyme de dépression à formulation morbide) s'expliquait, par un excès de bile noire, et les épisodes maniaques par un excès de bile jaune. Saignées, purgations, potions destinées à faire transpirer, saliver ou évacuer les intestins, tous les traitements propres à réduire les concentrations de l'humeur incriminée pour son action nocive sur le cerveau faisaient partie de la panoplie thérapeutique de cette période dite préscientifique.

On peut supposer que les effets de ces thérapeutiques assez particulières étaient attribuables davantage aux bienfaits de l'attention tout humaine dont on entourait les patients qu'à leurs vertus prétendument curatives. Fidèles disciples d'Hippocrate, comme Galien lui-même, les médecins de la Renaissance assumaient ainsi à la fois la tâche de guérisseurs et celle de guides spirituels.

La mélancolie: une maladie à la mode

Vers la fin de la Renaissance et le début du XVIIe siècle, l'hypocondrie prit en Angleterre une ampleur telle qu'elle devint un phénomène quasi national. Très rapidement, en effet, s'y répandirent certains troubles de type hypocondriaque, caractérisés grosso modo par une forte tendance à s'apitoyer sur son sort et quelques autres symptômes mineurs, que l'on eut tôt fait de relier à la mélancolie. Venue du nord de l'Italie, disait-on, la «maladie de l'Anglais[8]» (qu'on appelait en France la «maladie du Français») touchait tant les hommes que les femmes. Les cures en station thermale, dont l'atmosphère éthérée correspondait on ne peut mieux à tout ce que célébrait alors l'imagination populaire — «vapeurs», «perturbations des instincts primaires», «spleen» —, devinrent alors l'activité thérapeutique du dernier chic. Et l'hypocondrie un symbole de civilisation. Car, en dépit des caractéristiques assez vagues qui composaient à l'époque le tableau médical de cette affection (dans *The Anatomy of Melancholy*[9], parue en 1621, le grand essayiste et médecin Robert Burton dit des symptômes de cette maladie à la mode qu'ils sont «si ambigus» que «même les médecins les plus raffinés ne peuvent déterminer quelle partie du corps elle affecte»), un diagnostic de «troubles hystériques ou hypocondriaques» était chose sérieuse tant pour le médecin que pour le patient, ce qui ne faisait qu'alimenter la popularité du syndrome.

La mélancolie et l'hypocondrie étaient considérées alors comme des affections accablantes, mais en aucun cas humiliantes[10]. Des spécialistes de la question relient d'ailleurs à l'humeur chagrine des Élisabéthains la vogue de la mélancolie intellectuelle à la fin de la Renaissance. La mélancolie constituait, de ce point de vue, une sorte d'exutoire au climat de confusion et d'abattement qu'avaient engendré en Angleterre divers facteurs de déstabilisation: conflits religieux, luttes politiques, marasme social. Au milieu du XVIIIe siècle, le tempérament mélancolique était devenu la signature non seulement de l'élite intellectuelle mais de toute la classe moyenne. Le tiers des Anglais souffraient d'affections nerveuses, notamment d'hypocondrie et d'hystérie, s'il faut se fier à ce que rapporte en 1733 l'auteur de *The English Malady*, le Dr George Cheyne. Ils prenaient d'ailleurs grand plaisir à consigner leurs états d'âme, à confesser leur détresse, ce qui favorisa l'émergence de toute une littérature imprégnée de l'expérience de la souffrance et de la maladie. En témoigne la célèbre *Anatomy of Melancholy* de Burton, «plus grand traité de médecine jamais écrit par un profane», disait l'éminent médecin sir William Oster; l'ouvrage constitue, en outre, sous bien des aspects, l'un des tout premiers manuels de psychiatrie. Tentant de circonscrire les formes multiples que pouvait revêtir la célèbre maladie, Burton y faisait allusion à un type de mélancolie à formulation hypocondriaque, appelée «venteuse» ou «flatulente» (car on croyait à l'époque que les vapeurs humorales étaient chaudes et gazeuses), qui se manifestait par divers symptômes: «... éructations aiguës, crudité d'estomac excessive, chaleur dans les intestins, flatuosités et borborygmes, [...] tremblements subits, [...] suffocation et gêne respiratoire.»

Bien que Burton voyait l'hypocondrie comme un trouble constitutionnel, d'abord et avant tout, il disait croire qu'elle pouvait être déclenchée par des émotions telles que la peur, le chagrin, et «certaines commotions ou dérèglements soudains de l'esprit [...] chez des sujets particulièrement susceptibles à la maladie». Il reconnaissait donc d'emblée que l'esprit joue un rôle clé dans la santé ou la maladie. Comparant le corps à une horloge, il disait: «Il suffit qu'un seul rouage se dérègle pour que le reste du mécanisme se détraque et que tout l'appareil en souffre», faisant écho ici aux principes de base de la médecine grecque. L'idée que les émotions et les représentations mentales influencent très fortement la santé (contrairement à ce que suggère aujourd'hui l'interprétation biologisante, qui se limite à voir dans la maladie la manifestation d'une défaillance organique) était très avant-gardiste; elle annonçait l'approche globale ou holistique, que l'on voit resurgir de nos jours, en vertu de laquelle le corps et l'esprit ne font qu'un.

James Boswell, grand biographe et mémorialiste écossais, tenta de traduire à son tour, dans une série de 70 chroniques publiées anonymement entre 1777 et 1783 dans le *London Magazine* et réunies plus tard en un seul ouvrage, la lutte acharnée qu'il avait dû mener toute sa vie contre l'hypocondrie. Pour chasser de son esprit la peur obsessive qu'il avait des maladies vénériennes, ce singulier personnage assistait à des pendaisons[11]. Son sujet de prédilection était d'ailleurs son contemporain Samuel Johnson, éminent lexicographe, aussi poète et essayiste, tourmenté par l'hypocondrie et par un égocentrisme paralysant, à qui il consacra une importante biographie. On y apprend notamment que les troubles physiques de Johnson (contractions musculaires, mouvements mal coordonnés, et plus tard tremblements des membres) étaient d'origine nerveuse. Plusieurs des excentricités du célèbre lexicographe étaient «de type convulsif», dit Boswell; il pourrait même avoir souffert d'une sorte de trouble obsessionnel-compulsif, selon certains spécialistes de la question[12]. (Comme nous le verrons plus loin, l'hypocondrie serait, en effet, dans certains cas, une forme de névrose obsessionnelle. Il n'est pas toujours facile cependant de départager clairement ces deux affections lorsque le patient semble excessivement préoccupé de la maladie, qu'il s'inquiète outre mesure des dangers de contamination, qu'il a besoin qu'on le rassure continuellement sur son état de santé ou qu'il s'examine à tout moment pour dépister le moindre trouble fonctionnel.)

D'autres grands esprits, et de tous les horizons, eurent à livrer bataille à l'hypocondrie: le romancier français Marcel Proust, le grand écrivain russe Léon Tolstoï, la poétesse américaine Sara Teasdale, le poète et auteur dramatique anglais Alfred Tennyson, le naturaliste anglais Charles Darwin, pour n'en nommer que quelques-uns. On dit que Darwin, dont on sait que la théorie de l'évolution mettait radicalement en question les canons religieux et suscita pour cette raison les foudres de l'Église, souffrait sans cesse

— par culpabilité, avancent certains de ses biographes — de troubles intestinaux, de maux de tête et de fatigue[13]. Ses malaises auraient souvent servi de prétexte, semble-t-il, pour éviter d'avoir à prendre la parole en public. Tennyson était paralysé, quant à lui, par la peur de devenir aveugle, fantasme injustifié quand on sait qu'il a eu jusqu'à la fin de sa vie, à 83 ans, une assez bonne vue.

Médecine du corps/médecine de l'âme: une rupture décisive

Mais l'hypocondrie perdit peu à peu son aura et, pour des raisons qui restent encore obscures, changea radicalement de signe en moins de deux cents ans. Après avoir retenu pendant des siècles l'attention des érudits et des médecins, elle fut lentement délaissée et souvent même complètement ignorée, égarée dans le *no man's land* que l'époque moderne laissa se creuser entre la psychologie et la médecine.

Comment l'hypocondrie, jadis acceptée d'emblée socialement, et même cultivée pour elle-même durant la longue période où la mélancolie était à l'honneur, est-elle devenue une plaie, un stigmate qui ne supporte pas le regard? Comment expliquer ce changement d'attitude? L'avènement de la psychanalyse y serait pour quelque chose, selon la psychologue et historienne Susan Baur[14].

En affirmant que les symptômes vagues et déroutants de l'hypocondrie, comme de l'hystérie du reste, étaient d'origine psychique *plutôt que* somatique, Freud aurait, dans un premier temps, établi une hiérarchie, sinon une dichotomie, qui allait être source de bien des malentendus, renforçant ainsi l'opposition qui avait commencé à se dessiner avec la théorie des humeurs et la séparation nette formulée deux cent cinquante ans auparavant par Descartes entre les maladies physiques et les maladies mentales. À promouvoir l'idée que le corps est une machine gouvernée essentiellement par des lois physiques, le dualisme cartésien aurait fini par inciter les théoriciens et les praticiens de la médecine à faire fond, dit Baur, sur la physiologie plutôt que de s'appuyer sur les lois de la nature.

Tout occupée à élaborer des planches anatomiques du corps humain, à décrire en détail le circuit de la circulation du sang et à classifier les maladies organiques, la médecine du temps en serait venue à délaisser les troubles de comportement plus obscurs et le rôle du milieu de vie sur la santé.

En énonçant plus tard que les conflits inconscients peuvent, dans certaines circonstances, s'exprimer par des symptômes physiques, Freud redonnait à la psyché toute son importance, mais portait néanmoins un deuxième coup à l'hypocondrie: c'était prétendre en effet, dit l'historienne, que la psyché joue un rôle déterminant dans *certaines* maladies seulement, restriction qui allait contribuer à circonscrire un tout nouveau groupe de maladies — celles qui se passent «dans la tête» — et ouvrir la voie à une rupture graduelle entre la médecine du corps et la médecine de l'âme.

Les *Études sur l'hystérie*

C'est à partir de ses études sur l'hystérie féminine que Freud, neurologue de formation, jeta les bases de la psychanalyse au tournant du siècle.

L'idée que l'hystérie était reliée à des problèmes affectant l'utérus — contrairement à l'hypocondrie, que l'on rattachait plutôt à un dysfonctionnement de la rate engendrant un excès de bile noire — était très répandue à l'époque. Sa caractérisation comme maladie proprement féminine ne date pas d'hier; elle remonte en réalité aux temps les plus anciens, comme en fait foi la langue grecque où le mot *hustero* (d'où dérive le mot hystérie) veut dire «utérus». Elle persista dans l'esprit populaire jusqu'à la fin du XVIIIe siècle, où l'hystérie prit place parmi les troubles d'ordre neurologique. On en vint même, avec le temps, à considérer cette affection psychopathologique comme étant la contrepartie féminine de l'hypocondrie.

Au milieu du XIXe siècle, l'hystérie prit des proportions endémiques. Tourmentées par des symptômes étranges (crises, tremblements, tics, évanouissements, convulsions et paralysie, pour ne nommer que les plus courants) qui, dans la plupart des cas, résistaient au traitement médical ou changeaient continuellement de forme, les femmes envahirent en masse les cabinets médicaux. Frustrés — et d'une certaine manière menacés — par ces manifestations qui, trois fois sur quatre, mettaient leur pratique en échec, les médecins se contentaient de prescrire à leurs patientes une période plus ou moins longue de repos, quand ils ne se hasardaient pas à prendre des mesures plus draconiennes, telles que l'ovariectomie (ablation de l'un ou des deux ovaires) et même la cautérisation du clitoris, comme le rappelle Edward Shorter, dans un ouvrage consacré à l'histoire des maladies psychosomatiques à l'époque moderne[15]. Excédés par la vanité, le théâtralisme et les jérémiades (traits qui étaient loin de correspondre à l'idéal victorien) de ces patientes, qu'ils soupçonnaient de feindre la douleur, les médecins répugnaient à les traiter. Dès l'instant qu'une femme faisait état de symptômes ne répondant pas au traitement classique — surtout si, de surcroît, on la jugeait trop émotive, trop démonstrative, trop centrée sur elle-même, trop instable ou trop obsédée par le sexe —, elle était aussitôt classée, et implicitement condamnée, comme «hystérique». L'hystérie devint ainsi un casier commode où enfermer les femmes que l'on n'arrivait pas à soigner[16].

C'est dans ce contexte que Freud publiait en 1895, avec Joseph Breuer, un ouvrage intitulé *Études sur l'hystérie*, où était abordé, entres autres, le cas d'Anna O — qui devint ainsi la première «patiente» hystérique de l'histoire de la psychanalyse. Les symptômes d'Anna O, qui s'étaient peu à peu résorbés à la faveur des entretiens réguliers qu'elle avait eus avec Breuer, devaient être interprétés en définitive, disait l'ouvrage, non pas comme des signes de maladie organique mais comme l'expression symbolique de fantasmes sexuels voilés et du refoulement d'un traumatisme remontant à l'enfance.

On prit, par la suite, l'habitude de considérer l'hystérie comme un type de névrose et, conséquemment, de la ranger parmi les troubles *mentaux*. Les symptômes de cette affection ne se trouvant plus légitimés aux yeux de la médecine officielle, on les vit disparaître un à un des registres médicaux: plus aucune mention de crise d'hystérie ni de paralysie hystérique au tournant du siècle, maladies qui s'étaient pourtant répandues comme une véritable épidémie depuis le Moyen Âge, explique Shorter. Les diagnostics proprement médicaux d'hystérie se firent de plus en plus rares, pour disparaître presque complètement aux alentours de 1930.

L'héritage freudien

L'hypocondrie ne retint pas autant qu'on eût pu le souhaiter l'attention du père de la psychanalyse, tout occupé à investir ses prodigieuses aptitudes dans l'analyse des conflits surdéterminés par des mécanismes psychiques, désintéressement qui ne fit qu'ajouter à la confusion et à l'indifférence dans lesquelles allait être murée désormais cette affection. Contrairement à l'hystérie, dont on reconnaissait volontiers la valeur métaphorique (telle cette femme devenant subitement aveugle en tentant de réprimer le souvenir de son oncle l'agressant sexuellement) et dans laquelle Freud voyait l'exemple type de la maladie mentale, ou *psychonévrose*, l'hypocondrie fut étiquetée comme une «vraie» névrose, c'est-à-dire une névrose d'origine *physiologique*. Elle était attribuable, selon lui, à un accroissement de l'afflux sanguin résultant du refoulement de la libido, phénomène qui induisait toutes sortes de changements dans les organes internes — hypothèse dont il n'était d'ailleurs pas entièrement convaincu.

Mise de côté par les psychanalystes parce qu'elle était reliée de trop près au corps, regardée de haut par les médecins parce qu'elle était reliée de trop près à l'esprit, l'hypocondrie prit un virage décisif, historiquement parlant, à la fin du XIXe siècle, estime Baur, pour ensuite disparaître presque complètement du paysage. Il n'en fallait pas davantage pour stopper la recherche de nouveaux traitements.

Il est ironique de penser que Freud, dont les découvertes ont révélé toute la richesse de l'univers intérieur, ait pu instiller aux hypocondriaques une sainte horreur de la connaissance de soi, de l'introspection — et des séances chez le thérapeute. Tant et si bien que lorsque la psychanalyse occupa plus tard tout le devant de la scène, les patients atteints d'hypocondrie se débarrassèrent, dit Shorter, des symptômes que les nouveaux théoriciens de la santé mentale qualifiaient de «psychosomatiques» pour en laisser émerger d'autres que la médecine serait bien forcée de reconnaître, cette fois, comme étant des symptômes *organiques*.

En séparant de manière étanche le cerveau et l'esprit, la psychanalyse faisait avorter indirectement, au moment même où elles commençaient à se former, les autres formes de psychothérapie, tout en isolant la psychiatrie de la médecine traditionnelle. Un moment décisif de l'histoire des maladies psychosomatiques s'est joué, du point de vue du patient, le jour où l'on décréta que le traitement de l'hypocondrie était du ressort *de la psychiatrie*. Ce transfert de responsabilité n'est toutefois pas parvenu, explique Shorter, à dissoudre ce mélange bien particulier de troubles émotifs et de troubles somatiques que la société en était venue à tolérer en tant que manifestations «hypocondriaques *et* hystériques»; ce mélange a tout simplement, dit-il, pris une autre forme. Plusieurs spécialistes de la question croient en effet que ces troubles ont fini par resurgir sous forme d'autres maladies, plus acceptables socialement — ce que Shorter appelle les maladies «à la mode» — dont les symptômes continuent de déjouer d'ailleurs la science médicale: fibromyalgie (douleurs généralisées), syndrome de fatigue chronique, syndrome de Costen (arthralgie temporo-maxillaire), allergie à toutes sortes d'aliments, susceptibilité accrue à la fatigue chronique. Il va sans dire que les personnes qui souffrent de ces affections ne partagent pas nécessairement cette interprétation.

Que Freud n'ait pas vraiment fait avancer la connaissance de l'hypocondrie ne diminue en rien néanmoins la validité et l'importance des théories qu'il a élaborées par ailleurs. Il aura su décrypter les aspects les plus obscurs de la sexualité et du traumatisme et révélé le pouvoir curatif de la relation thérapeutique. Selon le psychiatre et anthropologue Arthur Kleinman, de Harvard, le modèle freudien du tumulte intérieur s'exprimant par la voie de troubles somatiques — par exemple, ce patient incapable de marcher parce qu'il est littéralement paralysé par son père, exemple type de *conversion* hystérique, où le symptôme traduit sous une forme symbolique un conflit inconscient — s'est avéré utile jusqu'à un certain point; mais, dans l'ensemble, dit-il, l'approche trop étroite de la psychanalyse en ce qui concerne l'interprétation du (des) sens de la maladie est devenue «une voie extrêmement difficile à suivre, trop tortueuse, et qui, malgré toute la fascination qu'elle exerce et toutes ses promesses, mène à une impasse, du point de vue de la spéculation et de la recherche[17]». Le Dr Kleinman reconnaît toutefois que Freud a grandement contribué à l'évolution de la médecine: «Il a su démontrer que l'interprétation du récit de chaque patient, de même que la prise en compte du contexte dans lequel se sont développées ses relations avec son milieu, doivent trouver place parmi les outils de tout bon praticien.»

En confinant le traitement des troubles psychosomatiques au domaine de la psychiatrie, et en reléguant du même coup la physiologie au domaine des sciences biologiques, la doctrine freudienne creusait un fossé entre les deux, ce qui mena à une impasse d'un côté comme de l'autre: «Un souci exclusif pour la réalité psychanalytique peut déshumaniser le patient tout autant qu'un traitement qui s'en tiendrait bêtement et obsessivement à une investigation strictement biomédicale, soutient le psychiatre.» Il est temps, dit-il, en accord avec d'autres spécialistes de la santé mentale, de tirer parti de ce que l'une et l'autre approches ont de meilleur. On ne saurait certes raisonnablement prétendre à une compréhension véritable de ce qu'est l'hypocondrie, affection qui est au carrefour de la maladie organique et de la maladie mentale, sans jeter des ponts entre l'un et l'autre champ.

L'ère de la «biopsychiatrie»

À la faveur des efforts soutenus de la médecine moderne pour élaborer des théories qui rendent compte de la façon dont coexistent les phénomènes organiques et les phénomènes psychiques, on vit poindre dans la deuxième moitié du XXe siècle un intérêt renouvelé pour l'hypocondrie. La découverte, durant les années soixante-dix, de médicaments très puissants agissant sur la biochimie du cerveau, joua un rôle déterminant dans ce changement d'attitude: ces substances se révélaient aptes non seulement à soulager les troubles de l'humeur en général — l'anxiété et la dépression, par exemple —, mais à faciliter le traitement de plusieurs autres types de troubles mentaux: troubles de l'alimentation, attaques de panique, trouble obsessionnel-compulsif et phobies, parmi d'autres.

Le véritable coup d'envoi aura été donné toutefois dans les années cinquante par des chercheurs suisses, au hasard d'expérimentations visant à évaluer la valeur thérapeutique d'une substance appelée *imipramine* contre le rhume, qui leur permirent de se rendre compte que si l'imipramine n'avait aucun effet sur le rhume, elle augmentait par contre de façon étonnante le nombre de neurotransmetteurs. [Les *neurotransmetteurs* sont de petits messagers chimiques libérés, sous l'influence d'une excitation, par les terminaisons des nerfs; ils assurent la transmission de l'excitation d'une cellule nerveuse à une autre à l'intérieur du cerveau, puis des nerfs aux muscles et aux différents organes.] Après que la science eut émis l'hypothèse que les troubles de l'humeur peuvent être causés par un dérèglement d'ordre neurobiologique, les recherches sur le système nerveux connurent un essor sans précédent, pour culminer dans les années soixante-dix avec la découverte d'un autre type d'antidépresseurs, les *inhibiteurs spécifiques de la recapture de la sérotonine* (ISRS). La fluoxétine (Prozac)[18] est le premier représentant de cette nouvelle génération d'antidépresseurs capables d'agir électivement sur la sérotonine, neurotransmetteur très puissant qui règle un grand nombre de fonctions biologiques et intervient dans l'expression des émotions.

On a toujours prétendu que l'hypocondrie était réfractaire à tout traitement thérapeutique. Freud lui-même n'avait-il pas laissé entendre que l'hypocondrie était inanalysable, qu'elle ne répondait pas à la «cure par la parole», sauf peut-être lorsqu'elle masquait un conflit névrotique? Encore aujourd'hui, le diagnostic est assez peu encourageant, comme en fait foi ce passage du *Merck*

Manual, manuel de référence des médecins américains: «Le taux de guérison complète ne dépasse pas 5 % chez les hypocondriaques[19].» Quant à la thérapie comportementale, si elle avait montré son efficacité avant l'apparition des ISRS auprès des sujets en proie à des obsessions ou à des compulsions (se laver les mains constamment ou vérifier cent fois la même chose, par exemple), aucun thérapeute n'avait eu l'idée encore de l'appliquer aux hypocondriaques.

Des scientifiques sur le terrain

Le nouvel intérêt pour l'hypocondrie suscité par la découverte des ISRS stimula l'enthousiasme des psychiatres et les incita à mettre au point de nouvelles thérapeutiques spécialement adaptées à cette affection. Mais encore fallait-il pouvoir compter sur la collaboration des personnes qui en étaient atteintes — ce qui était loin d'aller de soi. Comment entrer en contact avec ces personnes, qui étaient condamnées à l'époque à faire la navette entre les cabinets des médecins et à errer interminablement dans les dédales de l'infrastructure médicale? Appuyés par les instances universitaires et, plus tard, par divers organismes gouvernementaux, qui subventionnèrent leurs travaux, un groupe de psychiatres vivement intéressés à trouver un traitement médical pour l'hypocondrie, et, de manière plus générale, à favoriser une meilleure compréhension des maladies organiques, s'employèrent à repérer les patients concernés et à déterminer combien d'entre eux pouvaient être à la recherche d'un tel traitement.

Les chercheurs furent à même de constater, à leur grand étonnement, que les patients présentant des symptômes sans cause organique apparente, et ne répondant pas dans bien des cas au soutien de leur médecin, formaient *la majorité* de l'échantillon. Examinant un à un les dossiers des patients, le psychologue Nicolas Cummings constata, sans grande surprise, que 60 % des consultations médicales étaient le fait de patients ne présentant, en apparence du moins, aucun symptôme de maladie organique et dont la fiche portait un code correspondant en abrégé à la mention «rien d'anormal à signaler» — le fait, donc, d'hypocondriaques, soit tous ceux que les médecins s'amusaient à ridiculiser, dit-il, en leur accolant des étiquettes méprisantes[20]. Il soupçonnait que quelque chose clochait dans l'approche de la Health Maintenance Organization (HMO) qui pouvait inciter ce type de patients à répondre à l'appel. Contrairement au système du paiement à l'acte, celui de la HMO couvrait pratiquement tous les soins de santé, et ce, qu'un diagnostic de troubles «physiques» ait été émis ou pas.

En 1976, les représentants de l'American Medical Association en vinrent à déclarer devant une commission sénatoriale que 60 % à 70 % de tous les patients qui pouvaient se retrouver à n'importe quel moment dans un cabinet médical soit ne souffraient d'aucune maladie organique mais réagissaient au stress en somatisant, soit étaient affectés par un stress trop intense qui nuisait au traitement et à la guérison d'une maladie organique[21].

La recherche épidémiologique confirma plus tard ces découvertes. On put apprendre ainsi que: (1) entre 25 % et 75 % des patients qui consultent les médecins souffrent d'abord et avant tout de problèmes psychologiques ou sociopsychologiques, et non d'une pathologie, comme telle; (2) la majorité sont affectés par au moins un symptôme n'ayant aucune cause organique apparente; (3) 10 % ne présentent aucun signe de maladie organique, mais demeurent inquiets malgré les propos rassurants du médecin. Pour résumer, les symptômes dont se plaignent le plus souvent les patients — maux de dos, douleurs thoraciques, maux de tête, fatigue, constipation — sont rarement fondés sur une cause organique nette et précise.

(Sur 1000 patients ayant consulté un interniste à une clinique médicale de San Antonio, 11 % seulement des plaintes relatives à des douleurs thoraciques se sont avérées être attribuables à une cause organique, pourcentage qui s'élève à 13 % et à 18 % respectivement dans les cas de plaintes relatives à la fatigue et aux étourdissements[22]. Une autre étude, menée cette fois auprès de 685 sujets choisis parmi la clientèle de deux cliniques de Montréal révèle que

180 d'entre eux, soit 26 % de l'échantillon, présentaient des symptômes sans cause apparente: près du tiers de ces 180 patients souffraient d'anxiété et de troubles dépressifs, et le quart environ n'affichaient aucun signe de maladie organique grave justifiant une inquiétude aussi grande[23].)

Parmi les données que toutes ces enquêtes ont mises à jour, celles qui ont le plus alerté l'industrie des soins de santé ne sont pas tant, comme on peut s'en douter, les chiffres se rapportant au nombre de patients qui semblent croire que les troubles émotifs font partie des problèmes «médicaux» que les dépenses reliées au traitement de cette clientèle.

D'autres travaux ont révélé que les individus dont l'anxiété s'exprime sous forme de symptômes somatiques consultent un médecin quatre fois plus souvent (des études épidémiologiques menées à l'initiative du National Institute of Mental Health indiquent que les patients qui souffrent de troubles de somatisation consultent, en général, six fois par semestre un médecin en clinique externe, en comparaison de trois fois par année en moyenne pour les consultations ordinaires[24]) et doivent payer des frais médicaux de 10 à 14 fois plus élevés[25] que ceux de la moyenne nationale.

On estime à 20 milliards de dollars, au bas mot, la charge financière que font porter ces patients sur le système de santé en examens, bilans à répétition, interventions injustifiées, consultations et médications excessives. Selon l'économiste T. Michael Kashner, cet estimé ne représente pas vraiment le coût total des soins de santé qu'utilisent les «somatiseurs»; il représente seulement le montant de la somme *qui pourrait être épargnée* si une attention minimale était accordée aux problèmes des personnes qui présentent à plusieurs reprises les mêmes plaintes pour lesquelles aucune cause médicale n'aura pu être invoquée[26].

Une nouvelle classification des troubles mentaux

Déjà, dans les années soixante-dix, des chercheurs en psychiatrie manifestaient le besoin d'un cadre conceptuel élargi leur permettant de prendre en compte, sans discréditer les patients concernés, les innombrables cas où des symptômes physiques ne s'appuyant sur aucune cause biologique étaient rapportés; le concept devait, autant que possible, couvrir un large spectre, depuis le simple mal de dos éprouvé sous l'effet de certains types de stress jusqu'au cas le plus complexe où s'enchevêtrent les séquelles de plusieurs maladies, en passant par la terreur panique d'être atteint d'une maladie bien déterminée. Le terme de *somatisation* fut alors retenu pour désigner globalement ces phénomènes, terme qui sous-tend l'idée que l'anxiété qui n'est pas reconnue comme telle par le sujet peut se traduire sous forme de souffrance somatique. Créé par l'analyste viennois Wilhelm Steekel, qui l'utilisait déjà à partir de 1924, pour désigner «un trouble somatique se manifestant en tant qu'expression d'une profonde névrose[27]», le terme était à peu près inconnu du public, de sorte que, s'est-on dit, il ne porterait aucune connotation péjorative au départ.

Il ne suffisait pas cependant de regrouper sous une nouvelle appellation les phénomènes en question pour que le mode de traitement apparaisse miraculeusement; pour que chaque patient soit traité efficacement, la nécessité s'imposait de répertorier tous les types de comportements qui pouvaient être embrassés sous le terme général de somatisation. Ces préoccupations se concrétisèrent en 1980 avec l'élaboration d'une nouvelle classification des troubles mentaux, publiée dans la troisième édition du *Diagnostical and Statistical Manual of Mental Disorders*[28] *[Manuel diagnostique et statistique des troubles mentaux]*, mieux connu sous l'abréviation *DSM*, où était réservée une entrée particulière pour les troubles dits *somatoformes* (voir ci-après l'encadré intitulé «Classification des troubles somatoformes»).

Nous verrons au chapitre suivant quel discours a tenu, depuis vingt ans, la science médicale à propos des troubles somatoformes et celui que tiennent les patients qui ont eu à lutter quotidiennement contre les douleurs et l'angoisse qui accompagnent la somatisation sous tous ses aspects.

CLASSIFICATION DES TROUBLES SOMATOFORMES

Dans la classification officielle des troubles mentaux telle qu'élaborée par l'American Psychiatric Association dans la plus récente édition du *DSM (DSM-IV),* l'hypocondrie trouve place, aux côtés d'autres affections, parmi ce qu'il est maintenant convenu d'appeler les *troubles somatoformes*.

Les personnes affectées par ces troubles ont en commun le fait de ressentir des symptômes physiques dont elles cherchent désespérément la cause, bien qu'aucune maladie organique n'ait pu être décelée à la suite d'examens médicaux adéquats, ou qui sont tout à fait démesurés par rapport aux symptômes habituels d'une maladie donnée; le retour obsédant de ces préoccupations les amènera en général à consulter un médecin.

Les caractéristiques propres aux différents types de troubles somatoformes, tels que répertoriés dans le *DSM,* peuvent être résumées comme suit:

1. Trouble de somatisation

«Mais qu'est-ce que j'ai?... On dirait que
mon corps est tout détraqué!»

Des symptômes physiques multiples, persistant depuis plusieurs années, accaparent toute l'attention du sujet et l'amènent à entreprendre sans relâche, et souvent de façon inconsidérée, toutes sortes de démarches pour s'en débarrasser. Débutant en général avant l'âge de 30 ans, le trouble peut altérer gravement les capacités du sujet sur divers plans. Parmi les plaintes somatiques formulées par le patient depuis plusieurs années figurent les nausées, les ballonnements, les maux de tête, les douleurs abdominales, l'indifférence sexuelle et divers symptômes pseudoneurologiques. Dans les cas où les symptômes sont moins accentués, moins nombreux et de plus courte durée, on parlera plutôt de «trouble d'adaptation avec plaintes somatiques» ou de «trouble somatoforme indifférencié» s'ils persistent durant au moins six mois.

2. Hypocondrie

«J'ai une tumeur au cerveau!»

La personne atteinte d'hypocondrie est moins centrée sur ses symptômes que sur la maladie organique qu'ils permettent de soupçonner, et ce, quel que soit l'avis du ou des médecins consultés. Aucun avis médical, si encourageant soit-il, ne semble en effet pouvoir calmer la crainte obsédante qu'a l'hypocondriaque d'être victime d'une maladie mortelle ou de la voir s'installer en lui de manière insidieuse. Alors que dans le «trouble de somatisation», le sujet est préoccupé essentiellement par les symptômes qui l'assaillent, dans l'hypocondrie il se dit convaincu d'être atteint d'une maladie grave.

3. Peur d'une dysmorphie corporelle

«J'ai une drôle de tête...»

Bien qu'il ait une apparence tout à fait normale, le sujet est, dans ce cas-ci, vivement préoccupé par un défaut physique ou une laideur imaginaire, qui pourra l'inciter à consulter un spécialiste de la chirurgie plastique et même à se soumettre à de multiples interventions chirurgicales: l'un sera obsédé par la taille de son pénis, l'autre par la grosseur de sa poitrine. Le nez, les lèvres, les rides sont d'autres cibles potentielles.

4. Trouble de conversion

«Je ne peux plus marcher!»

Dans le cas du trouble de conversion, le rapport entre l'altération d'une fonction physique et le traumatisme qui l'a déclenchée est, dans certains cas, assez transparent: par exemple, une grossesse nerveuse (fausse grossesse) chez une femme souffrant de ne pouvoir enfanter, ou une main paralysée chez un soldat incapable d'utiliser son arme à des fins guerrières.

5. Trouble douloureux

«J'ai tellement mal!»

Le trouble douloureux se caractérise cliniquement par une préoccupation du sujet à propos d'une douleur intense localisée dans une ou plusieurs parties du corps et dont il y a de bonnes raisons de croire, après des examens médicaux qui n'auront pu mettre en évidence aucun facteur d'ordre biologique ou qui auront révélé le caractère exagéré des plaintes formulées par rapport à l'affection diagnostiquée, qu'elle résulte ou qu'elle puisse être exacerbée par des facteurs d'ordre psychologique.

L'hypocondrie, d'hier à demain

1. Voir David BLUM, «Listening to Advil», *New York Magazine*, n° 26, 1er novembre 1993.
2. Voir Arthur J. BARSKY, «Overview: Hypochondriasis, Bodily Complaints and Somatic Styles», *American Journal of Psychiatry*, n° 140, mars 1983.
3. Arthur J. BARSKY, entrevue réalisée le 19 octobre 1993.
4. ID., *Worried Sick: Our Troubled Quest for Wellness*, Boston, Little, Brown, 1988.
5. Mentionné par F. E. KENYON dans «Hypochondriasis: A Survey of Some Historical, Clinical, and Social Aspects», *British Journal of Medical Psychology*, n° 38, 1965, p. 125.
6. Voir Donald R. LIPSITT, «Psychodynamic Considerations of Hypochondriasis», *Psychotherapy and Psychosomatization*, n° 23, 1974, p.132-141.
7. Voir Robert KELLNER, *Somatization and Hypochondriasis*, New York, Praeger, 1986.
8. F. E. KENYON, art. cité, p. 118.
9. Robert BURTON, *The Anatomy of Melancholy*, texte établi par Holbrook Jackson, London et Toronto, J. M. Dent, 1977.
10. Voir Robert MEISTER, *Hypocondria: Toward a Better Understanding*, New York, Taplinger, 1980.
11. Voir Susan BAUR, entrevue avec Kristin McMurran, *People*, 29 août 1988, p. 81.
12. Voir en particulier John WAIN, *Samuel Johnson: A Biography*, New York, Viking, 1974, p. 253-254 et Judith L. RAPOPORT, *The Boy Who Couldn't Stop Washing: The Experience and Treatment of Obsessive-Compulsive Disorder*, New York, Dutton, 1987, p. 3-5.
13. Voir Susan Baur, entrevue avec Kristin McMurran, art. cité, p. 81-82.
14. Susan BAUR, *Hypochondria: Woeful Imaginings*, Berkeley, University of California Press, 1988.
15. Edward SHORTER, *From Paralysis to Fatigue: a History of Psychosomatic Illness in the Modern Era*, New York, Free Press, 1992.
16. Voir David B. MORRIS, *The Culture of Pain*, Berkeley, University of California Press, 1991, p. 109.
17. Arthur KLEINMAN, *The Illness Narratives: Suffering, Healing and the Human Condition*, New York, Basic Books, 1988, p. 40.
18. Voir Jeffrey M. JONAS et Ron SHAUMBURG, *Everything You Need to Know about Prozac*, New York, Bantam, 1991.
19. *The Merck Manual*, ouvr. cité, p. 1591.
20. Nicholas CUMMINGS (directeur de l'Institute for Behavioral Health), entrevue réalisée le 25 avril 1994.
21. Rapporté dans Daniel GOLEMAN et Joel GURIN (dir.), *Mind-Body Medicine: How to Use Your Mind for Better Health*, Yonkers, New York, «Consumer Report Books», 1993, p. 224.
22. Voir Kurt KROENKE *et al.*, «The Prevalence of Symptoms in Medical Outpatients and the Adequacy of Therapy», *Archives of Internal Medicine*, n° 150, 1990, p. 1685-1689.
23. Voir Laurence J. KIRMAYER, «Three Forms of Somatization in Primary Care», *Journal of Nervous and Mental Disease*, n° 179, novembre 1991, p. 647-655.
24. Voir «National Ambulatory Care Survey», National Center for Health Statistics, 1990 et G. Richard SMITH, «Somatization Disorder in the Medical Setting», U. S. Department of Health and Human Services Publication, 1990, p. 23.

25. Signalé par Daniel GOLEMAN, dans «Patients Refusing to Be Well», *New York Times*, 21 août 1991, p. C-10.
26. T. Michael KASHNER (économiste rattaché au service de psychiatrie du Southwestern Medical Center, à Dallas, et chercheur auprès des Health Services Research and Development du Dallas Veterans Administration Medical Center), entrevue réalisée le 8 mai 1994. Voir T. Michael KASHNER *et al.*, «The Impact of a Psychiatric Consultation Letter on the Expenditures and Outcomes of Care of Patients with Somatization Disorder», *Medical Care*, n° 30, septembre 1992, p. 811-820 et «Enhancing the Health of Somatization Disorder Patients», *Psychosomatics*, n° 36, octobre 1995, p. 462-470.
27. Cité par Edward SHORTER, ouvr. cité, p. 259-260.
28. American Psychiatric Association, *Diagnostical and Statistical Manual of Mental Disorders*, 4e édition (*DSM-IV*), Washington, D.C., APA, 1994. En version française: *Manuel diagnostique et statistique des troubles mentaux*, 4e édition (*DSM-IV*), traduction française par J.-D. Guelfi *et al.,* Paris, Masson, 1996.

Chapitre 2

Les multiples visages de la somatisation

La maladie est, pour les uns, une façon d'attirer l'attention,
pour les autres une occasion de se montrer stoïques,
et pour quelques fanatiques un moment privilégié
où le scalpel pourra pénétrer dans leurs chairs.

W. H. AUDEN, «The Art of Healing»,
Epistle to a Godson and Other Poems

Grandeur et misère de la démarche scientifique

La classification des troubles somatoformes telle que proposée en 1980 par l'American Psychiatric Association a pu paraître révolutionnaire à l'époque; à y regarder de plus près cependant, on constate que la psychiatrie moderne s'est contentée en fait d'étiqueter autrement des entités cliniques qui avaient depuis longtemps été définies et de démembrer les vieux concepts d'hypocondrie et d'hystérie en sept nouvelles catégories: cinq catégories de troubles spécifiques (somatisation, trouble de conversion, hypocondrie, peur d'une dysmorphie corporelle, trouble douloureux) et deux catégories servant de casiers commodes pour les cas où les symptômes seraient moins prononcés («trouble somatoforme indifférencié») ou ne permettraient pas de classer l'affection dans l'une ou l'autre des cinq catégories prédéfinies («trouble somatoforme non spécifié»). Tous les troubles dits somatoformes, qu'ils appartiennent à l'une ou l'autre des catégories précédentes, ont en commun: (1) le fait que les plaintes formulées par le sujet évoquent une souffrance somatique sans qu'aucune maladie organique ni aucun autre trouble mental ne puisse, après des examens adéquats, en rendre compte; (2) l'existence de preuves, sinon une forte présomption, que les symptômes sont reliés à une détresse psychique ou émotionnelle.

Lorsque les chercheurs en psychiatrie se sont mis en frais d'élaborer des critères de classification des patients souffrant de somatisation, ils n'avaient aucune idée de la grande variété des cas qu'ils auraient à prendre en compte ni de la durée de leur investigation. Ni des obstacles théoriques et logistiques qu'ils rencontreraient au cours de cette aventure dont le moindre n'était pas la dispersion du corpus même de l'étude: ainsi la recherche sur le syndrome de Briquet[1] se trouvait concentrée à la faculté de médecine de l'Université de Washington à St. Louis et à l'hôpital Renard, tandis que la recherche sur la peur morbide de la maladie se faisait surtout dans des établissements situés en Australie et en Angleterre. D'où la difficulté d'établir un échantillon vraiment représentatif, car si la majorité des personnes affectées par des problèmes de somatisation fréquentaient les cabinets médicaux et les établissements hospitaliers, cela ne signifiait pas pour autant que tous les types de «somatiseurs» s'y trouvaient représentés. La prudence ne commandait-elle pas de traiter plutôt comme un sous-groupe cette prétendue majorité?

(Il faut préciser que le concept moderne de «trouble de somatisation», ou «trouble somatisation», comme on le retrouve mentionné dans la version française du *DSM-IV*, est un descendant direct du syndrome de Briquet — ainsi nommé en référence au médecin français Pierre Briquet, qui, le premier, en a décrit les symptômes. Les études familiales réalisées par les équipes conjointes de l'Université de Washington et de l'hôpital Renard, dans les années soixante et soixante-dix, sur le problème de l'hystérie les ont amenées en effet à conclure que les symptômes du trouble de conversion, une cécité inexpliquée par exemple, et ceux du syndrome de Briquet, une affection polysymptomatique survenant assez tôt dans la vie et principalement chez les femmes, se rapportaient en réalité à des entités cliniques distinctes, distinction qui est aujourd'hui reconnue par la plupart des spécialistes.)

Le sous-groupe constitué par les utilisateurs des services médicaux n'était déjà pas, en soi, facile à définir. Fallait-il mettre dans le même panier les hypocondriaques qui étaient réellement malades mais se préoccupaient exagérément de leurs malaises et ceux qui n'étaient pas malades tout en affichant les mêmes préoccupations? Ceux qui s'inquiétaient de leur apparence physique et ceux qui guettaient l'apparition du moindre mal de tête ou du moindre mouvement de leurs intestins? Ceux que leurs troubles embarrassaient et ceux qui se montraient volontiers volubiles sur la question? Ceux qui se savaient affectés par des problèmes plus profonds et ceux (la majorité, en fait) qui n'en avaient aucune idée? Et qu'en étaient-ils de ceux qui souffraient d'une maladie organique bien réelle: dans quelle mesure leur situation excluait-elle la possibilité qu'ils soient atteints d'hypocondrie? «Pourquoi donc un individu atteint d'une maladie organique, le cancer par exemple, ne pourrait-il afficher par ailleurs un comportement anormal face à la maladie en général?» ripostait à ce propos le psychiatre australien Ian Pilowsky, concepteur des tout premiers questionnaires destinés à repérer les tendances hypocondriaques[2].

La tâche des chercheurs était donc passablement complexe.

Quant à savoir quelle est l'utilité et la validité de la classification des troubles somatoformes telle qu'établie en 1980, la question est loin d'être résolue, là non plus. Il faut dire qu'à l'époque les catégories choisies étaient inédites et que la médecine tenait encore un discours passablement confus sur les rapports entre le corps et l'esprit. D'où les débats houleux qui s'ensuivirent.

D'un côté, les partisans d'une délimitation claire et rigoureuse des troubles somatoformes, qui approuvaient d'emblée la nouvelle classification proposée, invoquant le fait que la majeure partie des troubles mentaux ne pouvaient être détectés par des épreuves de laboratoire et que la délimitation des divers types de comportements prédisposant certains sujets à une souffrance psychologique était la méthode la plus prometteuse à laquelle la psychiatrie pourrait avoir recours pour prédire le développement, la gravité et l'issue d'une maladie, ainsi que la réponse au traitement. De l'autre, les partisans d'une approche plus globale du phénomène, qui rebutaient à adopter la classification du *DSM*, jugée arbitraire, redondante et inutilement rigide, lui préférant nettement le recours au terme plus général de «somatisation» pour désigner toute situation où un sujet exprime ses émotions sous la forme de plaintes somatiques.

Comment pouvait-on, par exemple, sur la seule base de la *durée* d'une perturbation (plus de six mois ou moins de six mois), déterminer que des plaintes somatiques non expliquées relevaient de l'hypocondrie ou du «trouble somatoforme non spécifié»!, arguaient les partisans de l'approche globale. Elles sont si courantes qu'il est à peu près impossible, soutenaient-ils, de délimiter dans certains cas ce qui distingue un trouble mental d'un phénomène de retrait temporaire d'une situation de conflit ou de stress. Les troubles somatoformes ne devaient donc pas être considérés pour eux-mêmes mais comme des symptômes secondaires d'autres troubles mentaux, telles l'anxiété et la dépression. Dans son acharnement à tout classer, la psychiatrie ne risquait-elle pas, demandaient-ils, de faire la même erreur que celle qu'on imputait à la biomédecine, c'est-à-dire d'avoir perdu de vue ce qui compte d'abord et avant tout: le bien-être des patients?

La tension entre les deux camps a donné lieu à des discussions passablement animées. N'en prenons pour exemple que celle qui les a opposés sur la question de la définition du trouble de somatisation. Pour établir un diagnostic de somatisation, considérée ici en tant que trouble mental et non comme phénomène général, le patient devait, selon la version de 1987 du *DSM*, présenter durant la majeure partie de sa vie adulte des antécédents de symptômes inexpliqués se rapportant à au moins 13 des 35 localisations ou fonctions du corps susceptibles d'être touchées. Un groupe de psychiatres ayant fait pression pour que ce seuil soit abaissé, les scientifiques chargés de mettre au point la quatrième version du manuel menèrent leurs analyses à partir d'un échantillon très vaste de patients souffrant de somatisation afin de déterminer quels symptômes étaient les plus souvent rapportés et si une liste plus brève ne pourrait pas suffire à établir un diagnostic valable. Ils en vinrent à la conclusion qu'un diagnostic basé sur 8 critères pouvait être considéré comme étant assez varié et révélateur pour attester l'existence d'un trouble somatoforme donné.

Une autre controverse s'est engagée — et enflamme encore aujourd'hui les esprits — à propos de la définition de l'hypocondrie, la question étant de savoir si la présence de signes ou de sensations physiques est le point de référence obligé pour diagnostiquer un cas d'hypocondrie. Autrement dit, l'existence d'une phobie de la maladie peut-elle suffire, à elle seule, pour évoquer l'existence de troubles hypocondriaques? Par exemple, une personne qui a peur du sida, mais qui ne présente par ailleurs aucun symptôme de maladie, doit-elle être considérée comme une hypocondriaque? Si l'on se fonde sur le *DSM-IV*, la réponse est non — ce avec quoi les psychiatres ne sont pas tous d'accord.

Certains n'ont pas manqué de reprocher en outre aux concepteurs du manuel de promouvoir, d'une édition à l'autre (la première édition en langue anglaise datant de 1952, et les révisions successives de 1980, 1987 et 1994), une «syndromite aiguë» à force d'inventer des catégories pseudomédicales qui rendent compte de toutes les manifestations déviant de la norme. Ainsi le *DSM-IV*, version la plus récente du manuel, comprend 300 entrées pour les maladies, soit presque trois fois plus qu'en 1952.

Malgré ces dissensions, bien des spécialistes soutiennent que le regroupement et la classification des troubles somatoformes tels que présentés dans le manuel de référence devraient permettre de mieux répondre aux besoins de chaque patient et de renouveler l'approche des soins primaires. Tout en reconnaissant que la classification et les critères du *DSM* servent davantage à fournir un cadre de référence général qu'à garantir l'établissement d'un diagnostic infaillible, on s'entend néanmoins pour admettre que le manuel donne aux chercheurs une vision beaucoup mieux circonscrite de la population sur laquelle doivent porter leurs recherches et met à la disposition des cliniciens un ouvrage de consultation clair et ordonné qui facilite, par sa démarche descriptive et comparative, l'identification d'une maladie mentale ainsi qu'un vocabulaire qui leur permet d'échanger beaucoup plus facilement entre eux.

Le *DSM* doit être considéré davantage comme une œuvre en développement visant à tenir le rythme des découvertes les plus récentes en psychiatrie et en médecine générale, une sorte de baromètre des changements sociaux et un *outil* de diagnostic que comme le catéchisme des psychiatres. Les classifications qu'il propose ne sont pas gravées dans le marbre; peu de praticiens appliquent d'ailleurs à la lettre ses directives, les frontières étant beaucoup moins étanches dans la pratique quotidienne que dans les manuels. Comme le rappellent les coordonnateurs de la dernière édition, ce manuel «ne classe pas les individus, mais les troubles qui les affectent».

Du strict point de vue qui nous occupe, celui de l'hypocondrie, il faut reconnaître que les nouvelles classifications proposées par le *DSM* établissent enfin une distinction nette entre les troubles *somatoformes* (qui échappent au contrôle de la volonté) et les troubles *factices* (où les symptômes seraient produits ou feints intentionnellement), deux phénomènes complètement différents mais si souvent confondus dans l'esprit du public et de bien des professionnels de la santé.

On distingue deux types de troubles factices: la *simulation*, où la production intentionnelle de symptômes vise un but bien déterminé (par exemple, éviter de travailler, gagner une poursuite légale, obtenir des médicaments) et le *syndrome de Münchhausen*, où le patient produit de faux symptômes ou falsifie les résultats d'épreuves de laboratoire pour un motif moins évident — le besoin profond de jouer les malades, par exemple —, qui peut devenir une fin en soi.

Ironiquement, les jeunes médecins en internat passent plus de temps à rapporter les histoires étranges de ces «professionnels» de la maladie ou de ces «fanas du scalpel» que sont les sujets atteints du syndrome de Münchhausen (extrêmement tragique, du reste, surtout lorsque le sujet concerné rend ses propres enfants malades), qu'apprendre à soigner les hypocondriaques ou tout autre type de patient souffrant d'un trouble de somatisation, qu'ils seront beaucoup plus fréquemment appelés à traiter dans leur pratique journalière et dont le pronostic est infiniment plus favorable. De même, les médias sont beaucoup plus friands d'histoires où le patient s'injecte du pus ou des matières fécales ou contamine les échantillons d'urine de ses enfants que des souffrances quotidiennes d'un vulgaire «somatiseur»! Craindraient-ils que les craintes et les symptômes — trop familiers peut-être — des personnes souffrant des maladies psychosomatiques les plus courantes n'atteignent le lecteur au vif?

Qu'en pense le patient?

Pour mieux comprendre de quoi il s'agit, voyons ce que des personnes qui ont connu ou connaissent encore aujourd'hui des troubles de cet ordre ont à en dire. Peut-être entendrons-nous un tout autre son de cloche...

Les trois premières personnes à prendre la parole souffrent d'hypocondrie, telle que la définit aujourd'hui la psychiatrie. Si les symptômes et la façon de faire face au problème varient de l'une à l'autre, elles ont toutes trois à se colleter au même ennemi: la peur maladive de la maladie, qui les empêche d'être heureuses.

Les quatre autres cas représentent des variations sur le thème de la somatisation, entendue dans son sens le plus large. Ces brefs tableaux cliniques, basés, eux aussi, sur des faits authentiques (seuls les noms, occupations et autres caractéristiques qui auraient pu permettre d'identifier les personnes en question ont été changés), dépeignent la situation à laquelle sont confrontés les individus qui souffrent d'un autre trouble somatoforme que l'hypocondrie, qu'il s'agisse de la peur d'une dysmorphie corporelle, du trouble douloureux, du trouble de somatisation ou de conversion, pour reprendre les appellations qu'utilise la psychiatrie moderne. Les traits propres à l'hypocondrie ressortiront ainsi avec plus d'évidence.

Les caractéristiques de chaque catégorie de trouble somatoforme sont présentées brièvement avant les témoignages, de manière à faciliter la mise en relation des unes et des autres.

A. L'hypocondrie

Compte tenu de l'ambiguïté et de la confusion dont a toujours été entouré le concept d'hypocondrie, la définition qu'en propose le *DSM* est d'une étonnante simplicité: «Préoccupation centrée sur la crainte ou l'idée d'être atteint d'une maladie grave, fondée sur l'interprétation erronée par le sujet de symptômes physiques.» Pour qu'une personne soit considérée aujourd'hui comme étant une hypocondriaque, cette «crainte» ou cette «idée» non justifiée doit persister depuis au moins six mois, après que des évaluations diagnostiques et des examens médicaux appropriés auront, à plusieurs reprises, écarté toute possibilité qu'une maladie organique explique les préoccupations ou les symptômes du sujet, ce qui n'empêche pas toutefois qu'une autre maladie puisse coexister chez le sujet.

Sa pratique l'ayant amené à constater que les pensées morbides et les malaises physiques s'entremêlent fréquemment chez les patients, le psychiatre Ian Pilowsky a cru bon distinguer, dans les années soixante, trois dimensions du comportement hypocondriaque, qui sont encore généralement admises aujourd'hui: une préoccupation marquée pour tout ce qui concerne le corps (voir le cas d'Abir), une crainte ou une conviction persistantes d'être malade malgré les propos rassurants du médecin (voir le cas de Julie) et une phobie de la maladie (voir le cas de Jean-Pierre)[3]. Comme les cas qui sont présentés dans les pages qui suivent le suggèrent, ces trois aspects tendent à se chevaucher chez la plupart des individus, ce qui n'exclut pas toutefois la possibilité qu'ils apparaissent de manière isolée ou que l'un d'eux prédomine dans le tableau clinique.

ABIR: DE BEYROUTH À BROOKLYN

«J'avais les oreilles constamment obstruées. Pas d'appétit. J'étais tout le temps fatiguée. Sans parler de ces insupportables frissons qui me traversaient la colonne vertébrale, et de spasmes musculaires atroces! J'avais des fourmis dans le crâne, dans la région du front surtout. Et des vertiges, des trous de mémoire. Parfois, mes paupières se mettaient à battre, comme ça, pour rien. J'avais aussi des démangeaisons. Des rougeurs. Des inflammations vaginales. Et plus aucune envie de faire l'amour.» Cette longue liste de plaintes somatiques, ce n'est pas une femme de 80 ans qui l'exprime mais Abir, une jeune et jolie Libanaise de 32 ans, mère de quatre enfants, deux filles jumelles et deux garçons. Elle et son mari, Ali, travaillent pour une entreprise de voiturage à Manhattan, selon des quarts de travail différents, de telle manière que l'un ou l'autre soit auprès des enfants.

En réponse à une annonce invitant les intéressés à participer à l'étude du Dr Fallon sur les préoccupations des gens à propos de la maladie, Abir s'est un jour, en désespoir de cause, présentée à la clinique *Freedom From Fear* [«triompher de la peur»], nom on ne peut plus évocateur, escomptant y trouver remède à ses malaises et à cette crainte qu'elle éprouvait sans cesse que quelque chose de terrible ne survienne. «Je le sens dans tout mon corps: quelque chose ne va pas!» avait-elle confié au psychothérapeute lors de leur première rencontre. «Est-ce que je suis sur le point de faire une crise d'apoplexie? Je sens un engourdissement au côté gauche. Comme si j'avais des fourmis… Et une certaine lourdeur. Ça va et ça vient. C'est vraiment étrange.»

Elle était si occupée, dit-elle, qu'elle n'avait même pas le temps de penser — jusqu'à ce qu'arrive le week-end. Chaque samedi, le même scénario: des étourdissements, des nausées, et la conviction affolante d'être sur le point d'avoir une attaque d'apoplexie.

Maintes fois, son mari avait dû la conduire à l'hôpital; quand il ne pouvait l'accompagner, elle s'y rendait par ses propres moyens. «C'est chaque fois la même chose: on me fait passer toutes sortes de tests, on me dit ensuite que tout va bien, que ma tension artérielle est normale, que mes analyses de sang ne révèlent rien d'inhabituel. Aucun problème! sinon un taux de cholestérol un peu élevé.»

Un jour, un médecin lui avait laissé entendre que ses malaises pouvaient être reliés à l'anxiété et lui avait suggéré de consulter un psychiatre. «"Pourquoi pas! me suis-je dit. J'ai un problème d'anxiété? Vraiment? Voyons voir." Je me suis donc rendue à la clinique psychiatrique que le médecin m'avait recommandée. Au cours de l'interview, on m'a demandé si j'avais déjà songé à me suicider! Quand j'ai raconté cela à mon mari, il était en furie! "Ce n'est pas une place pour toi, m'a-t-il dit. Ça peut toujours aller pour les personnes qui ont des problèmes d'alcool ou de drogue — pas pour les gens comme toi! Tu te fais des montagnes avec rien, c'est ça ton problème! Tu as le don d'exagérer! Cesse de t'inquiéter. Tu ne vas pas mourir, voyons; tu es beaucoup trop forte pour cela!"»

Abir se rappelait avoir été très nerveuse et tendue tout au long de sa jeunesse, passée à Beyrouth. L'effroi dans lequel elle vivait continuellement était alors motivé par un danger bien réel: c'était l'époque de la guerre civile, et le Liban était en état de siège. À tout moment une bombe risquait d'éclater. Une fois par mois au moins, les parents d'Abir, ses six sœurs, de même que ses deux frères devaient quitter leur appartement de trois pièces et regagner en vitesse l'égout le plus proche ou un abri souterrain situé à près d'un kilomètre de leur domicile pour échapper à une explosion. Certes, aucun d'eux n'aimait la guerre, mais ils semblaient accepter leur sort. Ainsi allait la vie... Il en allait tout autrement pour Abir: depuis toujours habitée par une angoisse extrêmement profonde face à la mort, elle n'arrivait pas à s'adapter à la situation: «Dès que j'entendais le moindre bruit, je sortais à toutes jambes de la maison. "Dépêchez-vous! Dépêchez-vous! On va mourir! On va tous mourir!" Alors, mes frères et mes sœurs se moquaient de moi... Il faut dire que, plusieurs fois, il s'est agi de fausses alarmes.»

Elle avait rencontré Ali en 1982, soit à l'époque de l'invasion de Beyrouth par les troupes israéliennes. Elle n'était encore qu'une adolescente. Ils s'étaient enfuis vers la Syrie, empruntant des sentiers difficiles en région montagneuse, dormant dans les bois et se nourrissant de pain et d'eau, que leur fournissait la milice libanaise. «On entendait gronder les avions militaires et siffler les missiles dans la vallée.» Elle ne pouvait s'empêcher de s'inquiéter de sa famille, qu'elle s'était vue forcée de quitter brutalement. Elle n'avait même pas eu la chance de les saluer avant de partir... Elle avait appris plus tard que sa mère, alors âgée de 50 ans, était morte en tentant de s'enfuir et que l'une de ses sœurs avait reçu une balle dans la jambe, qui l'avait laissée paralysée pour toujours. Ali et elle avaient eu plus de veine. Ils s'étaient liés d'amitié avec un soldat grâce à qui ils avaient pu entrer clandestinement en Syrie, puis avaient gagné la Jordanie où Ali avait pu servir dans l'armée. Puis elle avait donné naissance à ses deux filles. Elle avait trouvé dans cette nouvelle fonction une grande motivation, et une certaine force. La dégradation de l'économie jordanienne les avait forcés malheureusement à mettre fin à cinq années de calme et de bonheur. Il leur avait fallu repartir.

En 1989, Abir touchait le sol américain avec ses deux filles et un poupon de six mois dans les bras. Sans savoir un mot d'anglais! Et pour toute fortune, un maigre 200 $. On lui avait donné l'adresse d'une mosquée située à Brooklyn, où elle n'avait pas tardé à se rendre. Elle avait eu la chance d'être bien accueillie et soutenue par la communauté arabe, qui avait facilité l'installation de la petite famille et avait même trouvé du travail (un poste de garde de sécurité) pour son mari, qui avait fini par les rejoindre quelques mois plus tard. Elle s'était ensuite inscrite à des cours d'anglais dans une école publique et avait appris à lire l'anglais par elle-même. Elle avait réussi plus tard à décrocher un travail de secrétaire auprès d'un homme d'affaires de même nationalité que la sienne.

Mais, au bout d'un an, elle avait éprouvé le besoin de relever un nouveau défi. L'intérêt qu'elle avait toujours nourri pour la médecine l'avait alors incitée à se donner une formation d'aide-infirmière.

Mais à peine avait-elle commencé à suivre ses cours qu'elle commençait à douter de sa décision. Elle passait des heures à chercher dans les dictionnaires spécialisés et les encyclopédies médicales des descriptions détaillées de toutes les maladies possibles et imaginables. «Juste à lire la description de ces maladies, je sentais des frissons me courir dans le dos! Comme si tous les symptômes qui s'y trouvaient mentionnés m'envahissaient tout à coup.» Et son stage en milieu hospitalier l'avait complètement terrifiée. C'est alors qu'elle avait commencé à craindre de rester seule à la maison, de peur de tomber malade subitement: «"Qu'est-ce que c'est que cette bosse?... Oh! je fais de l'urticaire!" Je m'inquiétais du moindre signe. Puis les symptômes ont fini par s'aggraver. J'étais tout le temps malade. Et je commençais à manquer de patience avec les enfants. Je pleurais pour un rien, sans savoir pourquoi.»

Elle avait eu à surmonter ensuite pendant une année entière la peur d'être atteinte du sida, que son fils avait contracté, croyait-elle, d'une baby-sitter quelques années auparavant. «Chaque fois que j'allumais la télé, j'entendais parler du sida, comme si j'étais poursuivie par la maladie.» Elle avait abandonné ses cours de nursing, croyant que cette décision réglerait ses problèmes.

Puis s'était amorcée l'escalade des consultations et des examens inutiles. «Je me morfondais dans l'appartement, jusqu'à ce que je devienne si anxieuse et que je me sente si mal en point que je prenne à nouveau le chemin de la clinique ou de l'hôpital. C'était plus fort que moi: je devais y aller! Mon mari était furieux contre moi. D'abord, à cause de l'argent que ces visites à répétition nous coûtaient; ensuite, parce que je laissais tout à l'abandon dans l'appartement.» C'est à ce moment-là qu'elle avait décidé de se porter volontaire pour participer aux essais cliniques coordonnés par le Dr Fallon.

Sa vie a alors pris un tout autre tournant, dit-elle. Après s'être soumise à des essais visant à tester ses réactions à la fluoxétine — du moins ce qu'elle croyait être de la fluoxétine, car elle avait reçu en réalité un simple placebo —, elle a suivi une psychothérapie durant six mois. «Pour la première fois depuis des années, j'ai senti la tension diminuer en moi. Mes échanges avec le Dr Fallon m'ont fait le plus grand bien. Je pensais que c'était le médicament qu'on m'avait donné qui produisait cet effet! J'étais enfin capable de rester seule chez moi sans craindre d'avoir à partir pour l'hôpital aux premiers frissons. J'étais beaucoup moins anxieuse. Mes symptômes ont commencé à diminuer — les disputes avec mon mari aussi!»

La vie quotidienne continue d'imposer ses dures exigences à Abir, l'argent est loin de couler à flot, et voiturer les gens dans les rues de New York n'a jamais été et n'est toujours pas une sinécure. Mais elle se sent plus heureuse que jamais.

«Il n'est pas bien vu, me dit-elle, de parler de maladie mentale dans la communauté arabe. Vous avez un problème? Trouvez-y une solution, un point c'est tout. À la clinique, c'est tout le contraire: ils comprennent qu'il n'est pas toujours possible d'y arriver par soi-même. Je me suis rendue compte, grâce à eux, que je n'étais pas une malade mentale. Et s'il m'arrive de ne pas me sentir bien, je sais maintenant où aller.»

JULIE: «JE NE SUIS PAS MA MÈRE!»

Julie vient d'avoir 50 ans. Elle est écrivain. Un sort lui a été jeté quand elle était enfant, se plaît-elle à dire à qui veut l'entendre. «Ma mère était une artiste, à l'esprit très vif, et elle avait un sens de l'humour peu ordinaire, me confie-t-elle. Je devais avoir sept ans environ lorsqu'elle a commencé à souffrir d'une maladie bien mystérieuse. Elle avait des douleurs aux jambes et se sentait toujours abattue, extrêmement fatiguée. Un jour, elle m'a dit — à moi, sa fille unique: "Toutes les femmes dans notre famille meurent jeunes"! Je la revois encore allongée sur son lit, lasse et inquiète évoquant sa destinée tragique: "Ta grand-mère est morte à 43 ans d'un infarctus, et je sais que le même sort m'attend..." Je l'ai crue sur parole, bien sûr. C'était ma maman, et les mamans disent toujours la vérité, me disais-je.»

Durant les deux années qui suivirent, la maladie de sa mère devint la seule et unique préoccupation de Julie. Son père s'attardait souvent au bar après le travail et ne rentrait à la maison que très tard le soir. Elle se retrouvait donc seule avec sa mère, la plupart du temps. «Papa ne voulait pas entendre parler de la maladie de maman. Il avait déjà assez de payer les factures du médecin, disait-il. On ne pouvait donc pas compter sur lui. On aurait dit qu'il attendait qu'elle se rétablisse d'elle-même, comme par enchantement. Drôle d'attitude!» Jour après jour, page après page, les mêmes préoccupations s'exprimaient noir sur blanc dans le journal intime de Julie: «Maman a passé une mauvaise journée», «Maman a passé une bonne journée», «Maman va plus mal qu'hier», me lit-elle à haute voix, visiblement troublée.

Un dimanche matin, son père entra brusquement dans la chambre de Julie, complètement affolé: «Va chercher de l'aide, vite! Maman ne respire plus.» Julie courut chercher de l'aide. Une voisine vint à la rescousse, mais en vain. Il était trop tard. L'enquête qui suivit révéla qu'elle avait inhalé un gaz extrêmement dangereux, qui l'avait tuée sur le coup. «Papa ne semblait pas motivé plus qu'il ne faut à en savoir davantage. À pousser plus loin l'enquête. Jamais le mot "suicide" n'a été prononcé. Et il ne devait plus jamais en être question par la suite. Maman était tombée malade, elle était morte, et nous ne savions pas pourquoi: voilà ce qu'il avait été convenu de dire chaque fois qu'on nous questionnerait là-dessus.»

Puis Julie grandit, tomba amoureuse, et se maria à l'âge de 22 ans. Elle donna naissance à trois enfants. «Les enfants étaient toute ma vie! L'accouchement naturel, l'allaitement, être toujours près d'eux, je prenais tout cela très au sérieux», se souvient-elle. Elle avait d'abord eu un fils, puis une fille: un scénario bien différent de celui que sa mère avait connu. «Je ne suis pas du tout comme ma mère, pas du tout!» se disait-elle, soulagée d'avoir contourné le destin malheureux que celle-ci lui avait tacitement prédit.

À 35 ans, elle se trouva enceinte à nouveau. Peu à peu s'installa alors en elle une crainte sournoise: la peur de mourir durant l'accouchement. Mais l'enfantement se déroula sans difficulté: son anxiété disparut. Du moins le croyait-elle à l'époque. «À bien y repenser, c'est au cours de cette période que j'ai commencé à m'inquiéter sans cesse de ma santé», me dit-elle. Un ami médecin en vint à lui faire remarquer que cette obsession de la maladie et le besoin constant qu'elle avait d'être rassurée le laissaient perplexe.

Certaines questions étaient restées jusque-là sans réponse à propos de la mort de sa mère, elle ne le savait que trop. Le moment était venu de percer le mystère. Ayant obtenu copie du rapport de l'autopsie, elle en vint à découvrir qu'une petite quantité d'hydrocarbure chloruré avait été retrouvée dans le cerveau et l'estomac de la défunte. «Je m'en doutais. Je connaissais ma mère... Mais je comprenais en même temps, en décryptant le rapport, qu'on puisse craindre à ce point la mort qu'on veuille en finir. Et cela m'affolait terriblement!»

Au début de la quarantaine, Julie commença à éprouver des douleurs aiguës à la poitrine et à souffrir de gêne respiratoire. Elle en vint à se convaincre qu'elle mourrait, pour sûr, d'un infarctus, comme sa grand-mère. Elle consulta un cardiologue, qui, après les examens de routine, ouvrit le tiroir de son bureau et, en lui tendant des échantillons de comprimés, lui dit: «Faites votre choix: Halcion ou Xanax? Vous verrez, ça ira mieux. Votre cœur fonctionne tout à fait normalement, n'ayez crainte.»

Pas vraiment convaincue, elle demanda avis à un autre cardiologue, qui pratiquait la médecine homéopathique. Le diagnostic n'avait pas été tout à fait le même: elle souffrait d'une légère arythmie, sans qu'il y ait toutefois matière à s'inquiéter outre mesure. «Il m'a expliqué combien les connexions entre le corps et l'esprit sont subtiles. Que des pensées affolantes pouvaient engendrer des états de panique, ce qui pouvait se répercuter sur la respiration et provoquer toutes sortes de changements physiologiques. Nous avons parlé d'alimentation, d'exercice, de techniques de relaxation. “Vous n'êtes pas malade. Vous n'allez pas mourir, rassurez-vous”, m'a-t-il dit en y mettant beaucoup de douceur. Exactement ce que j'avais besoin d'entendre!»

Ce qui ne l'empêcha pas toutefois de se tourner ensuite vers la médecine orientale. Cours de biofeedback, yoga, végétarisme, tout y passa. Ses enfants ayant grandi, elle disposait d'un peu plus de temps pour prendre des cours de perfectionnement et s'offrir quelques loisirs. Elle s'inscrivit à des cours de psychologie, apprit à manier l'ordinateur, participa à plusieurs ateliers d'écriture, puis commença à faire de la pige comme rédactrice. Mais de nouveaux symptômes ne tardèrent pas à faire irruption (glandes enflées, fatigue extrême, douleurs pelviennes, sans compter une étrange odeur provenant de l'aisselle gauche qu'elle n'arrivait pas, malgré une hygiène stricte, à éliminer). La spirale de la douleur et de la peur se reformait à nouveau.

Julie se promit de ne pas laisser ce nouvel épisode affecter sa famille («Je ne voulais pas m'isoler, comme ma mère l'avait fait»). Ce qui ne l'empêcha pas de sombrer dans une profonde dépression. Elle s'enfermait des journées entières dans sa chambre, laissant le désordre s'accumuler dans la maison. Puis s'amorça la tournée des cabinets médicaux. Un test sanguin révéla une légère anomalie: il n'en fallait pas davantage pour qu'elle se convainque qu'elle était atteinte d'arthrite rhumatoïde ou peut-être même de lupus. Deux rhumatologues contestèrent son diagnostic, invoquant une déficience immunitaire vraiment bénigne. «Mon mari — un costaud qui n'a *jamais* été, depuis que je le connais, assez malade pour avoir à garder le lit — a fini par en voir assez. Nous avions une assurance contre les catastrophes, rien de plus. Les factures médicales étaient en train de nous ruiner. Il s'emportait, me disait des paroles blessantes, cruelles même, puis s'en excusait aussitôt.»

De nouveaux fantasmes commencèrent à se former, à propos, cette fois, de la fibromyalgie, syndrome de rhumatisme caractérisé par des douleurs musculo-squelettiques, une raideur articulaire et des taches très sensibles au toucher un peu partout sur le corps. Quant à savoir si la fibromyalgie était une «vraie» maladie — car l'un des traits caractéristiques du syndrome était, disait-on, que les tests de laboratoire restent normaux, malgré tout, tout au long des épisodes —, c'était une tout autre question, dont on n'avait pas fini de débattre. Pour en avoir le cœur net, Julie dépouilla toute la documentation qu'elle avait pu recueillir sur le sujet, puis l'apporta à son interniste. Était-elle atteinte à son tour du syndrome?

Possible, dit le docteur; le meilleur traitement contre la fibromyalgie restait de «mener une vie saine».

Il était temps, se dit Julie, d'essayer de retrouver une certaine stabilité sur le plan émotionnel. Suppléments vitaminiques, plantes médicinales, exercice, yoga, elle ne négligea rien pour mettre toutes les chances de son côté. Elle crut bon également commencer à s'informer des manifestations de la ménopause, qui approchait. Peut-être ses symptômes et ses sautes d'humeur étaient-ils attribuables tout simplement à l'arrivée de la ménopause? Fibromyalgie ou problèmes hormonaux, une chose était certaine: plus elle était stressée, plus ses symptômes étaient prononcés.

«J'ai cru pendant longtemps que les symptômes émergeaient du jour au lendemain — comme ça, sans raison. Mais je commence à reconnaître le processus: la tension monte lentement, puis les symptômes surgissent l'un après l'autre, jusqu'à ce que je devienne complètement obsédée par la peur d'être atteinte d'une maladie mortelle. Maintenant, j'essaie de freiner le cycle à son premier stade, c'est-à-dire aux premiers signes de tension. Et je fais des efforts pour penser à des choses agréables, qui me font plaisir. Je me couche tôt, je fais de la méditation, j'essaie de me ressaisir, d'adopter une attitude plus constructive.»

Julie a mis du temps à établir une solide relation avec son interniste, en qui elle a maintenant une confiance absolue: voilà qui a compté pour beaucoup dans son évolution. «Ce n'est pas un alarmiste, dit-elle. Je peux lui parler de mes peurs et de mon constant besoin d'être rassurée, sans craindre d'être mal comprise ou d'être tournée en ridicule.» Elle a depuis cessé de faire la navette entre les cabinets médicaux, et de passer test sur test, radiographie sur radiographie.

S'étant rendue compte que l'une de ses filles était souvent malade, elle redoutait que ses propres agissements n'aient eu des répercussions néfastes sur la fillette, ce qui la motiva grandement à essayer de centrer désormais son esprit sur *la santé* plutôt que sur la maladie. «Stéphanie est hypersensible, guette le moindre indice, souffre de photosensibilité... Elle s'inquiète de la plus petite égratignure, du plus petit malaise. Je lui dis de ne pas s'en faire. Il suffit que je pense à ma mère, que Stéphanie n'a pas connue, pour que je tienne bon. C'est à moi de briser le cercle! À moi seule!»

JEAN-PIERRE: UN DESTIN FUNESTE

Jean-Pierre, publicitaire talentueux et dynamique, a un peu plus de 40 ans et est père de trois enfants. Il est hypocondriaque, et le sait pertinemment — et douloureusement.

Le premier événement dont il se souvienne, en rapport avec ses inquiétudes à l'égard de la maladie, remonte à l'âge de 13 ans, où son meilleur ami avait développé un lymphome. Tout était survenu si soudainement, et s'était développé si vite. Quelques transfusions, et c'était fini. Il se revoit aussi, non sans malaise, découvrant un jour avec une terreur innommable des marques foncées répandues un peu partout sur ses jambes d'adolescent, et courant, tout affolé, vers son père pour lui faire part de cette effroyable découverte. «Mon père travaillait six jours par semaine et souvent même les dimanches soirs, raconte Jean-Pierre. Il était très consciencieux. C'était un homme plutôt froid et réservé. Ses patients avaient une très grande confiance en lui. La médecine était toute sa vie! Ses propres enfants, il aimait les voir, mais pas les entendre.»

Lorsque ses sœurs ou lui-même étaient malades, le premier médecin qu'ils voyaient, c'était bien sûr leur père. Jean-Pierre ressentait-il un léger picotement dans les jambes? Il prenait aussitôt rendez-vous avec son père et se rendait à son bureau pour un examen. Il n'avait pas de secret pour «son médecin»: sa phobie de la sclérose en plaques, son prétendu diabète, tout y passait lors de ces «consultations» tant attendues. Son père ne manquait pas de le réconforter, sans omettre de lui faire passer tous les tests de routine.

Après la mort de son père (une occlusion intestinale d'origine non cancéreuse l'avait emporté à l'âge de 80 ans), Jean-Pierre entreprit de lire tout ce que le médecin avait écrit dans ses dossiers sur les symptômes et les maladies du «patient»: «Jean-Pierre a besoin d'être rassuré», «Est inquiet de son état physique», etc. Surprenantes à première vue, ces remarques n'avaient toutefois pas de quoi le bouleverser: Suzanne, sa première femme, ne le taquinait-elle pas continuellement à propos de cette prétendue tumeur qu'il disait, à tous les six mois, avoir décelée?

«Deux fois par année, au moins, je me sentais envahi par toutes sortes de sensations pénibles. Je me rendais aussitôt au cabinet de mon père. Je suis sûr que Suzanne ne prenait pas ces malaises au sérieux, du moins au début.» Mais elle s'était vite aperçue que les préoccupations de son mari étaient tenaces et de plus en plus envahissantes. Si, avant son mariage, il parvenait à les cacher — et à *se* les cacher —, il s'était vu contraint, une fois qu'il avait commencé à vivre avec elle, de cesser son petit manège. «Ma femme m'envoyait le même message que celui que j'avais toujours reçu de mes parents: J'étais un pessimiste, mes peurs étaient ridicules et je devais y mettre un terme, un point c'est tout.» Mais il avait beau faire des efforts en ce sens, rien ne changeait, il n'y pouvait rien.

La situation commença à s'aggraver après qu'une cousine, moins âgée que lui, et qui lui était très chère, fut atteinte d'une leucémie. Il l'accompagna à travers cette rude épreuve pendant toute la durée de la maladie, lui donnant même du sang et surveillant attentivement avec le médecin les élévations et les chutes du nombre de plaquettes sanguines chez la jeune patiente. «C'était insupportable de la voir ainsi perdre peu à peu ses forces et ses capacités!» se souvient-il. Elle mourut à l'âge de 32 ans. Peu après ce tragique événement, Jean-Pierre commença à s'inquiéter qu'un cancer n'ait déjà commencé à se développer en lui. Ce n'est pas tant la mort qu'il craignait que les douleurs atroces qui souvent la précèdent. «Un infarctus? Ça ne me fait pas peur: ça vous frappe d'un coup, puis, avec un peu de chance, vous mourez presque aussitôt. Mais de savoir que vous avez une maladie incurable et que chaque jour est peut-être le dernier qu'il vous reste à vivre, ça, c'est franchement insoutenable! C'est ça qui me fait peur.»

Il y a neuf ans, alors qu'il se soumettait à une épreuve d'effort dans une clinique, Jean-Pierre crut mourir sur le coup lorsque le médecin lui dit, comme si de rien n'était: «Vous avez un début de cancer de peau, juste ici.» C'était un vendredi, jour de la semaine tant honni des hypocondriaques, car ils savent que s'ils doivent ce jour-là se soumettre à une biopsie, ils devront attendre jusqu'au mardi suivant pour en connaître le résultat. Ce qui avait d'ailleurs été le cas. Bien que la plupart des cancers de peau soient curables, Jean-Pierre était convaincu que le sien ne le serait pas, et qu'il n'en avait plus pour longtemps à vivre. «J'ai pensé faire mon testament, ce week-end-là!» Heureusement, la tumeur était bénigne. Mais il lui en fallait un peu plus pour se sentir *vraiment* rassuré. Il avait donc exigé qu'on re-vérifie à nouveau les résultats de la biopsie, pour être sûr que le laboratoire ne s'était pas trompé. Et une autre fois encore, après que, pour comble de malheur, il eut détecté d'autres taches inhabituelles. Quatre biopsies, au total. Il s'était promis alors que si les résultats étaient positifs, il verrait un psychothérapeute. Peu de temps après il commençait une thérapie.

Il s'adressa d'abord à diverses associations de santé mentale pour connaître le nom de spécialistes du traitement de l'hypocondrie. Sans succès. Il décida donc de consulter un travailleur social. Pendant trois ans, il échangea longuement avec cet homme sur tout ce qui se rapportait à ses symptômes et à son enfance. À force d'introspection, il parvint à débusquer de vieilles douleurs: «Mon père était toujours débordé, et tellement distant! Ma mère était alcoolique. Ni l'un ni l'autre n'étaient jamais là pour moi. Je me sentais tout le temps de travers. J'avais constamment besoin que quelqu'un vérifie si j'allais bien, et qu'on me dise: "Tout va bien. Tu es en pleine santé. Tu ne vas pas mourir." J'avais aussi, je pense, une certaine tendance à me faire souffrir. Être hypocondriaque, c'est à peu près comme être alcoolique: tu cherches à fuir toute émotion qui te fait peur. C'est plus fort que toi. Et tu t'en veux constamment d'être aussi trouillard. Ça te prend à chaque jour — aussitôt que tu mets le pied hors du lit! Suffit que quelqu'un te rassure pour que tes malaises disparaissent; voilà que tu te sens bien, que tu te sens flotter, tout à coup. Mais ça ne dure pas. Chaque fois que j'apprends qu'un test est négatif, je me dis que je n'ai fait qu'esquiver le coup — jusqu'à la prochaine fois, où le coup sera fatal, j'en suis sûr.»

Si le fait d'apprendre à mieux se connaître lui avait permis de faire certains progrès, il n'avait pas mis fin pour autant, se disait-il, à ses idées obsédantes. Les rencontres avec le travailleur social n'ayant rien changé sur ce plan, celui-ci lui recommanda de consulter un psychiatre. C'est alors qu'il entreprit une psychanalyse avec un psychiatre d'obédience freudienne.

Au bout de deux ans, Jean-Pierre jugea que l'approche clinique du spécialiste ne lui convenait pas. «J'avais l'impression qu'il me jugeait. Il m'intimidait. Je n'en pouvais plus. Au beau milieu d'une séance, j'ai décidé que j'en avais assez, et je suis sorti.» Mais Jean-Pierre avait à peine touché la poignée que le thérapeute lui avait lancé: «Allez-y! C'est ce que vous avez toujours fait durant toute votre vie, tout éviter!» se rappelle-t-il. «Je suis certain, ajoute Jean-Pierre, que ma réaction négative à l'endroit du psychanalyste avait quelque chose à voir avec mon père... Je n'y suis pas retourné, néanmoins. J'avais besoin de parler à quelqu'un de moins distant.»

On lui conseilla ensuite d'essayer la thérapie comportementale, laquelle donna de bons résultats pendant un certain temps. Le psychologue était d'humeur joviale et savait provoquer le patient à agir. «Il faut pouvoir arriver à se dire "Tant pis!" me disait-il. Surtout ne pas passer son temps à penser à la mort. Vivre sa vie comme si de rien n'était, quoi! Et pas question de continuer à consulter un médecin et puis un autre, comme je l'avais toujours fait! Un jour, il m'a même lancé: "Si ce n'est pas la mort mais la souffrance que vous craignez, alors pourquoi n'en finissez-vous pas tout de suite?" C'était logique, oui, mais... je ne me serais pas vu... Je n'aurais jamais eu le courage de faire une chose pareille, je le savais.

«J'ai fait l'impossible pour que ça marche, cette fois-là», m'assure-t-il. Jean-Pierre s'était prêté avec beaucoup de conviction aux jeux de rôle et à l'invention de scénarios; il avait lu tous les livres sur le cancer que le psychologue lui avait prêtés et avait même visité le service d'oncologie d'un hôpital des environs. Mais cette technique de désensibilisation, sur laquelle Jean-Pierre s'était lui-même beaucoup documenté, ne lui paraissait pas très convaincante. «J'avais déjà assez de penser chaque jour au cancer sans avoir à me concentrer là-dessus entre les séances. Juste d'y penser, je me sens mal!... Et l'approche, comme telle, m'apparaissait un peu ridicule par moments.» Il mit donc fin, encore une fois, à sa thérapie.

Voyant que ses symptômes réapparaissaient, il prit rendez-vous avec un interniste, qui lui prescrivit de la fluoxétine, à raison de 40 milligrammes par jour. Rien à faire: il ne répondait pas à «ce truc-là». Tout ce qu'il en avait retiré, c'était de violents maux de tête — assez pour que la folle du logis se remette à faire des siennes. Sa femme disait avoir noté pourtant certains changements durant la période où il avait mis à l'essai l'antidépresseur: il continuait d'avoir des épisodes hypocondriaques, mais ils étaient moins fréquents et il les surmontait plus rapidement qu'avant, soulignait-elle. Il était aussi plus tendre à l'égard des enfants, non? lui rappelait-elle, et paraissait moins inquiet. Mais Jean-Pierre faisait peu de cas des remarques de Suzanne à propos de ses «progrès». Elle me raconte qu'aussitôt qu'il eut commencé à prendre le médicament, il s'était mis à chercher des excuses pour s'en abstenir; les conditions n'étaient donc pas propices pour qu'il fasse effet, selon elle. Avait-il jamais coopéré, de toute manière? laisse-t-elle échapper. Même les paroles réconfortantes des médecins restaient sans effet! Et il avait eu le malheur de tomber sur un article révélant que des chercheurs canadiens avaient découvert que des antidépresseurs avaient hâté la croissance de tumeurs malignes chez des animaux de laboratoire. Alors plus question d'avaler ça! Si ce médicament avait causé la cécité ou la perte d'un membre chez les souris et les cochons d'Inde, passe encore... Mais il avait provoqué la chose même dont il tentait désespérément depuis des années de se prémunir!

«Tu ne peux vivre constamment dans la hantise de la maladie! Tu gaspilles ta vie à te morfondre ainsi! Tu es un mort vivant! Tu te meurs depuis 35 ans!» Jean-Pierre connaissait la ritournelle. «Ils ont tout à fait raison, me dit-il. Mais on ne peut pas changer sa façon de vivre du jour au lendemain. Si seulement je savais pourquoi je m'accroche à ça avec autant d'entêtement!... Maintenant que je prends de l'âge, le risque que je développe un cancer est bien réel et ma peur de mourir loin d'être irrationnelle!»

«Rien ne t'oblige à agir de cette manière. Vouloir, c'est pouvoir! Tu devrais être capable de te contrôler, non? Tu sais que tu blesses d'autres personnes autour de toi en te comportant ainsi.» Ce discours, il ne peut plus l'entendre. «Bien peu de gens comprennent ce que c'est que l'hypocondrie. À moins d'être passé soi-même par là, on interprète ça comme un défaut de caractère! Si c'est vrai que l'hypocondrie est une forme d'"autopunition", pourquoi en rajouter en accusant les hypocondriaques de faire souffrir les autres? Ce n'est pas quelque chose dont on peut facilement admettre l'emprise sur soi. C'est tellement embarrassant! D'ailleurs, aucun de mes collègues de travail n'est au courant de mes problèmes. Je ne m'absente presque jamais, alors... Et je parle très peu de mes symptômes ou de mes obsessions au bureau.»

Il y a un an, Jean-Pierre a tenté de mettre sur pied un groupe d'entraide pour hypocondriaques. Malheureusement, le projet a avorté. «J'ai fait paraître une annonce, mais les gens n'ont pas embarqué. Je suis sûr que si j'arrivais à créer un groupe comme celui-là, ça m'aiderait moi-même, et ça en aiderait d'autres, à mieux composer avec la situation. À échanger. À trouver des solutions. Combien de personnes s'en sont sorties grâce aux Alcooliques anonymes! Ça nous permettrait aussi de mieux faire comprendre à nos familles ce que c'est, au juste, que cette maladie. On se sent tellement diminué... On a tellement peur que les autres nous jugent... On se sent coupable — comme les alcooliques. Certains m'ont dit que sans l'aide des AA, et sans le support que les membres s'apportaient l'un à l'autre, ils ne s'en seraient jamais sortis, qu'ils seraient morts à l'heure actuelle.»

B. La peur d'une dysmorphie corporelle

Si certaines personnes sont obsédées par la crainte ou la certitude d'être malades, d'autres sont préoccupées par la conviction qu'une partie de leur corps est disgracieuse ou déformée. Ce trouble, anciennement appelé *dysmorphophobie*, est répertorié, depuis 1987, comme entité clinique dans le *DSM*; les critères diagnostiques permettant de l'identifier sont décrits dans la dernière version du manuel sous la rubrique «Trouble: peur d'une dysmorphie corporelle». Il a déjà été décrit comme étant l'«hypocondrie de la beauté[4]». Bien que leur apparence ne présente rien d'anormal, les individus qui en sont affectés passent leur temps à s'examiner dans le miroir ou, au contraire, évitent systématiquement de s'y regarder. Ils passent aussi beaucoup de temps à s'habiller, se coiffer, vérifier leur tenue, et manifestent un grand besoin d'être rassurés sur leur apparence. Les plaintes formulées n'ont rien à voir avec une difformité physique, mais ont trait plutôt à des imperfections mineures telles qu'un nez «trop gros», des cheveux «trop fins», ou même une acné légère, défauts à peine perceptibles en général par leur entourage. La plupart des sujets qui éprouvent cette insatisfaction profonde à propos d'un aspect de leur corps sont conscients de leurs fixations, et en éprouvent d'ailleurs un profond embarras, ce qui pourra les inciter à cacher leur problème.

L'incidence du trouble selon le sexe n'est pas connue de façon exacte; on incline à croire que les hommes et les femmes seraient aussi susceptibles les uns que les autres d'en être affectés[5].

FRANÇOISE: UN DÉFAUT IMAGINAIRE

Françoise, qui a aujourd'hui 28 ans, est obsédée depuis longtemps par son nez. Tout a commencé à l'école élémentaire, où une camarade de classe s'était moquée d'elle. Depuis ce jour-là, son «nez de Pinocchio» n'a pas cessé de la préoccuper: elle passe son temps à examiner son profil et, chaque fois qu'elle se trouve en public, couvre de sa main cette partie de son visage qu'elle déteste au plus haut point. «J'ai déjà senti d'étranges picotements dans le nez. Il m'est même déjà arrivé d'avoir l'impression qu'il grandissait un peu plus chaque jour», confie-t-elle timidement.

Ce défaut imaginaire était source d'une si grande détresse que ses parents en vinrent à lui suggérer de se faire refaire le nez alors qu'elle n'avait que 17 ans. Malgré la chirurgie, elle continua de haïr son visage et développa même par la suite d'autres obsessions, comme celle de se retrouver chauve. Durant ses études collégiales, de nouvelles inquiétudes firent surface: Et si je devenais aveugle à force de lire sans arrêt? Cette musique va finir par me percer les tympans. Etc. Elle savait pertinemment que ces ruminations étaient insensées, mais elle n'arrivait pas à trouver le moyen de les faire cesser une fois pour toutes. Pour masquer ses peurs, elle donnait dans l'exubérance, la frénésie, jouait les hystériques — et y laissait toutes ses énergies. Elle se trouvait répugnante. Cette insatisfaction continuelle la torturait. Pour calmer son anxiété, elle prit l'habitude de boire un peu d'alcool. Elle dut interrompre ses études, et retourner vivre chez ses parents.

Elle finit par consulter un psychiatre, qui l'aida à identifier le trouble qui la harcelait. «Dès que j'ai eu entendu le nom sous lequel était connue ma maladie (c'était donc un trouble bien réel, dont bien d'autres personnes souffraient autant que moi), je me suis sentie déjà très soulagée!» Le psychiatre l'invita à essayer certains médicaments, qui eurent pour effet de réduire les épisodes d'anxiété de douze à huit par semaine environ — pendant un certain temps, du moins, car l'effet s'atténua à la longue.

«Je dois être un cas désespéré! dit Françoise sur un ton désabusé. Je me suis résignée au fait que j'étais née avec cette manie-là. Dans ma famille, il y a plusieurs alcooliques, du côté de ma mère comme de mon père. Ce n'est pas moi qui vais leur jeter la pierre… Mon frère, par contre, n'a pas de problème particulier.»

C. Le trouble de somatisation

Les patients affectés par un trouble de somatisation souffrent en général depuis des années — depuis l'adolescence ou le début de la vingtaine habituellement — de divers symptômes, souvent assez vagues, dont ils ont eu à se plaindre à plusieurs reprises. Pour établir un diagnostic de trouble de somatisation, le sujet doit, dit le *DSM,* avoir éprouvé durant la période précédant l'examen: au moins quatre symptômes de douleur touchant des régions du corps différentes (maux de tête, douleurs articulaires, etc.); deux symptômes gastro-intestinaux autres que des douleurs (nausées, ballonnements, etc.); un symptôme à caractère sexuel (indifférence sexuelle, difficultés à avoir une érection, etc.); et un symptôme pseudoneurologique (problème de coordination, paralysie, etc.). Les plaintes formulées par les femmes ont souvent trait aux menstruations.

La fréquence du trouble reste assez faible (entre 0,2 % et 2 %, selon la version de 1994 du *DSM*). Les professionnels de la santé mentale tentent actuellement de mettre au point une nouvelle description du problème, moins complexe que la précédente, qui serait chapeautée du terme plus général de «syndrome de somatisation».

Au milieu des années quatre-vingt, des épidémiologistes américains ont tenté d'estimer sur le terrain (les investigateurs ont fait enquête à la fois dans des cliniques, des hôpitaux, des prisons et au domicile de nombreux citoyens) les vraies dimensions de la somatisation au pays en procédant à une analyse du problème par voie de questionnaire, administré individuellement à 20 000 sujets vivant aux États-Unis, sur les plaintes somatiques qu'ils auraient formulées à plusieurs reprises dans le passé à des médecins sans y avoir trouvé réponse. L'investigation, qui faisait partie d'un vaste projet subventionné par le National Institute of Mental Health, visait à déterminer, de manière plus générale, l'ampleur de l'incidence des troubles mentaux à la dimension du territoire. Les sujets ciblés devaient présenter des antécédents d'au moins quatre à six plaintes somatiques différentes formulées à plusieurs reprises à un médecin et restées sans explication[6]; en outre, leurs symptômes devaient avoir été assez sévères pour avoir eu des répercussions importantes sur leur vie privée ou leurs activités professionnelles, pour les avoir amenés à consulter un médecin ou pour les inciter à prendre des médicaments plus d'une fois.

Le tableau clinique du syndrome de somatisation a été retrouvé, grâce à cette étude, dans une proportion de 12 % de l'échantillon.

PHILIPPE: 100 CONSULTATIONS!

Philippe a souffert, lorsqu'il était enfant, de la scarlatine et d'une forme légère d'épilepsie, qui s'est complètement résorbée. Vers l'âge de six ans, il avait commencé à se plaindre régulièrement de maux d'estomac, de douleurs articulaires, qui l'avaient obligé maintes fois à s'absenter de l'école. Ses parents avaient consulté plusieurs médecins, mais le diagnostic ne laissait présager rien d'alarmant: il était en bonne santé, quoique un peu solitaire et sérieux pour son âge. Très doué, il avait obtenu sans difficulté ses diplômes d'études secondaires et d'études collégiales, pour entamer ensuite une carrière dans le domaine des assurances.

Il vivait paisiblement chez ses parents, quand d'étranges symptômes (des palpitations cardiaques, des étourdissements, des troubles digestifs, de la fatigue et des douleurs articulaires) ont commencé à l'incommoder, l'obligeant à quitter son travail. Et à rompre ses fiançailles. Il est, encore aujourd'hui, en congé d'invalidité et passe la plupart de son temps à faire la navette entre les hôpitaux.

Syndrome de Costen (douleurs à la mâchoire), fibromyalgie, acouphènes, fatigue chronique, tous les diagnostics réputés être «suspects», il les a tous posés lui-même. «Je suis très astucieux, dit-il, quand il s'agit de déterminer ce qui m'affecte!» Il dit avoir consulté près d'une centaine de médecins. «Je commence à en savoir plus sur la médecine qu'ils en savent eux-mêmes», ironise-t-il.

D. Le trouble douloureux

Les symptômes de ce que le *DSM* appelle le «trouble douloureux» peuvent se manifester dans différentes parties du corps; leur intensité doit être telle qu'ils justifient un examen et persistent après un bilan médical approprié. Dans la plupart des cas, la douleur est soit incompatible avec les résultats des épreuves de laboratoire soit inexplicable par une maladie organique. D'autres caractéristiques peuvent venir compléter le tableau clinique:

consultations répétées, consommation excessive d'analgésiques, demandes d'intervention médicale, propension à jouer le rôle d'invalide. Il arrive souvent que le problème s'installe après un accident ou un traumatisme physique quelconque; on estime que des facteurs psychologiques jouent un rôle déterminant dans le déclenchement, la gravité, l'exacerbation et la persistance de la douleur.

Les spécialistes du traitement de la douleur chronique n'adhèrent pas complètement au concept de douleur somatoforme, car, si le diagnostic de trouble somatoforme douloureux prend en compte le fait que la douleur n'est pas simulée, il porte encore, disent-ils, le stigmate de «trouble mental», ce à quoi ils rebutent, comme me le rappelait en entrevue le psychologue Robert Dworkin[7]. Même dans les cas où la douleur semble être d'abord d'origine psychique, il est recommandable, selon lui, d'établir deux diagnostics séparés, l'un décrivant la douleur éprouvée, l'autre évoquant la possibilité d'un trouble d'ordre psychologique, la dépression par exemple, car il est très difficile de distinguer la cause et l'effet dans les cas de douleur chronique. «C'est le dilemme de la poule et de l'œuf, dit Dworkin: est-ce que la dépression et l'anxiété *sont à l'origine* de la douleur ou le sujet est-il déprimé et anxieux *parce que* la douleur est trop intense?» On pourrait en dire autant, à la limite, de tous les diagnostics de troubles somatoformes, y compris de l'hypocondrie.

DANIEL: UNE VIE À RECONSTRUIRE

Daniel, un jeune banquier aussi doué qu'ambitieux, nageait dans le bonheur, jusqu'au jour où il sentit le plancher lui glisser brusquement sous les pieds pendant qu'il montait à son loft: une chute de 20 mètres dans la cage d'ascenseur! Il n'avait alors que 30 ans. Il s'en était sorti avec quelques fractures dans la région lombaire et une hanche passablement ravagée qui avait nécessité l'installation d'une plaque métallique.

Son médecin l'avait assuré que ces blessures guériraient avec le temps. Or, trois ans après l'accident, Daniel souffrait toujours de maux de dos extrêmement douloureux — sans compter un gain de poids de 34 kilos, une dépendance de plus en plus forte aux narcotiques, des problèmes d'insomnie et certains signes de dépression. «Je ne voyais plus personne. Je ne répondais même plus au téléphone, je laissais le répondeur le faire à ma place.»

Il avait entendu parler d'une «clinique de la douleur» offerte par un hôpital de sa région. «Pourquoi ne pas essayer? Je ne suis pas une pâte molle! me suis-je dit. Si je m'y mets, je vais y arriver. J'en ai vu d'autres, non?» Mais la douleur s'avéra être plus tenace qu'il ne l'avait imaginé. Il dut s'habituer à l'idée qu'une douleur aiguë pouvait à tout moment survenir. Il n'avait pas d'autre choix que d'apprendre — peut-être jusqu'à la fin de ses jours — à s'en accommoder. «Je ne pouvais me pardonner d'être incapable de surmonter ces douleurs. Je m'apitoyais tellement sur mon sort que je ne savais plus quelle part de ma souffrance était physique et quelle part était psychologique. Et, surtout, je ne reconnaissais pas cette espèce de minable que j'étais devenu! cet égocentrique qui passait son temps à se regarder le nombril!»

Durant les trois semaines qu'il a passées à l'hôpital, Daniel a pu apprendre néanmoins diverses méthodes susceptibles de l'aider à mieux maîtriser sa douleur: exercices de respiration et de relaxation, bio-feedback, techniques pour s'asseoir et se lever, etc. Les séances de psychothérapie l'ont également aidé à se ressaisir, dit-il. Il a pu se rendre compte au cours des entretiens qu'il a eus avec sa psychothérapeute que son comportement face à la douleur n'était pas sans rappeler celui qu'il avait, pendant toute son enfance et son adolescence, observé chez son père, un vétéran de la Deuxième Guerre revenu au pays sur une civière le corps criblé d'éclats d'obus.

Mais, la thérapie, il n'y croyait pas vraiment. «Je vois la vie en noir ou en rose, selon que je suis malade ou que je suis bien portant. C'est tout ou rien! Je suis comme ça, moi. J'ai un peu de répit durant quelques jours, puis le mal revient pendant une journée ou deux, et ça recommence.»

En réalité, depuis son accident Daniel est devenu un tout autre homme. Peut-être un peu plus vulnérable et dépendant des autres, mais, commence-t-il à peine à admettre, «un gars un peu plus sympathique».

E. Le trouble de conversion

Le trouble de conversion, originellement appelé «névrose hystérique», présente un intérêt historique particulier. C'est en effet l'étude de l'hystérie qui a servi de fondement à l'édification de la psychanalyse. Les symptômes hystériques représentaient pour Freud une certaine forme de compromis entre les pulsions interdites et les défenses que le sujet élabore pour s'en protéger.

Le trouble de conversion a ceci de particulier qu'il entraîne une altération manifeste de certaines fonctions physiques, qu'il s'agisse d'une difficulté à voir, à entendre, à marcher ou à bouger un membre, qui pourra laisser croire à l'existence d'une anomalie organique plus sévère, mais qui traduit en réalité un conflit d'ordre émotionnel. Dans certains cas, les symptômes peuvent aider à contourner un problème sous-jacent ou empêcher un souhait ou un besoin intérieur, la dépendance par exemple, de passer le seuil de la conscience. Le handicap a souvent une valeur symbolique: par exemple, un pianiste de concert, dévoré par le trac, voit sa main se paralyser; ou une femme, folle de rage à l'égard de son mari, perd l'usage de la parole.

Les symptômes de conversion sont de deux à dix fois plus fréquents chez les femmes que chez les hommes. Ils sont habituellement reliés à des facteurs de stress psychologique et social intenses et n'entraînent pas nécessairement de dommages irréversibles. Une fois résorbés, ils peuvent même servir de catalyseur à un changement radical.

ANNE-MARIE: UNE CRISE DÉTERMINANTE

À la fin de ses études secondaires, Anne-Marie prend la ferme décision d'entrer au couvent. «Je sentais un besoin profond d'aider les gens, de faire le bien et de donner une dimension spirituelle à ma vie», dit-elle. À 21 ans, elle avait déjà prononcé ses vœux. Ses parents avaient très mal réagi. «Si un organisme tel que le Peace Corps avait existé à l'époque, je me serais sans doute portée volontaire», nuance-t-elle plusieurs années plus tard.

Durant ses dix premières années de vie religieuse, tout va bien: l'expérience de la vie en communauté et le calme qu'elle y trouve semblent lui convenir parfaitement. Elle obtient une maîtrise en éducation, puis est nommée principale d'une école secondaire, où elle devient responsable également de l'enseignement de la littérature. Mais, avec le temps, elle finit par déchanter: l'Église «n'était pas assez près des gens», selon elle; elle se retrouvait à prêcher contre l'avortement auprès d'adolescentes qui attendaient un enfant, alors qu'elle savait pertinemment que c'était la solution de rechange la plus raisonnable qui s'offrait à ces indigentes. Elle avait beau respecter les règles du système, elle était perçue comme étant trop marginale, trop libérale. «L'Église exigeait une obéissance aveugle — et n'autorisait aucun désaccord.»

Bien qu'elle ait rarement été malade, elle se met un jour (elle a alors 36 ans) à ressentir des douleurs lancinantes au fond de l'œil. À chaque fois qu'elle fait un mouvement de l'œil, elle sent des picotements. Compresses d'eau fraîche, analgésiques, rien ne semble pouvoir atténuer la douleur. Quatre jours plus tard, elle ne voit plus rien de l'œil droit. Diagnostic du neurologue: «Névrite optique.» Anne-Marie est hospitalisée. On lui administre de la cortisone. Mais ses symptômes ne s'améliorent pas. «Je ne sais pas où le bât blesse, mais… vous allez bien devoir, un jour ou l'autre, faire face à la vérité», déclare le médecin.

Anne-Marie décide de prendre un congé, et passe une bonne partie de l'année dans un autre couvent, situé en région rurale, où la vie quotidienne sera beaucoup moins stressante. Elle commence alors à se soumettre à des séances régulières de psychothérapie. Avec sa thérapeute, elle s'entretient longuement de la vie qu'elle a menée au cours des dernières années, de sa lente désillusion, et des fréquents conflits avec sa communauté. «Je me suis aperçue que si je m'absorbais dans mon travail, c'était pour éviter, au fond, d'avoir à faire face aux questions qui se pressaient en moi depuis quelque temps.»

Elle finit par retrouver l'usage de son œil droit. Peu de temps après, elle quitte le couvent. «J'avais besoin de rompre définitivement avec mon passé.»

À l'âge de 37 ans, elle se retrouvera seule, dans une grande ville, avec 300 $ en poche. Elle parviendra à décrocher un poste de professeur, puis atteindra aux fonctions de vice-doyenne dans une université. En 1971 (elle a alors 42 ans), elle fera la connaissance d'un investisseur, père de trois enfants auxquels elle s'attachera très rapidement. Ils se marieront l'année suivante, soit huit ans après sa sortie du couvent.

Une autre de ces histoires qui finissent bien, me direz-vous? Peut-être. Ce qui est surtout impressionnant dans le parcours d'Anne-Marie, ce n'est pas tant telle ou telle étape de son évolution professionnelle ou son heureux mariage, mais le fait qu'elle soit parvenue, contrairement à beaucoup d'autres, à devenir maître de sa destinée. «J'ai traversé une période extrêmement pénible, dit-elle, où j'ai connu une très grande détresse psychologique. J'étais terriblement malheureuse! Mais je ne voulais pas voir — c'est le cas de le dire! — la vérité en face. Mon corps essayait de me dire quelque chose. Je devais l'écouter.»

*

Les cas présentés dans ce chapitre vous sembleront peut-être des situations *extrêmes* où sont en jeu les liens tendus entre le corps et l'esprit. Mais descendez un peu en vous-même, et vous retrouverez, j'en suis sûre, des images ou des événements évoquant cette tendance que nous avons tous, à un degré peut-être moins fort que celui qui ressort des histoires précédentes, à *somatiser*. Peut-être avez-vous déjà éprouvé ce que certains appellent des «douleurs de sympathie» en apprenant qu'un ami vient de vivre un événement tragique? Ou développé des symptômes semblables à ceux dont vous aviez entendu parler, la veille, à la télé? Pensez également à toutes les occasions où vous avez mis votre corps à l'épreuve en réprimant votre colère, votre peine ou toute autre émotion trop forte.

Chacun de nous a, un jour ou l'autre, éprouvé et communiqué par la parole et par tous ses pores un profond malaise, sans pouvoir faire (est-ce vraiment nécessaire?) la part de l'un et de l'autre. Les problèmes surgissent habituellement quand nous perdons l'équilibre, quand le corps, l'esprit et la vie que nous menons ne sont plus en synchronie. Non exprimée ouvertement, l'angoisse peut, en effet, devenir problématique. Mais, si vous avez un peu de chance, elle s'exprimera en vous sous forme de symptômes que vous saurez repérer, et peut-être nommer vous-même. Cette prise de conscience, à elle seule, vous aidera à prendre du recul.

1. Voir Samuel B. GUZE, «The Diagnosis of Hysteria: What Are We Trying to Do?», *American Journal of Psychiatry,* n° 124, octobre 1967, p. 491-498; Samuel GUZE *et al.,* «Sex, Age, and the Diagnosis of Hysteria (Briquet's Syndrome)», *American Journal of Psychiatry*, n° 129, décembre 1972, p. 745-748.
2. Ian PILOWSKY, «Abnormal Illness Behaviour», *British Journal of Medical Psychology*, n° 42, 1969, p. 347-349.
3. ID., «Dimensions of Hypochondriasis», *British Journal of Psychiatry*, n° 113, 1967, p. 89-93.
4. Voir Katherine A. PHILLIPS, «Body Dysmorphic Disorder: The Distress of Imagined Ugliness», *American Journal of Psychiatry*, n° 148, septembre 1991, p. 1138-1149.
5. ID., «An Ugly Secret: Body Dismorphic Disorder», *Medical and Health Manual*, Chicago, Encyclopaedia Britannica, 1993, p. 364.
6. Voir *Psychiatric Disorders in America*, sous la direction de Lee N. ROBINS et Darrel A. REGIER, New York, Free Press, 1991, p. 228.
7. Robert DWORKIN (psychologue rattaché au Pain Treatment Center, affilié au Columbia Presbyterian Medical Center), entrevue réalisée le 3 novembre 1993.

Chapitre 3

Au-delà des symptômes

Le chagrin qui ne passe pas par les larmes fait pleurer d'autres organes.

Henry MAUDSLEY,
éminent anatomiste anglais ayant vécu au XIXe siècle.

Vous vous querellez avec votre conjoint, et une douleur cinglante commence à vous marteler les tempes. Vous mettez la dernière main à un projet important, et vos muscles se raidissent. La liste pourrait s'allonger indéfiniment, n'est-ce pas? Et il n'y a rien d'anormal à ce que le corps s'exprime de cette manière; ce second langage fait même partie de notre nature. Tous ces signaux sont en fait d'une valeur inestimable: ils nous mettent en contact avec les sentiments et les émotions qui donnent sens à nos vies. Votre cœur se met à battre? Quelque chose vous saisit, vous excite, c'est indéniable. Vous n'avez plus d'appétit, ni le cœur à l'ouvrage? Vous prenez conscience de la profondeur du chagrin que vous a fait un être cher. Vous rougissez? Vous savez tout de suite que votre interlocuteur vous intimide. Vous avez une forte migraine? Vous comprenez qu'il vaudrait mieux décompresser. Des crampes intestinales? La décision que vous devez prendre est importante. Ces symptômes sont une source d'information très précieuse — à condition, bien sûr, d'être à l'écoute.

Parmi les malaises les plus souvent rapportés par des personnes en bonne santé à qui l'on avait demandé de prendre note chaque jour de ce qui les incommodait figurent: la fatigue, les maux de dos, les crampes musculaires, la toux, les maux de tête et les palpitations. Des symptômes assez banals, somme toute. Pas vraiment gênants ni trop préoccupants, si l'on n'y fait pas trop attention. Lewis Thomas disait juste: «Les problèmes se règlent d'eux-mêmes la plupart du temps. Une fois la nuit passée, ça va mieux. C'est ça, le grand secret[1].» Si l'on se sent complètement abattu, certains jours, c'est beaucoup plus souvent, en effet, à cause d'un manque de sommeil, d'un rendement qui laisse à désirer, de relations tendues avec son entourage, ou autres facteurs du genre, qu'en raison d'une maladie grave. Il est bien connu également que la majorité des gens préfèrent endurer leurs malaises physiques, et même une maladie bénigne, plutôt que de recourir aux services de santé.

Il en est d'autres toutefois — ceux qu'on appelle les «grands utilisateurs» — qui fréquentent régulièrement les cliniques et les hôpitaux pour des motifs tels que maux de dos, fatigue, étourdissements ou migraine, symptômes qui, pour être courants ou banals, demeurent souvent inexpliqués par la science. Un pourcentage important de la clientèle des cabinets médicaux souffre de stress psychologique plutôt que de problèmes à caractère strictement médical, atteste le psychiatre Charles V. Ford, professeur à l'Université de l'Alabama[2]. Mais ces patients parleront beaucoup plus volontiers de leur souffrance *physique* que de leurs problèmes personnels: «Le ticket d'admission au cabinet du médecin est un symptôme *physique* — pas une atmosphère de travail déprimante ou un mariage en crise», se voit-il forcé de constater.

Que des émotions puissent s'exprimer par des manifestations physiques ne fait pas problème en soi, ni ne menace la santé du patient. Il y a lieu de s'inquiéter, par contre, lorsqu'un patient a l'habitude de mésinterpréter ou d'amplifier des symptômes qui traduisent, de façon tout à fait normale, un trouble affectif. «Je ne me sens pas bien...», «J'ai mal au cœur...»: ce type de plainte sert souvent à traduire un problème psychique par le relais du corps. Les somatiseurs hypocondriaques vont encore plus loin: non seulement expriment-ils leur souffrance morale par divers symptômes somatiques, mais «ils ont la ferme conviction qu'ils sont vraiment malades, et la moindre sensation (des mains glacées ou une paupière qui sautille, par exemple) servira de confirmation à leur maladie», explique le psychiatre Arthur J. Barsky.

La dynamique de la maladie

Une expérience bien subjective...

Il n'y a pas deux individus qui réagissent de la même manière aux sensations physiques, quel que soit leur état de santé général: misant sur leur bonne forme, certains tireront le maximum de leurs capacités et des occasions que la vie leur offre d'accroître leur bien-être; d'autres s'abandonneront plus facilement à la maladie.

Prenons deux hommes sensiblement du même âge qui consultent un orthopédiste pour un mal de dos. Les résultats des radiographies ont permis, dans les deux cas, de poser un diagnostic d'hernie discale — affection courante chez les hommes âgés de plus de 20 ans, et «pas plus grave du point de vue pathologique que l'apparition de cheveux gris ou des premières rides[3]», dit le Dr John E. Sarno, professeur de réhabilitation clinique à la faculté de médecine de l'Université de New York. Mais, alors que le premier fera face au problème en adoptant un programme particulier d'exercices et en prenant au besoin un comprimé d'Advil, le second mettra fin à la plupart de ses activités physiques, comme s'il était devenu invalide, et passera son temps à se faire du souci.

Selon les conclusions d'une étude menée par des chercheurs de la faculté de médecine de l'Université de la Virginie sur les attitudes des gens face à la santé et à la maladie[4], les sujets qui *disent* être «en mauvaise santé», être «malades» ou être «atteints d'une maladie organique» (soit, dans le cas qui nous occupe, 62 sujets sur un échantillon total de 208, dont 23 seulement se sont avérés être effectivement malades, après des examens médicaux appropriés) non seulement s'inquiètent davantage de leur santé que ceux qui *disent* se sentir bien (146 sur 208), mais ils présentent également des symptômes plus prononcés de dépression, d'anxiété et de douleur aiguë, de même qu'ils consultent davantage les médecins, que ce soit en personne ou par téléphone; ils ont aussi, cela va sans dire, des factures beaucoup plus élevées à payer pour les avis ou les soins reçus.

Je me rappelle avoir dévoré, avec un sentiment d'horreur mêlé d'admiration, l'ouvrage de Suzy Szasz, dans lequel cette bibliothécaire d'une quarantaine d'années décrit la lutte acharnée qu'elle a dû livrer à partir de l'âge de 13 ans au lupus et y encourage les patients qui connaissent les affres de cette terrible maladie (fièvre élevée, douleurs articulaires invalidantes, affreuses rougeurs) — j'étais moi-même convaincue à l'époque d'être atteinte de cette affection — à vivre «de la manière la plus satisfaisante possible, la plus agréable possible, et avec le plus de détermination possible[5]». Elle m'a aidée à me rendre compte du rôle décisif des attitudes d'esprit et des convictions personnelles dans la capacité à composer avec une maladie. Tous ces médicaments, toutes ces interventions et toute cette énergie pour empêcher son corps d'attaquer ses propres tissus!... C'est injuste! me suis-je dit si souvent en traversant l'ouvrage.

Pourtant, je me rappelle avoir pensé, au cours de ma lecture, qu'elle était plus heureuse que moi, en dernière analyse, car si elle savait l'impact déterminant que cette maladie potentiellement mortelle avait eu sur elle, elle refusait par contre de se définir uniquement *en fonction de cette expérience*, d'agir en victime: «Contrairement aux hypocondriaques, qui veulent être considérés comme des patients à part entière, j'ai toujours refusé, quant à moi, qu'on me traite comme une *patiente,* dit Szasz. Le fait d'avoir eu à composer avec une maladie chronique durant presque toute ma vie, et à en assumer la responsabilité, m'a peut-être, paradoxalement, facilité la tâche. Ma maladie — et l'obligation qu'elle m'imposait de prendre soin de moi — m'aura aidée paradoxalement à prendre *ma vie* en main, elle m'aura servi de phare en quelque sorte.»

Le point de vue des sociologues

Certaines notions, introduites au cours des dernières décennies dans le vocabulaire des sciences sociales et de la psychiatrie américaine, font régulièrement irruption dans le discours des spécialistes qui s'intéressent à l'influence de la maladie sur le fonctionnement psychologique et social de l'individu: (1) la notion de «statut de la maladie» telle que définie par Talcott Parsons dans les années cinquante, (2) la notion de «comportement face à la maladie» ou d'«expérience de la maladie» introduite par David Mechanic et (3) celle de «comportement anormal face à la maladie» telle qu'élaborée par le psychiatre Ian Pilowsky. Ces concepts influencent indéniablement la façon dont est perçu et interprété aujourd'hui le phénomène de la somatisation. D'où l'importance d'en saisir la véritable portée et la pertinence dans le contexte plus particulier de ce qui fait l'objet de cet ouvrage: l'hypocondrie.

Le statut de malade. Être malade, c'est, d'une certaine manière, s'abstraire de la vie quotidienne, donc être différent des autres, mais en se donnant un statut qui, tout en étant marginal, est sanctionné par la société (sauf à parler des troubles psychiques: vous n'avez qu'à jeter un coup d'œil à la plupart des polices d'assurance sur la santé pour vous en convaincre!). Dans notre culture, le statut de malade est en effet assorti de certains privilèges: dégagement des responsabilités sociales, soutien, réconfort et soins.

Il y a quelque chose de paradoxalement exaltant, et même de salutaire sur le plan spirituel, dans l'expérience de la maladie.

Le regretté Anatole Broyard disait des affections graves qu'elles sont «une permission toute particulière, une autorisation, une dispense», en quelque sorte. Dans les émouvantes méditations qu'il a écrites sur la vie et la mort durant sa longue lutte contre le cancer, l'auteur, qui dit s'être «intoxiqué» avec sa maladie, décrit dans ces termes l'impression qu'il a ressentie après avoir reçu son diagnostic: «Il n'y a rien de mal à ce qu'un homme sur qui pèse une lourde menace donne dans le romantisme ou la démesure [...] Toute votre vie, il vous faut contenir vos envies, vos désirs les plus fous. Mais quand la maladie frappe, plus rien ne vous empêche de les laisser s'exprimer avec toutes leurs bigarrures[6].»

Virginia Woolf sait évoquer admirablement cette singulière impression de liberté que confère l'expérience de la maladie: «La maladie autorise, n'ayons pas peur de le dire (ne donne-t-elle pas lieu aux plus grandes confessions?), une franchise tout enfantine; la vérité éclate, le sceau du secret se brise, tout ce que la vigilance que commande la singulière respectabilité de la santé empêchait de mettre au jour émerge tout à coup [...] La responsabilité se relâchant, et la raison étant mise en suspens — qui donc exigera d'un invalide qu'il exerce son sens critique ou d'une personne clouée au lit qu'elle tienne des propos sensés? —, d'autres goûts s'affirment; subits, mouvants, passionnés[7].»

On sait la vénération qu'avaient les Romantiques pour la maladie et l'intérêt porté à la tuberculose dans la première moitié du siècle dernier. Les poètes et les philosophes de l'époque romantique ont inventé l'invalidité pour pouvoir donner libre cours à leur oisiveté, se dégager de leurs obligations bourgeoises et se livrer tout entier à leur art, se risque à dire Susan Sontag: «C'était une façon, en somme, de se retirer du monde sans avoir à prendre la responsabilité de cette décision. *La Montagne magique,* de Thomas Mann, est de ce point de vue exemplaire[8].» (Rappelons que, dans ce roman paru en 1924, le héros, qui souffre de la tuberculose, se voit exilé pendant sept ans dans un sanatorium huppé situé dans les Alpes suisses; cette convalescence le transformera complètement sur le plan spirituel.)

L'une des motivations premières, consciente ou inconsciente, des individus qui somatisent est d'endosser le «statut» bien particulier qu'est celui du malade. Les avantages associés à cet état — occasion unique d'oublier les contingences de la vie quotidienne, d'être entouré de soins et de vivre en état de totale dépendance —

seront parfois si alléchants qu'il pourra sembler difficile de s'en abstraire. En s'accrochant à ses symptômes ou en les amplifiant, sinon en les simulant, le «somatiseur» se trouve dégagé de certaines obligations auxquelles il lui faudrait satisfaire s'il jouissait d'une parfaite santé.

La société légitimise ce statut à deux conditions, dit Parsons: la personne malade doit prendre toutes les mesures nécessaires pour retrouver la santé et elle doit coopérer avec ceux qui sont chargés d'assurer sa guérison, «faire tâche commune[9]» avec eux. Les attentes de la famille, des amis et du médecin vont habituellement dans le même sens: le patient doit manifester le désir de récupérer et de retrouver peu à peu son autonomie. L'hypocondrie, et certaines autres formes de somatisation, ne répond certes pas aux mêmes exigences.

Le comportement face à la maladie. Les façons dont les symptômes sont perçus, évalués, manifestés ou voilés par un individu sont souvent mises en relation par certains spécialistes avec ce que Mechanic, autre sociologue de la médecine, appelle le «comportement face à la maladie».

Il est de bon ton aujourd'hui de distinguer la maladie en tant qu'entité clinique et la maladie en tant qu'expérience; la langue anglaise dispose d'ailleurs de deux termes différents (*disease* et *illness*) pour caractériser le double visage, l'un médical l'autre psychologique, de cette réalité. La première désigne la composante objective du phénomène, sa dimension organique, pathologique; la seconde désigne sa composante plus subjective, sa dimension proprement humaine ou, si l'on veut, «la maladie (organique) investie de sens[10]». Faire l'*expérience* de la maladie, c'est, dit Arthur Kleinman, «assurer soi-même le monitorage de ses mécanismes biologiques: respiration sifflante, crampes abdominales, sinus congestionnés, douleurs articulaires[11]». Le mot expérience veut faire référence à la façon dont une personne malade et les membres de sa famille ou d'un environnement social plus étendu perçoivent le diagnostic, les symptômes et les aspects invalidants qui y sont associés, et à la façon dont ils composent avec cette réalité et y réagissent.

La dynamique de la maladie suppose que le sujet fasse une appréciation de ses symptômes («Je m'y attendais», «J'ai peur» ou «Il faut que je voie un médecin») et qu'il adopte une attitude et des idées bien définies quant à la meilleure façon de surmonter la douleur et les malaises qui y sont associés. (Devrais-je m'absenter de l'école? Ne pas me présenter au travail? Changer de régime alimentaire? Faire plus d'exercice? Consulter un spécialiste?) Les choix à opérer dépendent d'un certain nombre de facteurs: personnalité, croyances et convictions personnelles, groupe culturel, éducation, antécédents médicaux — autrement dit de tout ce qui sert d'assise aux motivations du sujet. La façon dont réagiront, par exemple, des parents aux maux d'estomac que ressent leur jeune écolier chaque lundi matin modèlera inévitablement son comportement à l'âge adulte. Rappelez-vous... Vous vous étiez levé l'estomac tout à l'envers, et vous aviez obtenu la permission de rester à la maison ce jour-là — seul avec votre maman ou votre papa pendant toute la journée! On vous avait servi — au lit, s'il vous plaît! — un bol de bouillon de poulet bien chaud, et on vous avait lu trois contes dans la même journée!... Si vous avez eu droit à ce type de traitement dans votre enfance, il y a de fortes chances pour que vous réagissiez autrement à la maladie aujourd'hui que si vous aviez grandi dans un milieu où elle était minimisée ou devait être surmontée de façon stoïque, en étouffant votre souffrance.

Le comportement anormal face à la maladie. Un troisième concept, passablement discutable du reste, a fait fortune dans les milieux de la sociologie médicale et de la psychiatrie: celui de «comportement anormal face à la maladie». Qui dit *anormal* dit «inapproprié», «incorrect», ce qui a amené certains cliniciens à dénoncer cette notion. Elle implique en effet que le patient endosse la pleine responsabilité de son état, alors qu'il a été démontré que des facteurs tels que le système médical, la relation médecin/patient et même le type de police d'assurance que les ressources financières du patient lui permettent de s'offrir peuvent influencer grandement son comportement face à la maladie. Il pourra être utile néanmoins, dans certains contextes, d'avoir recours à cette notion.

L'étiquette peut être attachée aussi bien à une affection aussi spectaculaire que le syndrome de Münchhausen, où le patient tire une certaine satisfaction sur le plan émotionnel à feindre délibérément une maladie grave, qu'au phénomène inverse, où le patient nie inconsciemment les signes et symptômes de sa maladie, comportement autodestructeur qui pourra avoir de graves répercussions sur sa santé et sa vie même.

Normal/anormal: où tracer la ligne de partage?

Il n'est pas toujours facile de déterminer de façon précise si des symptômes traduisent une affection médicale bien réelle ou s'ils sont une forme de somatisation. Aucun test ni aucun critère objectif ne permet à ce jour de déterminer si la perception qu'a un individu de sa santé, de sa maladie ou de son corps est «normale» ou «anormale». La somatisation peut revêtir les aspects les plus divers et s'exprimer avec plus ou moins d'intensité, selon les individus: on la dira légère ou transitoire, ou, au contraire, extrêmement douloureuse et invalidante. De même, elle peut affecter profondément les relations interpersonnelles ou, à l'inverse, les cimenter.

Il n'y a rien d'anormal à s'inquiéter de sa santé; mais si cette préoccupation prend toute la place dans votre vie ou si elle vous obsède au point d'affecter gravement vos activités quotidiennes et de vous enlever toute joie de vivre, il y a lieu de vous poser quelques questions. Vous n'êtes jamais satisfait des explications que les médecins vous donnent, changez souvent de médecin, lisez systématiquement tout ce qui s'écrit dans les journaux et les revues sur les maladies les plus terrifiantes? Vous vous sentez invariablement mal en point et avez l'impression de ne plus jouir de la vie? Vous vous absentez de plus en plus souvent des réunions et fêtes de famille ou autres activités sociales qui avaient l'habitude de compter pour vous? Le temps est venu de vous interroger sérieusement.

Demandez-vous: Est-ce que je souffre réellement d'une maladie que les médecins ont été incapables d'identifier jusqu'à maintenant? Des facteurs émotionnels pourraient-ils être en jeu dans le fait que je me sente si mal dans ma peau? Suis-je en train de reproduire un ancien comportement, qui remonterait à l'enfance? Qu'est-ce qui est vraiment en jeu ici? Ai-je quelque chose à gagner ou à perdre dans le fait d'être malade?

Votre médecin peut se tromper

Avant de conclure qu'une personne somatise ou est hypocondriaque, il y a lieu de se demander également si le médecin consulté n'aurait pas posé un diagnostic erroné? Les erreurs de diagnostic sont chose courante; les médias ne laissent d'ailleurs pas passer une occasion d'en faire la manchette.

Prenez, par exemple, cette dame de 38 ans, dont le médecin n'a pas su prendre au sérieux les élancements qu'elle ressentait dans un sein, les mettant au compte d'une simple mastose sclérokystique. Lorsqu'elle réclama plus tard une mammographie, il soutint qu'il n'y avait pas lieu de recourir à cet examen et l'admonesta irrespectueusement en la traitant d'«hypocondriaque». Cinq ans après l'éclosion des premiers symptômes, elle apprenait, à la suite d'un examen faisant appel à l'imagerie par résonance magnétique, qu'un virulent carcinome s'était métastasé à travers tout son système: elle avait un cancer généralisé[12].

Et que dire de cette pauvre enseignante qui souffrait depuis des années d'une douleur abdominale, et qui, malgré les résultats négatifs des quatre tests Pap qu'elle avait passés au cours des huit années précédentes, est morte d'un cancer du col de l'utérus! On lui avait bel et bien répété pourtant, trois semaines avant que la tumeur maligne ne soit détectée, qu'elle n'avait pas à s'inquiéter, que le laboratoire n'avait trouvé aucune cellule cancéreuse. L'inquiétude semée par cette tragique histoire incita d'ailleurs les autorités sanitaires à ordonner une série d'investigations: le laboratoire en question fut sommé de re-vérifier les analyses de plus de 19 000 frottis vaginaux jugées suspectes[13]!

Les erreurs de ce type sont toujours possibles — et font malheureusement partie de l'actualité médicale. C'est cette éventualité même qui est au cœur de l'hypocondrie. La peur de l'hypocondriaque s'enracine en effet dans ce doute persistant; il n'arrive pas à se convaincre ni à se laisser convaincre qu'il n'est pas atteint d'une maladie grave. Cette incertitude crée un continuel pas-de-deux entre l'hypocondriaque et son médecin traitant, qui, par formation, doit, comme tout bon détective, cultiver l'art du soupçon et relancer continuellement la question: Les maux du patient s'expliquent-ils par un facteur *biologique*? Il ne faut pas oublier non plus qu'une épée de Damoclès est continuellement suspendue au-dessus de la tête des médecins: celle d'être poursuivi si l'état du patient s'aggrave.

Si vous êtes convaincu d'être vraiment malade et que votre cas n'ait pas fait l'objet d'un examen assez approfondi, plusieurs voies s'offrent à vous. Dans un ouvrage destiné à aider les gens qui souffrent d'une maladie dont ils ne connaissent ni le nom ni la cause à vivre avec les émotions qu'engendre inévitablement cette incertitude, la journaliste Linda Hanner raconte comment elle a été forcée elle-même de composer, pendant six ans, avec la maladie ou arthrite de Lyme, qu'aucun médecin n'avait su diagnostiquer[14]. Un médecin lui avait dit, au premier stade de développement de cette affection, qu'elle présentait «un trop grand nombre de symptômes» pour qu'il s'agisse d'une «vraie» maladie, et lui avait conseillé de consulter plutôt un psychiatre.

Certains patients, insatisfaits des explications fournies par leur médecin, se soumettent à des bilans de santé extrêmement onéreux dans des établissements médicaux dont la réputation et l'influence sont reconnues, la Clinique Mayo par exemple. D'autres se tournent vers les médecines parallèles, souvent plus au fait que la médecine officielle des vertus curatives du réconfort et d'une fine attention aux plaintes du patient. Si vous n'avez pu trouver réponse à vos questions auprès de praticiens de la médecine institutionnelle, ni à l'occasion d'ateliers inspirés des méthodes propres aux médecines parallèles, peut-être vous demandez-vous si les symptômes dont vous souffrez ne seraient pas d'origine psychologique ou, comme le disent certains spécialistes de la santé mentale, «biopsychosociale».

Il y a fort à parier toutefois que la plupart des individus qui souffrent d'une affection inexpliquée n'endosseront pas spontanément une évaluation fondée sur des critères psychologiques et ne s'exclameront pas tout naïvement: «Possible! De fait, je suis plutôt déprimé depuis quelque temps. Oui, ce doit être ça: c'est mon anxiété qui me rend malade. Comment n'y ai-je pas pensé plus tôt!», mais resteront plutôt sceptiques face à cette hypothèse.

Savoir reconnaître la vraie source du mal

Lorsque j'ai moi-même été dans cette situation, au cours de ces épisodes (le second en particulier) où j'étais convaincue d'être atteinte du lupus, je réagissais très mal à toute remarque laissant entendre que mes problèmes puissent être «psychologiques». J'ai beaucoup souffert notamment de l'attitude de mon mari, qui, s'il ne m'a jamais traitée d'hypocondriaque, pas devant moi du moins, était assez indifférent à mes douleurs — assez en tout cas pour que je puisse deviner ce qu'il en pensait vraiment. Ayant consacré beaucoup de temps et d'énergie à ma psychothérapie au cours des dix années précédentes, il m'apparaissait impossible que la source de mes problèmes physiques soit — encore — d'origine psychique. Si c'était le cas, j'aurais été amenée à en parler, non?, en thérapie, me disais-je, pour me rassurer.

Mes troubles physiques me semblaient si évidents, si douloureusement palpables. Des examens avaient d'ailleurs bel et bien mis en évidence une moins grande flexibilité du poignet, et une scintigraphie osseuse avait révélé une légère anomalie; les médecins ne s'étaient pas inquiétés toutefois plus qu'il ne faut de ces résultats. J'étais convaincue que quelque chose ne tournait pas rond, peut-être à cause des changements hormonaux qui s'étaient produits dans mon organisme après la naissance de mon fils ou à cause de mes longues heures de travail à l'ordinateur. Je me rends compte aujourd'hui que ce qui me troublait surtout, ce n'était pas tant ma souffrance physique, comme telle, que mes idées fixes sur le lupus et ma réaction démesurée au fait de ne pouvoir obtenir, une fois pour toutes, confirmation de mon mal par un diagnostic d'affection *organique* qui aurait mis en évidence la vraie cause de mes symptômes. (Je suis si contente, vous ne pouvez pas savoir à quel point!, que ce mal se soit avéré être de nature émotionnelle plutôt qu'organique, et que le lupus n'ait été qu'une chimère!)

Selon des chercheurs de l'Université du Michigan, *un adulte sur deux* aurait eu, un jour ou l'autre, à faire face à des symptômes de trouble mental. (La dépression majeure serait le trouble le plus fréquent; elle affecterait, dans une année donnée, 10 % des Américains. La dépendance à l'alcool viendrait au deuxième rang[15].) Les troubles mentaux continuent néanmoins de porter un lourd stigmate dans notre société. Dans l'esprit de bien des gens, avoir un problème «psychologique» est synonyme d'échec. Aussi faut-il beaucoup de courage pour admettre que quelque chose ne va pas, que l'on ne mène pas sa barque comme on le devrait.

Ce n'est pas parce que vous consentez à envisager la possibilité que vous souffriez de troubles de somatisation que vos symptômes physiques ne sont pas réels pour autant. La ligne de partage entre les troubles somatiques et les troubles émotifs est, dans bien des cas, très difficile à tracer. Il arrive souvent, par exemple, que les symptômes habituels de la dépression — vague à l'âme, sentiment de désespoir, culpabilité, fantasmes suicidaires — s'accompagnent de troubles physiques tels que maux de tête, maux de dos, constipation, insomnie et manque d'appétit. La constellation varie en fonction de chaque individu.

Par où commencer?

Descendre en soi pour tenter de voir, au-delà des symptômes, ce qui nous affecte au point de s'en rendre malade est une entreprise des plus exigeantes. D'autant qu'il ne faut jamais perdre de vue que le diagnostic reçu n'est pas toujours absolu, que les médecins ne sont pas infaillibles, et que ce qui, aujourd'hui, est interprété comme un syndrome de somatisation peut, demain, s'avérer être une affection médicale généralisée. (Jusqu'à ce que la recherche de pointe parvienne à mettre au point des tests de dépistage de la maladie de Lyme, combien de patients se seront fait dire qu'ils souffraient d'un mal imaginaire!...)

Le syndrome de somatisation pouvant se greffer à n'importe quel élément du spectre immensément étendu des troubles mentaux et des troubles physiques, en présence ou non d'une maladie organique, il n'est pas aisé, loin s'en faut, de reconnaître ou de diagnostiquer un trouble somatoforme. La maladie et la détresse vont souvent de pair, comme chacun sait. S'il est vrai que des troubles somatiques peuvent être aggravés par le stress et une trop grande agitation intérieure, il est connu également qu'une attitude positive peut modifier sensiblement l'évolution d'une affection physique invalidante. Vous connaissez sans doute, comme moi, des personnes de votre entourage qui, bien qu'elles souffrent d'une maladie grave, voire mortelle, ne mènent pas moins une vie plus gratifiante et plus heureuse que bien des hypocondriaques.

Le mécanisme qui consiste à transformer son angoisse en plaintes somatiques est l'un des moyens, sinon *le* moyen, qu'emprunte le psychisme pour laisser savoir qu'il est perturbé. Selon le Dr Charles Ford, grand spécialiste des troubles de somatisation, la présence d'un symptôme somatoforme, quel qu'il soit, multiplie par deux la probabilité d'un trouble dépressif ou d'un trouble anxieux sous-jacent. Les symptômes somatiques sont en général reliés à un dysfonctionnement qui affecte, dit-il, plusieurs sphères de la vie du sujet: problèmes matrimoniaux, absentéisme au travail, abus de substances nocives, etc[16]. «Des symptômes inexpliqués ou inhabituels devraient toujours alerter le médecin, et ce, que le patient soit atteint ou non d'une vraie maladie, explique le Dr Ford. Avant tout autre examen, le médecin devrait prendre le temps d'examiner le rôle de ces symptômes dans la vie quotidienne du patient.»

Hypocondrie primaire et hypocondrie secondaire

La plupart des études sur l'hypocondrie tendent à démontrer qu'elle se présente habituellement comme *un élément parmi d'autres* d'un ensemble beaucoup plus vaste de symptômes psychologiques, ce qui n'exclut pas la possibilité toutefois qu'elle occupe, à elle seule, tout le tableau clinique. Si l'on se reporte aux résultats de plusieurs travaux sur la question, il semble qu'entre 25 % et 60 % des patients qui ont reçu un diagnostic de dépression souffrent de troubles hypocondriaques intermittents ou chroniques. Il semble que l'inverse soit vrai également, si l'on en juge d'après une étude menée par des chercheurs de l'Université McGill, à Montréal. Près de 30 % des patients qui souffrent d'hypocondrie profonde sont affectés en même temps par une dépression ou par des troubles anxieux sévères, disent les chercheurs[17]; par comparaison, un pourcentage de 9 % seulement des patients non hypocondriaques souffrent de dépression ou d'anxiété aiguë. (On notera que ces pourcentages ont été établis sur la base de la population *qui fréquente les établissements médicaux.*)

Pour pouvoir mieux saisir les facteurs qui sont en jeu dans la «comorbidité», terme qui sert à désigner, dans le jargon psychiatrique, les cas où plusieurs affections se chevauchent, les cliniciens ont l'habitude de distinguer l'hypocondrie «primaire» et l'hypocondrie «secondaire». Certains psychiatres classent dans la première catégorie tous les patients dont les préoccupations à l'égard de leur corps et les obsessions à caractère morbide prédominent dans le tableau clinique. D'autres préfèrent réserver cette étiquette pour les cas spécifiques où aucun autre diagnostic psychiatrique n'aura pu être établi préalablement; cette forme pure d'hypocondrie reste toutefois un cas rare. En se fondant sur les résultats d'une étude effectuée auprès de 42 patients hypocondriaques, le Dr Arthur Barsky, grand spécialiste de l'étude de l'hypocondrie, a été amené à conclure que 21 % seulement ne présentaient pas en même temps des symptômes d'autres troubles mentaux; le chevauchement de l'hypocondrie et des troubles dépressifs ou des troubles anxieux, tels que la phobie et l'anxiété généralisée, y est particulièrement frappant[18].

La prédominance de symptômes tenaces et de préoccupations persistantes à l'égard de la santé devrait, à elle seule, amener à suspecter que des troubles dépressifs ou des troubles anxieux puissent être en cause. Selon des statistiques du National Institute of Mental Health[19], on doit s'attendre à ce que, au cours d'une année, sur le territoire américain:

- les *troubles dépressifs* affectent au moins 11 millions de personnes, réparties de la manière suivante: 9 millions, soit un homme sur dix et une femme sur cinq, souffrant de dépression majeure; et 2,2 millions souffrant de psychose maniacodépressive, nombre qui serait encore plus élevé si l'on prenait ici en compte les 9 millions de patients qui souffrent de dysthymie, une forme mineure de dépression chronique;
- le *trouble obsessionnel-compulsif* (ou *névrose obsessionnelle)*, trouble anxieux débilitant caractérisé par des pensées et des rituels obsédants dont le sujet reconnaît le caractère insensé, affecte 4 millions de personnes, soit une sur quarante;
- le *trouble panique,* qui s'accompagne de symptômes très pénibles — palpitations cardiaques, sueurs abondantes, vertiges, sentiment de catastrophe imminente — et inattendus, affecte de 2 à 3 millions de personnes (un Américain sur dix rapporte avoir eu une attaque de panique au cours de l'année qui vient de s'achever, tandis qu'un peu moins de 2 % présentent des symptômes assez sévères pour justifier un diagnostic de trouble panique).

Hypocondrie associée à une dépression

On peut être profondément déprimé sans nécessairement avoir les bleus ou se sentir triste. Certains comportements tels que l'abus de drogues ou d'alcool, la suralimentation, le shopping compulsif ou le vagabondage sexuel, de même que certains symptômes hypocondriaques, viendront souvent masquer ou dissimuler une dépression. Les marqueurs biologiques de ce trouble psychique peuvent aller de l'insomnie jusqu'à un changement de poids significatif, en passant par les pertes de mémoire et le dysfonctionnement sexuel. Fatigue, douleur, manque d'énergie, perte d'appétit, migraines, vertiges, constipation et maux d'estomac en sont d'autres manifestations très fréquentes. Une étude menée auprès d'un groupe de personnes ayant consulté un interniste au cours d'une période donnée révèle que les plaintes relatives à une sensation d'affaiblissement sont huit fois plus courantes, et la constipation de trois à quatre fois plus courante, chez les individus qui souffrent d'une dépression non déclarée.

Près de 50 % des patients (bénéficiaires des soins primaires) qui affichent des symptômes inexpliqués seraient déprimés; on estime en outre que les médecins n'arriveraient pas, dans 50 % des cas, à identifier ou omettraient de diagnostiquer une dépression «somatisée», terme utilisé par les cliniciens pour désigner la dépression masquée[20]. Pour bien des gens — les perfectionnistes surtout, très durs à l'égard d'eux-mêmes et des autres, et incapables d'accepter un échec personnel —, être déprimé, c'est perdre la face. Il peut leur arriver de croire qu'ils ne méritent pas un pareil sort.

L'alexithymie (du grec *alexein*, qui veut dire «repousser», et *thumos*, qui veut dire «âme») peut également être à l'origine d'une dépression somatisée. Les personnes atteintes de ce syndrome n'arrivent pas à percevoir, à nommer ou à exprimer leurs émotions; tout ce qui ne peut se dire, à cause d'inhibitions trop fortes, passe alors par le corps.

Des travaux ont montré que les malaises corporels qui accompagnent la dépression peuvent avoir un fondement physiologique, dont l'explication résiderait dans un déséquilibre du métabolisme des amines, composés organiques qu'on retrouve dans les cellules du cerveau. Lorsque les cellules nerveuses n'arrivent plus à produire une quantité suffisante de ces messagers chimiques, un trouble de l'humeur pourrait s'installer en permanence.

La dépression s'accompagne en effet de plusieurs changements biologiques: les cycles du sommeil changent, le désir sexuel baisse, l'appétit diminue — tous les rythmes du corps se trouvent perturbés. Il arrive aussi fréquemment que les personnes déprimées aient un niveau de cortisol (hormone associée au stress) plus élevé que la normale. Quant à savoir si ces changements physiologiques sont *l'effet* ou *la cause* de la dépression, la question n'a pas encore été résolue.

Malgré l'évolution rapide des connaissances sur les phénomènes biochimiques associés à la dépression, le tableau clinique de cette affection n'a pas beaucoup changé à travers les âges. Déjà, au XVIIe siècle, où le phénomène était connu sous le nom de «mélancolie», les médecins et les écrivains établissaient un rapport entre les idées sombres et les malaises somatiques. On trouve même mention dans un texte datant de 1896 d'une description de l'hypocondrie en tant que «facteur obligé de la dépression psychique[21]»; la différence entre l'hypocondrie et la mélancolie, dit l'auteur, un psychiatre viennois, est, grosso modo, que l'hypocondriaque passe son temps chez les médecins, tandis que le mélancolique passe le sien à planifier son suicide.

Le romancier William Styron décrit dans ses mémoires, œuvre profondément émouvante, comment l'hypocondrie l'a peu à peu gagné avant qu'il n'apprenne qu'il souffrait d'une dépression aiguë. Il avait eu toute sa vie un grave problème d'alcoolisme. Au début de la soixantaine, cette fâcheuse dépendance avait commencé à produire des effets troublants. De toutes petites gorgées de vin suffisaient tout à coup à lui donner la nausée et à lui causer des étourdissements. Au cours de l'été, il avait ressenti «un engourdissement, une innervation, et une étrange fragilité[22]», dit-il, comme si son corps était devenu très fébrile et hypersensible. «Tout mon être physique était perturbé: j'avais des spasmes musculaires et des douleurs, parfois temporaires, parfois continuels, qui laissaient présager d'affreuses infirmités.» Il avait consulté plusieurs spécialistes, qui l'avaient soumis, chacun à leur tour, à un bilan médical complet, pour lui apprendre finalement que tout allait bien. Il s'était senti soulagé ... pendant deux jours, jusqu'à ce que, dit-il, s'enclenche à nouveau l'insoutenable séquence (anxiété, agitation, vagues appréhensions) qui, chaque fois, le mettait dans tous ses états, et que «l'épais brouillard induit par [sa] dépression se traduise en souffrance physique, sous les formes les plus insolites».

La dépression peut contribuer au développement d'une maladie chronique, et inversement, les deux ayant tendance à s'alimenter l'une l'autre. Certaines maladies semblent déclencher biologiquement la dépression; de même, certains médicaments, les stéroïdes par exemple, peuvent avoir des effets dépressifs. Dans les cas où la dépression est détectée, puis traitée, l'état du patient s'améliore la plupart du temps; dans le cas contraire, la dépression peut aggraver les malaises. Les résultats d'une étude menée auprès de patients souffrant d'arthrite rhumatoïde révèle que les sujets qui se plaignaient des douleurs les plus vives et qui avaient le plus de difficulté à dormir étaient ceux qui étaient le plus exposés également à souffrir de dépression. De même, les patients qui vivent une profonde dépression à la suite d'un infarctus seraient cinq fois plus exposés à mourir au cours des six mois suivant l'intervention que ceux qui traversent la période de convalescence dans la sérénité[23].

Des chercheurs de l'Université Columbia ont suivi, dès l'apparition des premiers symptômes, 18 patients atteints de zona (virus connu scientifiquement sous le nom *d'herpès zoster*, caractérisé par des vésicules très douloureuses qui peuvent prendre, chez une personne d'âge moyen, de six à huit semaines à se cicatriser), ce qui leur a permis de constater que les six patients qui avaient souffert de névralgie post-herpétique, douleur qui peut durer pendant plus de trois mois, s'étaient avérés être plus susceptibles aussi à divers types de troubles mentaux, tels que la dépression, l'anxiété et l'hypocondrie, selon certaines échelles d'évaluation psychiatrique, que ceux qui n'avaient pas développé de troubles physiques chroniques à la suite de l'infection[24].

ROBERT : LA MÉNOPAUSE AU MASCULIN

Robert, qui a aujourd'hui 48 ans, venait à peine d'être mis à pied par la société pharmaceutique pour laquelle il travaillait depuis vingt-cinq ans lorsqu'il commença à développer un zona, qui s'étendit rapidement sur toute la poitrine et une bonne partie du dos. Au bout de quelques semaines, les vésicules s'étaient cicatrisées, mais la douleur persista pendant des mois, assez d'ailleurs pour que son neurologue le réfère au Dr Mack Lipkin fils, interniste spécialisé dans les troubles somatoformes et professeur à l'Université de New York.

«Lorsque Robert est venu me consulter, il était vraiment très anxieux, et extrêmement agressif, raconte le Dr Lipkin[25]. Il répétait sans cesse, en parlant à tue-tête: "Il y a quelque chose qui ne va pas, j'en suis sûr, et vous autres, bande d'ignares, vous n'êtes même pas capables de me dire ce que c'est!" Il se croyait atteint du cancer ou d'une maladie de la colonne vertébrale.»

Le Dr Lipkin rencontra Robert à quatre reprises, puis s'entretint avec l'épouse de ce dernier, qui commençait à se faire du souci pour son mari: il n'arrivait pas à trouver un emploi répondant à ses aptitudes et à son expérience et avait honte de voir sa femme se tuer au travail pendant qu'il encaissait les chèques d'assurance-emploi. Elle rapporta d'autres symptômes que Robert avait omis de mentionner: une baisse de libido, des difficultés occasionnelles à maintenir une érection, des trous de mémoire, des problèmes de concentration et des accès de colère, souvent très aigus — symptômes classiques d'andropause, décréta le spécialiste.

À l'instar d'autres virus de type herpétique, le zona a tendance à survenir à un moment de stress intense, où l'organisme est plus vulnérable que d'habitude. Si, dans le cas de Robert, les lésions s'étaient cicatrisées dans les délais normaux, des douleurs lancinantes et une vive sensation de brûlement avaient persisté. Conjugués à la crainte et à l'anxiété qu'ils engendraient, ces symptômes avaient fini par former une sorte d'écran, m'explique le spécialiste, où le patient pouvait focaliser ses émotions: il déplaçait, en somme, sur sa névralgie la dépression et les profondes blessures qu'avait provoquées la perte de toute estime de lui-même.

Après plusieurs mois de traitement, au cours desquels il eut l'occasion de parler longuement avec le Dr Lipkin de ses frustrations et des sentiments que lui inspirait le fait de ne plus pouvoir être le gagne-pain de la famille et d'avoir, du jour au lendemain, changé de statut social, Robert en vint à trouver d'autres moyens de faire face à la situation: nouveaux centres d'intérêt, bénévolat, parties de basket avec des amis, relaxation, etc.

Il finit par trouver du travail à temps partiel dans diverses écoles de la région comme professeur de sciences. En moins d'un an, les troubles névralgiques disparurent complètement.

La dépression est, de tous les troubles de l'humeur, le plus facile à traiter: des études révèlent en effet que 80 % des personnes qui souffrent de dépression sont en mesure de soulager leur mal en ayant recours à des médicaments et à une thérapie relativement brève. C'est aussi, disons-le, le trouble psychopathologique qui reçoit le plus de publicité; nombre de célébrités et de vedettes de la télévision ont avec grande simplicité accepté en effet de témoigner de leur expérience, contribuant ainsi, parallèlement à la publication d'études sur les fonds alloués au traitement de cette affection (entre 27 et 43,7 milliards de dollars, selon les estimations) à attirer l'attention du public.

Mais la dépression n'est pas à l'origine de tous les maux. Combien de personnes, y compris mon propre psychothérapeute, ont tenté pendant des années de me convaincre que j'étais en dépression. Je me suis sentie déprimée à certains moments, j'en conviens. Qui, dans un état pareil, ne l'aurait pas été, je vous le demande? Et j'ai, certes, éprouvé les plus douloureux symptômes et les plus horribles visions, même si, dans mes moments de lucidité, je me rendais compte qu'ils étaient complètement ridicules. J'ai même fait l'essai pendant un certain temps des tricycliques, qui n'ont eu absolument aucun effet sur moi; j'ai trouvé d'ailleurs les effets secondaires de ces antidépresseurs (bouche sèche, gain de poids, somnolence extrême) absolument insupportables!

Si j'ai été passablement affecté par ces symptômes, ils ne m'ont pas perturbée toutefois autant que mon tempérament obsessionnel qui s'est manifesté dès l'adolescence par des problèmes d'anorexie nerveuse avant de revêtir les traits de l'hypocondrie. La dépression était donc, en ce qui me concerne, un effet secondaire plutôt qu'un trouble primaire.

Le tableau clinique de la dépression est, à l'instar de celui de l'hypocondrie, assez confondant, car il est rare qu'elle survienne isolément; elle peut coexister avec l'hypocondrie ou toute autre forme de trouble somatoforme, et accompagne presque toujours l'anxiété. La question de la comorbidité ou des troubles mixtes, dont n'ont certes pas fini de débattre ceux qui prônent la délimitation de critères stricts pour distinguer entre elles les diverses formes de somatisation et ceux qui, à l'opposé, répudient ce partage au profit d'une vision plus globale du problème, préoccupe depuis longtemps la psychiatrie moderne. Le fil d'Ariane n'a toutefois pas encore été découvert. (En témoignent les titres de plusieurs communications figurant au programme du colloque organisé en mai 1994 par l'American Psychiatric Association: «Anxiété et dépression: controverses actuelles et considérations thérapeutiques sur les troubles mixtes»; «Troubles paniques et troubles bipolaires: existe-t-il un lien entre les deux?»; «Anxiété/dépression mêlées: le point de vue du clinicien»; «La gestion des syndromes anxieux/dépressifs chez les personnes âgées».)

Hypocondrie associée à des troubles anxieux

Des millions d'Américains, soit une proportion pouvant atteindre entre 10 % et 13 % de la population, souffrent d'anxiété aiguë, affection qui n'a rien à voir avec les petits soucis que l'on peut se faire en prévision d'un test ou d'une entrevue ou l'inquiétude que l'on peut éprouver lorsque son enfant tarde à revenir à la maison après l'école (agitation tout à fait normale, qui constitue en général une simple réaction d'adaptation servant à nous alerter d'une situation de stress et à nous préparer à y réagir). L'anxiété dont il est ici question renvoie plutôt à ce sentiment d'effroi, d'incertitude et de nervosité qui peut vous saisir à certains moments, effroi qui, en quelques instants, rend les mains moites, soulève l'estomac et fait battre le cœur à vous rompre la poitrine. Elle peut survenir d'une façon brutale sous forme de peur incontrôlable ou se manifester par une tension et une inquiétude continuelles. Définir le seuil de référence exact où l'anxiété outrepasse sa fonction productive et prend des proportions excessives n'est pas facile dans certains cas. Poussée à la limite, elle peut devenir une forme de torture qui incitera le sujet à cesser ses activités journalières.

Le *DSM* distingue pas moins de 13 formes de troubles anxieux, parmi lesquels figurent:

- l'anxiété de séparation;
- le trouble anxieux dû à une affection médicale générale;
- l'état de stress aigu (qui survient à la suite d'un stress intense ou d'une crise personnelle: infarctus, divorce éprouvant, par exemple);
- l'état de stress post-traumatique (vécu consécutivement à un événement extrêmement traumatisant: accident, décès, menace de mort, etc.);
- l'anxiété généralisée, où le sujet s'inquiète sans cesse à propos de tout;
- le trouble anxieux induit par une substance (alcool, drogue, médicament, caféine ou autre);
- le trouble obsessionnel-compulsif;
- le trouble panique (avec ou sans agoraphobie), qui consiste en des attaques de panique inattendues et répétées;
- la phobie sociale;
- la phobie spécifique (associée à un lieu, un objet ou une situation spécifique).

Les syndromes d'anxiété reliés de près à la somatisation et à l'hypocondrie sont: le trouble panique, le trouble obsessionnel-compulsif et l'état de stress post-traumatique.

A. Trouble panique et hypocondrie

L'attaque de panique, cette impression de terreur qui s'empare soudainement de vous sans que vous vous y attendiez, comme si vous veniez de tomber dans une embuscade, est sans doute le trouble le mieux connu après la dépression.

L'attaque de panique peut s'accompagner de divers symptômes somatiques: sensation de souffle coupé, accélération du rythme cardiaque, sensation d'étranglement, vertige, nausées ou dérangements d'estomac, sueurs, tremblements et, chez certains individus, peur de perdre la maîtrise de soi, de devenir fou ou de mourir. Selon le *DSM*, un diagnostic de trouble panique ne peut être établi que si: (1) quatre de ces symptômes au moins ont été rapportés; (2) ces symptômes sont survenus de manière impromptue et (3) ont atteint leur acmé, c'est-à-dire leur plus haut degré d'intensité, en moins de dix minutes; (4) ils ont été suivis pendant une période d'un mois ou plus d'une crainte persistante d'avoir une nouvelle attaque.

Le trouble panique affecterait 8 % des patients bénéficiant des soins primaires et 16 % de la clientèle des cardiologues. Du fait même qu'il emprunte les traits des pathologies les plus variées, il n'est pas facile à diagnostiquer, affirment bon nombre de cliniciens.

Les personnes qui souffrent du trouble panique — deux à trois fois plus de femmes que d'hommes y seraient susceptibles — ont une certaine propension à l'hypocondrie, disent les spécialistes. La sensation d'étouffement, sinon de gêne thoracique ou de difficulté respiratoire, qui accompagne souvent les accès de panique pourra les inciter à filer en hâte vers l'hôpital, convaincues qu'elles sont sur le point de faire une «crise cardiaque». Ce phénomène très courant est connu sous le nom de *cardiophobie*. Chaque année, aux États-Unis, 100 000 personnes se plaignent de douleurs thoraciques, sans pour autant présenter d'anomalie affectant les artères coronaires ni aucun antécédent de maladie cardiovasculaire[26].

Les patients atteints de cardiophobie — syndrome complexe où interviennent des douleurs thoraciques, une réaction d'éveil du système autonome et une forte anxiété — souffrent souvent d'un problème sous-jacent de trouble panique[27]; s'ils font état par ailleurs de la conviction ou de la peur obsédante d'être atteints d'une maladie, sans que ce sentiment ne donne lieu à une véritable attaque de panique, il y aura lieu de parler plutôt d'hypocondrie. En général, les personnes sujettes aux attaques de panique croient que la souffrance physique est imminente — qu'ils sont sur le point ou en train de faire un infarctus —, tandis que les hypocondriaques ont plutôt tendance à craindre les maladies dégénératives, dont le développement est beaucoup plus insidieux.

Ce n'est qu'à partir de 1987, année de la publication de la troisième édition révisée du *DSM*, que le trouble panique a été classé comme entité clinique distincte; auparavant, les patients qui en étaient victimes entraient souvent dans la catégorie des hypocondriaques. En partie parce qu'il est beaucoup plus facile de traiter le trouble panique — neuf patients sur dix répondent rapidement à un traitement précoce — que l'hypocondrie. Le *DSM* mentionne d'ailleurs explicitement depuis 1987 qu'un diagnostic d'hypocondrie ne doit pas être posé si les craintes reliées à la maladie ont été déclenchées, dans un premier temps, par des symptômes de panique. Il reste que bon nombre de patients sujets à ces symptômes n'arrivent pas à trouver la source de leur mal; il leur faudra souvent avoir vu une douzaine de médecins pour recevoir enfin un diagnostic approprié[28].

JUDITH: DES PALPITATIONS TERRIFIANTES

Un an après le décès de sa mère, victime d'un infarctus survenu subitement au milieu de la cinquantaine, Judith, une jeune graphiste de 33 ans, commence à développer toutes de sortes de symptômes aussi affolants qu'incommodants. À certains moments — qu'elle soit en voiture, en train de converser avec une amie ou de lire bien calmement — une angoisse très forte s'empare d'elle soudainement: «Je me sens envahie tout à coup par une sensation de vertige, comme si j'allais m'évanouir, puis je me mets à avoir des nausées et de légers tremblements. Mon cœur se met à battre très fort, puis, tout à coup, j'ai l'impression de manquer d'air, de ne plus arriver à respirer. Ces malaises durent quelquefois une dizaine, parfois même une trentaine de minutes. J'ai, chaque fois, l'impression que je vais mourir sur le coup!»

N'en pouvant plus, elle se décide à voir un médecin. Diagnostic: «Arythmie.» Il la réfère aussitôt à un cardiologue, qui ne détecte rien d'anormal.

La peur continue de s'immiscer sournoisement en elle. Elle en vient peu àpeu à éviter systématiquement les lieux publics, de peur d'y être terrassée par une crise d'angoisse et de ne pouvoir être secourue. Au travail, elle passe son temps à prendre son pouls, sûre qu'une grave anomalie pourrait sourdre à tout instant. Ses collègues la rassurent. Elle se sent mieux. Puis le cycle s'enclenche à nouveau.

«Je n'avais aucune idée de ce qui m'arrivait... J'étais en train de devenir complètement dingue. Mon ami n'en pouvait plus, lui non plus! J'avais de la difficulté à dormir. Je n'arrivais plus à retrouver en moi la femme énergique que j'avais toujours été jusque-là. Et je craignais de devoir laisser mon emploi.»

Une amie de Judith, qui est infirmière, aperçoit un jour au tableau d'affichage de l'hôpital où elle travaille une annonce invitant les sujets susceptibles de souffrir d'hypocondrie à participer à des essais cliniques. En blague, elle suggère à Judith de se porter volontaire. Sans en parler à personne, Judith entre en contact avec les responsables de l'étude.

Elle aura droit d'abord à quelques séances de thérapie avec un psychiatre, qui finira par diagnostiquer un trouble panique, lequel aurait déclenché, selon lui, une réaction hypocondriaque. Refusant systématiquement de mettre à l'essai un antidépresseur tricyclique — l'imipramine —, réputé pourtant être très efficace à supprimer les symptômes de cette affection, de peur que le médicament n'entraîne des effets indésirables, elle optera plutôt pour une psychothérapie intensive, de courte durée, incluant diverses techniques facilitant le repérage des signes d'une attaque imminente et des exercices de relaxation aidant à les repousser.

Ce qui lui aura été le plus profitable, reconnaît-elle après coup, ce sont les heures qu'elle aura passées à parler avec son thérapeute. «Tout sortait pêle-mêle, dit-elle. Il m'arrivait même de pleurer pendant toute la durée de la séance.» Après trois mois de psychothérapie, la profonde douleur occasionnée par la mort de sa mère finira par percer: «Je *pensais* pourtant avoir fait le deuil de ma mère, y avoir fait face assez courageusement... Je ne savais pas que d'autres émotions, bien plus profondes encore, étaient en jeu. Je me suis aperçue plus tard que je lui en voulais d'être partie si tôt, de m'avoir abandonné à moi-même avant que j'aie été prête à me marier et à avoir des enfants. Et j'avais peur de mourir subitement, moi aussi.» Une fois établie cette connexion essentielle, le problème se résorbera peu à peu.

C'est une jeune femme aujourd'hui très épanouie et créative qui m'a fait ces confidences. Il lui arrive encore d'avoir des moments d'anxiété, mais elle n'a pas eu d'attaque de panique depuis deux ans, me dit-elle, soulagée.

B. Trouble obsessionnel-compulsif et hypocondrie

L'avenue la plus intéressante qui se dessine actuellement dans le champ de la recherche sur l'hypocondrie est celle qui s'emploie à cerner les rapports entre cette affection et le trouble obsessionnel-compulsif (OC).

Le trouble OC se caractérise par des pensées, des représentations ou des impulsions irrationnelles, ressenties comme indésirables, qui perturbent le comportement du sujet. Les obsessions les plus courantes ont trait à l'hygiène, à la violence et aux pulsions sexuelles, lesquelles poussent le sujet à accomplir des comportements répétitifs, à caractère rituel, tels que se laver les mains sans arrêt, vérifier et re-vérifier portes, serrures ou appareils ménagers, toucher un objet quelconque de manière obstinée, sinon à ordonner des éléments ou à compter sans relâche. Pour établir un diagnostic de trouble OC, ces obsessions et les rituels auxquels elles donnent lieu doivent: (1) être récurrents, (2) persister depuis un certain temps, (3) durer plus d'une heure par jour (4) et entraîner une grande détresse chez le sujet ou perturber de façon importante son fonctionnement général et ses relations avec les autres.

La psychiatrie moderne classe ce syndrome parmi les «troubles anxieux» les obsessifs ayant habituellement recours à ces comportements ritualisés et sans objectif précis pour calmer le profond sentiment d'anxiété qu'engendrent leurs obsessions, sans quoi ils redouteront qu'un malheur ne survienne. Ils savent souvent percevoir néanmoins le caractère irrationnel de leurs craintes et des compulsions qu'elles commandent. «Les obsessionnels ne sont pas fous. Le problème est qu'ils n'arrivent pas à réprimer les idées, souvent insolites ou insensées, qui les hantent, et ils font des efforts inouïs pour les neutraliser[29]», explique le Dr Eric Hollander, spécialiste des comportements reliés au trouble OC et directeur adjoint du service de psychiatrie de la Mount Sinai School of Medicine.

Si les personnes sujettes au trouble OC éprouvent ordinairement un profond sentiment d'anxiété et des doutes continuels quant à leur état de santé, leurs préoccupations ne sont pas toujours de type hypocondriaque; un sujet atteint de trouble OC peut, par exemple, être obsédé par une petite imperfection repérée sur son visage sans craindre pour autant d'être atteint d'un cancer de peau. Il reste que, dans bon nombre de cas, les troubles obsessionnels et l'hypocondrie se chevauchent indiscutablement. (Une étude menée par le Dr Barsky auprès de 60 hypocondriaques a montré que 8 % d'entre eux avaient déjà souffert du trouble OC. De même, une étude coordonnée par le Dr Brian Fallon auprès de 21 patients hypocondriaques suggère que le tiers avaient eu des antécédents de trouble OC.)

CATHERINE: «MAMAN, ARRÊTE DE TE TOUCHER!»

«Quand j'étais jeune, j'aimais faire les choses à *ma* manière, manger chaque aliment dans un ordre bien déterminé, m'habiller en respectant des critères bien précis — ce genre de choses, vous savez...», me dit Catherine, qui a maintenant 36 ans et élève un petit garçon de 4 ans. Elle était absolument inflexible, dit-elle, assez d'ailleurs pour s'en inquiéter lorsqu'elle eut atteint l'âge adulte. «Le plus petit grain de poussière me rendait folle, à une certaine époque, surtout si j'avais des invités à la maison. Si j'avais le malheur de remarquer une saleté sur le parquet, je me faisais du souci (à m'en rendre malade et à en gaspiller mes plus beaux moments!) jusqu'à ce que mes invités soient repartis et que je puisse nettoyer à fond la tache qui m'avait tant obsédée tout au long de la soirée.»

Trois mois après le début de sa seconde grossesse, Catherine fit une fausse couche, qui la jeta dans une profonde dépression. Elle ne pouvait s'empêcher de se blâmer pour ce qui était arrivé: «J'étais sûre que la perte de cet enfant était une punition du ciel!» Et appréhendait la survenue d'un autre événement aussi dramatique. Elle et son mari essayèrent de concevoir un autre enfant, mais sans succès.

À peu près à la même époque, elle commença à sentir une petite masse se développer dans un sein. Elle en parla aussitôt à son gynécologue, qui ne fit que lui répéter ce qu'elle savait déjà: elle faisait de la dysplasie, comme sa mère et sa grand-mère. Il n'y avait pas de quoi s'inquiéter. Elle était en bonne santé, avait-il insisté. Lorsqu'elle lui avait confié qu'elle se sentait déprimée et anxieuse, il lui avait dit de ne pas se laisser abattre, que les sentiments qu'elle éprouvait depuis sa fausse couche n'avaient rien d'anormal: elle venait de vivre une perte très éprouvante. Puis il l'avait encouragé à continuer d'essayer de concevoir cet enfant dont elle et son mari rêvaient tant.

Voyant qu'elle n'arrivait pas à tomber enceinte, Catherine commença à se faire à nouveau du souci. Quelque chose n'allait pas: elle souffrait d'un cancer de l'ovaire, elle en était sûre. Quand ce n'était pas le spectre du cancer qui la terrorisait, c'était le sida; elle passait son temps à s'examiner la gorge, à la recherche de quelque trace de muguet. Les phobies venaient, puis repartaient ainsi, constamment. Puis affleura à nouveau la peur de développer une tumeur mammaire, peur qui persista même après qu'elle eut consulté un grand spécialiste et reçu les résultats de ses examens. «Je m'étais promis que si tout était normal, je me calmerais. Mais, trois heures après avoir appris que les résultats étaient négatifs, je recommençais à me torturer à l'idée, cette fois, que la radiologiste, le gynécologue ou le technicien de laboratoire ait pu se tromper.»

Elle ne pouvait s'empêcher de se palper les seins à tout moment et où qu'elle se trouve. «J'allais jusqu'à imaginer le médecin en train de m'annoncer la nouvelle, la chimiothérapie, la perte des cheveux, la conversation que j'aurais avec mon fils au moment de lui apprendre que j'allais mourir...» Elle consulta à nouveau son gynécologue, qui lui ordonna de cesser immédiatement ces autoexamens. Un jour où elle était au restaurant avec son fils, elle avait failli s'évanouir quand celui-ci, qui l'avait accompagnée chez le médecin à quelques reprises, lui avait lancé: «Mais, maman, le docteur t'a dit de ne pas te toucher les seins!»

Incapable d'en parler à ses amies, Catherine s'enferma peu à peu dans une profonde solitude. Puis les accès de panique reprirent de plus belle. Elle avait l'impression de frôler la folie. Son mari était à bout de ressources. «Je devenais complètement hystérique... et cette terreur qui m'habitait constamment me paralysait. Je pleurais sans arrêt. Mon mari était alors forcé de demander un congé pour s'occuper des enfants et de la maison.»

Une conversation qu'elle eut un jour avec son père survint juste à temps pour prévenir la débâcle. Lors d'un souper de famille, s'assoyant tout près d'elle, ce qui déjà l'étonna (son père était un homme plutôt effacé, distant, et peu impliqué dans la vie familiale), et lui confia qu'il suivait lui-même depuis un an un traitement contre la dépression. «Cela m'aide énormément — plus que tout ce que j'ai essayé dans le passé! Je ne sais ce qui te dévore, mais je suis presque sûr que le traitement te ferait du bien», lui dit-il, en approchant timidement sa main vers celle de sa fille.

Catherine se présenta à la clinique, où, après des examens et un long entretien, un psychiatre diagnostiqua un trouble mixte: anxiété et dépression. Il lui prescrivit un antidépresseur à base de sertraline (Zoloft), qu'elle accepta de mettre à l'essai, parallèlement à une thérapie de type comportemental censée l'aider à maîtriser ses accès de panique et ses idées obsessives. Le traitement fit rapidement effet: son humeur s'améliora de beaucoup et, si elle ne cessa pas totalement de se toucher machinalement la poitrine, elle parvint à le faire moins souvent, et surtout à cesser de se juger aussi sévèrement.

Six mois après le début du traitement, son état changea toutefois brusquement: la compulsion s'intensifia, puis revint en force.

Puis, un beau jour, que ne découvrit-elle pas? Une masse de la grosseur d'un œuf, d'une couleur bleuâtre, très douloureuse. «Je me rendais compte, pour la première fois, que cette masse était bien réelle, que ce n'était pas une lubie. J'en éprouvais curieusement une sorte de contentement pervers: Voilà donc ce que je cherchais depuis des mois! me suis-je dit. Ça vous étonnera peut-être, mais je me suis sentie soulagée.»

La masse n'était en réalité qu'un hématome, une énorme tuméfaction remplie non pas de tissus cancéreux mais de sang: à force de chercher, de tâter et de persister à croire qu'une tumeur s'était développée, elle avait fini par provoquer elle-même cette lésion. Le diagnostic fut confirmé par un second spécialiste. «Arrêtez de vous toucher ainsi sans arrêt, sinon vous allez finir par avoir de vrais problèmes!», insista le médecin. Cet hématome était une bénédiction du ciel: à cause du bandage, elle ne pouvait plus se palper le sein sans arrêt.

Les médecins qui la traitaient s'entendirent pour modifier l'ordonnance et lui prescrirent de la clomipramine (Anafranil), antidépresseur mieux adapté au traitement du trouble OC. L'un d'eux lui expliqua que sa dépression avait fini par masquer un problème plus profond dont les symptômes qui l'affligeaient avaient pris le relais, en quelque sorte. Le nouveau traitement fut efficace, ce qui lui permit de tirer un plus grand profit encore de sa thérapie.

Catherine s'est jointe récemment à un groupe de soutien pour patients souffrant de troubles OC. Elle est soulagée d'avoir pu enfin cerner son problème. Des pensées obsédantes continuent de voyager dans sa tête, mais elle a maintenant le moyen de les freiner: elle sait comment les neutraliser. «Rien ne garantit que je vais me sentir aussi bien dans un mois, mais, aujourd'hui, ça va! Et je suis bien déterminée à continuer à me battre!», conclut-elle, sereine malgré tout. Prochaine étape: cesser toute médication et avoir cet enfant qu'elle désire plus que tout au monde.

C. État de stress post-traumatique et hypocondrie

Cauchemars, flash-back, agitation extrême: ces symptômes de *l'état de stress post-traumatique (ESPT)* ont été abondamment décrits par les vétérans de la guerre du Vietnam. Parmi les manifestations les plus courantes, qui ont tendance à survenir par vagues, on relève des troubles psychiques tels que terreurs nocturnes, actes impromptus, comportements d'évitement, irritabilité, anxiété aiguë, torpeur émotionnelle, peur intense de la maladie et de la mort et divers types de troubles physiques. On ne posera un diagnostic d'ESPT que si les symptômes sont clairement associés à un événement traumatisant — viol, guerre, torture, accident, agression, pour ne nommer que ceux-là — qui n'a rien à voir, cela va de soi, avec les problèmes qui sont le lot normal de la vie quotidienne de tous et chacun.

Un traumatisme est, par définition, inassimilable, impossible à harmoniser avec l'idée que l'on se fait de soi-même. «Lorsqu'un événement est si bouleversant qu'on n'a aucun moyen d'exprimer ce qu'on ressent ou d'accuser le coup lorsqu'il survient, des résidus de cette expérience peuvent rester enfouis très profondément dans l'inconscient pour nous protéger de la douleur psychique qu'il pourrait nous occasionner[30]», explique Debra Neumann, psychologue clinicienne au Traumatic Stress Institute, à South Windsor (Connecticut). Il arrive parfois qu'un élément déclencheur — une psychothérapie, par exemple, ou la naissance d'un enfant — ravive la «mémoire du corps» et fasse remonter ces résidus à la surface. Cette re-connaissance de l'événement pourra se déclarer d'abord sous forme de symptômes somatiques, passer ensuite à travers les mailles de l'émotion, pour finalement émerger dans la conscience en tant que souvenir, avec l'aide d'un thérapeute.

Nombre de controverses ont été déclenchées autour de cas d'abus sexuels rapportés plusieurs années et souvent même plusieurs décennies après que le traumatisme initial est survenu. Des parents, des oncles, des tantes, des prêtres ont ainsi été accusés d'agression sexuelle — et souvent condamnés — sur la base de souvenirs qui auraient, des années plus tard, émergé tout à coup dans la mémoire de la victime. Certains cas ont rapporté aux requérants plusieurs millions de dollars; d'autres ont conduit à l'emprisonnement des parents; d'autres enfin ont été suivis d'une rétractation de la victime et de poursuites contre le thérapeute pour avoir favorisé à la confabulation [récit imaginaire qui compense chez le sujet un manque de mémoire à propos du passé ou du présent] d'incidents qui se seraient produits durant l'enfance.

Le recouvrement ou la récupération de la mémoire est une question éminemment complexe et très émotive, sur laquelle la lumière n'a pas encore été faite complètement. Les résultats des premières études effectuées à ce propos ont même incité certains spécialistes à mettre en question la pertinence de l'idée d'un refoulement de la mémoire, tout en admettant cependant que des mécanismes neurologiques et cognitifs puissent favoriser la mise en place d'une «fausse» mémoire. Des chercheurs de l'American Medical Association continuent d'approfondir la question. Malgré l'ambiguïté du concept, plusieurs psychologues et psychiatres endossent à tout le moins le principe, se disant convaincus que le refoulement est l'un des quelques mécanismes dont dispose l'enfant en bas âge pour absorber un choc émotionnel, celui que peut provoquer l'inceste par exemple.

Le témoignage d'A. G. Britton, à propos de la lutte qu'elle a dû mener contre ses tendances hypocondriaques au cours de la période où ont resurgi de vieux souvenirs de fellation exigée par son père lorsqu'elle était enfant, est très éclairant en ce sens. Ces images douloureuses, et tous les symptômes qu'elles déclenchaient — dont des épisodes d'anxiété et de peur incontrôlables et des engourdissements dans les bras et les jambes —, se sont fait jour pour la première fois au cours de sa deuxième grossesse. Certains rêves faits au cours de cette période de «recouvrement» lui ont permis de remonter lentement au traumatisme initial. Elle a revécu l'expérience comme un enfant l'aurait fait, soit par l'intermédiaire «de symboles, de symptômes et d'émotions qui semblaient émerger de nulle part[31]». L'un des rêves rapportés à son thérapeute portait sur une petite fille «nue, inconsciente, attachée à un lit les jambes écartées». À l'extrémité du lit apparaissait un homme tenant des instruments chirurgicaux dans ses mains. Il disait: «J'ai pénétré trop loin.»

«Les personnes qui ont été victimes d'inceste revivent de diverses manières le traumatisme dont leur corps a été la cible pour se le réapproprier, pour reprendre, d'une certaine façon, la maîtrise de leur vie», explique-t-elle. Elles auront souvent des fantasmes d'automutilation, de violence physique, ou se sentiront envahies par une peur diffuse, irrationnelle. Britton dit avoir été torturée elle-même par des visions insupportables: elle se voyait en train de jeter son enfant par terre et lui frapper la tête sur le sol, ou de faire en sorte qu'il se coupe ou se brûle pendant qu'elle faisait la cuisine, ou encore de mordre le cou de son fils.

En réprimant leurs souvenirs, ces personnes se font du tort. «Ce traumatisme était resté emprisonné dans ma jambe et dans mon bras gauches, ce qui occasionnait un engourdissement dans cette région du corps chaque fois que mon esprit menaçait de se souvenir, dit-elle. Dix ans avant que ces images ne resurgissent, je m'étais tailladé le bras et la jambe. Ce n'était pas une tentative de suicide; je ressentais tout simplement le profond besoin de libérer quelque chose en moi. Je ne me suis jamais sentie bien physiquement... Et la maladie me rendait folle. Si je faisais un peu de fièvre ou si je ressentais un petit mal de dent, j'étais sûre, du coup, que j'allais mourir.»

1. Lewis THOMAS, *The Lives of a Cell: Notes of a Biology Watcher*, New York, Viking, 1974, p. 85.
2. Charles V. FORD, entrevue réalisée le 13 mai 1994.
3. John E. SARNO, *Healing Back Pain: The Mind-Body Connection*, New York, Warner, 1991, p. 103.
4. Voir Julia E. CONNELY *et al.*, «Healthy Patients Who Perceive Poor Health and Their Use of Primary Care Services», *Journal of General Internal Medicine*, nº 6, janvier/février 1991, p. 47-51.
5. Suzy SZASZ, *Living With It: Why You Don't Have to Be Healthy to Be Happy*, Buffalo and New York, Prometheus, 1991, p. 7, 10.
6. Anatole BROYARD, *Intoxicated by My Illness*, New York, Fawcett Columbine, 1992, p. 23.
7. Virginia WOOLF, «On Beign Ill», *Collected Essays*, vol. 4, New York, Harcourt, Brace and Woeld, 1925, p. 196.
8. Susan SONTAG, *Illness as a Metaphor,* New York, Farrar, Straus and Giroux, 1977, p. 33-34.
9. Stephen A. GREEN, *Feel Good Again*, Yonkers, New York, Consumer Report Books, 1990, p. 105.
10. Larry DOSSEY, *Meaning and Medicine*, New York, Bantam, 1991, p. 18.
11. Arthur KLEINMAN, *The Illness Narratives: Suffering, Healing, and the Human Condition*, New York, Basic Books, 1988, p. 3-4.
12. Sur le cas d'Angela Farnum, voir Steve SALERNO, «High Price of Managed Care», *Wall Street Journal*, 18 janvier,1994, p. A-16.
13. Voir «19,000 Cancer Tests Rechecked after Misreading», *New York Times*, 27 septembre 1993, p. A-12.
14. Linda HANNER, *When You're Sick and Dont Know Why: Coping with Your Undiagnosed Illness,* Minneapolis, DCI Publishing, 1991.
15. Voir Daniel GOLEMAN, «1 in 2 Experiences a Mental Disorder», *New York Times*, 14 janvier 1994, p. A-20. Voir aussi *Archives of General Psychiatry*, janvier 1994.
16. Charles FORD, entrevue réalisée le 13 avril 1994.
17. Rapporté par Nancy WARTIK, «Hypocondria: Real Treatments for a Real Disorder», *American Health,* mai 1994, p. 70.
18. Voir Brian A. FALLON *et al.*, «Hypochondriasis», in Eric HOLLANDER (dir.), *Obsessive-Compulsive-Related Disorders*, Washington, D. C., American Psychiatric Press, 1993, p. 79.
19. «Update», juillet 1993, National Institute of Mental Health's Office of Scientific Information.
20. Voir Robert FISCH, «Masked Depression: Its Interrelation with Somatization, Hypochondriasis, and Conversion», *International Journal of Psychiatry in Medicine*, nº 17, 1987, p. 367-379.
21. Cité dans Edward SHORTER, *From the Mind into the Body: The Cultural Origins of Psychosomatic Symptoms*, New York, Free Press, 1994, p. 130.
22. William STYRON, *Darkness Visible: A Memoir of Madness*, New York, Vintage, 1990, p. 43, 44 et 50.
23. Nancy WARTIK, «Taking Depression to Heart», *American Health*, janvier/février 1994, p. 30.
24. Robert H. DWORKIN *et al.,* «A High-Risk Method for Studying Psychosocial Antecedents of Chronic Pain», *Journal of Abnormal Psychology*, nº 101, 1992, p. 200-205.

25. Mack LIPKIN, entrevue réalisée le 15 septembre 1993.
26. Selon les données d'un relevé intitulé «Key Facts about Mental Illness», publié par le National Institute of Mental Health, les angiographies pratiquées inutilement pour cause de symptômes de troubles paniques coûteraient chaque année, au total, une somme de 32 millions de dollars.
27. Georg. H. EIFERT, «Cardiophobia: A Paradigmatic Behavioural Mode of Heart-Focused Anxiety and Non-Anginal Chest Pain», *Behaviour Research Therapy*, n° 30, 1992, p. 329-345.
28. Voir «Panic Disorder: "The Great Masquerader"», *Internal Medicine News,* 15-30 novembre 1990.
29. Eric HOLLANDER, entrevue réalisée le 21 avril 1994.
30. Debra NEUMANN, entrevue réalisée le 27 janvier 1995.
31. A. G. BRITTON, «The Terrible Truth», *Self,* octobre 1992, p. 188-202.

Chapitre 4

À la recherche des causes
Entre nature et culture

Comment l'homme peut-il échapper à sa destinée,
effacer les tares héritées de ses ancêtres, se débarrasser du
sang d'encre qui, par son père ou sa mère, circule dans ses veines?

Ralph W. EMERSON, *Conduct of Life*

Nora a gravement été affectée, il y a une trentaine d'années, par ce qu'on appelait à l'époque une «dépression nerveuse» — expression fourre-tout dont on s'accommodait facilement pour désigner une bonne partie des troubles mentaux. Elle avait consulté les plus grands spécialistes au pays, jusqu'à ce qu'on ordonne qu'elle soit internée dans un hôpital psychiatrique. Elle s'était ainsi retrouvée, au milieu de la vingtaine, isolée du monde, dans un état de torpeur indescriptible, auquel avaient certes contribué des doses massives de psychotropes, et séparée durant deux longs mois de ses jeunes enfants.

Aussi promptement que son état s'était dégradé, elle avait repris du mieux, avait fini par se rétablir presque complètement. Pendant plusieurs années, son état était demeuré stable: aucun trouble majeur, sinon (aux dires, du moins de sa famille et de son mari, qui était lui-même médecin) «une forte tendance à l'hypocondrie». Elle surveillait sans arrêt les oscillations de sa tension artérielle, qui ne manquait pas d'ailleurs de grimper aussitôt qu'elle mettait les pieds dans un cabinet de médecin. Son obsession de la maladie avait commencé à transparaître peu après le décès de sa mère, morte dans la cinquantaine d'un accident vasculaire cérébral. À coups d'efforts et de motivation, et en s'appuyant sur les progrès qu'elle avait réalisés en psychothérapie, elle avait fini toutefois par vaincre ses tendances phobiques.

Il y a deux ans, son fils a commencé à montrer, à son tour, certains signes de dépression après qu'il eut rompu avec sa copine. Compte tenu de sa propre histoire, et des humeurs changeantes de l'adolescent depuis quelques années, Nora n'a pas été vraiment surprise, au premier abord, de voir émerger ces symptômes. Elle a commencé à s'inquiéter un peu plus, cependant, lorsqu'il s'est cru atteint du «syndrome de fatigue chronique» — diagnostic qu'il avait promptement établi après s'être prêté de son propre chef à une série de tests et de traitements.

Un malheur n'arrive jamais seul... L'année dernière, leur fille de 22 ans se voyait diagnostiquer une forme atypique de psychose maniacodépressive. Depuis, elle a quitté son emploi. Et passe d'un psychiatre à l'autre: elle en a vu quatre en un an.

«Mais qu'est-ce qui nous arrive?! Qu'est-ce qu'on a bien pu faire pour que nos enfants soient aussi problématiques? me demande-t-elle, visiblement tourmentée. Tout ce dont notre fille parle de ce temps-ci, c'est de ses troubles "bipolaires"— "de type I" ou "de type II"! Elle se demande si elle n'a pas un problème de "déficit de l'attention", imaginez-vous! Et fait sa propre enquête pour tenter de savoir quel médicament lui conviendrait le mieux! Est-ce que c'est moi qui leur ai communiqué mon angoisse?... J'ai dû les marquer pour le reste de leurs jours! À moins que ce soit dans nos gènes?»

Qui ne s'est pas demandé, pour expliquer sa souffrance au beau milieu d'un épisode de dépression ou de profond tourment intérieur, s'il n'y aurait pas dans son arbre généalogique quelque antécédent de maladie mentale, quelque faille se creusant de génération en génération? L'histoire est jalonnée d'expériences, de théories, de témoignages qui rendent compte de l'inquiétude que nourrit depuis toujours l'homme à l'endroit de ces troublantes filiations.

Le poète victorien lord Alfred Tennyson, affligé lui-même par l'hypocondrie, la dépression et une peur constante de la folie, disait craindre qu'une trace de «sang d'encre» ne coule dans ses veines — à juste titre d'ailleurs quand on sait que cinq de ses frères et deux de ses sœurs souffraient de dépression, sans compter son père, son grand-père et ses deux arrière-grands-pères[1]. Aux XVIIIe et XIXe siècles, les médecins soupçonnaient que l'hypocondrie, souvent une maladie familiale, puisse être transmise de génération en génération. Les premières théories biologiques élaborées à ce propos suggéraient en effet que le problème pouvait être attribuable à un «défaut de constitution» inné et inextricable.

Avec l'essor de la psychanalyse dans la première moitié du XXe siècle, l'hypocondrie s'est dégagée de ses vieux oripeaux pour s'afficher plutôt comme trouble de la psyché — attribuable, spéculait-on alors, à des soins maternels insuffisants, à des influences sociales néfastes et autres facteurs environnementaux. La cause du problème devait être recherchée dans l'enfance du sujet, où quelque traumatisme psychologique avait dû survenir. On présumait que le trouble était curable, non sans difficulté toutefois: seule la levée des inhibitions reliées au conflit névrotique sous-jacent pouvait permettre d'entrevoir l'effacement des stigmates du passé et la résorption de l'hypocondrie.

Le développement de la génétique moléculaire, les progrès réalisés dans l'étude des neurotransmetteurs et la mise au point de substances psychotropes capables de modifier les circuits de l'influx nerveux et même d'agir sur la personnalité de l'individu ont passablement modifié le tableau clinique de la maladie: les théories biologiques sont revenues en force, la psychiatrie s'est «re-médicalisée, et la psychologie contemporaine s'est alignée fiévreusement sur les méthodes quantitatives que les sciences exactes ont mises à l'honneur pour pallier le manque de rigueur scientifique qu'on lui reprochait sans relâche. Et voilà la boucle bouclée — et relancé le débat nature/culture: «À l'heure actuelle, quel que soit le problème psychologique soumis à la réflexion, les facteurs génétiques reçoivent toujours plus d'attention que les facteurs proprement culturels, dit l'essayiste Alfie Kohn, et il y a de très fortes probabilités que les problèmes émotionnels soient analysés en scrutant chaque cellule du cerveau plutôt qu'en interrogeant l'histoire familiale du sujet [...] La "culture", on en parle, certes, mais c'est la "nature" qui reçoit les plus grosses subventions[2].»

L'illusion de la cause première

Mais pourquoi est-ce que cela m'arrive, à *moi*? Qu'est-ce qui a bien pu se dérégler? Mon cerveau peut-être? Ce doit être héréditaire! À moins que ce ne soit ma façon de penser, de percevoir les choses, la vie? Mon enfance? mon éducation?... Toute personne qui a entrevu un jour le spectre de la maladie mentale s'est posé ce type de question.

Comment savoir ce qui est à l'origine de ce pacte subversif qu'ont signé le corps et le cerveau de l'hypocondriaque? On peut certes invoquer l'anxiété ou la dépression, mais ce ne seront toujours que des réponses partielles, qui obligent à relancer à nouveau la question: Et l'anxiété, quelle en est la source? À quoi attribuer fondamentalement les troubles dépressifs? Il n'est pas dit d'ailleurs que les sujets hypocondriaques soient tous des anxieux ou des déprimés. (Des travaux ont montré que, chez 20 %, au moins, des sujets qui avaient obtenu des scores élevés à des tests d'évaluation destinés à faire ressortir les tendances hypocondriaques, aucun autre trouble psychopathologique concomitant n'avait pu être diagnostiqué. Les hypocondriaques «purs» seraient cependant plus difficiles à traiter que ceux qui souffrent d'une affection sous-jacente requérant des soins psychiatriques; les premiers en seraient affectés depuis beaucoup plus longtemps, leurs peurs seraient plus profondément ancrées et ils seraient beaucoup plus systématiquement à la recherche d'un traitement médical que les seconds, tout en se méfiant continuellement des médecins.)

S'il est nécessaire, et tout à fait normal, de rechercher la cause profonde du mal qui nous afflige — comment déterminer autrement le type de traitement qui s'impose —, il faut se garder toutefois de s'engager dans une enquête interminable sur les motivations possibles de ses obsessions. Car la question de savoir pourquoi nous ressentons un sentiment plutôt qu'un autre ou pourquoi nous agissons de telle ou telle manière est, comme on s'en doutera, extrêmement complexe, des facteurs d'ordres divers modulant notre rapport au monde et à nous-mêmes. Il est donc illusoire de penser qu'en poussant toujours plus loin l'interrogation, on puisse arriver à cerner la cause originelle du trouble qui nous affecte, qu'il s'agisse de l'hypocondrie, de l'anxiété ou de la dépression, considérés isolément ou en simultanéité. «Je dois me résoudre à l'idée que je ne pourrai jamais connaître la cause de ma dépression, tant sont complexes et entremêlés les facteurs biochimiques, les facteurs comportementaux et les facteurs génétiques qui ont pu la déclencher[3]», conclut William Styron à la fin d'une longue période d'introspection.

Il peut néanmoins être éclairant d'analyser les forces qui entrent en jeu dans le façonnement du comportement, de la personnalité et même de certains traits physiques. Il ne s'agit pas tant de savoir si l'histoire familiale, les prédispositions génétiques ou le conditionnement socioculturel peuvent favoriser le développement de l'hypocondrie — le fait est indéniable — que d'examiner comment les *interactions* qui s'établissent entre ces facteurs déterminent tel ou tel type de réaction psychologique aux symptômes physiques et au stress, autrement dit comment ils nous rendent vulnérables aux syndromes que la société juge «anormaux».

Le développement qui suit devrait vous donner une bonne idée des diverses façons dont les spécialistes de la santé mentale peuvent aborder la question de l'origine et du traitement de l'hypocondrie, selon qu'ils adoptent l'approche «psychodynamique», l'approche «cognitivo-comportementale» ou l'approche «neurobiologique». (Nous reviendrons au chapitre 10 sur les différents types de thérapies qui dérivent de ces approches, thérapies qui se sont toutes avérées, à divers degrés et de divers points de vue, efficaces dans le traitement sinon le soulagement de l'hypocondrie.) On se demandera ensuite quelle part il faut accorder dans cette mosaïque aux facteurs génétiques et à l'environnement socioculturel — autrement dit comment *nature* et *culture* imprègnent tout notre être.

A. L'approche psychodynamique

L'approche dite psychodynamique — ainsi appelée parce qu'elle est centrée sur la dynamique de l'appareil psychique — s'appuie sur les principes de la psychanalyse. La cure psychanalytique vise à favoriser chez le sujet l'émergence et, éventuellement, la résolution de conflits intérieurs enracinés dans l'enfance. C'est en prenant conscience des causes profondes de ces tiraillements que le sujet pourra cesser de vivre sous la tutelle de ses peurs et de ses fantasmes; la névrose résulterait précisément de la lutte continuelle que se livrent les pulsions refoulées et les mécanismes de défense inconscients.

L'hypocondrie représentait pour Freud (du moins le premier Freud, car il apporta plus tard quelques nuances à sa conception initiale) une forme de névrose à composante biologique résultant du déplacement d'une énergie sexuelle trop longtemps contenue sur un organe particulier du corps. Ses premiers écrits ne laissent pas de doutes quant à l'imbrication des mécanismes somatiques et des mécanismes psychiques. Ayant été amené par sa pratique à s'intéresser de plus en plus aux hystériques, il en vint toutefois à donner un sens plus métaphorique que proprement physiologique à cette idée de décharge d'énergie non résolue. L'hystérie représentait certes un problème aussi captivant qu'incontournable pour la psychanalyse: les pseudo-symptômes de l'hystérique fournissaient aux adeptes de cette pratique en gestation un matériel fascinant à explorer et à interpréter, et une occasion unique de mettre à l'épreuve la relation psychothérapeutique[4]. Les manifestations somatiques de l'hypocondrie étaient, elles, beaucoup plus énigmatiques, et, pour le père de la psychanalyse, il ne faisait pas partie de toute manière des visées de l'investigation «purement psychologique» de «pénétrer le territoire de la recherche physiologique[5]».

Ses propres disciples devaient lui reprocher, quelques années plus tard, d'avoir ainsi minimisé les symptômes somatiques et de les avoir traités essentiellement comme des équivalents masturbatoires. En replaçant l'hypocondrie dans une tout autre perspective, qui avait à voir, cette fois, avec des problèmes de dépendance et de faible estime de soi, ils redonnaient de l'élan à la doctrine du maître.

L'interprétation psychanalytique voulant que l'hypocondrie soit une réaction narcissique à une expérience de séparation ou à une épreuve de perte a connu une grande popularité. On observerait ainsi chez l'enfant qui n'arrive pas à se séparer de son père ou/et de sa mère ni, par le fait même, à acquérir une forte estime de soi, un brouillage des frontières entre les sensations physiques et les représentations mentales, de même qu'une inquiétude profonde quant à la possibilité que ses besoins puissent être satisfaits; ses symptômes seraient une façon de se rassurer et de survivre par lui-même, pour dire les choses schématiquement.

Les plaintes somatiques pourront apparaître, dans ce contexte, comme un moyen de communiquer, d'obtenir l'écoute et l'attention de l'autre — une sorte de quête affective. La douleur devient alors une source de réconfort ou d'amour, ce qui ne lui enlève pas toutefois son caractère autopunitif. L'agressivité que le sujet éprouve à l'égard de ses parents (ou de l'un des deux parents) se trouve déplacée sur une cible plus directement accessible ou plus acceptable: soi-même, ou plus précisément cette partie de soi qui s'identifie à l'objet perdu.

L'hypocondrie constituerait, de ce point de vue, une façon rassurante ou moins destructrice que d'autres types de comportements (la violence ou l'alcoolisme, par exemple) de laisser un conflit s'exprimer, ne serait-ce qu'en partie, comme l'avait déjà suggéré le Dr Georges A. Ladee, médecin d'origine hollandaise qui a été le premier à écrire sur les troubles hypocondriaques[6]. Les plaintes somatiques seraient une sorte d'éponge absorbant le trop-plein d'anxiété et de confusion qu'engendrent des sentiments ambivalents de dépendance, d'hostilité et de culpabilité, permettant ainsi au sujet de souffrir et d'être aimé tout à la fois.

Une autre interprétation du phénomène de l'hypocondrie selon l'approche psychanalytique veut qu'elle soit attribuable à un manque d'estime de soi, associé à un sentiment d'échec et d'insatisfaction permanent. La maladie peut venir masquer un sentiment profond d'impuissance ou d'inadéquation; en attirant l'attention de l'entourage, les symptômes viennent compenser le sentiment d'être bien peu de chose.

On accuse souvent les hypocondriaques d'être de grands narcissiques. Une faible estime de soi va de pair avec un certain narcissisme, les spécialistes n'argumenteront pas là-dessus. Et le fait de s'enfoncer dans la maladie peut certes encourager au solipsisme. L'hypocondriaque «substitue la maladie — forme innocente d'échec — à son sentiment profond de nullité», dit la psychologue-historienne Susan Baur[7]. Pour se sentir plus en accord avec lui-même, «il persiste désespérément à croire qu'il saurait faire preuve d'une grande force morale, qu'il serait indépendant, et beaucoup plus attachant — si seulement il n'était pas malade...»

L'hypocondriaque ne veut (ou ne peut) donc pas se défaire de ses symptômes: c'est ce qui lui confère son identité. Ses malaises le protègent, en ce sens, de l'impression accablante de n'être rien, et même, dans certains cas limites, de «la désintégration psychotique», comme le prétendait le Dr Ladee. Ce qui pourrait expliquer en partie la tendance de l'hypocondriaque à «rechercher-rejeter» l'aide des médecins, «à exhiber sa souffrance, pour aussitôt contrarier toute démarche pouvant la soulager[8]», ainsi que le formule le Dr Donald R. Lipsitt, de Harvard. Cette dynamique, observable, du reste, aussi bien dans la configuration familiale que dans la relation médecin/patient, permet au sujet de se maintenir dans un état de profonde inquiétude, *tout en gardant le contrôle*; le médecin tient alors, d'une manière un peu ambiguë et sous une forme idéalisée, il faut bien le dire, le rôle du parent, et le patient celui de l'enfant dépendant. Si les médecins comprenaient mieux le sens de la dynamique bien particulière qui sous-tend l'hypocondrie, souligne le Dr Lipsitt, ils trouveraient grand intérêt — et un singulier défi d'un point de vue thérapeutique — à accompagner le patient dans sa quête de soulagement: «Quand le médecin est tolérant et bien informé, dit-il, le patient se sent en confiance, et les plaintes somatiques finissent par s'estomper.»

Si élémentaire que cela puisse paraître, l'introspection est une démarche cruciale à laquelle tout bon médecin devrait porter attention. On ne peut que déplorer le désintérêt qui a cours à l'endroit de tout ce qui est relié à la doctrine psychanalytique, désintérêt qui lui a peu à peu fait ombrage et en a fait oublier la portée thérapeutique. La psychanalyse classique, vertement critiquée pour sa tendance à réduire le comportement humain à un ensemble de mécanismes de défense et de formations réactives, n'est peut-être pas à l'abri de tout blâme.

Les pourfendeurs des théories psychodynamiques leur reprochent plus précisément: (1) de faire la part belle aux représentations de l'esprit humain, au mépris des facteurs biologiques et génétiques; (2) de ne pas accorder assez d'importance aux facteurs socioculturels — modèle familial, origines ethniques, classe sociale, sexe, influence de la communauté médicale et des médias —, qui déterminent souvent la façon dont certains symptômes sont interprétés et maîtrisés; (3) de paraître fascinante d'un point de vue anecdotique, sans pour autant être en mesure de faire la preuve de son efficacité et de sa «scientificité» (à défaut de pouvoir isoler le *ça* en laboratoire, bien des chercheurs dédaignent les études sur les théories psychodynamiques, d'où le manque de données empiriques sur la question); (4) de donner lieu, enfin, à une cure trop longue, au terme de laquelle nombre de ceux qui y ont eu recours ont avoué n'avoir rien résolu malgré des efforts soutenus.

«Quel malheur que le cœur mette tant de temps à apprendre ce que l'esprit, si promptement, voit à chaque tournant!», disait si bien le poète Edna St. Vincent Millay.

B. L'approche cognitivo-comportementale

L'approche cognitive [«cognitive» veut dire qui se rapporte à la cognition, c'est-à-dire à la connaissance et à ses processus], élaborée dans les années soixante par le psychiatre Aaron T. Beck, s'appuie sur le principe que les états anxieux ou dépressifs sont le produit de pensées non réalistes à coloration négative et d'une distorsion dans la façon dont le sujet se perçoit lui-même et perçoit les êtres et le monde qui l'entourent. Examinée sous cet angle, l'hypocondrie serait une réaction acquise, plus près des mauvaises habitudes que de la névrose, dont il ne s'agirait pas tant de trouver l'origine — de ce point de vue, le débat nature/culture n'est pas la préoccupation première des cognitivistes — que de trouver le moyen de les liquider à court terme.

S'il est vrai que notre façon de penser est à l'origine de tous nos maux, il n'y a qu'une façon d'y remédier, disent les praticiens de la thérapie cognitive: apprendre à penser autrement, en substituant des pensées plus positives aux conceptions erronées du monde ou du moi que nous entretenons. Pour les adeptes de cette approche, comme pour les tenants de l'approche comportementale, les mauvaises habitudes s'enracinent dans l'éducation; mais, tandis que, pour corriger ces déficiences, les premiers recommandent d'amener le patient à s'interroger sur sa façon de penser et d'appréhender les événements, les seconds mettent l'accent sur la nécessité de l'encourager à modifier des comportements bien déterminés en tentant de freiner les mécanismes qui ont contribué à les renforcer (l'évitement d'une situation angoissante ou le besoin constant d'être rassuré, par exemple) et de l'inciter à réagir autrement, notamment en se confrontant à la situation qui est source d'anxiété.

La conjugaison des techniques propres à ces deux approches, d'où l'appellation «cognitivo-comportementale», s'est révélée jusqu'à maintenant extrêmement efficace dans le traitement de l'hypocondrie, aussi bien que la réduction des attaques de panique.

Des chercheurs anglais ont clairement mis en évidence le rôle de l'*anticipation* dans l'anxiété à formulation hypocondriaque et dans les attaques de panique: des sensations inhabituelles sont perçues par le sujet comme étant plus dangereuses qu'elles ne le sont en réalité ou la probabilité d'une maladie est surévaluée par rapport à ce que le tableau clinique permet, selon toute vraisemblance, de prévoir — comme si, chaque fois, une catastrophe allait survenir. L'intérêt de plus en plus grand dans notre société pour tout ce qui se rapporte à la santé et à la maladie ne ferait d'ailleurs qu'exacerber cette intuition maladive du désastre imminent; en témoigne le battage qui a accompagné les révélations entourant l'épidémie de sida, menace qui, jusqu'à un certain point, n'est pas sans fondement, mais qui a été incroyablement amplifiée par les médias. (Dans le cadre d'une étude menée à la faculté de médecine de l'Université Temple, à Philadelphie, auprès de 176 étudiants hétérosexuels ne présentant aucun facteur de risque connu de contracter le virus du sida, 15 % ont rapporté avoir pensé presque chaque jour, et souvent même plusieurs fois par jour, à la possibilité de contracter le virus, et 17 % ont déclaré avoir déjà consulté un médecin pour lui faire part de leurs inquiétudes à ce sujet[9].)

Selon le psychiatre Arthur Barsky, qui anime lui-même au Brigham and Women's Hospital de Boston des séminaires sur l'approche cognitivo-comportementale, où les patients hypocondriaques sont invités à mettre au point de nouvelles façons de faire face à leurs symptômes et à leurs peurs — une sorte de thérapie de confrontation au réel, qui les oblige à s'interroger sur le bien-fondé de leurs représentations mentales —, l'hypocondrie serait d'abord et avant tout un problème de dysfonctionnement cognitif et de distorsion dans la perception du réel déclenché par des mécanismes «amplificateurs».

Certaines personnes sont plus sensibles que d'autres, explique le spécialiste, aux sensations physiques. Elles sauront détecter le moindre gargouillement, le moindre soubresaut, le moindre spasme; elles pourront même être extrêmement incommodées par des sensations inédites telles qu'une sécheresse dans les oreilles ou dans les mains ou une faiblesse des chevilles, rarement associées à une maladie organique. Ces sensations désagréables engendrent un malaise profond qui les terrifie et donne lieu à une anxiété très éprouvante, qui enclenche d'autres symptômes. C'est un cercle vicieux, où «la détresse émotionnelle et la souffrance physique, en se nourrissant l'une l'autre, se perpétuent et s'intensifient», dit-il.

Les travaux du Dr Barsky ont confirmé l'existence d'une solide connexion entre l'hypocondrie et une forte tendance à l'amplification. En surestimant l'importance des symptômes qui l'affectent et l'intensité de la douleur qui pourrait l'accabler, l'hypocondriaque se trouve à dessiner malgré lui la première boucle à partir de laquelle les autres boucles se formeront, et se reformeront, engendrant un cycle infernal très difficile à désamorcer. Vivant perpétuellement dans l'attente de la catastrophe, l'hypocondriaque est hypervigilant; sans relâche, il s'assure que rien ne pourrait mettre sa vie en danger. Il évitera systématiquement les centres commerciaux, il annulera un rendez-vous au cas où son cholestérol serait trop élevé ce jour-là, et ainsi de suite. Rongé par l'anxiété, il finira par solliciter l'avis d'un médecin, dont le diagnostic sera aussitôt rejeté si rien d'anormal n'a pu être détecté.

Ceux qui ont une peur phobique de la maladie vous diront combien leur «système d'alarme» est sensible, et grande leur vulnérabilité.

Un homme que j'ai interviewé dans le cadre de la préparation de cet ouvrage m'a raconté que l'idée qui lui avait malencontreusement traversé l'esprit un soir qu'il se trouvait au cinéma de se trouver dans l'impossibilité d'uriner pendant toute la durée du film (depuis presque toujours, et plus particulièrement depuis le milieu de la quarantaine, il éprouvait un urgent et fréquent besoin d'uriner) l'avait ensuite obsédé pendant toute une année, ce qui l'avait poussé à consulter plusieurs médecins. Tous les tests et examens visant à détecter une anomalie qui aurait pu affecter la prostate, les reins ou déclencher un possible diabète s'étaient révélés négatifs, ce qui n'avait pas réussi toutefois à mettre un terme à ses obsessions, au contraire: plus les médecins infirmaient ses hypothèses, plus il s'inquiétait. Jusqu'à ce qu'un urologue diagnostique une «vessie nerveuse». «Vous êtes un homme extrêmement tendu, et très anxieux, et avez un système nerveux ultrasensible, qui réagit très vite à la moindre perturbation, lui avait dit le spécialiste. D'autres peuvent attendre cinq heures, le temps que s'accumulent 500 cc d'urine dans leur vessie, avant de ressentir le besoin d'uriner; vous, vous ne pouvez pas, ou peut-être que vous ne *voulez* pas, vous retenir au-delà de 250 cc.»

Une autre personne m'a raconté qu'elle avait été un jour absolument terrifiée de découvrir un long trait noir à l'arrière de sa cheville gauche. «J'ai tout de suite pensé que quelque chose de grave m'arrivait. Mes bons vieux signaux de panique se sont mis en marche: Ça y est! C'est fini! Je suis morte! me suis-je dit.» Jusqu'à ce qu'elle aperçoive sur le plan de travail de la cuisine, au moment même où elle s'apprêtait à alerter son mari, une boîte de cirage: elle avait en hâte ciré ses chaussures le matin sans les avoir retirées de ses pieds... C'en fut fini de la lèpre noire!

Plusieurs facteurs peuvent intervenir dans l'amplification des symptômes. Le Dr Barsky en retient quatre: l'attention accordée aux symptômes, les circonstances et l'humeur dans lesquelles ils sont perçus, et enfin l'interprétation qu'en fait le sujet[10].

L'attention accordée aux symptômes. Plus on est attentif à un symptôme, plus il risque de nous affecter; et, à l'inverse, toute distraction qui nous empêche de centrer toute notre attention sur une douleur en réduit l'acuité.

Au terme d'une étude réalisée auprès de sujets ayant subi une extraction dentaire et à qui il avait été demandé de noter les moments où ils avaient ressenti des douleurs, on a constaté que certains sujets avaient rapporté des douleurs à toutes les vingt minutes, tandis que d'autres ont rapporté n'avoir été incommodés qu'une seule fois; comme on pouvait s'y attendre, ceux qui, d'après leurs commentaires, semblaient avoir éprouvé les plus fortes douleurs étaient les mêmes que ceux qui avaient par ailleurs *mentionné* le plus fréquemment qu'ils avaient mal.

L'expérience effectuée par le psychologue James W. Pennebaker, professeur à la Southern Methodist University, à Dallas, auprès d'un groupe d'étudiants du niveau collégial est aussi très instructive. Le chercheur avait demandé à la moitié d'entre eux de bien vouloir se prêter à un exercice de marche rapide sur tapis roulant tout en portant un casque d'écoute par où leur seraient acheminés différents airs de musique et des sons imitant les bruits de la rue, l'autre moitié étant invités à porter la plus grande attention possible à leur respiration et à leur rythme cardiaque. Résultat? Comme on pouvait s'y attendre, les sujets qui s'étaient concentrés sur leur corps ont été beaucoup plus incommodés par l'exercice et étaient beaucoup plus essoufflés à la fin de l'exercice que ceux à qui on avait fourni un moyen de se distraire.

Les circonstances. La façon dont on perçoit une sensation dépend aussi, en grande partie, du contexte dans lequel l'expérience est vécue. Un mal de dos risque de faire beaucoup plus mal quand vous savez que de lourdes corvées ménagères vous attendent que lorsque vous sirotez une limonade sous un palmier. Un enfant à qui l'on enjoint d'interrompre sa partie de base-ball pour venir faire ses devoirs risque également de porter attention subitement à un mal d'estomac passé pourtant inaperçu pendant qu'il jouait avec ses copains. De même, des soldats peuvent, au cœur d'un combat, supporter une douleur intense et ne pas tenir compte de blessures qui, dans d'autres circonstances, seraient absolument insupportables.

Les expectations jouent un grand rôle dans les sensations que l'on éprouve. Si l'on s'attend à être soulagé d'un mal et que ce soulagement ne vient pas, les symptômes s'aggravent; inversement, une douleur dont on sait qu'elle peut être amortie est beaucoup plus facile à endurer. Prenez l'accouchement. Pour la plupart des femmes, les douleurs accompagnant la période de travail sont grandement atténuées du seul fait qu'elles savent, d'abord, qu'elles peuvent avoir recours à l'anesthésie, procédure perçue comme étant relativement sécuritaire et rapidement accessible en cas de besoin, qu'elles savent ensuite que les douleurs intenses qui accompagnent les contractions sont en général de courte durée, et enfin que, une fois la délivrance achevée, elles seront grandement récompensées de leurs efforts lorsqu'elles tiendront dans leurs bras leur petite merveille.

L'humeur. Le moindre petit bobo est ressenti avec une plus grande intensité si l'on est troublé affectivement. L'anxiété et la dépression sont en effet de redoutables amplificateurs. Les événements générateurs de stress — disputes, expériences de rejet, défaites — accentueront les symptômes, tandis que la réussite et les événements heureux les atténueront. Le marathonien sur le point de toucher la ligne d'arrivée ignorera complètement une douleur qui le faisait pourtant pâtir au vingtième kilomètre.

L'interprétation. Vous soupçonnez que vous souffrez d'une maladie grave? Il y a de fortes probabilités alors que vos symptômes vous fassent souffrir davantage que si vous les reliiez à un facteur de moindre importance. Si vous attribuez, par exemple, votre migraine à une fatigue oculaire, la douleur éprouvée sera beaucoup plus facile à supporter que si vous avez déjà à l'esprit l'idée qu'il pourrait s'agir d'une tumeur cérébrale.

Le problème des hypocondriaques est en partie attribuable, dans la plupart des cas, à des idées non fondées — dont celle qu'il y a une explication à chaque symptôme —, ce qui les amène à surestimer la portée des sensations physiques les plus banales et les plus courantes. «Les hypocondriaques ont souvent une conception peu réaliste, dit le Dr Barsky, de ce que c'est que d'"être en santé". S'ils se plaignent si souvent d'être malades, c'est souvent, en grande partie, parce qu'ils croient, à tort, qu'ils ne *devraient* jamais l'être.»

C. L'approche neurobiologique

Avec l'essor prodigieux de la recherche biomédicale, la neurobiologie est devenue le modèle dominant des études en santé mentale. Les scientifiques en quête des mécanismes innés qui pourraient être responsables des dérèglements psychopathologiques s'attachent actuellement à mettre en lumière les fondements biochimiques de plusieurs types de troubles de comportement: dépression, troubles de l'alimentation, violence, troubles reliés au syndrome prémenstruel, dépendance à l'égard de l'alcool ou des drogues, pour ne nommer que ceux-là.

L'application avec succès de divers traitements médicamenteux est venue confirmer le rôle de certains facteurs biologiques dans le développement de troubles mentaux qui, depuis des décennies, confondaient les psychiatres. Qui aurait pu croire, il y a à peine dix ans, qu'on en viendrait à parler, non seulement dans les milieux médicaux et paramédicaux mais aussi dans les médias et même au sein des familles, de «neurotransmetteurs» ou de «sérotonine», comme s'il s'agissait de choses familières, banales même. La maladie mentale est devenue un phénomène tangible, repérable dans les cellules, dans les gènes, dans le cerveau. Vous êtes hypocondriaque? Ce n'est pas de votre faute, ni celle de vos parents: il faut en imputer la cause à un déséquilibre biochimique, à des circuits nerveux déficients ou à quelque anomalie ralentissant certains mécanismes régulateurs du cerveau, vous diront les neurobiologistes.

Les résultats de certaines expériences suggèrent en effet que l'hypocondrie pourrait avoir un fondement biologique. La plupart des théories élaborées jusqu'à maintenant pour expliquer la phobie de la maladie par des phénomènes biochimiques sont fondées sur l'idée d'une perturbation possible affectant la régulation des mécanismes qui assurent la libération et l'utilisation de la sérotonine, l'un des neurotransmetteurs qui assurent les échanges d'information entre les cellules du cerveau.

Présente en fortes concentrations dans la région limbique du cerveau, qui régit les émotions, la sérotonine influencerait plusieurs processus physiologiques et psychiques, tels que l'humeur, l'appétit, la propagation de la douleur, le comportement sexuel et le sommeil[11]. En concentrations appropriées, cette substance chimique procurerait une sensation de bien-être en aidant à contrôler, par exemple, la colère ou l'anxiété; en concentrations insuffisantes ou excessives, elle pourrait, en revanche, déclencher un dérèglement chronique de l'humeur, du comportement et de la pensée. La moindre faille dans les voies de jonction qu'établit la sérotonine entre les neurones peut en effet déclencher, affirment certains chercheurs, divers types de troubles mentaux: comportements compulsifs, troubles de l'alimentation, hypocondrie et difficultés — pouvant entraîner des actes violents et même un suicide — à contrôler ses impulsions. On ignore toutefois quel mécanisme perturbe ainsi les cellules qui sécrètent la sérotonine.

Le rôle des neurotransmetteurs dans le déclenchement ou l'amplification du trouble obsessionnel-compulsif (OC) est admis par un grand nombre de chercheurs en neurobiologie; certains inclinent même à penser que les comportements problématiques que peuvent provoquer ces messagers chimiques ne constitueraient pas tant des entités cliniques individuelles qu'un groupe de conduites reliées entre elles résultant d'une seule et même perturbation organique ou d'un état physiologique déterminé. Dans cette optique, l'hypocondrie ne serait qu'une manifestation parmi d'autres de troubles neurologiques formant le spectre d'une maladie mentale donnée — dans ce cas-ci les troubles du «spectre obsessionnel» —, avance le Dr Eric Hollander, directeur du département de psychopharmacologie clinique au New York's Mount Sinai Medical Center[12]. Les troubles de type OC auraient en commun, selon lui, certains symptômes spécifiques et certains marqueurs neurologiques.

La théorie veut que, à l'une des extrémités du spectre, on retrouve les *troubles de type compulsif*, qui traduisent une peur profonde du risque et se manifestent par des pensées obsédantes ou une préoccupation perpétuelle à l'égard du corps; l'obsession peut être centrée sur l'apparence (peur d'une dysmorphie corporelle), sur le poids (anorexie nerveuse) ou sur la maladie (hypocondrie). À l'autre extrémité, trouvent place les *troubles de type impulsif,* où s'exprime un certain attrait du risque; ils se manifestent par des actes répétitifs, souvent à caractère rituel, que le sujet ne peut s'empêcher d'accomplir (tics reliés au syndrome de Tourette ou à la manie dépilatoire, par exemple, troubles explosifs à caractère sexuel, impulsions agressives, etc.).

Les troubles du spectre obsessionnel partagent d'autres caractéristiques: ils surviennent à l'adolescence ou au début de l'âge adulte; les symptômes fluctuent continuellement; et ils ont tendance à réapparaître d'une génération à l'autre. On note aussi, en général, un chevauchement des symptômes de troubles compulsifs et des symptômes de troubles impulsifs chez les membres d'une même famille. Il n'est pas rare de retrouver dans le tableau clinique d'un patient plus d'un trouble de comportement, mixité se traduisant souvent par un déplacement de l'anxiété sur une autre cible d'un épisode à l'autre. Ainsi, une jeune fille incertaine d'elle-même en vient d'abord à se préoccuper de son apparence physique, tout particulièrement de son poids, puis elle déplace son attention sur la nourriture et l'exercice; elle n'hésite pas ensuite à se laisser mourir de faim ou à s'empiffrer inconsidérément, sans pour autant développer une anorexie nerveuse ou un problème de boulimie; enfin, elle commence à s'inquiéter de la forme de son nez, plus tard du sida, etc. Mais les traits propres aux impulsifs et aux compulsifs demeurent toujours les mêmes: les premiers sont attirés par le risque, tandis que les seconds, qui ont peur du risque, affichent une certaine rigidité.

Si la recherche sur les rapports entre le trouble OC et l'hypocondrie en est encore à ses débuts, on dispose en revanche d'un grande nombre de données sur les rapports entre le trouble OC et l'anorexie.

Une étude minutieusement contrôlée a montré, par exemple, que 50 % des anorexiques affichent les traits symptomatiques de troubles OC, et ce, même après que les obsessions reliées à la nourriture et au corps eurent été exclus des paramètres de l'étude. Une autre recherche, menée cette fois auprès de 19 patients anorexiques, révèle que chacun d'eux, sans exception, présentait certains symptômes de trouble OC dépassant un simple problème d'apparence physique, une obsession de l'exercice ou de la nourriture. Les sujets souffrant d'anorexie, d'hypocondrie ou d'autres troubles de type compulsif avaient en commun une tendance à surévaluer le risque que leurs actions ou leurs pensées puissent être source de souffrance, de même qu'une vigilance extrême traduisant une sensibilité exacerbée aux signaux sensoriels les plus subtils, «comme si une sonnerie d'alarme interne, sorte de mécanisme très primitif les avertissant des dangers susceptibles de porter atteinte à leur intégrité biologique, se déclenchait chaque fois qu'ils ont l'impression que quelque chose ne va pas ou n'a pas l'air d'aller ou ne convient pas — une sorte de détecteur défaillant, qui s'emballe au moindre contretemps[13]», explique le Dr Hollander. Cette hypothèse d'une dysfonction de l'alarme interne qui la rendrait sensible à la plus petite perturbation n'est pas très éloignée de la notion d'amplification dont il a été question précédemment; mais, tandis que les cognitivistes attribuent cette faille aux mauvaises habitudes ou à des idées erronées venues d'un apprentissage inadéquat, les neurobiologistes en voient la cause dans une anomalie du cerveau rendant le sujet hypersensible à tout danger qui pourrait sourdre de son environnement.

Des travaux suggèrent qu'un circuit particulier du cerveau pourrait être responsable des besoins subits et des conduites souvent surprenantes des sujets qui souffrent du trouble OC[14]. Des techniques très sophistiquées permettant d'établir une cartographie du cerveau auraient déjà mis en évidence une activation plus intense que la normale dans la région orbitale du cortex frontal au moment où se déroulent des actions compulsives. Les conduites impulsives auraient, dit-on, l'effet inverse: elles réduiraient l'activité dans le lobe frontal. Les compulsions seraient associées par ailleurs à une sensibilité accrue à la sérotonine, tandis que les comportements agressifs ou impulsifs résulteraient d'une diminution de la fonction sérotogénique, ce qui pourrait expliquer pourquoi des médicaments tels que l'Anafranil ou le Prozac — qui, dans un premier temps, élèvent les concentrations de sérotonine, puis, dans un deuxième temps, diminuent la réceptivité du cerveau à cette substance — se sont avérés si efficaces à réduire les obsessions et les compulsions associées au trouble OC, à l'anorexie et à l'hypocondrie, mais si peu convaincants, en revanche, dans le traitement des comportements suicidaires ou violents.

L'hypocondrie: trouble inné ou acquis?

Les théories neurobiologiques les plus avant-gardistes seraient-elles confirmées, et des troubles tels que la dépression, l'hypocondrie et le trouble OC s'avérer être intriqués dans les circuits neurochimiques les plus complexes, qu'une autre question se poserait: celle de savoir si ces troubles mentaux ont un fondement génétique, s'ils sont inscrits depuis la naissance dans le bagage héréditaire du sujet concerné. Ou si des facteurs environnementaux peuvent favoriser le développement de certains traits biologiques. Ou s'il est possible de modifier les circuits chimiques du cerveau une fois que le tort est fait.

Pour analyser le rôle des facteurs héréditaires et environnementaux, autrement dit de l'inné et de l'acquis, dans l'exploration d'un phénomène humain, les chercheurs ont recours principalement à deux méthodes: (1) l'étude des comportements de jumeaux identiques, le principe de base étant que si un trouble psychopathologique est de nature génétique, il y a de fortes probabilités que les deux jumeaux soient porteurs du gène de cette affection ou qu'ils en viennent à la développer; (2) l'étude des comportements d'enfants adoptés qui ne vivent plus avec leur famille biologique. Des efforts immenses ont été investis dans ce type d'investigation au cours des dernières années[15].

Le rôle de l'hérédité

Grâce à la biotechnologie, il est maintenant possible d'isoler des gènes spécifiques, de démembrer l'ADN en plusieurs segments et de mettre ainsi à nu les unités de base de notre bagage héréditaire. Au rythme où progresse la recherche en génétique, on en serait même actuellement à isoler un gène humain par jour! Il en aura fallu du temps et de la patience pour arriver à cerner les marqueurs génétiques annonçant, par exemple, une susceptibilité à certaines formes de cancer ou de maladie cardiovasculaire! Plus récemment, des chercheurs sont parvenus à localiser certains gènes impliqués dans des maladies telles que la chorée de Huntington, la sclérose latérale amyotrophique et l'ataxie, de même que des gènes associés à des forme courantes de cancer du côlon et de cancer du sein qui commenceraient à se développer à un âge étonnamment précoce.

Mais la science a dû maintes fois reconnaître les limites de sa capacité à dévoiler les failles génétiques qui pourraient induire des maladies mentales. Il est aujourd'hui établi que certains troubles psychopathologiques ont un caractère héréditaire; reste à savoir s'il faut en attribuer ou non la cause à des gènes spécifiques. On présume pour l'instant que plusieurs gènes, et non un seul, pourraient induire des troubles psychiques, sous réserve toutefois que des facteurs environnementaux créent un terrain propice au développement des traits dont ces gènes sont porteurs. Quant à savoir combien de gènes interviennent dans tel ou tel cas, où ils sont localisés et quels sont leurs effets précis, c'est une tout autre question, sur laquelle la lumière reste à faire.

Selon le professeur Aubrey Milunsky, de l'Université de Boston, chef de file de la génétique médicale, les preuves permettant de rendre compte de la validité des théories génétiques appliquées à l'étude des troubles psychiques sont nettement insuffisantes, sauf pour ce qui concerne la schizophrénie, la psychose maniacodépressive et, vraisemblablement, les troubles dépressifs majeurs, où le facteur héréditaire semble jouer un rôle déterminant[16]. Ainsi, au terme d'une étude sur la schizophrénie (trouble psychotique se caractérisant par des hallucinations, de la paranoïa et une perte de contact avec la réalité) menée auprès de jumeaux identiques, on n'aurait retrouvé les mêmes symptômes chez les deux jumeaux que dans une proportion se situant entre 33 % et 50 % de l'échantillon, comparativement à un taux se situant entre 10 % et 12 % chez les jumeaux non identiques, ce qui est loin d'être convaincant. Les résultats d'études effectuées auprès de patients atteints de troubles dépressifs légers laissent, eux aussi, assez songeurs. «On ne dispose, à ce jour, d'aucune preuve permettant d'affirmer que la névrose a un fondement génétique, soutien le Dr Milunsky. On peut présumer cependant que, s'ils sont élevés dans un même environnement, les enfants de parents souffrant de graves problèmes de névrose seront à leur tour névrotiques.»

Il serait plus hasardeux encore, dans l'état actuel de la recherche, de parler du rôle des antécédents génétiques dans l'hypocondrie, dit le professeur. Peu d'études familiales exhaustives ont été menées pour tenter d'éclaircir la question, et les quelques cas sur lesquels des recherches ont été effectuées ont donné des résultats contradictoires — en partie, sans doute, parce que la définition de l'hypocondrie reste encore assez floue. Selon les conclusions d'une étude portant sur 24 couples de jumeaux identiques et sur 24 couples de jumeaux non identiques, âgés de 14 à 18 ans, le facteur génétique dans la névrose à formulation hypocondriaque ou hystérique serait nul, ou à peu près[17]; les investigateurs ont pu établir, en revanche, que l'hérédité joue un rôle indéniable dans la dépression et la schizophrénie. Une autre étude, réalisée cette fois auprès de 44 couples de jumeaux identiques élevés séparément durant presque toute leur enfance, a mis en évidence un certain nombre de symptômes somatiques ou de manifestations hypocondriaques chez 4 des 44 couples.

Le couple Olga et Viola nous servira d'exemple. Les jumelles avaient été séparées depuis leur naissance jusqu'à l'âge de 11 ans, puis à nouveau à l'âge de 16 ans, et avaient eu peu de contacts durant leur vie adulte. À l'âge de 25 ans, Olga a une première attaque de panique; à la suite de l'incident, elle se mettra à craindre continuellement de faire une syncope et d'avaler sa salive. Viola, qui n'a absolument aucun moyen de savoir ce qui vient d'arriver à sa sœur jumelle, en vient à développer des symptômes analogues, qui l'amèneront, de son côté, à se priver de toute nourriture solide durant plusieurs années.

On pourra certes être tenté d'invoquer, dans un cas pareil, l'influence de facteurs génétiques. Or il pourrait fort bien s'agir d'une pure coïncidence, d'un simple accident biologique. De fait, chaque fois que des chercheurs ont cru avoir découvert une anomalie génétique reliée à un trouble mental, qu'il s'agisse de la psychose maniaco-dépressive ou de l'alcoolisme, les hypothèses se sont dissoutes ou ont, à tout le moins, été mises en doute aussitôt après qu'elles eurent été soumises à plus ample examen. Les investigateurs en quête de solutions biologiques risquent de négliger l'incidence de certains facteurs environnementaux, tels l'âge des jumeaux au moment de l'adoption ou les antécédents socioculturels des parents adoptifs, permettant de prédire avec beaucoup plus de vraisemblance des tendances dans le fonctionnement du psychisme.

L'ascendant de la biopsychiatrie — facteur qui aura contribué largement, selon le Dr Keith Russell Ablow, à donner au grand public l'impression que les causes biochimiques des troubles mentaux n'ont plus à être mises en doute et que des traitements médicamenteux seront bientôt disponibles — indispose bon nombre de praticiens de la santé mentale, selon qui les possibilités de traitement qu'offre pour l'instant la neurobiologie ont été nettement surévaluées. «Le fait est que personne ne sait, à l'heure actuelle, comment une anomalie du cerveau peut induire telle ou telle maladie mentale, écrit le psychiatre. Les médicaments utilisés pour modifier la chimie du cerveau permettent de soulager *les symptômes* de certaines maladies mentales, non de les traiter, comme telles[18].» Que le dérèglement de neurotransmetteurs favorise ou non l'apparition de troubles psychopathologiques, le rôle de l'introspection et de la compréhension de soi dans le traitement de ces affections reste tout aussi primordial; il peut arriver d'ailleurs qu'une perturbation biologique ait été causée par une expérience traumatique, dit-il.

Le psychologue Martin Seligman, professeur à l'Université de la Pennsylvanie, déplore, pour sa part, les contraintes auxquelles les modèles biologiques et pharmacologiques ont soumis le concept du moi, car si certains traits génétiques sont malléables, d'autres le sont moins, et, fait plus important encore, une bonne partie de notre héritage génétique peut être passablement modifié par nos apprentissages ou nos expériences. L'idée que *tout* est génétique et biochimique doit donc être mise en veilleuse: «Les prétendus "quotients intellectuels" sont souvent dépassés, invoque ironiquement Seligman; certaines personnes ne "répondent" tout simplement pas à certains médicaments; d'autres vivent bien au-delà du stade dit "terminal" de leur maladie; il en est aussi qui déjouent les hormones et les circuits nerveux censés "dicter" le désir, l'expression de la féminité ou la perte de la mémoire; il en est d'autres enfin qui arrivent, avec le temps, à transformer du tout au tout leurs habitudes et leurs comportements[19].»

Qu'ils défendent ou qu'ils répudient l'hypothèse du caractère inné de l'hypocondrie, peu de chercheurs soutiennent aujourd'hui que la constitution biologique est le facteur premier de la destinée. Même le défenseur le plus acharné du déterminisme biologique hésitera à affirmer que le fait que vous soyez porteur du gène ou du groupe de gènes de la schizophrénie ou de l'hypocondrie, selon le cas, signifie automatiquement que, quel que soit l'environnement dans lequel vous avez grandi et celui dans lequel vous vivez maintenant, vous en serez irrémédiablement atteint. La plupart des troubles mentaux, et un grand nombre de pathologies, sont dus à des facteurs multiples d'ordre biologique aussi bien que d'ordre environnemental. «Notre bagage héréditaire nous prédispose à développer certains troubles psychiques, mais là ne s'arrête pas la question: il faut considérer également tous les facteurs susceptibles, au cours d'une vie, de *déclencher* ces troubles ou d'*en favoriser* le développement», explique le Dr Milunsky.

Le milieu familial

L'expérience que le sujet a de la maladie, en particulier la façon dont elle a été vécue au cours de l'enfance, est un facteur souvent invoqué dans le cas de l'hypocondrie. Il n'est pas rare qu'un adulte souffrant d'hypocondrie ait été gravement malade ou ait été témoin, dans un passé lointain, du développement d'une maladie sévère dans son entourage immédiat, qu'il s'agisse du père, de la mère, d'un frère, d'un sœur, d'un proche parent ou d'un grand ami de la famille.

Prenons le cas de Daniel, un acteur dans la cinquantaine, qui dit être convaincu que son obsession de la forme physique et de la santé s'enracine dans son histoire familiale. Il se souvient que l'un de ses oncles est disparu en mer durant la Deuxième Guerre mondiale, à la suite de quoi ses grands-parents étaient morts à leur tour — «de chagrin», prend-il soin d'ajouter. Il se rappelle aussi que son plus jeune frère a été atteint, à l'âge de 10 ans, de ce qui semblait être une leucémie, mais qui s'est avérée être finalement une mononucléose. Sa mère soupçonnait depuis longtemps, raconte-t-il, que le diagnostic était erroné. «Elle attend encore que le pire arrive, même si mon frère cadet, qui a maintenant 43 ans, est en parfaite santé!» Daniel a lui-même souffert d'asthme, d'eczéma et de maux d'estomac durant son enfance, affections qui ne le préoccupaient pas vraiment à l'époque, dit-il, quoiqu'il trouvait le moyen de s'y abriter: «Je savais ce qui attirait l'attention dans ma famille, je le savais fort bien!»

Ce n'est qu'au début de ses études collégiales, après qu'une grande amie de sa mère eut reçu un diagnostic de cancer du côlon, qu'a commencé à se développer la phobie de la maladie qui le tenaille. «Je la connaissais très bien. J'aurais dû lui rendre visite plus souvent, comme on m'avait encouragé à le faire. Mais j'en étais incapable. C'était plus fort que moi! Je ne pouvais supporter de la voir dans cet état-là.»

Il n'a pas cessé depuis de s'inquiéter d'être, à son tour, atteint d'un cancer intestinal. Malgré ses 75 ans, sa mère continue de traiter ses deux fils comme s'ils étaient ses patients: elle s'inquiète de ce qu'ils mangent, du poids qu'ils pèsent, les questionne même sur leurs selles; elle fait enquête à propos de leurs consultations, de leurs examens médicaux et des résultats des tests.

Les réactions des parents ont indéniablement leur importance dans le façonnement de l'attitude de l'enfant face à la maladie, comme on le verra plus en détail au chapitre 8. Si les parents sont obsédés par la maladie, il y a de fortes probabilités pour que leurs enfants le soient également ou qu'ils reproduisent ce type de comportement une fois qu'ils seront devenus parents à leur tour. «Dans bien des cas, les hypocondriaques ont eu des parents qui surveillaient le moindre petit reniflement et les amenaient chez le médecin au premier symptôme, engendrant ainsi un sentiment de vulnérabilité et d'insécurité à l'égard de leur corps[20]», explique le Dr Laurence Kirmayer, professeur de psychiatrie à l'Université McGill (Montréal).

Des travaux ont montré que l'hypocondrie peut être reliée également à un traumatisme survenu durant l'enfance, que le sujet ait été victime de sévices corporels ou qu'il ait perdu très tôt un être cher. Ainsi, une patiente du Dr Hollander, âgée de 28 ans, présentait-elle des symptômes d'hypocondrie et de trouble OC auxquels n'était pas étrangère la pensée omniprésente que sa mère était morte au moment où elle lui avait donné naissance. Cette obsession avait fini par engendrer un sentiment de panique de plus en plus envahissant. Au beau milieu d'une promenade, elle pouvait se sentir assaillie par une terreur paralysante qui la forçait à rentrer aussitôt chez elle. «Elle pouvait même s'arrêter brusquement, incapable de faire un pas en avant ou en arrière, de peur qu'elle n'occasionne une chute ou qu'une voiture ne vienne frapper un passant qu'elle aurait malencontreusement pousser en bas du trottoir, raconte le médecin. Aussitôt qu'elle parvenait à se ressaisir, elle se dirigeait en hâte à la cabine téléphonique la plus proche et téléphonait à son mari pour lui demander de contacter le poste de police du quartier afin de s'enquérir si un piéton n'avait pas été victime d'un accident [...] Ses préoccupations avaient fini par interférer avec son travail et sa vie matrimoniale. C'était une femme très brillante, mais à peine capable de mener une vie normale, et encore moins de renouveler sa vie, d'en repousser les limites[21].»

Une psychothérapie, conjuguée à des antidépresseurs, lui fut, pendant un certain temps, d'un grand secours. Mais, une fois interrompue la médication, elle fit une rechute; la thérapie, à elle seule, ne semblait pouvoir dans son cas contenir ses pulsions autodestructrices. «Quiconque perd sa mère dans des conditions aussi tragiques risque d'en être profondément affecté, ce qui ne signifie pas pour autant qu'il ou elle développera un sens maladif de la responsabilité», dit le Dr Hollander. Un substrat biologique, dont des antécédents familiaux de troubles de l'alimentation et de trouble obsessionnel-compulsif, sous-tendait dans ce cas-ci les troubles de comportement, prend-il soin de préciser.

Ironiquement, les théories bioneurologiques pourraient bien finir par susciter un regain d'intérêt pour l'approche freudienne, tant décriée par les adeptes des neurosciences[22]. La théorie moderne du comportement obsessionnel semble en effet faire écho davantage à ce que Freud disait du conflit psychique qu'au discours neurobiologique lorsqu'elle laisse entendre que le mécanisme automatique qui filtre, à la porte d'entrée, tout élan gouverné par les pulsions (sexuelles, agressives ou alimentaires) les plus primitives se trouve sérieusement perturbé chez les patients atteints du trouble OC, ce qui donne lieu à des pensées obsédantes et à des rituels. Selon la théorie freudienne, les compulsions — associées dans certains textes, du moins chez le premier Freud, à l'analité, elle-même reliée à la phase d'apprentissage de la propreté chez l'enfant — traduisent un besoin d'imposer silence aux désirs interdits et aux peurs inconscientes. Une hypothèse, qu'il reste à confirmer cependant, veut, par exemple, que le tout jeune enfant qui retient régulièrement ses fèces par peur de la réaction de ses parents pourra adopter des attitudes rigides et perfectionnistes à l'âge adulte.

Freud lui-même a toujours maintenu un doute quant à la possibilité qu'un traumatisme précoce soit, à lui seul, responsable de la névrose obsessionnelle ou hypocondriaque; il a d'ailleurs senti le besoin de s'interroger sur l'incidence des facteurs génétiques et d'autres facteurs d'ordre biologique, comme le suggèrent certains écrits[23]. N'avait-il pas prédit d'ailleurs que la science découvrirait un jour un mécanisme expliquant l'empiétement, le «lien intime» du corps et de l'esprit, dans ce type d'affection mentale et que seraient tendues «des voies de passage entre le phénomène de la névrose et des champs de savoir tels que la biologie et la chimie organique[24]»?

Les facteurs socioculturels

Il y a cent ans, Freud tentait déjà de dénouer les énigmatiques connexions qui mettent en relation le corps et l'esprit. On ignore pourtant, encore aujourd'hui, comment ces connexions influent sur l'hypocondrie. Les chercheurs en sciences sociales répliqueront que l'expérience de la santé et de la maladie dépasse largement les phénomènes psychiques et somatiques et que, pour être bien comprise, il est primordial qu'elle soit replacée dans le contexte particulier que définissent le temps et l'époque où nous vivons.

Les êtres qu'on affuble de l'épithète d'«hypocondriaque» évoluent quotidiennement au sein d'une société qui n'hésite pas à dicter quelles affections sont légitimes, quels symptômes sont acceptables et comment les gens malades doivent se comporter. «Les symptômes portent une détermination sociale aussi bien qu'individuelle[25]», rappelle Edward Shorter dans un ouvrage paru récemment sur les origines socioculturelles des symptômes psychosomatiques. On aura beau insister sur le rôle du corps comme relais de la parole dans l'expression des sentiments et des émotions, sur l'incidence de certains facteurs pathologiques sous-jacents dans l'anxiété sur la détermination qu'impose la bagage héréditaire dans la façon d'interpréter les signaux de détresse de l'organisme ou sur les effets dramatiques de certains traumatismes, il reste que l'état d'âme d'un individu et les perturbations biologiques dont son corps est l'objet «ne suffisent pas à expliquer des facteurs tels que le type de symptôme qui revient le plus souvent, le moment particulier où il survient ou la durée des maladies qui l'affectent», souligne Shorter. Quelque chose d'extérieur au moi — traits nationaux, habitudes culturelles, dynamique maritale ou diktats médicaux du jour — détermine indiscutablement, dit-il, le comportement à adopter face à ses émotions et face à la maladie.

L'anthropologie culturelle et la sociologie tiennent nécessairement un autre discours sur l'hypocondrie que ceux qui ont été présentés dans les pages qui précèdent, la maladie étant, pour les praticiens de ces disciplines, affaire de conditions de vie beaucoup plus que de comportement individuel ou de biochimie, comme l'explique la psychologue et historienne Susan Baur[26]. Certains individus n'ont aucun moyen d'agir sur leur environnement immédiat ou sont enfermés dans la solitude et l'ennui; faut-il s'étonner qu'ils se replient sur eux-mêmes et centrent l'attention qu'il leur reste sur leur souffrance physique? Certains chercheront auprès des établissements de santé un peu de soutien moral ou un signe — n'importe lequel — que leur vie a un sens.

Pour le travailleur social, les plaintes somatiques des indigents, groupe particulièrement vulnérable aux maladies mentales et aux maladies organiques, comme le rappelle Baur, sont, d'abord et avant tout, un mode de défense contre le manque et la vulnérabilité que leur impose leur statut, une réaction au «stress social» en quelque sorte. La thérapie de choix en pareil cas devient «l'accessibilité à l'emploi, un logement convenable, l'intégration à la communauté, et autres signes extérieurs de sécurité personnelle et d'estime de soi» qui, disent les défenseurs de la santé mentale communautaire, peuvent contribuer à investir ces individus d'un certain pouvoir et «les empêcher de se réfugier, comme ils le font trop souvent, dans l'hypocondrie».

L'hypocondrie peut représenter, en effet, chez certains individus, un refus de faire face aux difficultés de la vie. Est-ce à dire qu'il y ait un portrait type du sujet susceptible de se réfugier dans la maladie? Pas vraiment. Comme toute manifestation somatique, les comportements hypocondriaques dépassent les frontières sexuelles, raciales, ethniques et socio-économiques; ils n'ont rien à voir avec l'âge, non plus. Certains groupes seraient néanmoins plus prompts que d'autres, si l'on en croit les statistiques, à exprimer leur détresse psychosociale par des plaintes somatiques: il semble ainsi qu'un jeune Afro-Américain ou qu'une jeune femme d'origine hispanique, séparé(e), et qui a déjà été victime de sévices corporels ou d'abus sexuel, présenteraient un ensemble de traits qui les exposent à éprouver un jour ou l'autre des symptômes somatiques; le sujet type qui risque le moins d'exprimer son anxiété par des malaises physiques serait, selon les mêmes analyses, de sexe mâle, de race blanche, d'âge moyen, d'origine anglo-saxonne et heureux en ménage depuis vingt-cinq ans.

Si l'on se reporte aux quelques études qui ont été menées sur la dimension sociale des symptômes, il faut conclure que:

- Les Juifs et les Italiens sont plus susceptibles de se centrer sur leur corps et de se plaindre de douleurs que les Anglo-Saxons et les Irlandais catholiques.
- Les individus moins scolarisés et ceux qui ont un statut socio-économique moins élevé souffrent davantage de symptômes inexpliqués que les bien nantis. La phobie de la maladie est

cependant aussi courante dans la classe moyenne que dans les couches sociales plus élevées.

- Les personnes qui vivent seules — qu'elles soient célibataires, séparées, divorcées ou veuves — sont plus exposées à être malades et à souffrir d'affections somatiques que les personnes qui ont un conjoint.
- Les sujets plus âgés sont très vulnérables aux maladies organiques — 75 % des personnes âgées de plus de 65 ans sont atteintes d'une forme ou d'une autre de maladie chronique —, mais, étonnamment, sont moins sujettes aux peurs hypocondriaques que les plus jeunes.
- Les femmes souffrent plus que les hommes de troubles somatiques vagues qui les amènent à consulter un médecin, mais les deux sexes semblent aussi vulnérables l'un que l'autre à l'hypocondrie.

De l'hystérie à la neurasthénie

Depuis l'âge d'or de l'hystérie, la société n'a cessé de puiser aux sciences médicales pour expliquer les tourments de l'âme humaine. Dès l'instant que les comportements hystériques ont cessé d'être attribués au système reproducteur de la femme, certains historiens n'ont pas hésité à mettre au compte d'une réaction féministe à un ordre social dominé par les mâles ce qui, naguère, était perçu comme un dérèglement de la psyché.

Déjà, au milieu du XIXe siècle, des féministes (dont Mary Wollstonecraft) avaient commencé à se faire entendre et à laisser entrevoir aux femmes opprimées un peu de cette liberté qui leur était encore pour une bonne part refusée. «La douleur et la paralysie hystériques auront servi de bulletins de vote secrets lors d'une élection dont les femmes étaient encore légalement exclues[27]», dit David B. Morris dans un ouvrage consacré à l'expression de la douleur selon les cultures. La «cure de repos», popularisée au XIXe siècle par le Dr S. Weir Mitchell, est alors devenue la prescription par excellence pour soulager les symptômes des femmes nerveuses, trop émotives. Morris rappelle aussi cette recommandation que faisait à l'époque le Dr Mitchell à une femme écrivain aux prises avec des troubles hystériques: «Centrez, autant que possible, votre existence sur la vie domestique. Ayez toujours votre enfant à vos côtés [...] Limitez-vous à deux heures de travail intellectuel par jour. Et éloignez de vous crayons, stylos et pinceaux: n'y touchez pas, aussi longtemps que vous vivrez!»

Avant le déclenchement de la Première Guerre, la neurasthénie avait déjà pris en Amérique la place qu'occupait auparavant l'hystérie auprès de l'élite intellectuelle et économique. Elle est devenue en quelque sorte la nouvelle maladie «de rigueur» chez les représentants de la classe bourgeoise, forcés de composer avec les nouvelles conditions qu'imposait la modernisation industrielle: longues heures de travail, afflux massif d'immigrants, travail des femmes, adaptation aux nouvelles technologies[28].

Affectant aussi bien les hommes que les femmes, la neurasthénie était interprétée à l'époque comme un épuisement nerveux. Les conseils donnés par les médecins différaient cependant selon le sexe du patient: aux femmes on prescrivait le repos et la tranquillité, aux hommes des exercices vigoureux visant à leur redonner du tonus et à renforcer leur musculature. Mais ces remèdes, qui renforçaient les vieux stéréotypes — la passivité chez la femme et l'activité chez l'homme — n'ont pas freiné l'épanouissement de la culture: ainsi l'écrivain Edith Wharton, accablée comme bien d'autres personnages célèbres de l'époque (dont Henry James, Charles Darwin, Teddy Roosevelt et Emma Goldman) par l'hypocondrie, a-t-elle écrit ses meilleures œuvres alitée.

L'essor de la psychiatrie correspond toutefois étrangement, sur le plan historique, à l'éclipse de la neurasthénie, laquelle est effectivement disparue peu à peu des registres en Amérique du Nord pour finalement être oubliée presque complètement ou, comme d'aucuns le prétendent, réapparaître sous de nouvelles appellations. À chaque génération correspond un type particulier de plaintes assez vagues de type neurasthénique, auxquelles sont attachées périodiquement de nouvelles dénominations, des diagnostics «à la mode», dit le psychiatre Charles Ford, de l'Université de l'Alabama. Tout en reconnaissant que quelques-uns de ces diagnostics un peu farfelus — lesquels représentent souvent une collusion inconsciente entre patient et médecin traitant — puissent être fondés sur des symptômes organiques bien réels, il faut admettre néanmoins qu'ils peuvent conduire à un abus du diagnostic. Ainsi, l'hypoglycémie, affection caractérisée par de faibles concentrations de glucose dans le sang, était utilisée à toutes les sauces il y a vingt-cinq ans. Or on n'y fait aujourd'hui de moins en moins référence. Chaque fois qu'une myriade de symptômes ambigus composaient le tableau clinique, l'hypoglycémie servait de passe-partout: «Les médecins se sentaient beaucoup plus à l'aise, à l'époque, de diagnostiquer une hypoglycémie et de prescrire le traitement idoine que d'établir un diagnostic d'anxiété ou de dépression[29]», estime le Dr Ford.

Certains diront que le même constat pourrait être appliqué aujourd'hui au syndrome de fatigue chronique; les débats sur la question dans les cercles médicaux ne sont pas très différents, de fait, des controverses entourant la neurasthénie au début du siècle.

*

Pour bien des patients, la possibilité d'identifier ce qui les fait souffrir et les rend moroses leur procure déjà un certain soulagement, un point d'appui leur permettant de mieux composer avec l'incertitude et la détresse émotionnelle. Pour d'autres, un diagnostic approximatif qui ne fait que répondre aux humeurs de l'époque pourra contribuer à entretenir durant toute une vie des tendances hypocondriaques, et avoir ainsi des effets aussi destructifs qu'onéreux.

Les explications socioculturelles de l'hypocondrie, sur lesquelles nous reviendrons dans les chapitres suivants, permettent néanmoins de calmer quelque peu l'anxiété qu'elle suscite: car autant il est difficile de changer de comportement ou de corps pour se sortir de la maladie, autant «il est facile de comprendre comment les autres s'y prennent pour nous y installer[30]».

1. Voir à ce sujet Kay REDFIELD JAMISON, *Touched with Fire*, New York, Free Press, 1993, p. 196-201.
2. Alfie KOHN, «Back to Nurture», *American Health*, avril 1993, p. 29-31. Du même auteur, voir aussi *The Brigther Side of Human Nature: Altruism and Empathy in Everyday Life*.
3. William STYRON, *Darkness Visible: A Memoir of Madness*, ouvr. cité, p. 38.
4. Peter D. KRAMER, *Listening to Prozac: A Psychiatrist Explores Antidepressant Drugs and the Remaking of the Self*, New York, Viking, 1993, p. 73.
5. Cité dans Donald R. LIPSITT, «Psychodynamic Considerations of Hypochondriasis», *Psychotherapy and Psychosomatics*, n° 23, 1974, p. 132.
6. Cité dans Susan BAUR, *Hypochondria: Woeful Imaginings*, ouvr. cité, p. 73-74.
7. *Ibid.*, p. 5.
8. Donald R. LIPSITT, entrevue réalisée le 18 octobre 1993.
9. Voir David BRODY *et al.*, «AIDS Concerns among Low-Risk Homosexuals: The Other Side of the Epidemic», *Medical Care*, n° 30, mars 1992, p. 276-281.
10. Voir Arthur J. BARSKY, *Worried Sick: Our Troubled Quest for Wellness*, Boston, Little, Brown, 1988, p. 23-36.
11. Voir Jeffrey M. JONAS et Ron SCHAUMBURG, *Everything You Need to Know about Prozac*, New York, Bantam, 1991, p. 36-39.
12. Voir Eric HOLLANDER (dir.), *Obsessive-Compulsive-Related Disorders*, ouvr. cité, p. 55. (Le Dr Hollander est coordonnateur du programme «Anxiety, Compulsive, Impulsive and Dissociative Disorders» au New York's Mount Sinai Medical Center.)
13. Eric HOLLANDER, entrevue réalisée le 21 avril 1994.
14. Une étude, souvent citée, sur la réaction du cerveau au traitement du trouble obsessionnel-compulsif a été menée sous la direction de Lewis Baxter à l'Université de la Californie à Los Angeles. Voir Lewis BAXTER *et al.*, «Caudate Glucose Metabolic Rate Changes with Both Drug and Behavior Therapy for Obsessive-Compulsive Disorder», *Archives of General Psychiatry*, n° 49, septembre 1992, p. 681-689.
15. Voir Philip ELMER-DEWITT, «The Genetic Revolution», *Time*, 17 janvier 1994, p. 46-53.
16. Voir Aubrey MILUNSKY, *Heredity and Your Family's Health*, Baltimore, Johns Hopkins University Press, 1992, p. 382-391. Une entrevue a également été réalisée avec le Dr Milunsky le 10 janvier 1993.
17. Robert KELLNER, *Somatization and Hypochondriasis*, New York, Praeger, 1986, p. 63-65.
18. Keith RUSSELL ABLOW, «The Overselling of Biological Psychiatry», *Washington Post Health*, 4 août 1992, p. 9.
19. Martin SELIGMAN, *What You Can Change and What You Can't: The Complete Guide to Successful Self-Improvement*, New York, Knopf, 1993, p.4.
20. Laurence KIRMAYER, entrevue réalisée le 14 avril 1994.
21. Eric HOLLANDER, entrevue citée.
22. Voir David STIPP, «Brain Flicks: Doctors Film an Obsession», *Wall Street Journal*, 2 décembre 1992, p. B-1 et B-7.
23. Voir Judith L. RAPOPORT, *The Boy Who Couldn't Stop Washing: Experience and Treatment of Obsessive-Compulsive Disorder*, ouvr. cité, p. 100.
24. Cité par Harold H. BLOOMFIELD et Peter MCWILLIAMS, dans *How to Heal Depression*, Los Angeles, Prelude, 1994, p. 83.

25. Edward SHORTER, *From the Mind into the Body: The Cultural Origins of Psychosomatic Symptoms*, New York, Free Press, 1994, p. IX.
26. Susan BAUR, *Hypochondria: Woeful Imaginings*, ouvr. cité, p. 34-35.
27. David B. MORRIS, *The Culture of Pain*, Berkeley, University of California Press, 1991, p. 121.
28. Voir Tom LUTZ, *American Nervousness, 1903: An Anecdotal History,* Ithaca, Cornell University Press, 1991, p. 19-37.
29. Charles V. FORD, entrevue citée.
30. Edward SHORTER, *From the Mind into the Body: The Cultural Origins of Psychosomatic Symptoms*, ouvr. cité, p. 207.

Chapitre 5

Le culte de la santé: un symptôme du temps présent

Pour une affection que les médecins guérissent avec des médicaments (on assure du moins que cela est arrivé quelquefois), ils en produisent dix chez des sujets bien portants, en leur inoculant cet agent pathogène, plus virulent mille fois que tous les microbes, l'idée qu'on est malade.

Marcel PROUST,
Le Côté de Guermantes

Sur la couverture du *USA Weekend*, livraison du 1er au 3 janvier 1993: une mère et son enfant enveloppés dans une épaisse couverture bleu ciel, le regard affolé, pétrifié, comme au lendemain d'une catastrophe nucléaire. En gros titre: «Ma couverture électrique est-elle en train de me faire mourir?» La photographie voulait attirer l'attention des lecteurs sur un article du périodique concernant les dangers des champs magnétiques, lequel faisait lui-même écho à une lettre de Coleen Drischler, où, folle d'inquiétude, la jeune maman se demandait si son fils de cinq ans ne risquait pas de développer un jour une leucémie, parce qu'elle avait dormi sous une couverture électrique durant sa grossesse. Elle n'avait pas osé, disait-elle, soumettre la question au pédiatre de l'enfant — mais n'avait pas hésité, par contre, à en alerter 33,5 millions d'abonnés! Ce n'est qu'une fois que le lecteur avait parcouru l'article qu'il pouvait se rendre compte que cette pauvre dame n'avait aucune raison de se languir de la sorte, car, disait l'article, il n'y a absolument aucune preuve scientifique que les couvertures électriques puissent causer le cancer; une seule étude avait déjà associé une augmentation de l'incidence de la leucémie (de l'ordre de 1 sur 20 000 à 2 sur 200 000) à l'utilisation de ce type d'appareil durant la grossesse. «Comme vous pouvez le constater, les risques que votre fils soit atteint d'une leucémie sont très faibles», concluait le rédacteur en chef en s'adressant à Mme Drischler — message quelque peu différent de celui que suggérait la photo à la une du périodique…

Je suis, tu es, il est malade...

On aura beau s'exclamer d'émerveillement devant les progrès extraordinaires de la médecine et l'amélioration de l'état de santé de la population en général, dire haut et fort la chance inouïe que nous avons de pouvoir compter aujourd'hui sur des vaccins très puissants qui ont permis d'éradiquer des maladies jadis fatales, de pouvoir avoir recours en tout temps à une grande variété d'antibiotiques et d'avoir une espérance de vie beaucoup plus longue que celle de nos parents, un fait demeure: le fossé s'est élargi, plutôt qu'il n'a diminué, entre la santé que l'on a et la santé que l'on *croit* avoir.

Les baby-boomers se disent beaucoup plus vulnérables à la maladie que leurs parents ne l'étaient au même âge[1]. De même, nous sommes forcés de garder le lit pour cause de maladie aiguë ou chronique beaucoup plus souvent que ne le faisaient nos grands-parents, et un pourcentage de la population beaucoup plus élevé que naguère est condamné actuellement à une incapacité de travail définitive. Au cours d'une année donnée, un sujet type de 45 ans consulterait trois fois un médecin; la moyenne était, dans les années vingt, de moins d'une fois par année.

Ce que nous avons gagné d'un côté, nous l'avons perdu de l'autre: pendant que notre société apprenait à élargir le champ que peut couvrir le phénomène de la maladie, elle abaissait par ailleurs le seuil en deçà duquel un symptôme ne mérite pas l'attention des médecins. Livres, magazines, émissions de télévision, bulletins de nouvelles, tribunes téléphoniques, tous les médias semblent s'être donné le mot pour alimenter l'intérêt illimité du public pour tout ce qui est de nature à renforcer le corps et l'esprit et à prévenir l'altération de l'organisme.

Dans sa quête effrénée de l'aisance et du bien-être, notre génération aurait-elle développé une hantise des agents pathogènes qui peuvent à tout moment nous assaillir? Un rien nous perturbe. Il faut vite étouffer la plus petite douleur. Au premier symptôme, on se plonge dans les encyclopédies médicales, on court à la librairie, on consultera même des bases de données. Et gare au médecin qui ne trouve pas illico la cause de nos malaises! Il doit tout savoir, et tout pouvoir. «Nous craignons le pire, mais nous nous attendons toujours au pire! Nous sommes en train de devenir un vrai peuple de mauviettes et d'hypocondriaques, qui s'administre ses propres remèdes, incapable qu'il est de distinguer un trouble bénin d'une affection médicale[2]!»

Il faut dire que les autorités sanitaires ne manquent pas d'alimenter, par des critères de plus en plus subtils, ces tendances hypocondriaques. Des symptômes que l'on disait hier «inexplicables», «bénins» ou «banals» sont maintenant mis au compte de troubles courants mais «non corroborés scientifiquement». Vous vous sentez bien? Ce n'est pas une raison pour écarter toute possibilité de maladie, voyons! Car il est possible que vous souffriez d'une maladie difficile ou impossible à dépister ou à diagnostiquer, auquel cas vous êtes exposé à des «facteurs de risque» cachés. Les situations, les manifestations ou les états les plus familiers — qu'il s'agisse de la ménopause, de l'accouchement, de la chute des cheveux ou même de l'essoufflement — sont peu à peu devenus des sujets de préoccupation majeure pour le milieu médical. De même, des conduites considérées pendant longtemps comme faisant partie du comportement normal — la difficulté à se concentrer, par exemple, ou encore une certaine morosité durant la période prémenstruelle — sont susceptibles maintenant d'être mises au compte d'une pathologie.

Le Dr Donna Stewart, professeur de psychiatrie, d'obstétrique et de gynécologie à l'Université de Toronto, s'est spécialisée dans l'étude des syndromes «à la mode», popularisés par les médias: fibromyalgie, syndrome de fatigue chronique, syndrome de Costen (douleurs articulaires dans la région temporo-maxillaire), syndrome d'hypersensibilité à l'environnement, candidose (maladie provoquée par des champignons du genre *Candida*), etc. Selon la spécialiste, ces maladies — si tant est qu'elles existent d'ailleurs, car aucun virus ni autre agent pathogène associé à ces syndromes n'a pu être identifié jusqu'à maintenant, malgré des recherches poussées dans chaque cas — sont la plupart du temps le résultat d'un diagnostic trop hâtif, sinon d'une propension excessive au diagnostic.

«Si j'en juge d'après mon expérience clinique, les patients sujets à la somatisation sont tout particulièrement enclins à spéculer sur la cause de symptômes multiples non spécifiques et persistants ayant déjoué tout diagnostic médical et à y associer la "maladie du mois" récemment mise au jour[3]», dit-elle. Une étude qu'elle a ellemême effectuée auprès de 50 patients atteints du syndrome d'hypersensibilité à l'environnement — syndrome censé déclencher un dysfonctionnement du système immunitaire chez les sujets allergiques aux produits chimiques et aux polluants présents dans la nourriture, l'air et l'eau — l'a amenée à conclure que 90 % des sujets qui en étaient affligés disaient avoir contracté une autre ou plusieurs autres maladies des syndromes en vogue.

La médicalisation à outrance, qu'il soit question de facteurs de risque, des phénomènes les plus courants ou de symptômes relativement bénins a eu pour effet de mettre à la disposition du grand public des étiquettes qui risquent de créer plus de problèmes que d'en résoudre. Je m'explique.

Le fait de pouvoir relier des symptômes à une maladie donnée, de les sortir de l'ombre après une longue période de souffrance en leur affectant un nom précis, peut être salutaire, je veux bien l'admettre; des sigles médicaux tels que le SPM (pour syndrome prémenstruel) ont, par exemple, attiré l'attention de la population sur des symptômes jusque-là occultés et accru l'intérêt pour tout ce qui est lié au phénomène. Il me faut bien reconnaître également que l'application d'une dénomination médicale ou même d'un sigle à connotation scientifique suffit parfois à calmer l'anxiété, qu'elle peut exercer une sorte d'effet placebo: ce «repérage» pourra même contribuer, dans certains cas, à l'auto-acceptation aussi bien qu'à des changements favorables dans le style de vie. Ainsi, des parents dont l'enfant éprouve des problèmes de comportement pourront se sentir soulagés de voir le médecin inscrire au dossier du gamin un TDA (trouble déficitaire de l'attention). Des travailleurs pourront invoquer des MTR (microtraumatismes répétés) pour justifier une poursuite contre leur employeur. Vous pourrez vous-même expliquer votre morosité à la fin d'un hiver qui s'éternise en invoquant un TAS (trouble affectif saisonnier).

Mais ces étiquettes commodes ne risquent-elles pas, dans certaines situations, d'exacerber les symptômes et d'aggraver l'état du malade? D'alerter l'opinion publique en donnant l'impression qu'une nouvelle épidémie menace? D'inciter des individus en bonne santé à remettre en question leurs habitudes de vie à partir d'un simple diagnostic?

Mus par la croyance, bien illusoire, que *diagnostiquer* veut dire *traiter* ou *éradiquer*, combien de personnes atteintes d'une «mystérieuse maladie» se sont embarquées pour cet éprouvant voyage qu'est la recherche interminable de l'origine d'une maladie — périple dont on revient souvent plus affaibli qu'aguerri. Docteurs et patients se trouvent alors engagés dans une quête aléatoire qui pourra les amener, bien malgré eux, à négliger une composante beaucoup plus importante du traitement: la relation thérapeutique. Sans compter que l'application de traitements très sophistiqués au traitement de troubles communs de santé physique ou mentale sont très onéreux et potentiellement nocifs.

«Une population engagée dans la poursuite effrénée de l'inaccessible, et qui fait appel pour cela à des cliniciens qui disposent maintenant d'outils de diagnostic capables de détecter les plus infimes lésions, est grandement exposée au risque d'un abus du diagnostic», affirme l'endocrinologue Clifton K. Meador. L'ironie veut toutefois que la plupart des gens ne tombent pas malades par ignorance ou par manque de vigilance à l'égard de leur santé, mais bien «à cause de facteurs tout à fait *imprévisibles*, surtout en ce qui a trait aux affections médicales majeures[4]». Ce qui n'empêche pas, bien sûr, l'hypocondriaque d'être continuellement en état d'alerte — au cas où... Et de se laisser, le premier, prendre au piège.

Faut-il blâmer les médias?

L'hypocondrie n'est pas une affection propre à l'Amérique moderne ni à sa population tout affamée qu'elle soit d'informations à caractère médical: on en trouve mention dès l'aube de la médecine, et il semble qu'aucune culture n'échappe au phénomène. Jamais auparavant la vulnérabilité collective n'a-t-elle été cependant aussi grande — une véritable mine d'or pour l'industrie des soins de santé! Les dépenses de santé accaparaient en 1992-1993 plus de 13 % de l'économie américaine, soit près du double du taux enregistré il y a vingt ans. On estime que les Américains dépensent au total environ:

- 60 milliards de dollars en médicaments sur ordonnance (contre 4,2 milliards en 1960);
- 25 milliards de dollars en médicaments en vente libre (contre 1,6 milliard en 1960);
- 33 milliards en produits et services de diététique;
- 4 milliards en chirurgie esthétique;
- 3,5 milliards en suppléments vitaminiques.

À elle seule, l'industrie du test diagnostique à domicile enregistrait en 1993 des revenus de 780 millions de dollars, soit une hausse annuelle de 20 % environ[5].

Les compagnies pharmaceutiques, les hôpitaux, les cliniques privées, les centres de diagnostic, les maisons d'édition et les médecins cherchant à étendre toujours davantage leur marché ou leur clientèle investissent beaucoup d'efforts dans l'exploitation de ce précieux filon qu'est notre hypocondrie nationale. «Vous vous sentirez mieux une fois que vous saurez», clame une publicité vantant les mérites de la Medical Information Line, encyclopédie médicale sonore à laquelle le consommateur peut avoir accès, moyennant des frais de 1,95 $ la minute, et qui lui donnent droit à des informations sur un sujet — depuis les tumeurs cérébrales jusqu'à l'herpès, en passant par l'éjaculation précoce et le syndrome prémenstruel — choisi parmi 300 rubriques. Les affiches criardes du métro tiennent le même langage. Colportant tout ce qui peut alimenter cette frénésie, depuis les orthèses griffées jusqu'à l'avortement, elles n'hésitent pas à harceler les passagers avec leurs titres racoleurs: «Est-ce une môle ou une molécule?», «Prévenez les ravages du plomb: faites subir à votre enfant un test de dépistage» ou, pour ceux qui ne seraient pas assez préoccupés déjà, «Des démangeaisons à ne pas prendre à la légère!».

De tels arguments promotionnels ne peuvent qu'attirer l'attention, ne serait-ce qu'en titillant l'inconscient du consommateur, sur des symptômes éventuels et sur la primauté de l'apparence physique, et inciter les gens à entreprendre des démarches souvent inutiles ou inefficaces pour se prémunir contre tout danger ou tout signe extérieur susceptibles de leur porter préjudice.

C'est pourquoi il est essentiel que les médias — qui, de par l'influence qu'ils exercent, façonnent inévitablement le comportement de la population, tout en tentant, comme l'exige leur rôle, de refléter ce comportement avec la plus grande neutralité possible — n'abusent pas de leur pouvoir de persuasion. La façon dont un journaliste transmet une nouvelle à caractère médical (il faut admettre que nous sommes assez bien servis dans l'ensemble sur ce point) a une influence déterminante sur la façon dont les consommateurs médicaux entreprendront ensuite des démarches pour protéger leur santé. Les médias peuvent indiscutablement nous aider à améliorer nos connaissances sur le fonctionnement du corps humain, à prendre conscience des facteurs qui mettent en danger notre santé et à prendre les mesures qui s'imposent pour prévenir, retarder ou traiter une maladie. Lorsqu'il est fait dans les règles de l'art, le journalisme médical peut fournir des informations et des conseils judicieux susceptibles d'aider les gens à déterminer, s'il y a lieu, dans telle ou telle situation, de consulter un médecin. Par sa sagesse, fondée sur une intelligence pratique des situations, le Dr Spock aura ainsi servi de guide à deux générations de parents; ils auront appris par ses livres comment assurer le bien-être, soigner les petits bobos et favoriser le développement psychologique de leurs enfants.

Les médias peuvent aussi se faire le chien de garde du public en l'amenant à comprendre que la médecine est très souvent affaire d'art plutôt que de science, et que les médecins n'ont pas tous la même approche ni ne prônent les mêmes traitements. Une femme à qui l'on aura recommandé une ablation de l'utérus pourra juger bon, par exemple, de prendre avis auprès d'un autre médecin après qu'elle aura appris par la voie d'un journal que de 25 % à 50 % des hystérectomies sont considérées comme étant inutiles. De même, un homme à qui l'on aura diagnostiqué un cancer précoce de la prostate pourra, au moment de décider de se prêter ou de renoncer au traitement proposé, prendre une décision mieux éclairée s'il est au fait des conclusions des dernières études sur la question, à savoir que l'«attente sous surveillance» s'est avérée dans ce cas particulier aussi recommandable à un certain âge que la chirurgie ou la radiothérapie, compte tenu des effets secondaires non négligeables que peuvent entraîner ces interventions.

À tout considérer, peut-être l'hypocondrie engendrée par les médias n'est-elle pas (à l'intérieur de certaines limites, bien entendu) une si mauvaise chose? Des millions d'Américains ont en effet pris conscience, grâce aux campagnes d'information populaire notamment, que plusieurs des maladies les plus dévastatrices, tels le cancer et les cardiopathies, sont associées en grande partie à leur style de vie, facteur sur lequel il est *possible* d'intervenir; les taux de mortalité par maladie coronarienne ont baissé de 20 % au cours des deux dernières décennies; et l'espérance de vie est à son plus haut niveau — grâce, entre autres, à une réduction de la consommation de tabac et de spiritueux, à une alimentation plus saine, à une attention plus soutenue des femmes à faire leur auto-examen des seins et au port généralisé de la ceinture de sécurité, avec une moyenne de 76 ans pour l'Américain moyen, la plus haute cote étant de 78,7 ans chez les femmes de race blanche, et la plus basse de 64,6 chez les mâles de race noire (en 1900, peu d'Américains vivaient au-delà de 50 ans).

Nous vivons à une époque d'activisme médical où les médecins sont impatients de tester, de prescrire et d'opérer pour s'assurer que les problèmes de santé de leurs patients soient détectés au plus tôt et traités le plus efficacement possible. La population est devenue si avide d'armes magiques pour vaincre la maladie qu'on observe actuellement une tendance à exagérer les mérites de certains traitements, quand on ne consent pas tout simplement à en donner une idée complètement fausse.

La journaliste médicale Lynn Payer qualifie de «trafic» de la maladie, trafic très lucratif d'ailleurs, ces méthodes de marketing agressives qui consistent à convaincre les personnes bien portantes que leur état de santé laisse peut-être à désirer ou les personnes légèrement malades qu'elles sont atteintes d'une grave affection. Dans un ouvrage sur la question, elle explique comment les compagnies pharmaceutiques, les assureurs et tous ceux qui, de manière plus générale, pourvoient aux soins de santé exploitent méthodiquement l'incertitude en convertissant les symptômes les plus communs en affections médicales. «Décrire en long et en large une maladie, pour ensuite tenter de nous convaincre que nous en sommes peut-être atteints, dit-elle, en insistant sur le nombre effarant d'individus qui en sont accablés sur notre territoire ou en énumérant une série de symptômes dont il y a de fortes probabilités qu'ils affectent à peu près tout le monde (la fatigue, par exemple), c'est rien de moins que tenter d'éroder notre confiance en nous, sans compter nos portefeuilles[6]!»

Les pièges du culte de la santé

L'impact du trafic de la maladie ne m'avait jamais autant frappée que lors de cette soirée entre amis où j'ai été à même de remarquer combien tous et chacun sentaient le besoin de parler de leurs petits bobos. Sur huit hommes et femmes dans la trentaine ou la quarantaine, pas un ne pouvait se vanter, à ce qu'il me semble, d'être en parfaite santé: trois étaient «sous Prozac», deux se plaignaient de leur taux de cholestérol, une autre souffrait d'intolérance au lactose et se disait très affectée par le syndrome prémenstruel, un couple s'inquiétait de ce que leur fils de trois ans affiche des signes d'hyperactivité et des troubles de l'attention — huit personnes sur huit, donc, touchées directement ou indirectement par un trouble de santé physique ou mental et montrant des signes d'anxiété à cet égard. Nous étions presque tous des fanatiques de l'exercice, quatre étaient végétariens, et un couple était assez préoccupé par le régime alimentaire pour avoir consulté une nutritionniste et pour engouffrer chaque jour un nombre effarant de suppléments vitaminiques.

Perdu dans la masse d'informations médicales que malaxent quotidiennement les comptes rendus d'études scientifiques, les bulletins de nouvelles, les conseils minutes et les mises en garde, le consommateur finit par ne plus savoir où donner de la tête, tant sont déroutantes sinon contradictoires un grand nombre des données dont on l'abreuve. Comment peut-il juger de la pertinence d'une mise en garde ou de mesures de précaution recommandées? Comment savoir si les risques évoqués sont bien réels ou tout hypothétiques? D'autant que les mesures à prendre sont souvent expliquées dans un jargon absolument incompréhensible[7].

Les débats compliqués, et non résolus la plupart du temps, que soulèvent les questions les plus complexes dans le milieu de la recherche ou entre les instances impliquées dans la définition ou l'application des politiques générales dans le domaine de la santé sont souvent servis d'ailleurs sans apprêt ni nuances au grand public. Accablés par le syndrome du *publish or perish*, les chercheurs universitaires pondent article après article; l'un tente de vous convaincre que les vitamines jouent un rôle primordial dans l'activation du système immunitaire, l'autre s'emploie à vous mettre en garde contre leurs dangers. Pendant des années, on nous a rebattu les oreilles de l'action potentiellement cancérigène des produits colorants pour les cheveux; on nous apprenait récemment que le danger serait minime, et relié surtout à l'usage de la teinture de couleur noire. De même, le consommateur soi-disant averti qui est parvenu à remplacer le beurre par la margarine et à faire une croix sur les hamburgers au profit du poisson découvre un beau jour que ces aliments censés être bons pour le système cardiovasculaire peuvent, eux aussi, faire monter son taux sanguin de cholestérol.

Avide d'informations médicales, le public s'accroche aux comptes rendus interminables de recherches scientifiques pour déterminer ce qu'il doit faire et ne pas faire, ignorant la plupart du temps qu'une étude n'est qu'un morceau parmi d'autres d'un immense puzzle et qu'elle n'a rien de définitif. Il faut, en effet, plusieurs années d'investigation pour convertir une hypothèse en vérité scientifique — et rien ne dit que la théorie mise de l'avant aujourd'hui ne sera pas démantelée demain. Chacun ne peut néanmoins s'empêcher de se demander: En quoi ces nouvelles données *me* concernent-elles? Et le fait d'être «exposé au risque» de développer une maladie entraîne-t-il automatiquement l'éclosion de la maladie en question?

Pour satisfaire le besoin du public de trouver réponse à ses questions sans pour autant l'assommer avec des reportages arides qui risqueraient de faire chuter les cotes d'écoute, les médias ont tendance à gonfler ou, au contraire, à schématiser l'information scientifique à transmettre. Rappelez-vous le battage médiatique orchestré à propos de la bactérie mangeuse de chair... Occasion unique, certes, de présenter des extraits d'interviews accrocheurs et des photos électrifiantes. Pendant deux jours les téléspectateurs ont eu droit à des images saisissantes montrant un pauvre homme qui s'était fait dévorer le bras par la terrible bactérie. Les médias ne s'embarrassèrent pas cependant d'expliquer que ce type d'infection, provoqué par une souche de streptocoques du groupe A, est extrêmement rare, et devrait le demeurer; il a fallu attendre plusieurs jours pour que la lumière soit faite à ce propos.

Ce sensationnalisme et cette tendance à n'offrir qu'une couverture approximative des événements à caractère médical engendrent, inutilement, un sentiment de panique et sèment le germe d'un effroi tenace chez les personnes sujettes à l'hypocondrie. Le message que colporte cette hystérie médiatique est clair: «Vous pensez que vous êtes à l'abri du désastre? Pas si vite! Vous êtes peut-être, sans le savoir, en train de le courtiser.» Avec les conséquences que l'on sait: recours excessif aux tests et examens médicaux, abus des médicaments, interventions chirurgicales inutiles et acharnement aveugle à promouvoir certains produits «santé».

Recours excessif aux tests et examens médicaux. Chaque année, les Américains se soumettent à une série de tests et examens médicaux — parmi un éventail assez stupéfiant de 1500 épreuves possibles — dont le coût total est estimé à près de 10 milliards de dollars. Certains de ces tests ont une importance vitale, car ils sont le seul moyen de détecter une tumeur ou une anomalie avant (ou dès) que la maladie s'installe; d'autres, par contre, peuvent donner des résultats faussement positifs et entraîner, par la même occasion, des interventions inutiles et possiblement dangereuses. Après que les journaux eurent publicisé l'histoire de Gilda Radner, morte d'un cancer de l'ovaire (voir au chapitre 9, section: «Une réforme aux conséquences alarmantes»), une cohorte de femmes affolées ont pris les mesures nécessaires pour subir dans les délais les plus brefs un test de dépistage; une étude subséquente a toutefois démontré que les tests sanguins de routine et les échographies avaient conduit à des interventions chirurgicales injustifiées plutôt que de prévenir le développement de cellules cancéreuses, ce qui incita plus tard les autorités sanitaires à émettre des recommandations spécifiant que seules les femmes exposées à un risque très élevé de développer un cancer de l'ovaire (notamment celles qui avaient des antécédents familiaux de ce type de cancer) subissent les tests de dépistage.

Un autre exemple d'abus des examens diagnostiques, du moins chez les sujets jeunes et en santé, est celui des mammographies. Combien de fois n'avez-vous pas lu ou entendu que le risque d'être atteinte d'un cancer du sein touche une femme sur huit environ!

On omet toujours d'ajouter cependant: «... si elle vit jusqu'à 90 ans»! Car si l'on ne prend en compte que les femmes dans la trentaine, la proportion est plutôt de une sur six cents, ce qui n'empêche pas un grand nombre de jeunes femmes de se soumettre à ces radiographies — même si les bénéfices de l'examen pour ce groupe d'âge sont discutables, semble-t-il. Les femmes plus âgées, dont le taux de risque est supérieur (une sur vingt-quatre chez les femmes de 60 ans), ont tendance, en revanche, à négliger de s'y soumettre. Une étude suggère en effet que 33 % des femmes dans la trentaine sont «très préoccupées» par la peur de développer un cancer du sein, contre 16 % chez les femmes dans la soixantaine[8].

Même des tests visant à évaluer la cholestérolémie ou l'hypertension peuvent comporter des risques. Car certaines personnes se préoccupent tellement de leur taux de cholestérol — préoccupation qui irait jusqu'au solipsisme dans certains cas — que la moindre anomalie signalée à ce propos peut produire chez elles un effet dévastateur. On rapporte que le résultat d'un test de laboratoire, dont on sait par ailleurs qu'il donne lieu aux interprétations les plus variées et est, par conséquent, assez peu fiable, aurait incité des personnes à consommer sous forme de suppléments de très grandes quantités de niacine, vitamine du groupe B facilement disponible et à un prix très peu élevé dans les pharmacies et les magasins de produits diététiques; or on sait que, à haute dose, ce nutriment peut causer la jaunisse et provoquer une défaillance du foie. De même, une étude effectuée auprès de sujets bien portants qui venaient de recevoir un diagnostic d'hypertension révèle que ce diagnostic les aurait incités à s'absenter davantage de leur travail et aurait graduellement affecté leur vie matrimoniale et leur vie familiale.

La majorité des épreuves médicales sont conçues en fonction du *dépistage* de la maladie, non de l'amélioration de la santé, et les procédés diagnostiques aussi bien que les résultats sont presque toujours imparfaits. Cette incertitude quant à son état de santé réel est source de confusion pour le patient et contribue à déclencher ou à entretenir les obsessions hypocondriaques[9]. Combien de femmes doutent, par exemple, de la pertinence du diagnostic qu'elles peuvent porter sur elles-mêmes par l'auto-examen des seins! Le commentaire suivant est assez révélateur: «Je ne me sens pas rassurée après mon auto-examen, car je ne suis jamais sûre de n'avoir rien trouvé. Je sais que je pourrais détecter une masse s'il y en avait une, mais je ne suis pas certaine d'être en mesure de déterminer de manière absolue qu'il n'y a rien! Alors, d'un côté comme de l'autre, j'ai des doutes.»

Il ne faudrait pas en conclure que les tests diagnostiques doivent être bannis, mais plutôt que les médecins devraient toujours prendre le temps de soupeser les raisons qui pourraient les amener à les ordonner à leurs patients.

Abus des médicaments. Les dangers associés à un abus des antibiotiques ont maintes fois été portés à l'attention des médecins et de la population. Néanmoins, certains praticiens n'hésitent pas à en prescrire dans les cas d'infection virale, tout en sachant que le médicament n'a aucun effet sur les virus. Pourquoi? Parce que, disent-ils, les patients s'attendent à ce qu'on leur en prescrive. Or des antibiotiques utilisés à mauvais escient peuvent créer un terrain favorable au développement de maladies qui résistent aux effets des agents bactéricides, augmentant ainsi le risque que ces médicaments n'agissent pas comme ils le devraient lorsqu'ils s'avéreront vraiment nécessaires.

De même un abus de l'ibuprofène, substance de base de plusieurs médicaments anti-inflammatoires et analgésiques en vente libre, peut être très dommageable. Les ventes de produits médicamenteux à base d'ibuprofène ont triplé depuis dix ans, où ils ont commencé à être vendus sans ordonnance. Rares sont les personnes qui y pensent à deux fois avant d'avaler un comprimé d'Advil ou de Nuprin pour soulager leurs douleurs. Or des doses excessives d'ibuprofène peuvent provoquer des maux d'estomac, des saignements gastro-intestinaux et même masquer certains symptômes, et ainsi différer le traitement de maladies beaucoup plus graves. Même l'analgésique Tylénol, à base d'acétaminophène, qui est utilisé inconsidérément par le public, n'est pas sans danger: une consommation régulière de ce médicament pendant plusieurs années risque d'endommager les reins et le foie, particulièrement chez les gens qui boivent plus de trois verres d'alcool par jour.

Interventions chirurgicales inutiles. Toute intervention chirurgicale comporte des risques, surtout lorsqu'elle est effectuée sous anesthésie (les risques de mortalité ou de souffrance cérébrale associés à l'anesthésie seraient de 1 sur 200 000)[10]. Certaines opérations sont pratiquées de routine avant même qu'on ait pris le temps de s'assurer qu'elles étaient inoffensives. Les effets catastrophiques des implants mammaires au gel de silicone illustrent on ne peut mieux les possibles écueils d'une médecine qui applique trop hâtivement les découvertes du génie biotechnologique. Plus récemment, des patients souffrant du syndrome de Costen se sont retrouvés incapables de manger et de parler normalement après qu'on leur eut posé des implants de mâchoire synthétique[11]; on s'est aperçu que les implants, qui ont été retirés du marché en 1988, s'étaient brisés en morceaux microscopiques, provoquant ainsi une réaction biochimique qui a eu pour effet d'éroder l'os de la mâchoire.

Acharnement aveugle à promouvoir certains produits «santé». Les bonnes intentions qui s'appuient sur une argumentation chancelante peuvent parfois avoir des conséquences tragiques. On a malheureusement coutume d'attendre que le mal soit fait pour mettre un terme à la propagation d'idées discutables sur l'utilité d'un produit ou l'efficacité d'un traitement donné. Prenons l'exemple du tryptophane, un acide aminé censé avoir des propriétés sédatives. En 1989, pas moins de 1500 personnes sont tombées malades et 38 sont décédées d'une maladie musculaire peu fréquente après avoir consommé ce supplément diététique vendu dans les magasins d'aliments naturels. Un produit chimique, retrouvé dans l'une des marques de tryptophane utilisées, a plus tard été incriminé pour ces effets nocifs par la Food and Drug Administration, qui a décidé par prudence d'interdire désormais la vente du produit sans ordonnance[12].

Un engouement excessif pour un produit, pour un traitement ou une pratique peut parfois aveugler tellement les gens qu'ils en perdent tout sens critique. Durant la dernière décennie, les experts médicaux et les médias d'information ont vanté à ce point les merveilles de l'allaitement maternel que les mamans qui, pour une raison ou une autre, ne donnaient pas le sein à leur nourrisson, se sont mises à avoir honte et à se sentir coupables d'utiliser un lait diététique pour bébés. Les bébés nourris au sein sont moins sujets à la diarrhée et aux allergies, selon plusieurs études; on oublie de préciser toutefois qu'ils risquent de ne pas toujours recevoir une quantité de lait suffisante. Des nourrissons complètement déshydratés et se mourant littéralement de faim (ce qui serait le cas de 5% des enfants nourris au sein, selon une étude) ont parfois dû être ramenés d'urgence à l'hôpital pour cette raison. Une maman qui avait téléphoné à plusieurs reprises au pédiatre pour lui demander conseil, parce qu'elle craignait que son nouveau-né de quelques jours ne reçoive pas assez de lait, s'est vu répondre de poursuivre coûte que coûte l'allaitement maternel; aujourd'hui, son fils est atteint d'une lésion cérébrale irréversible induite par la déshydratation qu'avait entraînée cet apport nutritif déficient aux premiers jours de vie[13].

LES INFORMATIONS MÉDICALES
Comment ne pas se laisser berner

Voici quelques conseils qui devraient vous aider à pratiquer le «doute raisonnable», autrement dit à prendre le temps d'interpréter le sens des conclusions d'une recherche dont fait état une revue, un journal ou un bulletin de nouvelle et à évaluer les avantages et les risques des conduites à prendre pour votre santé.

• **Les sources sont-elles fiables?** Les chercheurs évitent habituellement les mots tels que «percée scientifique», «bond en avant», «découverte de première importance» ou «innovation» pour qualifier les résultats de leurs travaux. On retrouvera, par contre, ces termes assez fréquemment dans les médias populaires, lesquels ont tendance (à des degrés divers, certes) à exagérer lorsqu'ils tentent de donner à ce type d'information un tour qui attirera l'attention du public.

On considérera, de manière générale, comme une source fiable toute recherche dont les résultats ont d'abord été publiés dans des publications de réputation internationale — le *Journal of the American Medical Association* ou le *New England Journal of Medicine*, par exemple —, dont les comités de rédaction, composés de spécialistes du domaine passent au crible tout article soumis avant de décider de le publier. Si vous voulez en savoir davantage sur le sujet traité, vous pourrez toujours retourner à la source, accessible en tout temps dans les bonnes bibliothèques ou auprès d'un serveur de données, si votre ordinateur a accès à ce type de service.

• **Est-ce que vous avez toutes les données en main?** La plupart des chercheurs prennent soin d'indiquer, dans une section spéciale réservée aux mises au point (habituellement placée à la fin de l'article) les limites de leur étude ou les restrictions qui doivent être apportées aux résultats: l'absence de groupe témoin, par exemple, ou un échantillon trop limité pour être vraiment révélateur. Or ces mises en garde sont rarement reproduites dans les communiqués institutionnels, ni retransmises par les médias.

Prenez note également du nom de l'organisme, de l'établissement ou de la société qui fournit les fonds nécessaires à la recherche en question. De plus en plus d'études scientifiques sont subventionnées par l'industrie, particulièrement par des entreprises pharmaceutiques; si l'étude endosse les résultats mis en avant par une entreprise particulière, il n'est pas impossible que cette dernière ait recours à tous les moyens publicitaires possibles pour vendre son produit.

Lorsqu'un compte rendu mentionne la possibilité d'un risque quelconque pour la santé, demandez-vous jusqu'à quel point ce risque est réel: une simple association de deux éléments ne prouve en rien qu'il y ait un lien de causalité entre les deux. De même, les résultats doivent être statistiquement pertinents: la probabilité que les mêmes résultats soient le fait du hasard ne devrait pas dépasser 5 %. Soyez attentif à noter également s'il s'agit d'un risque *relatif* ou d'un risque *réel*. (Ainsi, selon une étude, le risque relatif de développer un cancer du sein chez les femmes âgées de moins de 35 ans serait, chez celles qui ont utilisé des contraceptifs, de 40 % supérieur à celui des femmes du même groupe d'âge qui s'abstiennent d'en prendre. Or le risque réel ou absolu est beaucoup plus faible: 11,9 sur 100 000 femmes de ce groupe d'âge qui ont utilisé des contraceptifs ont *effectivement* reçu un diagnostic de cancer du sein, comparativement à 8,5 sur 100 000 chez celles qui se sont abstenues d'y avoir recours.)

• **Est-ce une étude de grande envergure?** Les études médicales doivent être basées sur des échantillons assez étendus pour qu'on puisse en tirer des conclusions ou en déduire des tendances qui aient quelque pertinence; les données établies à partir d'un échantillon trop étroit peuvent être tout simplement le fruit du hasard ou être biaisées statistiquement. Des données publiées dans le cadre d'une vaste étude menée conjointement par des chercheurs provenant de plusieurs institutions réputées à vocation médicale ont certes plus de poids que celles qui ont été établies à la suite d'une expérience ou d'une investigation effectuée sur un tout petit groupe de sujets et à un seul établissement.

Les *épreuves en double aveugle*, minutieusement contrôlées, représentent ici la règle d'or. Étant donné qu'il est fréquent que la santé des patients s'améliore d'elle-même, il est toujours préférable de comparer les effets d'un médicament ou d'une nouvelle thérapie à ceux qu'on peut observer par ailleurs chez les sujets d'un groupe *témoin* (souvent appelé «groupe de contrôle») dont la moitié auront reçu un *placebo* et l'autre moitié rien du tout; ni le médecin ni le patient ne sachant, dans ce type d'essai, qui a reçu quoi, ces informations n'étant fournies qu'à la fin de l'étude par une tierce personne, on évite ainsi toute interprétation subjective des résultats.

D'autres questions pourront guider votre investigation: le texte fait-il mention du nombre et du type de personnes qui ont participé aux essais? de la manière dont les données ont été recueillies? d'autres études qui auraient été menées dans le passé sur le même sujet et des ressemblances ou des différences qui ressortent entre les résultats? des différences de protocole entre les études citées?

Les *études épidémiologiques*, réalisées à partir de vastes échantillons d'une population donnée, s'attachent à déterminer la relation qui existe entre un facteur déterminé — par exemple, l'utilisation d'un médicament particulier — et le risque de développer une maladie. Elles permettent d'attirer l'attention des scientifiques sur certaines pratiques aptes à provoquer ou à prévenir la maladie en question. Si elles ne sont pas minutieusement contrôlées cependant, elles ne suffisent pas à établir des relations de cause à effet.

Les *études d'intervention,* qui testent les effets d'un traitement donné sur des groupes de personnes présentant des caractères biologiques ou ayant des habitudes de vie similaires, fournissent des données encore plus convaincantes. Si un groupe cible répond mieux qu'un autre à un traitement, il est fort probable que l'effet soit attribuable au traitement plutôt qu'à une variable reliée au bagage génétique ou au style de vie.

Il convient de vérifier, en outre, si les expérimentations ont été effectuées sur des animaux ou sur des humains. Bien des traitements élaborés à partir de résultats obtenus en laboratoire se sont avérés décevants, sinon carrément dangereux, une fois qu'ils ont été appliqués à des sujets humains. Il est important de savoir aussi pendant combien de temps le traitement a été mis à l'essai; il faut compter plusieurs années de suivi pour pouvoir déterminer, après le début d'expériences sur des sujets humains, les risques et les bénéfices d'un traitement donné.

• **Qu'est-ce que votre médecin en pense?** Si vous songez à modifier vos habitudes de vie après avoir lu un article ou écouté une émission de télé, prenez le temps de consulter votre médecin avant d'agir. Demandez-lui dans quelle mesure les recherches et les résultats qui vous ont amené à prendre votre décision sont applicables à une plus grande échelle. Vous pourrez aussi déterminer avec lui si l'information divulguée s'applique à votre cas. Votre médecin devrait normalement pouvoir vous aider à soupeser les faits et à analyser les risques et les bienfaits de tout changement apporté à vos habitudes de vie.

Sources: Synthèse réalisée par l'auteur à partir de: Gina KOLATA, «Amid Inconclusive Health Studies. Some Experts Advise Less Advice», *New York Times*, 10 mai 1995, p. C-12; Marilyn CHASE, «How to Put Hyped Study Results Under a Microscope», *Wall Street Journal*, 16 janvier 1995, p. B-1; et «Ten Tips for Judging the Medical News», *Harvard Women's Health Watch*, octobre 1993, p. 6.

Le corps parfait: une obsession dangereuse

Le corollaire obligé de notre obsession de la santé — moins préjudiciable cette fois, sur le plan physique que sur le plan psychologique et même spirituel — est le soin maniaque du corps et la hantise du corps parfait.

Certains sketches télévisés ont contribué, pour une bonne part, à alimenter depuis les années soixante l'idée que *beauté* égale *santé*. Notre société endosse d'ailleurs sans la moindre restriction ni la moindre nuance les diktats du jour, établissant du coup les paramètres du «normal» et de l'«acceptable», auxquels il est certes mal venu de se soustraire, sauf s'il s'agit du grain de beauté de Cindy Crawford ou des dents écartées de Lauren Hutton.

Tout ce qui est jugé non convenable, peu seyant ou disgracieux — des seins trop petits ou trop gros, un nez trop large ou trop épaté, des dents irrégulières, des boutons dans le visage, une femme trop grande, un homme trop petit, sans compter ces «écarts» que sont devenues, même si l'on refuse de l'admettre, l'obésité, une couleur de peau trop foncée, une difformité physique ou, osons le dire, une maladie en phase terminale — est alors montré du doigt, frappé d'interdiction. Ceux qui dérogent à la norme pourront même avoir à invoquer certaines lois pour se protéger contre cette forme d'intolérance, sinon d'exclusion.

La société qui donne crédit à ces valeurs étant elle-même soumise au changement, elle s'emploie à redéfinir constamment son idéal de l'apparence physique. Juste assez, en fait, pour le garder hors d'atteinte à la majorité. Ces standards inatteignables servent à maintenir à son plus bas niveau l'estime de soi et à son zénith l'autocontemplation. «La beauté ne dure maintenant que le temps d'une épilation[14]», ironise une journaliste: c'est tout dire! Durant les années Twiggy, c'est le poids, ou plutôt l'absence de poids, qui devint l'objet de fixation: plus question — jusqu'à nouvel ordre — de se modeler sur la plantureuse Marilyn Monroe! Les effets de cette mode de la maigreur sont encore tout à fait d'actualité, d'ailleurs. Si l'on donnait vie aux mannequins qui exhibent depuis quelques années leurs formes irréelles et leurs visages faméliques dans les vitrines des magasins à rayons, ils seraient tous trop maigres pour pouvoir avoir des menstruations, lit-on dans une étude finlandaise! Les canons des années quatre-vingt-dix sont plus insidieux encore, et représentent un défi physique et psychologique peut-être plus difficile à relever que le look garçon et enfant abandonné de Twiggy: car, si trente ans plus tard, nous nous permettons quelques kilos en plus, c'est à la condition que la chair «en trop» soit ferme, tonifiée, musclée. Gare à celles qui ont des abdominaux relâchés, des pectoraux non développés et une poitrine flasque!

Ce n'est pas la première fois, historiquement parlant, que cette obsession légèrement délirante de la Forme et de la Santé se manifeste chez nous; il faut admettre toutefois que la présente décennie a pris des proportions jamais observées auparavant. Pour plusieurs d'entre nous, l'exercice physique est devenu une obligation —

peut-être aussi une façon d'échapper à nos problèmes, de mettre entre parenthèses nos préoccupations plus profondes, de nous éloigner de nous-mêmes, en somme. Les vedettes de cinéma et de la télévision sont les premières victimes de cette surenchère. Voyez Oprah Winfrey, dont les fluctuations de poids ont été suivies de près par les médias au cours des dix dernières années, qui s'astreint à courir deux fois par jour, à 5 heures du matin et à 4 heures de l'après-midi (sans compter 350 sit-ups, et des exercices au Stairmaster), six kilomètres bien comptés. Ou Demi Moore, qui dit passer de quatre à cinq heures par jour à s'entraîner. Quelques heures à peine avant de donner naissance à son deuxième enfant, elle était à bicyclette — à compléter son 38e kilomètre[15]!

Nous aussi, gens ordinaires, qui ne faisons pourtant pas métier d'alimenter le rêve, sommes obsédés par la forme physique. Tous mes amis dans la quarantaine font de la course à pied, de la natation, de la bicyclette, du Rollerblade, s'exercent au Stairmaster et au Nordic Tracks jusqu'à ce qu'ils ou elles soient trempés de sueur et se font un devoir de s'inscrire chaque année à des séances d'aérobique, ravis de sacrifier ainsi l'heure du lunch.

Il ne s'agit pas ici de critiquer le souci de la bonne condition physique, qui, en soi, est une excellente chose — il a été démontré qu'un programme modéré d'entraînement physique peut stimuler le système immunitaire, favoriser de meilleures habitudes alimentaires et augmenter l'estime de soi —, mais de faire ressortir le danger des préoccupations excessives auxquelles il peut donner lieu. On a manqué une séance d'exercice? C'est la panique, sinon la culpabilité, ou même la dépression: Je me laisse aller... Je manque de motivation... Je ne suis pas assez ceci ou cela... Car même en se soumettant à un programme exigeant de conditionnement physique et de musculation, bien peu d'entre nous, il me semble, sont satisfaits de leur apparence: selon les conclusions d'une étude sur la question, 85 % des femmes et 72 % des hommes n'aiment pas leur apparence physique[16].

Il n'y a pas à s'étonner, dès lors, que la chirurgie plastique soit la spécialisation médicale qui ait connu la plus forte croissance au cours des dernières années. Chaque année, environ 2,5 millions d'Américains optent pour une transformation à visée purement esthétique: en 1994, par exemple, 85 000 se sont fait refaire le nez, 210 000 se font faire une transplantation de cheveux, 55 000 un lifting, et 225 000 une liposuccion[17]. L'American Academy of Cosmetic Surgery rapporte que les hommes représentent maintenant 25 % de la clientèle des spécialistes de la chirurgie plastique, contre 10 % il y a à peine dix ans; les interventions les plus fréquemment pratiquées sont la transplantation de cheveux, la liposuccion, la réfection du nez, la correction des plis sous les paupières, sans compter les implants pectoraux et fessiers, l'augmentation des triceps, la réduction des mamelons et la phalloplastie (injection de tissu adipeux pour accroître le diamètre du pénis).

Mais qu'est-ce que tout cela a à voir avec l'hypocondrie?... vous demandez-vous peut-être depuis un bon moment. Cela a *beaucoup* à voir justement avec l'hypocondrie. Car cette hantise de l'apparence porte un insidieux message: quelque chose *ne va pas*, quelque chose manque à sa place ou est en trop — qu'il *faut*, bien sûr, se hâter de corriger. Cette attitude de «prise en charge» du corps, qui fait de plus en plus de ravages, se fonde sur l'idée illusoire que toutes les difformités ou les infirmités peuvent être prévenues ou médicalement traitées et que l'on devrait être au sommet de sa forme chaque jour que Dieu amène. La santé est devenue notre bien le plus précieux — et notre corps notre pire ennemi. Déplorant son incontournable fragilité, nous nous épuisons à le parfaire, nous avons à l'œil le moindre centimètre de chair flasque, guettons toute élévation de notre «mauvais» cholestérol, menons une lutte acharnée à l'ostéoporose, dans l'espoir de déjouer le destin.

Dans un ouvrage consacré au culte de la forme physique, l'essayiste Barbara Ehrenreich soutient que cette vénération du corps, non pas en vue d'un objectif de santé mais comme une fin en soi, a eu pour effet de placer le bien-être corporel au rang des plus grandes vertus, assimilant ainsi, à la faveur d'une inquiétante confusion, les qualités morales aux qualités physiques de l'être humain. «Il y a une différence entre être en santé — visée tout à fait raisonnable — et avoir *le culte de* la santé, c'est-à-dire la mettre au rang des valeurs sacrées[18]!» Un souci excessif du corps, souligne-t-elle, nous empêche de voir et d'examiner d'un peu plus près notre être le plus profond et d'être attentif aux problèmes d'ordre social et politique: «La vertu a été expurgée de la vie publique pour resurgir dans nos bols de céréales [...] nos programmes d'exercice [...] et notre militantisme contre la cigarette, l'alcool et les aliments trop gras.»

L'appauvrissement spirituel n'est d'ailleurs pas la seule conséquence morale de cette obsession, dit-elle. En accordant autant de mérite à la prise en charge du corps, on pourra toujours s'en prendre à lui, n'est-ce pas, si quelque chose ne va pas: la victimisation, triste corollaire du culte de la santé. Quand on en vient à ne plus faire la différence entre ce qui est «bon pour la santé» et ce qui est «bon pour soi», on en vient aussi à tolérer moins facilement, puis à maîtriser moins facilement les facteurs de la maladie qui sont indépendants de notre volonté.

La maladie comme échec

Évoquant le sentimentalisme et les stéréotypes véhiculés par le discours tenu aux États-Unis sur la tuberculose et le cancer, Susan Sontag dénonçait violemment dans les années soixante-dix l'attitude consistant à faire porter le blâme de certaines maladies sur les personnes qui en sont victimes. Elle-même atteinte de cancer, l'auteur de *Illness as a Metaphor* s'en prenait notamment à la notion tout hypothétique voulant que le cancer, comme bien d'autres maladies, soit causé par un problème affectif non résolu: manque d'attention ou d'amour de la part des parents, agressivité refoulée, désespoir, etc.

En psychologisant ainsi le cancer, on amorce, sans s'en apercevoir, un processus de distanciation de la maladie qui a pour effet pervers, dit Sontag, non seulement de créer l'illusion qu'il est toujours possible de s'en prémunir, mais de faire porter à des personnes déjà très affligées la responsabilité de leur maladie, avec toute la honte et la culpabilité que ce blâme peut engendrer. Il s'en faudra de peu pour que s'établisse alors dans l'esprit du patient une dangereuse équation entre «tomber malade» et «tomber bien bas», autrement dit entre n'avoir pas réussi à préserver sa santé et avoir échoué sur le plan personnel et sur le plan affectif. Si seulement j'avais fait plus d'exercice... Si seulement je m'étais mieux alimenté... Si j'avais pensé à...

La théorie de «la personnalité de type C», évoquée depuis plusieurs années dans une bonne partie de la littérature dite du «Nouvel Âge», où l'on fait la part belle à l'autoguérison, véhicule le même message: en vertu de cette théorie, très controversée d'ailleurs, les individus qui répriment des sentiments négatifs tels que la colère, la peur et la tristesse et font constamment passer les besoins des autres avant les leurs seraient particulièrement vulnérables au cancer.

Dans un ouvrage consacré au cancer du sein, Kathy La Tour décrit les sentiments de confusion et d'abattement dans lesquels l'ont jetée, bien involontairement, des amis bien intentionnés qui se sont mis en frais de lui faire connaître — peu de temps après qu'elle eut reçu un diagnostic de cancer du sein — toutes sortes d'ouvrages suggérant que le cancer était attribuable à des problèmes affectifs irrésolus et à une consommation excessive de graisses alimentaires. «Vous ne pouvez pas savoir à quel point il peut être déprimant de voir que tant de personnes en soient venues à croire qu'on s'est donné soi-même le cancer — et que, par conséquent, on n'a que ce qu'on mérite[19]!», dit La Tour, qui a interviewé plusieurs dizaines de patientes sur la façon dont elles ont composé, elles-mêmes, physiquement et psychologiquement avec la maladie. L'une d'elles fait état des sentiments qu'elle a éprouvés lorsque, pour la première fois, on lui a laissé entendre qu'elle était un «type C»: «Je n'ai pas du tout ce type de personnalité! s'était-elle exclamé, en retenant ses larmes, lors de sa première rencontre avec le chirurgien qui devait l'opérer. Je suis une artiste, et je prends beaucoup de plaisir à m'exprimer à travers la création! Je ne suis donc pas du type à développer une maladie terminale.»

L'acquiescement aveugle du public à toutes les hypothèses qui circulent sur les causes du cancer — hypothèses non corroborées, du reste, et qui tiennent le plus souvent du folklore que de la science, disent les spécialistes — font sourciller actuellement maints chercheurs et médecins. Car non seulement portent-elles une connotation de blâme («ça n'arrive qu'à... ») tout à fait injustifiée, et stigmatisent-elles des individus qui ont déjà assez de vivre une souffrance extrême, mais elles véhiculent de faux espoirs: Si c'est moi qui *me suis donné* le cancer, *je* devrais être capable d'en inverser le cours.

Des études suggèrent néanmoins que les patients qui ont la chance de pouvoir partager leurs émotions et leurs craintes avec d'autres personnes composent beaucoup plus facilement avec leur maladie et vivent plus longtemps, en général, que ceux qui sont isolés socialement; les arguments invoqués pour expliquer ces comportements restent cependant encore assez nébuleux. Le psychiatre David Spiegel — dont la célèbre étude suggère que les femmes atteintes d'un cancer du sein avancé qui participent à des groupes de soutien auraient un taux de survie deux fois plus élevé que celui des patientes qui traversent cette difficile expérience dans la solitude — invoque, pour sa part, l'«effet grand-mère», selon lequel les personnes qui se sentent aimées, chouchoutées, sont plus susceptibles que les autres de mieux s'alimenter, de mieux dormir et de continuer à prendre leurs médicaments; le fait de voir ainsi se déployer un modèle très stimulant de relations interpersonnelles favoriserait également, selon lui, un meilleur rapport aux médecins.

Certaines personnes ne tombent jamais malades, tandis que d'autres cèdent à tout agent pathogène qui s'immisce dans leur organisme. Ce phénomène intrigant a donné lieu à bien des recherches. La célèbre étude Grant, étalée sur cinquante ans, auprès de diplômés de Harvard a mis en évidence des corrélations plutôt convaincantes entre certains traits de comportement durant les jeunes années et la façon de vivre plus tard le vieillissement[20]. L'étude suggère, entre autres, qu'une bonne santé chez un homme de 60 ans serait fortement reliée à une attitude optimiste à l'âge de 25 ans: les sujets de tempérament jovial se sont avérés être en effet, dans la cinquantaine et un peu plus tard, beaucoup moins susceptibles aux maladies que les sujets pessimistes; ceux qui étaient le moins vulnérables aux maladies de toutes sortes étaient les sujets qui disaient croire qu'ils avaient la *maîtrise* de leur vie, de leur santé physique et de leur équilibre émotionnel. Au terme d'une étude importante menée auprès de résidents d'une maison de retraite, deux psychologues de Yale rapportaient que lorsque certaines options, assez simples, étaient offertes à des personnes âgées (préparer soi-même son petit déjeuner ou choisir les plantes qui décoreront sa chambre, par exemple), ces dernières étaient non seulement beaucoup plus alertes et beaucoup plus heureuses que celles qui ne pouvaient se prévaloir de ce privilège, mais elles vivaient aussi beaucoup plus longtemps[21].

Il n'est pas nécessaire d'être un Prix Nobel pour savoir que le phénomène de la maladie ne peut être envisagé abstraitement, c'est-à-dire sans prendre en considération les particularités de l'organisme où il se déploie, pas plus qu'on ne saurait ignorer le rôle que jouent l'esprit et les attitudes qu'il inspire dans le processus de guérison. Il n'y a pas à mettre en doute un seul instant que le corps et l'esprit soient étroitement liés dans ce processus. Ce qui est moins clair toutefois, et reste inconnu, c'est comment cette connexion affecte physiologiquement l'individu[22].

Certaines croyances populaires quant au pouvoir qu'aurait l'esprit d'atténuer ou d'amplifier la souffrance du corps sont passablement distordues et vont bien au-delà très souvent de ce que la science a pu établir jusqu'à maintenant. Il n'y a aucune preuve scientifique, par exemple, qu'une attitude optimiste à l'égard de la vie stimule le système immunitaire. La croyance voulant que les émotions agréables puissent mobiliser un système immunitaire affaibli et que, par notre seule volonté, nous puissions améliorer notre bien-être, relèverait plutôt de la pensée magique. Le fait d'être mal dans sa peau peut influencer l'immunité, mais personne ne peut se permettre d'affirmer encore, en toute certitude, que cette influence, fort probablement infime, a des répercussions décisives sur la santé. Si la théorie que la tension et l'hostilité peuvent déterminer l'évolution d'une maladie cardiaque a été maintes fois confirmée, nous ne disposons par contre à l'heure actuelle d'aucun faisceau de preuves convaincantes nous autorisant à dire que certains états émotionnels peuvent être à l'origine du cancer, de maladies infectieuses ou d'autres maladies reliées à une défaillance du système immunitaire.

Une étude innovatrice dans le domaine de la neuropsychoimmunologie, à l'occasion de laquelle psychiatres, psychologues, neurologues et immunologistes sont appelés à travailler main dans la main, s'emploie actuellement à tenter de déterminer comment les processus biochimiques interviennent dans les rapports entre le corps et l'esprit et comment fonctionnent les mécanismes qui semblent permettre au cerveau et au système nerveux d'influencer les réactions hormonales et la réponse immunitaire. Un jour viendra où les chercheurs spécialisés dans ce domaine seront en mesure de nous dire si les pensées et les sentiments influent ou non (et jusqu'à quel point) sur la santé physique et quels types de réactions biochimiques déclenchent les émotions; il nous restera à trouver des moyens de coopérer avec notre organisme pour vaincre la maladie ou favoriser la guérison.

D'ici là, il est important que ceux d'entre nous qui sont le plus préoccupés par leur santé et qui sont le plus exposés à se laisser influencer par les reportages sensationnalistes, les ouvrages nourris par une croyance aveugle en l'autoguérison et les théories non corroborées des médecines parallèles ne se laissent pas duper par des arguments trompeurs ou frauduleux. La culpabilité joue un grand rôle dans l'inquiétude que l'on peut éprouver à l'égard de sa santé physique. Les hypocondriaques le savent. Il y a déjà assez de choses qui nous terrorisent sans que nous nous mettions à croire, au surplus, que des pensées malsaines sont, à cause d'un manque de vigilance de notre part ou d'un défaut de notre être le plus profond, responsables de toutes nos maladies.

1. Voir Arthur J. BARSKY, «The Paradox of Health», *New England Journal of Medicine*, nº 318, 18 février 1988, p. 414-418.
2. Norman COUSINS, «A Nation of Hypocondriacs», *Time*, 18 juin 1990, p. 88.
3. Donna STEWART, «The Changing Faces of Somatization», *Psychosomatics*, nº 31, printemps 1990, p. 154-155.
4. Clifton K. MEADOR, «The Last Person», *New England Journal of Medicine*, nº 330, 10 février 1994, p. 440-441. (Le Dr Meador est directeur des affaires médicales à l'hôpital St. Thomas, à Nashville.)
5. Données fournies lors d'entrevues réalisées avec divers membres du personnel de Towne-Oller & Associates, une filiale des Informations Services, à Chicago. Voir aussi: N. R. KLEINFELD, «The Do-It-Yourself Armamentarium», *New York Times Magazine*, 3 octobre 1993, p. 70-78; et Elyse TANOUYE, «Home Medical Tests Post Healthy Sales», *Wall Street Journal*, 12 novembre 1992, p. B-1 et B-11.
6. Lynn PAYER, «The Great Sickness Scam», adapté de *Disease Mongers, Redbook*, janvier 1993, p. 47.
7. Voir, à ce propos, Morton LEBOW et Elaine BRATIC ARKIN, «Women's Health and Mass Media: The Reporting Risk», *Women's Health and the Mass Media*, nº 3, hiver 1993, p. 185.
8. Voir Gina KOLATA, «Mammography Campaigns Draw In the Young and Healthy», dans «Week in Review», *New York Times*, 10 janvier 1993, p. 6.
9. Voir Delia CIOFFI, «Asymmetry of Doubt in Medical Self-Diagnosis: The Ambiguity of "Uncertain Wellness"», *Journal of Personality and Social Psychology*, nº 61, 1991, p. 969-980.
10. Voir «Deaths after Surgery Prompt Inquiry at a Queens Hospital», *New York Times,* 1er août 1995, p. A-1 et B-2.
11. Voir Bruce INGERSOLL et Rose GUTFELD, «Implants in Jaw Joint Fail, Leaving Patients in Pain and Disfigured», *Wall Street Journal*, 31 août 1993, p. A-1 et A-4.
12. Voir Patricia LONG, «The Vitamin Wars», *Health*, mai-juin 1993, p. 54.
13. Voir Kevin HELLIKER, «Some Mothers, Trying in Vain to Breast-Feed, Starve Their Infants», *Wall Street Journal*, 22 juillet 1994, p. A-1, A-4.
14. Patricia VOLK, *New York Times Magazine*, 4 septembre 1994, p. 49.
15. Voir Michelle STACEY, «Women Who Exercise Too Much», *Elle*, août 1994, p. 184.
16. Voir Joni E. JOHNSTON, *Appearance Obsession*, Deerfield Beach, Floride, Health Communications, 1994.
17. Selon un relevé intitulé «1994 National Statistics on Cosmetic Surgery», Chicago, American Academy of Cosmetic Surgery, 1995.
18. Barbara EHRENREICH, «The Morality of Muscle Tone», reprographie extraite de *Lear's Utne Reader*, mai-juin 1992, p. 65-68.
19. Kathy LA TOUR, *The Breast Cancer Companion: From Diagnosis through Treatment to Recovery: Everything You Need to Know for Every Step Along the Way*, New York, Avon, 1993, p. 258, 307-308.
20. Voir Martin E. P. SELIGMAN, *Learned Optimism*, New York, Pocket Books, 1990, p. 179-181.
21. Voir *ibid.*, p. 169. Voir aussi E. J. LANGER et J. RODIN, «Effects of Choice and Enhanced Personality Responsability for the Aged: A Field Experiment in an Institutional Setting», *Journal of Personality and Social Psychology*, nº 34, 1976, p. 191-199.
22. Voir Denise GRADY, «Think Right. Stay Well?», *American Health*, novembre 1992, p. 50-54.

Chapitre 6

Les maladies «psychosomatiques» revues et corrigées

Ceux et celles qui sont atteints de ces mystérieuses maladies devraient prendre le temps de réexaminer leur vie personnelle et ne pas hésiter à faire part à leur médecin de leurs expériences, de leurs pensées, de leurs rêves, de leurs sentiments, plutôt que de se centrer uniquement sur les résultats de tests et d'examens médicaux.

Kat DUFF,
The Alchemy of Illness

L'un des témoignages les plus émouvants qu'il m'ait été donné d'entendre dans le cadre de la préparation de cet ouvrage, est celui de Mélina, dactylo dans la quarantaine, mariée et mère d'un adolescent, que j'avais engagée par l'intermédiaire d'une agence pour transcrire les textes de mes entrevues.

À peine avait-elle célébré ses 20 ans qu'une série de troubles somatiques avaient commencé à l'accabler, me dit-elle. L'anxiété engendrée par ce perpétuel état de malaise avait fini par la jeter dans la dépression. De par sa longue fréquentation de la maladie, et des médecins, elle disposait maintenant de plusieurs étiquettes lui permettant d'établir ses propres diagnostics, «syndrome de Costen», «syndrome du côlon irritable», «intolérance au lactose», «allergie à la levure», la liste s'allongeait de jour en jour. Elle était devenue avec le temps une véritable experte en matière de syndrome prémenstruel également. Pour cause: «Deux semaines sur quatre, je me sens mal dans ma peau! Durant les deux semaines qui précèdent mes règles, je me sens complètement déstabilisée: je deviens irritable, tendue, et je n'ai plus d'énergie pour rien faire. Mes seins deviennent extrêmement sensibles. Puis je me mets à bourgeonner: des boutons plein le visage, à chaque fois! J'ai mal à l'estomac, au dos... Et je sens une pression très forte au-dessus des yeux et des tempes. Comme si un météore venait de s'écraser dans ma tête!...»

L'anxiété que lui occasionnaient ses doutes perpétuels quant aux causes réelles de ses «maladies» devenait par moments absolument insupportable. Elle avait même déjà songé au suicide. «Si seulement les tests avaient été concluants!», se désespérait-elle. Mélina en était venue peu à peu à dissimuler ses malaises et avait même cessé pendant un certain temps de chercher du réconfort auprès des médecins, qui la traitaient avec condescendance, disait-elle, pour s'en tenir à ses propres diagnostics: «C'est tout ce qu'il me reste pour me convaincre que je ne suis pas encore prête pour l'asile!» Elle se parait du mieux qu'elle le pouvait et gardait le sourire: il s'agissait, en somme, de sauver les apparences pour que personne ne puisse deviner ce qui couvait sous la surface. «Dès que je me mets à parler de mes problèmes, les gens me regardent d'un drôle d'air, comme si je divaguais, me confie-t-elle. Je commence vraiment à me demander si je ne suis pas hypocondriaque, si je ne m'imagine pas des choses. Peut-être que... tout cela se passe dans ma tête et nulle part ailleurs?»

Voilà que l'insidieux, le fallacieux raisonnement voulant que «tout se passe dans la tête» pointait à nouveau, avec son cortège de sous-entendus et de préjugés, car, comme chacun sait, les symptômes qui laissent deviner un problème affectif ne sont pas aussi «réels», pas aussi facilement admis dans notre société que ceux qui ont une origine proprement organique. Une fois de plus, une personne charmante et d'une grande sensibilité en était venue à se détester, à se rejeter du côté de ces êtres pathétiques entre tous: les hypocondriaques!

L'histoire de Mélina avait pour moi des résonances familières: années de collège marquées par l'expérience de la drogue, de l'alcool, du vagabondage sexuel; tensions avec les parents; perte d'un grand ami, mort d'une overdose; et peur d'être victime d'une épidémie d'herpès, laquelle s'était transformée plus tard en une véritable phobie du sida. Elle avait durement été éprouvée également par la maladie de son père (il avait reçu un diagnostic de lymphome malin et avait été en rémission durant de nombreuses années) puis par sa disparition un an exactement avant le jour de notre première rencontre. Elle s'était beaucoup inquiétée en outre de la santé de sa sœur cadette, qui avait dû subir l'ablation d'une tumeur, de la taille d'une balle de golf, au-dessus de l'œil. Et, comme si ce n'était pas assez! leur fils adoptif éprouvait de sérieux problèmes de concentration: un «déficit de l'attention», avait dit le spécialiste qu'ils avaient consulté lorsque l'enfant avait cinq ans.

N'importe lequel de ces événements pourrait, à lui seul, occasionner chez quiconque un stress physiologique et psychologique intense. Mélina a néanmoins su trouver en elle la force nécessaire pour y faire face, ce dont elle est très fière d'ailleurs. Mais combien de fois a-t-elle eu l'impression que ses nerfs allaient craquer! Certaines obsessions la tourmentaient sans relâche: «S'il fallait que je ne sois plus en mesure de travailler, ni d'être indépendante!», «S'il fallait que je meurs avant que Frédéric soit autonome!...»

Elle redoutait à tout moment de perdre le contrôle d'elle-même et que soit alors mise au jour cette profonde détresse qui l'habitait, matière en fusion prête à jaillir au premier écueil. Ni l'interniste ni le psychiatre qu'elle avait consultés, pas plus que sa famille d'ailleurs, n'avaient pu l'aider — faut-il s'en étonner? — à soulager l'angoisse qu'elle devait surmonter d'instant en instant.

Même encore de nos jours, malgré tous les beaux discours qui sont tenus sur les liens indissociables entre la psyché et le corps, notre système médical continue d'établir des diagnostics et de définir des traitements en fonction du bien-être *physique* essentiellement; la souffrance psychique est, aujourd'hui comme hier, minimisée, dévalorisée, mise au compte des fantaisies de l'imaginaire ou de faiblesses de caractère qu'il faut arriver à dompter. Il est légitime de se demander, dans un tel contexte, s'il vaut la peine de chercher à déterminer dans quelle mesure des symptômes comme ceux qui ont affecté pendant tant d'années Mélina peuvent être reliés à une anomalie biologique n'ayant pu jusque-là être identifiée ou s'ils n'auraient pas plutôt à voir avec une forme inhabituelle d'agitation, si tant est qu'une différence nette existe entre les deux phénomènes. Ne dispose-t-on pas désormais, depuis la découverte des neurotransmetteurs, d'un cadre d'analyse fondé sur des critères strictement physiologiques — d'une nouvelle «science» de la psyché — permettant de rendre compte de toute une gamme d'émotions et enlevant toute pertinence à une opposition entre le corps et l'esprit?, m'objectera-t-on sans doute.

Le système de santé qui pourrait, et devrait, prêter assistance à Mélina s'est bel et bien scindé en deux camps: les spécialistes du corps et les spécialistes de l'esprit. Entre ces deux extrêmes, une faille profonde — dans laquelle tombe tout ce qui n'est pas noir sur blanc.

La psychosomatique: une spécialité mise au rancart?

S'il est un mot qui, à peine prononcé, fait sortir de leurs gonds bien des esprits sceptiques et donne lieu aux plus vives controverses — à l'instar de l'épithète *hypocondriaque*, avec laquelle il est très souvent confondu —, c'est bien le mot *psychosomatique*, qui veut dire «ce qui concerne l'esprit et le corps». Employé comme substantif, il ne fait pas vraiment problème; c'est seulement lorsqu'il vient qualifier d'autres termes — «affection, «trouble», «maladie» ou «pathologie» — que les esprits risquent de s'échauffer.

Pour certains professionnels de la santé, qui souhaitent fort d'ailleurs voir cette aberration lexicale bannie au plus tôt du jargon médical, parler de maladie «psychosomatique» est tout simplement un non-sens; d'autres, qui répugnent également à employer le terme pour faire référence à une entité clinique distincte, ne dédaigneront pas, par contre, d'y avoir recours pour caractériser une certaine approche des phénomènes pathologiques, fondée sur le postulat que toute maladie (et la mort même) est, en dernière analyse, psychosomatique.

L'individu qui souffre d'un «trouble psychosomatique» réel — on aura compris que, dans ce contexte, n'est réel que ce qui peut faire l'objet d'un examen et d'une confirmation de la part d'un médecin — pourra néanmoins s'attendre à plus de considération que s'il souffre d'hypocondrie. Ainsi que le formule sur un ton narquois le rédacteur en chef d'une revue de psychiatrie, «s'il existait une hiérarchie *culturelle* des maladies, la pneumonie d'origine bactérienne prévaudrait sûrement sur les ulcères d'estomac [...] — et toutes les maladies que l'homme a pu identifier jusqu'à maintenant supplanteraient, à n'en pas douter, l'hypocondrie[1]».

Avant que ne soit opérée, au XVIIe siècle, une séparation nette entre l'âme et le corps, il eût paru insensé de parler d'affection psychosomatique. Imaginons que Mélina ait vécu à l'époque de la Grèce antique et qu'elle ait fait appel à un guérisseur: elle n'aurait certes jamais eu à composer avec l'incertitude et le profond désarroi reliés à la crainte que ses symptômes soient purement imaginaires, tant cette représentation est impensable dans le contexte, comme elle le serait d'ailleurs dans la perspective de la médecine chinoise traditionnelle. À la Renaissance, une sage-femme ou un herboriste se serait empressé d'équilibrer les humeurs de la malade en éliminant ou en réduisant, par quelque concoction fumante et par des gestes appropriés — thérapeutiques transmises de génération en génération — les fluides cholérétiques à l'origine de ses troubles. En des temps immémoriaux, les chamans eux-mêmes considéraient que la maladie a une composante physiologique et une composante psychologique[2]. Pour guérir Mélina, ils n'auraient pas hésité à consulter les dieux, à pénétrer les arcanes du rêve, à mettre au point quelque remède ou quelque potion revigorante à base de plantes médicinales, à prescrire des massages et à solliciter l'aide des membres de la famille de la malade. Ne pouvant s'appuyer sur l'arsenal dont disposera beaucoup plus tard la médecine moderne, les guérisseurs n'avaient d'autre choix que de s'en remettre aux techniques naturopathiques et de faire appel aux capacités d'autoguérison du malade pour percer le mystère de la maladie et rétablir l'homéostasie du corps.

La médecine occidentale, telle qu'elle se pratique aujourd'hui dans nos établissements de santé, répudie, pour sa part, toute explication non rationnelle de la maladie et refuse de croire — fidèle en cela à l'opposition cartésienne entre la pensée et le sentiment, qu'elle a d'ailleurs elle-même en partie instiguée — aux vertus curatives d'éléments tels qu'une bonne relation médecin/patient, pour se centrer uniquement sur le repérage des anomalies biochimiques et physiologiques qui sont à l'origine des affections les plus diverses. Son postulat de base est simple: aucune maladie n'est réelle à moins qu'elle ne s'appuie sur des preuves *biologiques*.

C'est dans ce paradigme très complexe que s'inscrit l'histoire du «trouble» psychosomatique. L'assomption que l'esprit et le corps sont des entités séparées a mené au clivage insidieux — car il sous-entend que tout ce qui ne peut être détecté au microscope ne peut être attribuable qu'à des facteurs psychologiques — entre ce qui est du ressort de l'affection *médicale* et ce qui est de l'ordre de l'affection *mentale*, et à une bipartition dans le même sens des soins de santé, celle-là même qui a mené à définir comme une entité distincte ce qu'on appelle aujourd'hui la «santé mentale».

Dans la foulée de la révolution freudienne, où s'était fait jour l'idée que les émotions inconscientes peuvent emprunter pour s'exprimer le langage du corps, le mouvement psychanalytique tenta au début du siècle de sensibiliser le milieu aux causes psychiques de certaines affections organiques, mais, la médecine étant elle-même à un tournant important à l'époque, cette démarche n'eut pas les suites attendues.

Ce virage décisif de la science médicale, on le pressentait depuis longtemps. Les découvertes réalisées dans le domaine de la pathologie aux XVIIIe et XIXe siècles avaient déjà ouvert la voie à la partition des affections courantes en différentes maladies organiques dont il était possible de repérer la cause à l'autopsie. La profession médicale s'était ensuite employée à classer méthodiquement tous les signes et les symptômes connus sous différentes rubriques représentant autant de maladies susceptibles d'être diagnostiquées, traitées et guéries. Puis l'on assista, au début du XXe siècle, à la mise au point de vaccins et d'antibiotiques très puissants, qui mettaient enfin à la disposition des médecins des moyens de freiner les ravages de plusieurs maladies d'origine bactérienne, étape décisive qui donna une légère impulsion à l'espérance de vie — et changea à tout jamais le visage de la médecine.

Le développement fulgurant de la technologie au début du siècle a eu un impact indéniable à la grandeur du globe, ce qui n'a pas suffi toutefois à prévenir les effets pervers, effets de myopie sans doute, qu'aura eus sur la médecine en général la réduction du champ de ses applications aux maladies organiques. Si le diagnostic médical s'est grandement amélioré vers la fin du XIXe siècle, on ne peut en dire autant de la relation médecin/patient; il faut dire que la recherche des causes observables scientifiquement retenait toute l'attention du praticien à l'époque. «Les rayons X, les analyses sanguines et autres examens déclassèrent, du coup, ces outils diagnostiques inestimables que sont les yeux, les oreilles et les mains d'un médecin», déplore le Dr Larry Dossey[3].

Cette nouvelle fièvre de la précision scientifique laissait peu de place, on s'en doutera, à la prise en considération des symptômes vagues, inexplicables, dont pouvaient faire état certains patients, lesquels étaient alors expédiés sans ménagement et référés aux spécialistes de la santé «mentale».

À la faveur d'une initiative d'un groupe de médecins réformistes, las de voir certains praticiens traiter leurs patients comme s'ils étaient des machines et les maladies comme s'il s'agissait de simples bris mécaniques, se constitua peu à peu dans les années vingt une nouvelle spécialité médicale, à laquelle on donna le nom de *psychosomatique*. L'émergence de cette nouvelle discipline laissait enfin entrevoir la possibilité que soit enfin comblé l'écart qui s'était creusé dans la médecine occidentale entre affections psychiques et affections somatiques, et que des ponts soient tendus entre l'approche psychologique et l'approche physiologique de la maladie, tout en préservant les acquis scientifiques. Il s'agissait, en somme, de (re)sensibiliser le corps médical aux vertus thérapeutiques de la sollicitude.

La stratégie ne put malheureusement remplir toutes ses promesses: la notion de trouble psychosomatique s'incrusta peu à peu dans la médecine du temps pour finalement s'imposer, ce qui donna lieu à des généralisations hâtives à propos des «*patients* psychosomatiques» — ceux dont la maladie était purement imaginaire, à ce qu'on croyait —, généralisations qui ruinèrent tous les efforts déployés jusque-là pour se dégager de ce carcan et finirent par balayer complètement la profession de psychosomaticien. Les chercheurs qui s'étaient acharnés durant les années trente à définir les bases de cette discipline nouvelle n'avaient certes pas prévu qu'ils laisseraient un aussi triste héritage, et encore moins qu'ils porteraient le coup fatal aux hypocondriaques.

Retour, donc, à la case départ — et aux fallacieuses oppositions entre maladies d'origine purement physiologique et maladies d'origine purement psychique, entre maladies qui autorisent le regard scientifique et celles qui le mettent en échec —, où l'on continuera d'ailleurs de faire du sur-place durant la majeure partie du XXe siècle. Parmi les affections les plus fréquentes engendrées par l'esprit et ayant le «défaut» d'être chroniques, énigmatiques et difficiles à traiter — les troubles psychosomatiques classiques, en somme —, on retrouvait l'hypertension, la migraine, l'asthme bronchique, la névrodermite, l'hyperthyroïdie, la colite ulcéreuse et l'ulcère gastro-intestinal, affections qui correspondaient chacune, disait-on, à un type de personnalité déterminé.

Le biais théorique qui aura amené à assigner aux professionnels de la santé *mentale* le traitement de ces maladies «pas-tout-à-faitlégitimes» aura, comme on peut s'en douter, jeté de l'huile sur le feu en continuant d'encourager les préjugés associés à l'hypocondrie; il colore d'ailleurs, encore aujourd'hui, certaines de nos attitudes. Si l'idée d'une corrélation entre certains types d'affections et certains types de personnalité n'a pas subi l'épreuve du temps, la notion même de trouble psychosomatique a mis beaucoup de temps, elle, à disparaître. (L'American Psychiatric Association a fini par supprimer du *DSM*, il y a une vingtaine d'années, la rubrique «troubles psychophysiologiques», où étaient répertoriés les migraines, les ulcères et l'asthme, entre autres, pour lui substituer une rubrique intitulée, cette fois: «Facteurs psychologiques influençant une affection médicale», catégorie qui peut être théoriquement appliquée à toutes les affections somatiques possibles et imaginables, mais qui est réservée en réalité aux cas où, comme le dit le manuel, «des facteurs psychologiques ont influencé l'évolution de l'affection médicale générale, comme en témoigne l'existence d'une étroite relation chronologique entre les facteurs psychologiques et l'apparition, l'exacerbation ou la guérison de l'affection médicale générale», autrement dit aux cas où des facteurs psychologiques jouent un rôle déterminant dans le déclenchement ou l'aggravation des symptômes de l'affection en cause.)

La peur de s'entendre dire qu'ils souffrent de troubles psychologiques ou psychosomatiques continue d'inciter nombre d'individus qui sont malades sans trop savoir pourquoi à suivre des pistes hasardeuses, au prix souvent de grandes frustrations et d'importants déboursés, dans le seul espoir de recevoir un diagnostic d'affection *médicale* ou *organique*, seul moyen pour eux de ne pas être tenus responsables — par leurs proches, par leur employeur et par leur assureur — de la douleur qui perpétuellement les tenaille.

Les ulcères

Symptôme d'agitation intérieure, manifestation névrotique, réaction au stress, que de facteurs émotifs n'a-t-on pas invoqués pour expliquer les ulcères, ces petites lésions en forme de cratère qui se forment dans l'estomac ou dans le duodénum!

Le psychanalyste Franz Alexander, dont les recherches menées au Chicago Institute for Psychoanalysis eurent un grand retentissement sur la médecine psychosomatique malgré des corrélations qui se seront révélées un peu hasardeuses, avançait dans les années cinquante que le trait dominant des personnes sujettes aux ulcères était une certaine régression reliée à l'inhibition de pulsions orales durant l'enfance, autrement dit à des expériences frustrantes vécues au cours de la période où l'enfant est dépendant de sa mère pour être nourri; la honte et la culpabilité associées à ces besoins pressants mais jamais comblés finissaient par se manifester somatiquement par l'irruption d'un ulcère, soutenait le spécialiste[4].

Au cours des trois décennies suivantes, on délaissa peu à peu cette explication pour jeter le blâme sur l'environnement du sujet. Une pléthore d'ouvrages médicaux parurent en effet entre 1950 et 1980 sur les facteurs de stress responsables de l'ulcère, plus précisément sur la tension psychique occasionnée chez les sujets nerveux par les nouvelles exigences de la vie moderne: «La pression constante que subit le sujet et sa réticence à ralentir son rythme de vie et à s'accorder du temps pour des loisirs finissent par éroder non seulement la muqueuse de l'estomac mais aussi la paix de l'esprit[5]», écrivait le psychiatre Jean Rosenbaum en 1973.

Cette explication psychosomatique de l'ulcère est devenue une référence familière, à laquelle on donne souvent crédit encore aujourd'hui. Chacun sait, n'est-ce pas, que l'ulcère est attribuable à un conflit émotionnel entretenu et exacerbé par le stress et par une alimentation déficiente. Ou plutôt: chacun *savait* jusqu'à tout récemment. Car des chercheurs ont découvert la vraie coupable: une bactérie en forme de spirale, appelée *Helicobacter pylori*. Après avoir fait porter à nombre de patients le lourd stigmate d'être, de par leur tempérament ou leur mode de pensée, «sujets à l'ulcère», on leur apprenait tout à coup que ce problème était d'origine physiologique. Avant que ces nouvelles données soient portées à la connaissances du milieu médical, les ulcères étaient traités habituellement par des médicaments (Zantac ou Tagamet, par exemple) ayant pour effet d'inhiber la sécrétion d'acide gastrique; les ulcères réapparaissaient toutefois aussitôt que la médication était interrompue. Une fois connue la cause réelle du mal, un nouveau médicament, à action antibactérienne, capable de détruire l'*H. pylori* et de réprimer les symptômes favorisant la réapparition de la vilaine bactérie, fut mis au point. On peut facilement imaginer le soulagement des personnes aux prises avec cette affection si éprouvante.

Mais le débat n'est pas clos pour autant. Si la plupart des patients ulcéreux se voient prescrire aujourd'hui des antibiotiques, en conjugaison avec des antiacides, certains médecins persistent à douter que l'ulcère s'explique uniquement par l'action d'une bactérie. Tout en applaudissant à la découverte de l'implication de cet agent pathogène dans le développement des lésions gastroduodénales, plusieurs spécialistes prétendent en effet que l'*H. Pylori* n'est qu'un facteur parmi d'autres de ces lésions; ils invoquent notamment le fait qu'une proportion importante de la population est infectée par la bactérie en question — 30 % des sujets dans la trentaine et 80 % des sujets âgés de plus de 80 ans seraient porteurs de l'*H. Pylori*[6] —, comparativement à la faible proportion de ceux qui, à travers le monde, développent des ulcères.

Des experts du monde médical, de même que des béhavioristes réputés, qui prônent une vision plus globale de la maladie et de la santé, soutiennent que la biomédecine a tendance à écarter un peu trop promptement les facteurs psychoaffectifs dans leur appréciation des causes des maladies. «Je me réjouis que l'on ait enfin découvert qu'une infection bactérienne est en cause dans l'ulcère gastroduodénal, mais je tiens à exprimer mon désaccord avec ceux qui ironisent par ailleurs sur la prétendue défaite des médecins du Nouvel Âge, sans pouvoir s'appuyer sur la moindre preuve contredisant l'implication du stress dans l'étiologie de la maladie», réplique le célèbre Dr John Anderson, professeur émérite d'anatomie à la faculté de médecine de l'Université du Wisconsin. «Nous disposons, ajoute-t-il, de nombreuses données indiquant, au contraire, que le stress contribue au développement de diverses affections, ce qui ne signifie pas pour autant qu'il en soit la cause[7].»

Ce démêlé autour des causes de l'ulcère n'est qu'un exemple parmi d'autres des multiples controverses qui se sont engagées depuis quelques années entre l'establishment médical et les praticiens dont le champ d'action touche aux frontières de la médecine, la ligne de partage entre les deux étant de plus en plus difficile à délimiter. La médecine traditionnelle se trouve tiraillée de tous côtés: entre l'approche parallèle et l'approche conventionnelle, entre les explications d'ordre physiologique et les explications d'ordre psychologique, entre les vrais symptômes et les fantasmes de maladie, entre le réel et l'imaginaire. Les arguments qui s'entrechoquent dans cette drôle de guerre sont autant d'ordre philosophique qu'économique ou que proprement médical — et les enjeux sont de taille! Car il s'agit ici de déterminer, en définitive, quelle conception et quelle vision de la médecine peuvent le mieux contribuer à enrayer la maladie et à soulager la douleur humaine.

L'establishment médical, en particulier les représentants de l'arrière-garde de l'American Medical Association, tente de nous convaincre qu'il y a un système parallèle de soins de santé, qui reste néanmoins marginal par rapport au système mis en place par les autorités sanitaires. Reste à savoir si le terme «marginal» a encore quelque pertinence lorsqu'il s'applique à 33 % environ de la population! Une enquête conduite par des chercheurs de la faculté de médecine de Harvard révèle en effet que une personne sur trois a emprunté, à un moment ou l'autre, aux États-Unis cette voie non conventionnelle pour avoir accès à des soins médicaux, la majorité d'entre eux se disant même prêts, s'il le fallait, à payer de leur poche pour pouvoir s'en prévaloir[8].

Le tiers, donc, des Américains sont en quête d'un nouveau type de soins inspiré par une approche plus globale de la santé et de la maladie. Le tiers en ont assez également qu'on ne tienne pas compte des signes et des symptômes que le *patient* perçoit, assez de s'entendre dire aussi que la douleur éprouvée est purement imaginaire.

Le cas de Vicki Perryman, orthophoniste de 26 ans, est à cet égard exemplaire.

Au début de 1993, Mme Perryman annonce à ses proches et aux enseignants avec qui elle travaille qu'elle vient de recevoir un diagnostic de cancer de l'ovaire. Se montrant extrêmement compréhensifs, ses collègues, tous sous le choc, évitent au cours des semaines qui suivent de lui faire des remarques désobligeantes lorsqu'elle manifeste un certain désintéressement ou quelque négligence par rapport à son travail (lorsque, par exemple, elle omet de remplir des documents, de mener à terme ses tâches, de se présenter à un rendez-vous ou qu'elle paraît un peu désorganisée), se disant que ce comportement est sans doute attribuable aux effets de la maladie. La commission scolaire accepte même de lui renouveler son contrat de travail pour l'année suivante. Lorsque, cependant, tout ce beau monde apprendra que l'étrange comportement de leur collègue n'a rien à voir avec le cancer, mais plutôt avec une maladie mentale — plus précisément avec un trouble bipolaire, induisant des comportements imprévisibles et l'amenant à se convaincre qu'elle avait le cancer, entre autres symptômes —, on la mettra tout simplement à la porte. Et ce, en dépit du fait que sa maladie est curable par le recours à certains médicaments, dont le lithium, et que deux psychiatres ont attesté qu'elle était parfaitement apte à exercer ses fonctions sans porter préjudice aux élèves. (Mme Perryman, qui exerce maintenant ses fonctions à Albuquerque, a intenté depuis une poursuite contre son ancien employeur pour cause de discrimination à l'égard d'une personne atteinte d'un trouble mental[9].)

Le syndrome de fatigue chronique

Les personnes qui souffrent du syndrome de fatigue chronique (SFC) seront soulagées d'apprendre, elles aussi, qu'on est enfin parvenu à isoler l'agent pathogène responsable de leur souffrance physique, et psychologique, car, plus encore que les ulcères, le SFC est devenu l'emblème des débats sur l'influence du moral sur le physique ou sur les «vraies» et les «fausses» maladies. Si vous soupçonnez un ulcère d'être à l'origine de vos maux, vous pouvez toujours compter sur les rayons X pour valider votre hypothèse; aucun moyen de prouver quoi que ce soit dans le cas du SFC, dont les manifestations sont si variables et revêtent la forme des symptômes de tant d'autres affections médicales ou psychopathologiques qu'il donne prise très facilement, on s'en doutera, aux détracteurs des affections d'origine psychogène.

Les premiers cas de SFC rapportés, lesquels seraient survenus, semble-t-il, dans une petite municipalité à vocation touristique située à proximité du lac Tahoe, ont donné lieu à des commentaires assez désobligeants: «Grippe des yuppies!», s'est-on contenté de dire, les symptômes rapportés (épuisement, douleurs musculaires et articulaires, maux de tête, ganglions lymphatiques hypertrophiés, insomnie, difficulté à se concentrer, trous de mémoire) ayant été relevés surtout chez des jeunes professionnels — et deux fois plus de femmes que d'hommes — en pleine ascension sociale et au rythme de vie accéléré. On a cru d'abord que le virus Epstein-Barr, agent en cause dans la mononucléose, pouvait être responsable du SFC, mais aucune étude scientifique n'ayant pu confirmer cette hypothèse, on en a conclu que les symptômes dont faisaient état les victimes devaient être le fruit de leur imagination et vraisemblablement servir d'excuse pour pouvoir ralentir leurs activités.

La publication de nouvelles données suggérant que des corrélations pouvaient être établies entre le tableau clinique du SFC et d'autres syndromes psychopathologiques (70 % des victimes du SFC souffriraient, dit-on, de dépression et d'anxiété) ne fit qu'attiser les soupçons et provoquer des controverses interminables quant à savoir si les manifestations psychologiques connues étaient la cause ou l'effet de l'énigmatique maladie.

Ce n'est pas la première fois qu'une affection déjoue toute explication scientifique et qu'un syndrome — pour lequel on ne dispose d'aucun indice étiologique établi, d'aucune preuve mettant en cause un virus ou un autre agent infectieux connu, d'aucune indication concernant le mode de transmission de l'affection, ni d'aucun test diagnostique — met en échec la médecine. Mais peu d'énigmes médicales ont, comme celle-là, pris aussi rapidement une dimension politique.

Depuis plusieurs années, un lobby très puissant, dont le nombre se situerait, selon diverses estimations, entre 10 000 et 5 millions de victimes du SFC, exerce des pressions sur le gouvernement et la communauté scientifique pour que soient prises les mesures nécessaires pour circonscrire l'épidémie. Ces démarches de sensibilisation ont d'ailleurs obligé le Congrès américain à émettre une directive invitant les responsables des services de dépistage et de prévention des maladies à élaborer une définition temporaire de la «fatigue chronique» à l'intention du milieu de la recherche et des organismes chargés de la surveillance de la santé publique, ce dont s'est acquittée l'agence fédérale en 1987.

Après avoir fait, depuis lors, l'objet de trois révisions successives, le phénomène est maintenant défini officiellement comme un «syndrome» dont le tableau clinique regroupe un ensemble de signes et de symptômes bien précis. Seuls répondent à cette définition les patients qui ressentent une fatigue assez accablante pour qu'ils soient forcés de réduire leurs activités quotidiennes de 50 %, durant six mois au moins, et qui sont affectés par 8 symptômes pseudogrippaux, au moins, sur un total de 11 — à la condition toutefois qu'ait été écartée, à la suite d'examens médicaux adéquats, toute possibilité que les symptômes en question soient attribuables à une autre affection médicale (anomalies touchant la glande thyroïde, troubles d'ordre neurologique, maladies du tissu conjonctif, pour ne prendre que quelques-uns des cas cités).

Si cette description de cas — qui, par certains aspects, donne l'impression de traiter le diagnostic comme un menu de restaurant chinois — ne suffit pas pour que ce trouble soit classé officiellement parmi les affections *médicales*, elle atteste néanmoins l'existence du syndrome, et partant, autorise les personnes âgées, de même que les personnes handicapées ou indigentes à se prévaloir du remboursement des sommes allouées au traitement du syndrome.

Le SFC est considéré actuellement comme un problème de santé publique important, en partie grâce à tous ces patients qui ont su faire valoir collectivement leurs droits. De plus en plus de praticiens se spécialisent aujourd'hui dans le traitement de cette affection. Une subvention annuelle de trois millions de dollars est allouée à une équipe de chercheurs chargés de cerner le mystérieux mécanisme qui en est responsable. Les patients peuvent compter en outre maintenant sur le soutien d'un réseau d'entraide national, avec lequel il est possible en tout temps d'entrer en communication par l'intermédiaire d'une permanence téléphonique, en plus d'un centre de recherche privé où des chercheurs et des cliniciens réputés s'emploient à mener et à promouvoir des études scientifiques du plus haut calibre. Cette maladie, qu'on disait imaginaire, alimente une industrie multimillionnaire.

La lutte acharnée qu'ont dû mener certains activistes pour légitimer le SFC et pour forcer l'establishment médical à tenir compte de leurs revendications a grandement contribué à sensibiliser les autorités et le public au débat qui se perpétue depuis des siècles — et persistera sans doute encore longtemps, comme le syndrome lui-même, car, ce qui est fondamentalement en jeu ici, c'est, entre autres choses, toute la conception qu'a le monde occidental de la maladie en tant que manifestation *observable* d'un processus de nature *biologique* — sur les rapports entre le corps et l'esprit dans la définition de la santé et de la maladie.

La majorité des chercheurs et des cliniciens des institutions les plus prestigieuses qui se sont penchés sur la question restent convaincus que le SFC est une réaction du système immunitaire à un corps étranger, où l'organisme, déployant tous ses moyens pour venir à bout de l'envahisseur, en viendrait à s'attaquer à ses propres agents d'immunité. Les grands spécialistes des maladies infectieuses ayant écarté l'une après l'autre les théories incriminant un agent viral, les explications d'inspiration holistique, des plus intéressantes aux plus farfelues (on a déjà avancé, par exemple, que la maladie était causée par un champignon ou encore qu'elle pouvait être traitée par l'inoculation de matières fécales ou des injections de vitamine C) retiennent de plus en plus l'attention. Heureusement, plus la maladie suscite l'intérêt du corps médical, moins les reportages sensationnalistes, les hypothèses non corroborées et les traitements douteux prescrits par des charlatans risquent de faire des ravages.

L'hypothèse la plus récente veut que plusieurs affections soient impliquées en même temps dans le SFC: leurs interactions auraient pour effet de transformer un virus latent, tout à fait bénin, en un agent pathogène[10]. Des chercheurs prétendent que le virus provoquerait, dans certains cas, une réaction immunologique à un moment où le système immunitaire du sujet est particulièrement vulnérable. Le consensus est loin d'être établi à l'heure actuelle en ce qui concerne les éléments déclencheurs du syndrome ou la nature de l'agent viral qui, une fois réactivé, occasionnerait les symptômes observés; on incline à croire que l'exposition à des agents toxiques environnementaux, une réaction à un autre type de virus et un stress émotionnel intense constitueraient un terrain favorable au développement de la maladie. Les interactions de ces différents facteurs pourraient inhiber l'action des cellules responsables de l'immunité, jusqu'à ce que ces dernières se décident à riposter, pour ne plus s'arrêter; ce processus d'auto-immunité provoquerait une surconsommation d'énergie et une surproduction d'anticorps et d'immunotoxines vouées à lutter interminablement contre une infection impossible à maîtriser.

Ce combat singulier que doivent mener les victimes du SFC par l'intermédiaire de leur système immunitaire, n'a rien de commun cependant avec celui qu'elles doivent livrer sans relâche à l'establishment médical. S'il est un phénomène qui invite à transcender la traditionnelle opposition entre l'esprit et le corps, c'est bien celui du SFC: seule une relation très complexe — mais mal comprise encore aujourd'hui — entre les représentations mentales et le fonctionnement du cerveau peut en effet expliquer cette affection déroutante. La résolution de cette énigme et la prise en considération des conséquences qui peuvent entraîner sur le plan thérapeutique les facteurs psychophysiologiques en présence constituent un défi de taille, qu'espèrent relever un jour maints chercheurs et cliniciens soucieux de jeter les bases d'une approche multifactorielle plutôt que de continuer à s'enfermer dans une conception dualiste de la maladie.

«Une telle souffrance ne peut qu'impliquer une réaction de l'appareil psychique à une affection somatique», soutient le Dr Anthony L. Komaroff, directeur du service de médecine générale au Brigham and Women's Hospital et l'un des chefs de file de la recherche sur le SFC. «Nous savons fort bien, ajoute-t-il, que l'esprit peut prédisposer une personne à une affection somatique. Il n'y a donc plus à douter que le corps et l'esprit soient intimement liés dans le phénomène de la maladie, tout particulièrement dans le cas du SFC[11].»

On en viendra peut-être à classer le SFC parmi les troubles mentaux. Ou parmi les maladies organiques. Ou les deux à la fois. Quel que soit le nom qu'on lui donnera, l'important est de s'attarder surtout à soulager la souffrance indescriptible qu'il engendre. «Attendons-nous de pouvoir déterminer clairement quels symptômes dominent le tableau clinique du syndrome avant d'accorder aux patients qui en souffrent toute l'attention qu'ils méritent[12]?», demande, indigné, le Dr Peter Manu, directeur médical de l'hôpital psychiatrique affilié au Long Island Jewish Medical Center, qui est depuis longtemps impliqué dans la recherche sur le SFC. En l'absence de toute forme précise de traitement, la meilleure chose que puissent faire les professionnels de la santé et les patients, suggère-t-il, est de cesser de s'inquiéter de la cause de cette affection ou de la catégorie de pathologie à laquelle elle appartient et de se centrer plutôt sur le soulagement de la douleur qui y est associée.

Les remèdes les plus efficaces s'avèrent être, à ce jour, une alimentation riche en éléments nutritifs, de l'exercice physique et — nonobstant le fait que le SFC constitue, selon l'avis de la plupart des médecins, une affection beaucoup plus complexe que la dépression —, l'administration d'antidépresseurs pour réduire les symptômes tels que l'insomnie, la douleur musculaire et le découragement souvent engendré par les affections chroniques, symptômes susceptibles de retarder encore davantage la guérison. Des essais cliniques réalisés entre 1986 et 1993 à la faculté de médecine de l'Université du Connecticut auprès de 500 patients souffrant de fatigue chronique ont révélé que plus de 70 % des sujets répondaient positivement à un usage modéré d'antidépresseurs. «En moins d'une semaine, certains patients ont vu leurs ganglions lymphatiques diminuer sensiblement de volume sous l'effet du médicament, rapporte le Dr Manu, qui a coordonné les essais. Bien que l'hypertrophie des glandes lymphatiques ne constitue pas, en soi, un symptôme de troubles dépressifs, ajoute-t-il, on ne peut néanmoins s'empêcher de se demander, devant un changement de cet ordre sous l'effet de médicaments antidépresseurs, comment la médecine a pu en venir à placer une barrière aussi artificielle entre la sensation et la pensée.»

L'attention de plus en plus grande dont le SFC a bénéficié depuis quelques années, de même que le triomphe des approches globales où les interactions du corps et de l'esprit sont prises en compte dans le traitement du syndrome, a permis de mettre en évidence le rôle déterminant que peut jouer le médecin ou tout autre professionnel de la santé dans l'évolution de la maladie — et les principes désuets sur lesquels s'appuie son traitement traditionnel. Il est maintenant établi qu'une bonne relation médecin/patient est indispensable au soulagement du syndrome, qui dure en moyenne sept ans et demi. Ceux qui prodiguent les soins à ces malades doivent pouvoir leur apporter, au-delà des soins médicaux, le réconfort et le soutien dont ils ont besoin sur le plan psychologique pour faire face à l'expérience très éprouvante que constitue toute maladie chronique (et les multiples symptômes qui l'accompagnent, dans le cas du SFC) et pour rester aussi actif que possible.

Les patients atteints du SFC sont maintenant mieux disposés — peut-être parce qu'ils sont enfin parvenus eux-mêmes à se faire entendre — à prêter l'oreille aux professionnels de la santé qui ont autre chose à leur proposer qu'une solution de compromis. Dans un ouvrage où elle a rassemblé divers textes rédigés au cours de la période où elle a eu elle-même à lutter contre le syndrome, Kat

Duff dit combien il est difficile pour les personnes affectées par les symptômes débilitants du SFC — qui se sont souvent fait dire, de surcroît, qu'elles ne souffraient pas d'une «vraie» maladie — d'accorder de l'importance aux aspects psychologiques du syndrome, tant leur douleur physique est accablante. Pour guérir, il est essentiel, dit-elle, que ces patients ne séparent pas ce qui se passe dans leur *esprit* de ce qui se passe dans leur *cerveau*. Durant sa propre confrontation avec le syndrome, elle en est venue à se rendre compte que sa maladie était inséparable du processus d'intégration d'une expérience traumatisante qu'elle avait vécue durant l'enfance alors qu'elle avait été victime d'une agression sexuelle; ce traumatisme, joint à la maladie qui l'a ensuite éprouvée pendant tant d'années, représentent, en somme, les deux faces — «l'une étant en rapport avec le corps, l'autre avec la psyché» — d'une seule et même expérience.

S'il est important que la recherche médicale continue d'explorer les fondements organiques du SFC, comme de toute autre affection encore mal comprise ou difficile à traiter, il est primordial que ceux et celles qui sont atteints de ces mystérieuses maladies prennent le temps de ré-examiner leur vie personnelle et d'en parler avec leur médecin[13].

Les effets dévastateurs du stress

La notion de stress, telle que définie il y a une soixantaine d'années par le Dr Hans Selye, s'applique, de manière générale, à «toute réponse non spécifique de l'organisme à une sollicitation exercée sur cet organisme». Du fait de sa très commode ambiguïté — elle ne se rapporte pas uniquement au psychisme ni uniquement au corps, du fait aussi qu'elle porte une connotation beaucoup moins péjorative que celle dont était entouré le concept de «trouble psychosomatique», cette notion a contribué, étrangement, à rendre beaucoup plus acceptable le phénomène de l'hypocondrie. Car qui ne souffre pas de stress? Et n'a-t-on pas appris à composer avec ce problème, qui s'est répandu comme une véritable épidémie?

Les recherches du célèbre physiologiste sur «la réaction de lutte ou de fuite» — mécanisme de survie primitif qui déclenche une élévation du taux d'adrénaline, lequel engendre à son tour cette tension musculaire et cette accélération du rythme cardiaque que nous ressentons lorsque nous nous trouvons exposés à une situation stressante, qu'il s'agisse d'une discorde au sein du couple, de problèmes financiers, de la planification d'un événement important ou d'une douleur physique — sont aujourd'hui bien connues. Grand motivateur, le stress joue un rôle important dans les situations de danger immédiat; sans lui, nos vies seraient d'ailleurs passablement ternes. Un stress trop intense peut cependant avoir un effet paralysant, dangereux même. «Si chaque jour de votre existence est vécu comme si vous étiez en situation d'urgence, vous devrez tôt ou tard en payer le prix[14]», dit le neurologue-chercheur Robert M. Sapolsky. Prenez un terrain génétique favorable, dit-il, ajoutez-y une personnalité et un état d'esprit particuliers, que vous soumettrez ensuite à une expérience exigeante, et vlan!

Le stress est impliqué dans le déclenchement ou l'exacerbation de toute agression psychique ou somatique concevable: diarrhée, boutons, perte des cheveux, dysfonction sexuelle, infertilité, dépression, hypertension, psoriasis, diabète, cardiopathie, cancer, etc. On incline de plus en plus à croire qu'un stress chronique ou répété peut affecter la fonction immunitaire et réduire la capacité de résistance à la maladie. Il reste à déterminer de façon plus précise comment des événements stressants se traduisent concrètement en détresse émotionnelle, en changements immunitaires et éventuellement en troubles mentaux. Et dans quelles limites le stress, la santé et la maladie s'influencent l'une l'autre — problème extrêmement complexe, compte tenu que les mêmes agents stresseurs peuvent donner lieu à des équations tout à fait différentes selon les individus.

Si le stress peut nous déstabiliser de multiples manières, nous avons néanmoins appris, avec le temps, à composer avec ses manifestations physiologiques et émotionnelles. «Les facteurs de stress ne provoquent pas systématiquement une maladie ou des troubles mentaux», fait remarquer Sapolsky. Comme l'étaient jadis l'hypocondrie ou la mélancolie, le stress est un état d'être socialement acceptable, qui va pratiquement de soi, de nos jours. Vous aurez beau répéter que quelque chose vous «stresse» ou que vous vous sentez «tendu», personne ne vous demandera des comptes, à moins que vous n'ayez envie d'épiloguer sur les causes de cet état de tension. Ce type de doléance ne porte plus vraiment à conséquence, tant il est devenu monnaie courante.

«Le stress a, cliniquement, le grand avantage d'entraîner des conséquences assez vagues sur le plan moral[15]», souligne le Dr Laurence Kirmayer, de l'Université McGill. Nous avons pris l'habitude de dire que nous sommes «sous l'effet du stress» ou que nous «subissons» un certain stress, ce qui nous dégage de toute responsabilité sur le plan moral, explique-t-elle. Quelque chose de plus fort que nous intervient en effet: des mécanismes hormonaux et nerveux qui nous avertissent que le contexte ou la situation pourrait être menaçante et qui, par la même occasion, libèrent l'énergie nous aidant à faire face au danger. Ce qui ne nous empêche pas de pouvoir identifier, prédire (à des degrés divers) et maîtriser une situation de stress; c'est précisément là-dessus que sont fondés nombre d'ateliers, de thérapies, d'ouvrages de croissance personnelle et d'émissions de télévision qui mettent en avant diverses techniques aidant à réduire la tension nerveuse.

L'acceptation du stress comme principe d'énergie et moteur du comportement a inauguré une nouvelle ère: elle nous a obligés à modifier nos façons de penser et de traiter la maladie ou l'inconfort physique et nous a incités à les surmonter autrement. Elle nous a permis de mettre en place, sans trop nous en apercevoir, une approche moins dualiste de la santé et de la guérison, approche qui n'a pas tant à voir avec les effets des états d'âme sur le système immunitaire qu'avec la reconnaissance de la nature subjective de la détresse et l'importance des croyances personnelles dans la façon dont chacun de nous modèle la perception qu'il a de ses sensations, de ses émotions et de ses sentiments.

Une tolérance accrue à la douleur

La compréhension du phénomène de la douleur a, elle aussi, considérablement évolué. La douleur, en particulier la douleur chronique, a été pendant des siècles une énigme pour la science, et son soulagement un des plus grands défis qu'a eu à relever la médecine. Si, grâce à la recherche biomédicale, notre connaissance de l'anatomie, de la physiologie et de la pharmacologie de la douleur a beaucoup progressé, de plus en plus d'individus continuent néanmoins d'être gravement affectés par la douleur chronique.

Les statistiques nous apprennent en effet que:

- un Américain sur cinq souffre depuis six mois ou plus de douleurs qui l'ont contraint à consulter un médecin;
- près de 12 millions d'Américains sont affectés de façon significative par des maux de dos et 2,6 millions sont condamnés en permanence à ne pouvoir travailler à cause de ce problème;
- plus de 550 millions de jours de travail sont perdus chaque année à cause de douleurs tenaces[16].

Plusieurs facteurs ont été invoqués pour expliquer ces résultats: le vieillissement de la population, l'augmentation faramineuse des cas de microtraumatismes répétés chez les utilisateurs de traitement de texte et une sensibilité quasi culturelle à l'inconfort physique. La paléopathologie, science qui étudie les maladies que peut révéler l'examen des débris de squelettes humains ou de squelettes animaux des temps les plus reculés, a permis de démontrer que nos ancêtres souffraient de plusieurs des maladies chroniques qui affectent l'homme moderne — arthrite, maux de dos, déformations osseuses, notamment —, sans pouvoir avoir recours, toutefois, aux moyens dont nous disposons aujourd'hui pour atténuer ou supprimer la douleur.

Jusqu'à une époque relativement récente, la médecine s'est employée surtout à panser les blessures, à corriger des anomalies et à soulager le mal, en occultant trop souvent les tourments associés à la douleur chronique, en partie sans doute parce que la nature et le traitement de la douleur chronique étaient alors imparfaitement connus. Combien de patients atteints de cancer ont vécu le martyre simplement parce que les analgésiques qu'on leur administrait étaient mal ciblés ou mal dosés! Les symptômes qui ne répondaient pas au traitement médicamenteux ou pour lesquels une chirurgie n'était pas justifiée étaient tout simplement ignorés. Frustré de ne pouvoir trouver une explication organique à certaines affections, on ne se gênait pas pour dire au malade que sa douleur était tout simplement imaginaire, ajoutant ainsi à sa souffrance l'humiliation de voir son équilibre mental mis en doute.

Cette attitude défaitiste et les conceptions qui l'avaient suscitée ont peu à peu été délaissées, fort heureusement, après qu'eut été introduite, dans les années soixante, la «théorie du contrôle d'entrée», laquelle fournissait enfin des éléments d'explication permettant de résoudre la grande énigme qui déjouait la science depuis des milliers d'années, à savoir: comment le cerveau interprète-t-il les messages de douleur que lui envoie le corps? Formulée par Ronald Melzack et Patrick D. Wall[17], spécialistes de la physiologie de la douleur, cette théorie est d'une complexité extrême, à l'image du phénomène qu'elle tente de formaliser.

Le circuit de la douleur se présente, en gros, comme ceci. Il faut savoir d'abord que c'est de l'activité ou de la stimulation de récepteurs sensoriels bien particuliers [les «nocicepteurs», localisés dans la peau, les muscles et les viscères] que naît la douleur. Une fois que l'impulsion ou le message de douleur a été capté par ces récepteurs, il est transmis à la moelle épinière par des petites fibres nerveuses, où il est modulé et acheminé vers ce qu'on pourrait appeler des «portes de contrôle», gérées par des groupes de neurones qui autorisent ou interdisent la transmission du message au cerveau. S'il franchit cette barrière, le message de douleur est envoyé au cerveau, où l'information sensorielle est analysée par les centres nerveux responsables du traitement de l'humeur, des pensées, des attitudes et de la mémoire, qui, à leur tour, influencent chacun à leur manière la perception de la douleur. Dans les cas où la douleur se prolonge, le cerveau réagit en freinant la production des substances analgésiques ou «antidouleurs» que fabrique le corps, telles la sérotonine et les endorphines, au moment même où le sujet en aurait le plus besoin; plus la douleur persiste, plus sont importants les changements moléculaires qui se produisent dans le cerveau et la moelle épinière, ce qui a pour effet de rendre les cellules du corps plus sensibles encore à cette sensation pénible.

Une fois sanctionnée par la communauté scientifique, la théorie du contrôle d'entrée a ouvert la voie à d'autres recherches et innovations dans le domaine du traitement de la douleur. Déjà, au début des années soixante-dix, l'interprétation du phénomène de la douleur avait complètement été renouvelée. Plus question de la considérer comme un simple symptôme, comme le signe annonciateur d'une maladie; elle se présentait désormais comme un processus dynamique, une composante déterminante de toute pathologie, sinon une pathologie en soi. Non pas une contrariété mais un mal réel, auquel il fallait s'attaquer sur plusieurs fronts à la fois.

Des «cliniques de la douleur» ont alors été mises sur pied, où neurologues, anesthésistes, consultants en thérapie familiale, psychologues, physiothérapeutes et autres professionnels de la santé ont appris à travailler main dans la main, jetant ainsi les bases d'un nouveau paradigme dans la pensée médicale. Le nouveau mot de passe n'était pas tant de mettre davantage l'accent sur la psychothérapie ou sur la médication que de tenter de rompre, par tous les moyens possibles, le cycle stress-dépression-peur-douleur en apprenant aux patients comment s'enclenche le phénomène et comment ils peuvent, par divers moyens, parvenir à maîtriser de mieux en mieux leurs symptômes et leur vie même.

Cette nouvelle façon de penser la douleur, conjuguée à une plus grande accessibilité à des analgésiques mieux ciblés et à la prolifération de cliniques de «gestion» de la douleur, d'instituts de recherches spécialisées et de réseaux d'entraide à l'échelle nationale et internationale[18], a ouvert de toutes nouvelles perspectives aux personnes qui souffrent de maladie chronique: elles savent désormais qu'elles peuvent avoir une certaine emprise sur leur douleur.

L'une d'elle, qui dirige maintenant un réseau d'entraide dans le nord-est du pays, m'a confié qu'elle s'est grandement inquiétée pendant un certain temps de ce qu'elle allait devenir, peut-être même en serait-elle venue au suicide, si elle n'avait pu trouver du soutien sept ans auparavant pour l'aider à faire face à des migraines chroniques qui la harcelaient sans cesse. Entre-temps, elle avait connu les pires épreuves: deux opérations inutiles pour corriger un blocage dans les sinus, l'habituation à des narcotiques très puissants (dont elle avait dû être sevrée pour cause de dépendance) et deux épisodes de dépression sévère. Sans parler de l'inquiétude engendrée par l'incapacité à s'occuper de ses trois enfants d'âge scolaire et par la dégradation progressive de sa relation à son mari.

C'est sur les conseils d'une amie que, à bout de forces, elle a fini par entrer en contact avec une association d'entraide sans but lucratif de sa région. On l'invita d'abord à se sensibiliser, en s'aidant d'un guide pratique conçu à cette fin, à différentes méthodes telles que la restructuration cognitive (en ayant recours, par exemple, au journal personnel comme moyen de prendre conscience des pensées négatives qui augmentent la malaise) et la résolution de problèmes (en apprenant à repérer les situations qui sont sources de malaise), puis à se joindre à un groupe d'entraide local. En moins de six mois, ses douleurs avaient déjà diminué sous les effets conjugués d'exercices, de techniques de bio-feedback et d'un antidépresseur qui lui avait été recommandé par d'autres personnes éprouvant des souffrances analogues. Les migraines n'ont pas disparu pour autant, mais elles sont maintenant beaucoup moins fréquentes. «J'ai appris, dit-elle, à contrôler ma façon de réagir à ces maux de tête et à ne pas les exacerber en m'apitoyant sur mon sort. De cette manière, ils durent beaucoup moins longtemps.»

Elle continue néanmoins d'assister régulièrement aux réunions mensuelles du groupe, composé d'une douzaine de personnes, où l'on est à même d'échanger des informations sur les différents aspects du problème (effets de divers médicaments, résultats des dernières études sur la question, etc.), de s'entraider et de mettre un baume sur les blessures de l'autre en étant attentif à ses confidences.

«Sans être ami avec tout le monde, tu peux te permettre lors de ces rencontres de parler de tes problèmes et de tes réalisations, tu peux te plaindre, tu peux pleurer, tu peux crier si tu en as envie, et tout le monde va t'écouter avec beaucoup d'intérêt, comme si on parlait tous le même langage. C'est quelque chose que même la famille la plus solidaire ne peut pas toujours t'apporter. Ça libère tellement d'émotions! »

Syndrome prémenstruel, côlon irritable et migraine: de nouvelles données

Avec la sensibilisation progressive du corps médical et du public aux faits que (1) le stress et la douleur chronique sont des phénomènes bien réels, (2) souvent débilitants et (3) susceptibles d'être maîtrisés, l'idée que le corps et l'esprit ne sont pas des antinomies a, petit à petit, fait son chemin. La plupart des affections dont peut souffrir l'être humain impliquent des systèmes autonomes d'une extrême complexité où interviennent à la fois des mécanismes psychiques et des mécanismes somatiques: il n'est plus possible désormais d'ignorer cette réalité ou d'en faire l'économie dans la compréhension des affections qui déjouent toute explication (et tout traitement) trop simple. Quant à savoir précisément comment, sous l'action des neurotransmetteurs et des hormones, les pensées et les émotions peuvent être complètement perturbées, la science n'est pas encore parvenue, même si certains progrès en ce sens ont été réalisés, à élucider cette question. Une chose est sûre: l'idée que certaines affections sont des affabulations, des constructions de l'esprit, perd nettement du terrain. La façon dont on traite maintenant divers syndromes en est la preuve la plus éloquente.

Prenons le cas du syndrome prémenstruel. Des générations de femmes ont souffert, sans jamais oser en parler à voix haute, des symptômes associés à ce qu'on appelle de nos jours le syndrome prémenstruel (SPM): envie soudaine de certains aliments, insomnie, irritation, migraines, dépression et sensation de perte de contrôle. On s'entend aujourd'hui pour reconnaître que le SPM est bel et bien un trouble de nature organique, qui serait causé «par une défaillance physiologique, et non un défaut de caractère[19]». Les symptômes souvent très douloureux qu'éprouvent certaines femmes durant la période qui précède leurs règles — de 5 % à 10 % des femmes menstruées, aux États-Unis — seraient attribuables, semble-t-il, comme la douleur chronique d'ailleurs, à des concentrations sanguines insuffisantes d'enképhalines, d'endorphines et de sérotonine, neurotransmetteurs qui jouent un rôle dans l'amenuisement de la douleur.

Même phénomène à propos du syndrome du côlon irritable (SCI), aussi appelé colopathie spasmodique. Cette affection, qui se manifeste par un ensemble de symptômes très incommodants, frappe 15 % environ de la population et est à l'origine de 50 % des consultations auprès des gastro-entérologues aux États-Unis. Le syndrome n'a rien de grave en soi, ce qui ne le rend pas moins exaspérant toutefois; des enquêtes ont révélé d'ailleurs qu'une proportion importante de la population en souffrait sans nécessairement demander conseil à un médecin. Selon les plus récentes études, cette dysfonction du côlon serait due à une connexion défaillante entre le cerveau et l'intestin, qui, couplée à des facteurs d'agression tels qu'une mauvaise alimentation, un abus d'alcool ou un manque de sommeil, peut provoquer un dérèglement du tractus gastro-intestinal.

Il semble que la susceptibilité à ce type d'affection soit due — comme on le remarque aussi à propos de la perception de la douleur et du phénomène l'amplification — à une hypervigilance du sujet à l'égard des signaux de l'intestin (mouvements péristaltiques, activité des sucs digestifs, etc.) ou, si l'on veut, à un seuil de tolérance plus bas que la normale aux dérangements intestinaux. Cette hypothèse n'est pas très éloignée de celle du physicien allemand Heisenberg voulant que l'acte même de concentrer son attention sur une chose donnée change la nature intrinsèque de la chose. Cette réceptivité toute particulière aux signaux du corps provoquerait une souffrance psychique, qui affecte en retour les neurotransmetteurs et rend le cerveau plus sensible à tout ce qui se rapporte aux viscères — engendrant ainsi un cercle vicieux.

Un phénomène analogue serait en jeu dans la migraine. «La migraine est une manifestation physique qui peut fort bien trouver sa source ou son aboutissement dans un incident à caractère émotionnel ou symbolique», dit le neurologue Oliver Sacks. Ces remarques, qui ont trait à une forme spécifique et particulièrement débilitante de céphalée, pourraient s'appliquer à toute une gamme d'autres affections ou symptômes (douleur chronique, asthme, eczéma, maux d'estomac, dysfonction sexuelle, etc.) qui, à l'instar de la migraine, «ne doivent pas être considérés comme une réaction humaine purement et simplement, mais plutôt comme une forme de réaction biologique spécifiquement adaptée aux besoins et au système nerveux de l'être humain[20]».

Nouveaux syndromes, nouvelles attitudes

Les notions de stress, de douleur chronique, et plusieurs d'autres symptômes ou syndromes revus et corrigés par la médecine d'inspiration béhavioriste, redonnent force aux principes fondamentaux sur lesquels s'appuyait l'art de soigner dans la Grèce antique: les vertus médicinales de certains éléments naturels; la puissance de l'effet placebo; la valeur thérapeutique d'une saine alimentation, de l'exercice, de la sérénité d'esprit et de la bonté; et le pouvoir curatif d'une bonne relation médecin/patient. On voit poindre en même temps une nouvelle conception de la souffrance humaine, fondée sur les postulats que la souffrance n'est pas reliée uniquement aux symptômes physiques, que ses causes, ses implications et sa signification varient selon les individus et que la plupart des sujets pâtissent plutôt qu'ils ne tirent profit de leurs malaises. Ce «nouvel» esprit, cette nouvelle sagesse en vertu de laquelle le médecin a le devoir de soulager la souffrance et, surtout, de ne pas en faire endurer à leurs patients, ne reprend-elle pas l'essentiel du serment hippocratique?

Le public exigeant d'être traité avec plus de compassion et de manière moins impersonnelle, la médecine — qui est aussi, ne l'oublions pas, une industrie — n'a pas d'autre choix que de se mettre à l'écoute des «consommateurs». La profession médicale, dans son ensemble, est en train de réévaluer la conception qu'elle a entretenue jusqu'à maintenant de la détresse humaine. En mettant davantage l'accent sur les soins, plutôt que de s'attacher d'abord à cerner les causes, elle étend la portée de son action et définit un nouvel horizon, qui, s'il ne peut offrir les balises rassurantes du savoir scientifique, reste néanmoins très prometteur — pour les hypocondriaques comme pour les autres types de patients. Ce qui ne veut pas dire qu'il faille retourner en arrière, avant la découverte des antibiotiques ou de l'aspirine, mais plutôt aller de l'avant en combinant l'utilisation des ressources de la technologie moderne à une attention sensible à la façon dont les gens vivent l'expérience de la maladie, autrement dit en redonnant au patient la place qui lui revient[21].

La zone grise qui s'est peu à peu développée entre «la tête» et le corps dans l'interprétation des causes des maladies a créé sur le plan diagnostique un grand vide, que tentent de combler depuis quelques années les représentants de la profession médicale et les auteurs d'ouvrages sur le bien-être physique et mental en utilisant un nouveau jargon d'inspiration holistique (prise en charge, maîtrise personnelle, pouvoir de l'esprit sur la maladie, autoguérison, déculpabilisation, etc.), lequel représente un virage significatif beaucoup plus sur le plan sémantique que sur le plan scientifique. Mais quel mal y a-t-il à s'en inspirer s'il incite les gens à agir autrement et à atténuer leur souffrance?

Le cas de Philippe est représentatif de l'influence, positive dans ce cas-ci, de ces nouvelles approches.

Philippe, père de trois enfants et cadre dans une grande entreprise, n'est pas homme à avoir peur du travail. Mais il s'est vu forcé un jour de cesser temporairement ses activités professionnelles et de garder le lit durant plusieurs semaines à cause de maux de dos extrêmement douloureux — le troisième épisode en deux ans. Une douleur insupportable irradiant le long de la jambe et l'empêchant de marcher sans ressentir un mal insupportable l'avait déjà amené à faire appel à plusieurs médecins. Orthopédistes, chiropraticiens, neurochirurgiens, qui n'a-t-il pas consulté pour trouver la cause de ses douleurs! On diagnostiqua tour à tour une «sciatique», une «hernie discale», une «névrite par compression» et enfin un «tassement vertébral». Un médecin recommanda même une intervention chirurgicale.

Un jour, alors qu'il parcourait le journal, il s'attarda à un article où il était question d'un syndrome appelé «myosite de tension» (SMT), dont les symptômes ressemblaient étonnamment à ceux qui le faisaient tant souffrir. Cette découverte allait passablement modifier le cours de son existence.

Le SMT est, selon le Dr John Sarno, grand défenseur de l'approche globale qui a publié plusieurs ouvrages et donné des conférences sur le syndrome au prestigieux Rusk Institute of Rehabilitation Medicine, un trouble physique bénin en soi, mais qui s'accompagne de douleurs atroces; il ne s'agit pas d'un trouble mécanique mais d'une altération des tissus mous provoqués par la tension nerveuse. Il serait responsable, dit-il, de 99% des cas sévères de maux de dos et de plusieurs autres syndromes chroniques. Les douleurs intenses associées à cette affection sont provoquées selon lui par le refoulement d'émotions jugées inacceptables, telles que la colère, inhibition qui se traduit physiquement par la réduction du flux sanguin dans le cerveau et de l'apport d'oxygène aux muscles, nerfs, tendons et ligaments de diverses parties du corps. Les sensations éprouvées — douleur, engourdissement, faiblesse — viendraient distraire le sujet de sentiments ou de pensées intolérables. Plusieurs facteurs, d'ordres génétique, psychologique et environnemental, échappant à la volonté du sujet seraient à l'origine du syndrome.

La stratégie thérapeutique élaborée par le Dr Sarno repose sur deux éléments fondamentaux: la connaissance approfondie des aspects psychologiques et physiologiques du syndrome; la capacité à agir sur cette connaissance, et partant, à modifier la façon dont le cerveau réagit. Le taux de succès est impressionnant, dit-il: une étude menée auprès de 109 patients qui avaient suivi tout le programme de traitement — patients qui avaient tous reçu, après scanographie, un diagnostic d'hernie discale — a permis d'observer chez 88 % d'entre eux une guérison complète et chez 10 % une nette amélioration; seuls 2 % n'ont pas répondu au traitement[22].

Ce traitement aurait, aux dires de Philippe, «complètement changé [sa] vie». Et lui aurait évité le scalpel!

Un ouvrage, cosigné par le Dr Neil Solomon et le psychologue clinicien Marc Lipton, avait déjà attiré l'attention du public, en 1989, sur un autre syndrome mettant à l'avant-plan la conjonction de facteurs somatiques et de facteurs psychiques: le syndrome d'hypersensibilité ou syndrome PS_2 (de l'anglais *profound sensitivity syndrome)* [23]. Le livre a été conçu à l'intention des milliers de personnes qui souffrent de symptômes vagues, inexplicables — rétention d'eau, migraines, maux d'estomac, maux de dos, fatigue, vertiges, infections à la levure, syndrome prémenstruel, sensibilité à certaines substances chimiques, pour n'en nommer que quelques-uns —, ceux qui se seront fait dire: «Il n'y a rien que je puisse faire pour vous» ou «Je ne vois pas comment une seule maladie pourrait causer tous ces symptômes» ou encore «Vous vous imaginez des choses, ça va passer...». Les auteurs se disent convaincus que ces symptômes s'expliquent par un phénomène biochimique qu'il serait possible, selon eux, de traiter et même de prévenir.

Le syndrome PS_2 serait attribuable, en réalité, à une cascade de réactions physicochimiques. Cette «hyper-réponse biochimique[24]», jointe à des pensées destructives, engendrerait un état de stress chronique qui déclencherait à son tour d'autres réactions biochimiques affectant la santé physique et mentale du sujet. Les auteurs énumèrent neuf types différents de distorsions de la pensée qui peuvent être ici en cause, parmi lesquels figure celui qui consiste à «toujours s'attendre au pire». Exemple: une téléspectatrice entend parler, au bulletin de nouvelles, d'une dangereuse maladie s'accompagnant de symptômes tels qu'une fièvre élevée, des céphalées, de l'irritabilité et des démangeaisons, ce qui l'amène à éteindre aussitôt le téléviseur — juste avant que l'annonceur n'ajoute que cela se passe... en Europe; le lendemain matin, elle se réveille avec un violent mal de tête, qui l'amène à conclure sur-le-champ qu'elle est victime de la maladie. «Les gens "qui s'attendent au pire" sont souvent des gens qui ont une imagination hyperactive. Ils passent tellement de temps, dans certains cas, à s'inquiéter des événements catastrophiques qui pourraient survenir qu'ils négligent de penser à l'ici-maintenant et de jouir du présent[25].» Les auteurs associeront cette tendance à une manifestation de l'hypocondrie, en omettant toutefois de mentionner que bon nombre de ceux «qui s'attendent au pire» savent fort bien que leurs obsessions sont irrationnelles.

Pour les besoins des prestations d'assurance, l'hypocondrie apparaît à la rubrique nº 300.7 du *DSM-IV*, manuel où sont répertoriés les troubles mentaux à l'intention des psychiatres et autres professionnels de la santé mentale. Ironiquement, l'hypocondrie n'est pas couverte par toutes les polices d'assurance, de sorte que pour rendre «acceptable» cette affection, de même que d'autres affections reliées au syndrome PS_2, certains médecins ont pris l'habitude de la décrire comme s'il s'agissait d'autres troubles ou syndromes: syndrome du côlon irritable, migraine, réactions de type allergique ou tout autre symptôme qui domine le tableau clinique. Tout cela reste assez confus néanmoins. Le syndrome du côlon irritable et la migraine ne sont-ils pas dus, eux aussi, comme nous l'avons-vous précédemment, à des facteurs d'ordres somatique *et* psychologique? Pourtant, la plupart des assureurs acceptent de rembourser les frais médicaux que ces affections font encourir aux malades. Peut-être ces derniers ne savent-ils plus, eux-mêmes, où donner de la tête? Quoi qu'il en soit, plusieurs commencent à inclure l'hypocondrie dans la liste des affections dont les frais de traitement sont remboursables: c'est déjà un pas dans la bonne direction!

*

La ligne de partage entre le corps et la psyché est en train de se dissoudre lentement dans la pensée médicale. Un jour viendra où le dualisme cartésien semblera aussi grotesque et aussi inexplicable à ceux qui se pencheront sur la question que l'était jadis l'idée que la Terre était plate. D'ici là, il faut s'attendre à ce que nous assistions, pendant un certain temps encore, aux tergiversations de la médecine, en quête d'un nouveau paradigme. Quelque part entre la médecine officielle — vilipendée pour son ignorance, ses honoraires exorbitants et ses perspectives technicistes — et les mouvements populaires pour une redéfinition de la santé, critiqués eux-mêmes pour leurs tendances «Nouvel Âge», leurs explications farfelues et leurs hypothèses non recevables scientifiquement, entre la psychanalyse qui soigne les blessures résultant d'une éducation «toxique» et les biopsychiatres qui s'emploient à corriger les défaillances de la biochimie du cerveau, il y a certes un juste milieu à atteindre, celui-là même où persiste, encore aujourd'hui, un écart entre la santé physique et la santé émotionnelle, entre l'explication biologique et… le blâme.

1. Voir Robert MEISTER, *Hypochondria: Toward a Better Understanding*, ouvr. cité, p. 17.
2. Voir Kat DUFF, *The Alchemy of Illness*, New York, Pantheon, 1993, p. 52
3. Larry DOSSEY, *Meaning and Medicine*, ouvr. cité, p. 111.
4. Franz ALEXANDER *et al.*, *Psychosomatic Specificity*, vol. I, Chicago, University of Chicago Press, 1968, p. 16-17. (On pourra consulter, en français, Franz ALEXANDER, *La Médecine psychosomatique*, Paris, Payot, 1952.)
5. Jean ROSENBAUM, *The Mind Factor: How Your Emotions Affect Your Health*, Englewood Cliffs, New Jersey, Prentice-Hall, 1973, p. 100.
6. Selon un article paru dans la *Harvard Health Letter*, intitulé «Debugging the System», juin 1994, p. 5.
7. John W. ANDERSON, lettre au *New Yorker*, 19 octobre 1993, p. 10 (en réponse à l'article de Terence Mahoney, intitulé «Marshall's Hunch», paru dans le même périodique le 20 septembre de la même année).
8. Voir D. M. EISENBERG *et al.*, *New England Journal of Medicine*, 28 janvier 1993.
9. Voir Lucinda Harper, «Mental-Health Law Protects Many People but Vexes Employers», *Wall Street Journal*, 19 juillet 1994, p. A-1, A-5.
10. Voir Robin MARANTZ HENIG, *A Dancing Matrix ; Voyages along the Viral Frontier*, New York, Knopf, 1993, p. 120-129.
11. Anthony L. Komaroff, «Chronic Fatigue Syndrome: An Alternative View», *Harvard Mental Health Letter*, nº 9, mai 1993, p. 4-5. Voir aussi Katie BAER, «Still Puzzling after All These Years», *Harvard Health Letter*, nº 18, septembre 1993, p. 4.
12. Peter MANU, entrevue réalisée le 16 août 1993.
13. Kat DUFF, *The Alchemy of Illness*, ouvr. cité, p. 29-31.
14. Robert M. SAPOLSKY, *Why Zebras Don't Get Ulcers: A Guide to Stress-Related Disease and Coping*, New York, W. H. Freeman, 1994, p. 13 et 251.
15. Laurence J. KIRMAYER, «Mind and Body as Metaphors. Hidden Values in Biomedicine», dans M. LOCK et D. R. GORDON (dir.), *Biomedicine Examined*, Boston, Kluwer Academic Publishers, 1988, p. 57-93.
16. Données extraites de: Gina KOLATA, «Study Says 1 in 5 Americans Suffer from Chronic Pain», *New York Times*, 21 octobre 1994, p. A-20; et Daniel GOLEMAN et Joel GURIN (dir.), *Mind-Body Medicine: How to Use your Mind for Better Health*, ouvr. cité, p. 111.
17. Voir Ronald MELZACK et Patrick D. WALL, *The Challenge of Pain* (1965), New York, Viking, 1989. Paru en français sous le titre *Le Défi de la douleur*, Paris, Maloine, 1982.
18. Parmi ces associations d'entraide, mentionnons l'American Pain Outreach Association, Share the Pain, Conquest Over Pains's Stranglehold (COPS) et Transformations Unite.
19. Ronald V. NORRIS, *Premenstrual Syndrome: A Doctor's Proven Program on How to Recognize and Treat PMS*, New York, Berkeley, 1984, p. 3.
20. Oliver SACKS, *Migraine: Understanding a Common Disorder*, Berkeley, University of California Press, 1985, p. 8.
21. Voir David B. MORRIS, *The Culture of Pain*, ouvr. cité, p. 76.
22. Voir John E. SARNO, *Healing Back Pain: The Mind-Body Connection*, New York, Warner, ouvr. cité, p. 77-78.
23. Voir Neil SOLOMON et Marc LIPTON, *Sick and Tired of Being Sick and Tired*, New York, Wynwood Press, 1989.
24. *Ibid.*, p. 33.
25. *Ibid.*, p. 78.

Chapitre 7

La susceptibilité à la maladie: facteurs individuels et facteurs collectifs

Ma consomption s'est empirée. Mon asthme aussi. J'entends des sifflements dans mes bronches! Ça va et ça vient... J'ai des vertiges de plus en plus souvent. À certains moments, je suffoque littéralement. Un peu plus et je m'évanouis! Ma chambre est tellement humide! je frissonne continuellement. Et j'ai des palpitations. J'ai noté aussi que j'allais bientôt manquer de mouchoirs. Si ça peut finir!...

Woody ALLEN,
Without Feathers

Aussitôt qu'il est question de leur santé, certains deviennent anxieux et, à défaut de pouvoir réprimer l'inquiétude que fait naître la plus petite rougeur, se livrent à toutes sortes d'actions compulsives; d'autres, au contraire, composent stoïquement avec la douleur et s'accommodent de leurs symptômes. Les premiers se demandent, envieux, comment les seconds s'y prennent pour rester maîtres de leurs émotions quand tout le monde est malade ou rend l'âme autour d'eux. Comment ces flegmatiques peuvent-ils voir le verre à moitié plein quand il est à moitié vide?

Josée, une amie de longue date, ne cesse de m'étonner, de ce point de vue: elle ne laisse voir aucun signe d'inquiétude ou de nervosité quand elle est mal en point. C'est à se demander, ma foi!, si elle n'est pas coupée de ses sens! «Mais tu dois être terriblement affolée?!» ai-je échappé, un jour après qu'elle m'eut appris qu'elle avait un fibrome dans l'utérus et une petite tuméfaction dans un sein, sans compter un nævus suspect que sa gynécologue avait remarqué au passage. «Pas vraiment, a-t-elle répondu... J'attends d'avoir les résultats des tests et de la mammographie. Pourquoi est-ce que je me ferais du souci pour cela, quand je ne sais même pas encore s'il y a quelque raison de m'inquiéter?...» L'avenir allait lui donner raison: la masse se révéla être un kyste bénin; le nævus, un grain de beauté qui n'avait rien d'inquiétant; et, s'il était bien réel, le fibrome s'était résorbé par rapport à l'examen précédent.

Il y a des gens qui peuvent se soumettre à une électrocardiographie le matin et, rassurés que tout soit normal, reprendre aussitôt leurs activités et il y a ceux qui, pour toutes sortes de raisons (conflits intérieurs, éducation, problèmes familiaux, habitudes de vie ancrées depuis longtemps, perturbations affectant les neurotransmetteurs), ne pourront s'empêcher, dans les mêmes circonstances, de passer l'après-midi à se demander si la lecture de l'électrocardiogramme était adéquate, si les résultats ne frôlaient pas la limite acceptable et si l'examen ne devrait pas, par mesure de précaution, être refait à nouveau. Comment expliquer que le même événement soit perçu si différemment? Comment expliquer que certaines personnes interprètent tout signe ambigu comme un indice de vulnérabilité, quand d'autres se montrent parfaitement invincibles face aux situations menaçantes?

Voyons quels éléments de réponse les spécialistes de la psychologie sociale, cette fois, ont à proposer.

L'influence du milieu de vie

Cela ne surprendra personne d'apprendre que les hypocondriaques sont très sensibles au pouvoir de la suggestion. Ils sont, de ce fait, particulièrement vulnérables à ce que l'on pourrait appeler la transmission *sociale* de la maladie — car la réceptivité à la maladie est aussi, sinon plus, contagieuse que la grippe.

Certaines personnes peuvent tomber malades à la vue de quelques gouttes de sang, d'autres se sentent faiblir aussitôt qu'ils voient quelqu'un vomir ou s'évanouir. Des futurs papas prendront du poids, auront des nausées et des envies soudaines de certains aliments, même des contractions dans certains cas, durant la grossesse de leur femme. (Une étude contrôlée réalisée au début des années quatre-vingt a révélé que sur 267 sujets masculins dont l'épouse était enceinte, 60 d'entre eux, soit 22 %, avaient consulté un médecin relativement à des symptômes similaires à ceux qu'éprouvent les femmes au cours de leur grossesse, symptômes qui ne pouvaient être expliqués par aucune autre affection médicale, sinon un «syndrome de la couvade[1]».)

Le phénomène de l'hystérie de masse, de plus en plus souvent évoqué dans la littérature psychiatrique, sous les appellations de «syndrome de stress épidémique» ou de «perception collective de la maladie», est à rapprocher, lui aussi, des cas de transmission sociale de la maladie. Il survient lorsqu'un groupe de personnes ne présentant au départ aucun signe de maladie est soudainement frappé par une affection étrange, aux symptômes vagues, qui échappe à toute explication biologique. Des éclosions épidémiques sont ainsi survenues dans des manufactures, des camps de réfugiés, des hôpitaux et des écoles, lieux où les gens sont, de par leur occupation ou leur situation, appelés à vivre dans une certaine promiscuité.

L'incident survenu il y a quelques années en Californie, lors d'un récital donné par des élèves de niveau secondaire, constitue un exemple assez spectaculaire du phénomène. Les jeunes musiciens avaient à peine eu le temps d'accorder leurs instruments qu'ils se mirent à éprouver, l'un après l'autre, comme une série de dominos s'aplatissant en ligne, toutes sortes de symptômes: maux de tête, vertiges, hyperventilation, crampes d'estomac, nausée. Plus du tiers des 600 élèves qui faisaient partie du spectacle — et deux fois plus de filles que de garçons, a-t-on rapporté— furent frappés par l'un et/ou l'autre de ces symptômes, dont 19 ont dû être conduits à l'hôpital par ambulance. Étonnamment, aucun des 2000 spectateurs qui avaient pris place dans l'auditorium n'a été affecté par les symptômes en question. L'investigation menée subséquemment devait confondre encore davantage les observateurs, car aucun agent viral ou microbien ni aucun facteur environnemental n'a pu être incriminé[2].

Les incidents de la sorte restent néanmoins des cas rares — quelques-uns par année, tout au plus. Ils sont néanmoins d'un grand intérêt pour les chercheurs, car ils fournissent des indices importants sur le profil des individus sujets à la somatisation. L'éclosion subite de symptômes, à la faveur d'interactions subtiles entre différents facteurs (une phobie de la maladie et une propension à l'amplification, par exemple), est un cas type de réaction aux sensations vagues et ambiguës chez le sujet hypervigilant.

Certains facteurs psychologiques et sociaux — réels ou imaginaires — peuvent contribuer à favoriser la somatisation dans ce type de circonstance.

D'abord, il semble que les femmes y soient plus sensibles que les hommes. (On verra plus loin de quelle manière ce facteur intervient dans ce cas-ci.) Ensuite, entre en ligne de compte la facilité avec laquelle un sujet s'identifie à la maladie de l'autre; un bon moyen de prédire de manière quasi infaillible qu'une personne est prédisposée ou non à développer elle-même des symptômes si survenait une maladie collective est, en effet, d'observer comment elle réagit lorsqu'elle accompagne l'un de ses proches à travers la dure expérience de la maladie. (La phobie du sida, qui s'est propagée depuis quelques années comme une traînée de poudre dans la communauté homosexuelle, de même que chez les médecins appelés à traiter les sidéens, est un exemple on ne peut plus représentatif des répercussions que peut entraîner le fait de voir dépérir et mourir l'un après l'autre des jeunes gens qui, hier, étaient en parfaite santé: «Ces personnes sont soumises, dans un climat hautement émotionnel, à un stress intense, qui les rend très vulnérables à leur tour, par identification, à la maladie[3]», explique le psychiatre Gary W. Small, qui a beaucoup écrit sur le phénomène des maladies de masse.) D'autres variables démographiques et sociales peuvent intervenir dans la prédisposition à développer des symptômes somatiques. Les sujets à risque seraient plus particulièrement ceux qui:

- ont déjà été affectés par une maladie grave ou une maladie chronique (on a relevé ainsi chez 25 % des jeunes élèves californiens dont il a été question précédemment des antécédents de maladie chronique, d'asthme en particulier);
- ont subi un traumatisme précoce;
- ont de faibles revenus;
- ont une formation académique limitée.

La femme et la maladie

C'est un fait reconnu que les femmes sont plus sensibles en général que les hommes à tout ce qui se rapporte à la santé: elles sont plus attentives aux changements physiologiques qui les affectent, elles consultent davantage les médecins, elles parlent plus volontiers de leurs symptômes, elles gardent plus souvent le lit et elles se plaignent davantage de leur souffrance, nous indiquent les études sur la question. Vous avez sûrement déjà entendu le commentaire voulant que les femmes, parce que trop émotives et trop peu rationnelles — problèmes indiscutablement liés à «leurs hormones», dit-on—, ne puissent accéder à la fonction de chef d'État.

Si elles ont fait beaucoup de chemin depuis l'époque victorienne, où leurs congénères glissaient dans l'hystérie et la paralysie pour exprimer leur rage et leur sentiment d'humiliation face à la domination mâle et à l'obligation de se confiner au travail domestique, elles sont loin de se sentir, encore aujourd'hui, parfaitement bien dans leur peau. Qu'on en juge:

- 99 % des personnes qui souffrent de fibromyalgie sont des femmes;
- 80 % des personnes atteintes de fatigue chronique sont des femmes;
- 75 % des personnes qui consultent un médecin pour cause de syndrome du côlon irritable sont des femmes;
- 10 fois plus de femmes que d'hommes sont exposées à souffrir d'anorexie nerveuse;
- 3 fois plus de femmes que d'hommes ont des migraines;
- de 2 à 3 fois plus de femmes sont sujettes à la dépression, constatation qui vaut pour tous les groupes ethniques et tous les continents;
- 2 fois plus de femmes que d'hommes sont sujettes aux attaques de panique.

Mais que se passe-t-il donc? Comment expliquer que les femmes se classent toujours en tête dès qu'il s'agit de symptômes somatiques? Serait-ce effectivement ces fameuses hormones? Des différences subtiles dans la chimie du cerveau? Un stress plus intense dans la vie de tous les jours? Ou les femmes formeraient-elles effectivement le «sexe faible» — qui, paradoxalement, vit neuf ans de plus en moyenne que le sexe opposé?

Malgré cette fragilité, apparemment liée à leur nature, les femmes ne constituent pas pour autant une espèce menacée. Au contraire. Les statistiques révèlent que, tous âges confondus, les hommes sont plus exposés que les femmes à avoir une mauvaise santé sur le plan physique — et beaucoup plus enclins, certes, à ne pas en parler et à ne pas l'admettre.

Il n'y a pas à chercher midi à quatorze heures pour comprendre ce qui est ici en jeu. Si les hommes, bien plus mal en point qu'on pourrait le croire, en définitive, se sentent néanmoins en assez bonne forme et paraissent plus robustes, plus résistants que les femmes, c'est, entre autres choses, parce qu'ils peuvent s'en remettre à quelqu'un d'autre — aux femmes, bien sûr, ces éternelles nourrices — pour assurer la satisfaction de leurs besoins physiques et émotionnels. Des travaux ont montré en effet que la probabilité qu'une femme prenne soin de son mari est trois plus élevée que le cas contraire. Y aurait-il une pointe de vérité dans le vieil adage voulant que «le sentiment» soit le propre de la femme et «l'action» le propre de l'homme?... De même que l'un et l'autre sexes ne conversent pas de la même manière («les femmes parlent et entendent le langage du contact et de l'intimité, les hommes celui du statut et de l'indépendance», selon la linguiste Deborah Tannen, de l'Université Georgetown, qui a étudié les «dialectes» propres à chacun des sexes, ce qu'elle appelle les *genderlects*[4]), de même ils ne détectent pas, n'interprètent pas et ne traduisent pas de la même manière les messages ambigus du corps. Cette dynamique, qui, à la fois pimente et empoisonne les relations hommes/femmes, s'applique aussi à l'expérience de la maladie et de la douleur.

Pour illustrer cette asymétrie, Tanner donne l'exemple de la femme qui, ayant remarqué que son mari utilise depuis quelque temps le même bras pour tout faire, lui demande pourquoi il agit ainsi. Il lui répond que l'autre bras lui fait mal. «Mais depuis quand?», s'enquiert-elle aussitôt d'une voix anxieuse mêlée de colère. «Euh... depuis quelques semaines», dit-il simplement, tout étonné que sa femme s'emporte de cette manière. Ils en viendront plus tard à se dire que, pour l'un, il est blessant d'être ainsi laissée-pour-compte et tenue à distance par le silence de son partenaire, et pour l'autre qu'«il ne voulait pas l'inquiéter inutilement». «Pourquoi est-ce que je devrais lui parler de mes douleurs, quand je ne sais même pas si c'est grave ou pas? invoque le mari. C'est peut-être rien du tout!... Et ça va finir par disparaître, de toute façon! Alors, pourquoi l'énerver avec ça?»

Les femmes ne semblent pas être, en cette matière, sur la même longueur d'ondes que les hommes. Elles parlent volontiers de leur corps, évoquent sans la moindre gêne les douleurs éprouvées lors de leurs menstruations, par exemple, et n'hésitent pas à faire part de leurs déboires ou à verbaliser l'anxiété vécue à certains moments de crise. Tout cela va de soi pour la majorité d'entre elles. Vous confiez votre peine à une femme? Pour partager votre détresse, elle vous dira qu'elle vit ou a vécu la même chose («Ah... je sais comment tu te sens en ce moment!», «Je suis passée par là, moi aussi...»). Vous confiez les mêmes soucis à un homme? Il réagira habituellement en vous suggérant des solutions et même, dans certains cas, en établissant avec vous un plan d'action immédiat. S'il y a quelque chose qui agace les hommes d'ailleurs, c'est bien cette façon qu'ont les femmes de ressasser sans cesse leurs propres problèmes plutôt que de prendre des mesures pour y remédier.

Certains procédés de cartographie cérébrale ont déjà commencé, dit-on, à mettre en évidence des données comparatives suggérant une plus grande sensibilité, en général, chez les femmes[5]. (Une étude menée sous la direction du Dr Ruben C. Gur, chef du laboratoire de comportement cérébral à la faculté de médecine de l'Université de la Pennsylvanie, a permis de comparer, par exemple, l'aptitude d'un groupe de sujets de sexe masculin et d'un groupe de sujets de sexe féminin à cerner les émotions chez d'autres personnes à partir de photographies d'acteurs mettant en évidence différents types d'expressions faciales. On a observé que, tandis que les femmes détectaient très rapidement un signe de souffrance sur les visages des acteurs *ou* des actrices qui étaient soumis à leur examen, les hommes se montraient plus attentifs, quant à eux, aux *acteurs* qui semblaient malheureux, soit à ceux à qui ils pouvaient le plus facilement s'identifier. «Pour qu'ils décèlent un signe de tristesse dans un visage de femme, il fallait que les indices soient vraiment évidents, rapporte le Dr Gur. Les signes plus subtils sont passés tout simplement inaperçus chez les hommes.»)

Le fait que les femmes soient plus intuitives quand il s'agit de percevoir la douleur chez les autres peut expliquer, en partie, pourquoi elles perçoivent la leur de façon plus immédiate que les hommes. (Des questionnaires destinés à apprécier les tendances hypocondriaques, en particulier la phobie de la maladie, révèlent que les femmes n'ont pas plus peur que les hommes, toutefois, des sensations pénibles qu'elles peuvent éprouver.) Les modes de perception qui mettent l'individu en contact avec ses états intérieurs ne seraient pas les mêmes chez l'un et l'autre sexe. Pour définir ce qu'ils ressentent, les hommes auraient tendance, selon le psychologue James W. Pennebaker[6], qui étudie depuis quinze ans les différences entre les sexes sur le plan émotionnel, à se référer, pour la plupart, à des sensations organiques, tels des battements de cœur ou des mains moites; les femmes, elles, se référeraient davantage à des indices situationnels — l'heure qu'il est, la température qu'il fait dans la pièce, comment les autres autour d'elles disent qu'ils se sentent. Prenons l'exemple de la faim: les hommes expriment le besoin de manger aussitôt qu'ils perçoivent une sensation de tenaillement au creux de l'estomac, dit le spécialiste; les femmes ont plutôt tendance, quant à elles, à manger quand elles voient à l'horloge ou à leur montre qu'il est temps de le faire.

Ce n'est pas tant que les femmes exagèrent ou fassent état de la moindre émotion ou du plus petit symptôme, que les hommes répriment les leurs, ce qui leur vaut souvent, d'ailleurs, le reproche de cacher leurs vrais sentiments. La fonction reproductive, qui est en état de s'exercer durant la moitié de leur vie environ, oblige les femmes à entretenir une certaine familiarité avec leur corps, avec les changements qui l'affectent, et partant, à suivre de près l'évolution des soins de santé: elles doivent se prêter régulièrement à l'auto-examen des seins, à des examens gynécologiques, à des prélèvements vaginaux; elles doivent se préparer, plus d'une fois dans bien des cas, à l'accouchement et à ce qui s'ensuivra; de même, elles sont plus susceptibles que les hommes de penser à amener leur(s) enfant(s) chez le pédiatre.

Les hommes — du moins la majorité d'entre eux — auraient la fibre très sensible, en revanche, à l'égard de tout ce qui se rapporte aux médecins et aux interventions médicales. Bien des femmes pourraient certes témoigner des réticences qu'elles ont rencontrées quand il a été question de convaincre leur conjoint de se faire faire une vasectomie. «J'ai eu à traverser trois grossesses, trois accouchements, deux césariennes, et lui, il refuse même de prendre rendez-vous avec le médecin!»: cette plainte est assez courante, même chez des femmes dont le mari entrevoit avec beaucoup d'anxiété la perspective d'une grossesse non désirée.

Beaucoup d'hommes attendent d'ailleurs d'être au pire — avec les risques que cette dénégation leur fait encourir, surtout s'il s'agit d'une maladie cardiaque ou pulmonaire — pour tenir compte de leurs symptômes et agir en conséquence. Ils sont, de ce point de vue, beaucoup plus passifs que les femmes. De l'analyse d'un corpus de 296 examens médicaux analysé en détail par des chercheurs en psychologie sociale d'un institut affilié au New England Medical Center, il ressort qu'au cours des quinze minutes accordées habituellement à chaque patient: (1) les hommes n'ont posé qu'une seule question ou n'en ont posé aucune, tandis que les femmes en avaient posé six, en moyenne; (2) les hommes laissent voir moins d'émotion et manifestent plus de réserve lorsqu'il s'agit d'expliquer la raison de leur visite; (3) de même, les patients qui communiquent le plus ouvertement avec leur médecin se sont avérés être aussi ceux qui, au sein du groupe, étaient en meilleure santé, comme le mentionne Sherrie H. Kaplan, codirectrice de l'institut[7].

(Kaplan, psychologue sociale, et son mari, Sheldon Greenfield, interniste, ont mis au point des sessions d'«affirmation de soi» à l'intention des personnes qui se préparent à consulter un médecin: des assistants, formés tout spécialement à cet exercice, les aident à revoir leur dossier dans la salle d'attente, belle occasion de leur fournir l'information et l'encouragement dont ils ont besoin pour devenir des consommateurs médicaux *actifs*. L'analyse des dossiers des mêmes personnes, quatre mois plus tard, a révélé dans de nombreux cas que, par comparaison avec les patients qui avaient simplement «suivi les directives du médecin», (1) elles s'étaient absentées moins souvent de leur travail, (2) avaient fait état de moins de symptômes (3) et que leur état de santé général était de beaucoup meilleur à celui des patients de l'autre groupe.)

Le fait que les femmes perçoivent de façon plus immédiate leurs émotions et qu'elles soient capables d'exprimer plus librement leur douleur et leurs frustrations les aide non seulement à se maintenir en meilleure santé que les hommes, mais à éclipser toutes sortes d'obsessions qu'entretiennent ces derniers. Car s'il est vrai que les troubles dépressifs et les troubles anxieux sont plus fréquents chez les femmes — quoique l'écart entre les deux sexes soit en train de s'amenuiser, semble-t-il, du moins en ce qui a trait à la dépression —, les troubles mentaux considérés dans leur ensemble affectent presque autant les hommes que les femmes. On compte d'ailleurs quatre fois plus de suicides chez les hommes que chez les femmes; ils seraient, par ailleurs, cinq fois plus exposés que les femmes au risque d'abuser des drogues et de l'alcool; on relèverait également plus de cas de comportements antisociaux chez les sujets de sexe masculin que chez les sujets du sexe opposé. Les femmes feraient en grande partie les frais de cette violence, toutefois — on estime en effet que quatre millions de femmes sont, chaque année, aux États-Unis, agressées violemment par leur partenaire masculin.

Les conséquences de cette victimisation des femmes se traduisent en problèmes de santé, en maladies psychiatriques et, le plus souvent, en plaintes somatiques, particulièrement en douleurs chroniques dans la région pelvienne et en affections gastro-intestinales. Les sévices corporels et les violences sexuelles sont les deux raisons qui incitent le plus souvent les femmes à se présenter au service des urgences. Des études ont, plus d'une fois, établi que les femmes qui ont déjà été victimes d'agression sexuelle sont affectées par la maladie plus fréquemment et durant des périodes plus longues que celles qui n'ont jamais subi un tel traumatisme.

Au terme d'une étude sur les aspects affectifs reliés aux maladies gastro-intestinales, le psychiatre Douglas Drossman, professeur à la faculté de médecine de l'Université de la Caroline du Nord et spécialiste des maladies digestives, a été amené à conclure que ce type d'affections masquait très souvent un problème relié à une ancienne agression: sur 206 femmes souffrant de problèmes gastro-intestinaux, près de la moitié avaient été victimes, sous une forme ou sous une autre, de violence traumatique[8]. La comparaison des cas des patientes atteintes du syndrome du côlon irritable ou d'un autre trouble gastro-intestinal non structurel avec ceux de patientes souffrant de maladies organiques telles que la maladie de Crohn et l'ulcère gastroduodénal a mis en évidence un taux plus élevé d'antécédents d'expérience traumatique chez les patientes du premier groupe, et ce, tant sur le plan des sévices corporels (où les taux observés étaient de 53 % pour le premier groupe contre 37 % dans le second) qu'à celui des violences sexuelles (où les taux étaient respectivement de 13 % et 2 %).

Fait étonnant, même si les statistiques montrent à l'évidence que *une femme sur trois* est exposée à être violentée par son partenaire, à un moment ou l'autre de son existence, les médecins questionnent rarement leurs patientes à ce sujet. Les conclusions d'une enquête menée auprès de patientes de deux hôpitaux de Boston indiquent que 66 % environ des sujets interrogés étaient en accord avec le fait que le médecin fasse une interview de routine à propos des sévices corporels, mais que, dans les faits, 7 % seulement ont été interrogées là-dessus par leur médecin lors d'une première visite ou d'une visite subséquente. Presque toutes les patientes qui avaient vécu un traumatisme relié à des violences physiques ou sexuelles, soit 16 % de l'échantillon, ont affirmé qu'elles croyaient que les médecins pouvaient les aider à solutionner les problèmes d'ordre médical et d'ordre psychologique reliés au traumatisme[9]. L'ironie veut que les médecins soient convaincus, eux aussi, qu'ils peuvent aider leurs patientes à mieux intégrer une expérience traumatisante, mais que, pour diverses raisons — réticence à poser des questions qui relèvent de la plus grande intimité, peur de troubler la patiente, manque de temps —, ils aient choisi de ne pas s'impliquer dans le processus.

Faut-il s'étonner dès lors que les féministes soulèvent la question de savoir si le corps médical, encore largement dominé par les hommes, est en mesure de répondre aux besoins particuliers des femmes?... De même qu'il peut sembler plus facile, à court terme, pour les femmes victimes d'agression, de continuer à nier la cause réelle de leurs symptômes plutôt que de prendre les moyens qui s'imposent pour réaménager leur vie (ce qui peut représenter, certes, une expérience très éprouvante), de même il peut paraître plus simple, à court terme, pour les médecins de prendre leurs distances par rapport à ces problèmes en se protégeant derrière l'assomption que les femmes «somatisent très facilement», plutôt que de les aider à décrypter ce qui se cache derrière leurs symptômes.

Il faut savoir toutefois que, à long terme, seuls les médecins sont en situation de pouvoir aider efficacement, souvent même d'une manière décisive, ces patientes. Ce qui a amené l'American Medical Association (AMA) à émettre en 1992 des directives enjoignant aux médecins d'interroger leurs patientes à propos des sévices dont elles pourraient avoir été victimes dans le passé[10]. L'AMA recommandait en outre que des sessions de formation soient offertes aux professionnels de la santé pour les aider à mieux cerner les signes de violence, à mieux orienter leurs entretiens avec leurs patientes, à les référer à d'autres spécialistes si nécessaire et à mieux savoir s'y prendre avec les patientes qui sont aux prises avec ce type de problème.

Deux poids, deux mesures?

Un débat, passablement houleux par moments, est en cours depuis quelques années sur la question de savoir si une spécialité médicale ne devrait pas être constituée pour répondre aux besoins spécifiques des femmes.

Les femmes ayant tendance, par mesure préventive, à consulter leur médecin plus souvent que les hommes pour des symptômes mineurs, celles qui souffrent d'hypocondrie sont nécessairement exposées à être plus souvent que les hommes traitées avec condescendance. D'autant que les médecins de sexe masculin trouvent souvent les femmes très exigeantes, voire malveillantes et non conciliantes, en tant que patientes, qualificatifs rarement appliqués à la clientèle de sexe masculin, nous apprennent certaines études[11]. On rapporte que les médecins ne réagiraient pas toujours de la même manière aux symptômes ou aux comportements sur lesquels ils sont appelés à se prononcer, selon que c'est un patient ou une patiente qui leur en fait état. À l'occasion d'une étude visant à analyser les différences à caractère sexuel auprès de patients des deux sexes atteints de symptômes somatiques multiples, des chercheurs de l'Université de l'Arkansas en sont arrivés à la conclusion que les femmes étaient exposées, beaucoup plus que les hommes, à ce que leurs symptômes soient interprétés comme un problème de somatisation; ils ont constaté également que les mêmes symptômes — fatigue, problèmes digestifs et douleur thoracique — qui avaient amené un médecin à diagnostiquer chez une femme un problème de somatisation pouvaient être expliqués autrement chez un patient de sexe masculin, les causes avancées étant dans ce cas-ci, entre autres, une maladie organique, une tentative pour recevoir une indemnisation ou une excuse pour s'absenter du travail[12] .

Ces attitudes biaisées de la part des médecins sont de plus en plus fréquemment dénoncées par les journalistes. Le franc-parler d'un John Smith, par exemple, qui, en tant que gynécologue, est à même de voir de l'intérieur les abus du système de santé en ce qui a trait au traitement des femmes, a été vivement applaudi par les féministes de tous les coins du pays. Smith a dénoncé, entre autres, les attitudes méprisantes, le sexisme et les abus purs et simples dont les femmes sont victimes de la part des médecins de sexe masculin. Il va jusqu'à affirmer que la gynécologie ne devrait pas être une affaire d'hommes. Il faut rappeler que le gynécologue est, dans deux cas sur trois, le médecin que les femmes consultent le plus souvent. Ce rôle devrait donc revenir aux femmes, «qui, dit-il, sont seules en mesure de comprendre les problèmes que rencontrent les femmes, de sympathiser avec elles et d'établir avec elles une relation — déjà si complexe, en soi — vraiment adéquate[13]».

Ne pas prendre au sérieux les plaintes somatiques des femmes et se permettre de formuler sur leur état physique des jugements erronés, fondés davantage sur des stéréotypes sexuels que sur un savoir médical authentique, est une attitude proprement dégradante, et même dangereuse. Le fait que les maladies qui affectent plus particulièrement les femmes n'aient pas reçu des chercheurs l'attention qu'elles méritent n'est certes pas sans conséquences. Il entraîne souvent, comme l'ont montré des études récentes, des traitements inadéquats ou inappropriés; le manque de tests diagnostics valables pour un certain nombre de maladies susceptibles de mettre leur vie en danger les expose également à certains risques.

On voit poindre heureusement un changement d'attitude à cet égard: pour corriger ces iniquités, les National Institutes of Health ont ainsi mis sur pied en 1990 un organisme[14] chargé de superviser des études sur la façon dont les femmes réagissent à certaines maladies et aux médicaments utilisés pour les traiter ou les soulager. En 1990, l'AMA a adopté les recommandations d'un rapport fondé sur l'examen de 48 études publiées dans des revues scientifiques entre 1970 et 1990 qui faisaient état de disparités dans un certain nombre de domaines. (L'investigation a révélé entre autres que: la probabilité qu'une femme reçoive une transplantation du rein était de 25 % à 30 % inférieure à celle qu'un homme puisse en bénéficier; les médecins soumettent deux fois plus souvent les hommes que les femmes à des tests de dépistage du cancer du poumon; et les angiographies sont prescrites beaucoup plus souvent aux hommes qu'aux femmes.) Même la très sélecte AMA, bastion mâle qui, selon certains, aurait contribué à renforcer les stéréotypes sexuels en défendant l'autonomie totale et l'autorité indiscutable des médecins, commence à admettre que le traitement dont les femmes font l'objet dans le domaine médical est discriminatoire. Dans une directive de 1990, l'AMA encourageait fortement les médecins à «réexaminer leurs pratiques et leurs attitudes, de manière à cerner et à corriger les préjugés qui pourraient par inadvertance affecter la prestation des soins de santé».

Les partisans d'un système de soins conçus spécialement pour les femmes se sont dits particulièrement outrés d'apprendre que les maladies cardiaques étaient traitées de manière beaucoup plus draconienne chez les hommes que chez les femmes, comme l'ont montré plusieurs études. Les médecins continuent de voir les affections cardiovasculaires comme étant des maladies d'hommes, alors qu'elles sont, aux États-Unis, la première cause de mortalité — elles feraient même six fois plus de victimes que le cancer du sein — chez les femmes. Si ces dernières sont protégées, jusqu'à un certain point, contre les maladies coronariennes avant la ménopause grâce aux œstrogènes, il n'en va plus de même *après* la ménopause, où les taux d'hormones diminuent considérablement; elles sont d'ailleurs plus exposées que les hommes, après 60 ans, à développer ce type de maladie. N'empêche qu'une femme qui consulte d'urgence un médecin pour cause de douleurs thoraciques attendra plus longtemps qu'un homme pour être examinée, disent certaines études, et elle serait deux fois plus exposée que ce dernier à se faire dire que ses symptômes sont attribuables à l'anxiété ou à un événement perturbateur sur le plan affectif; et si des problèmes cardiovasculaires sont en cause, elle a deux fois moins de chances qu'un homme de se voir prescrire des anticoagulants ou un pontage aortocoronarien.

De tels partis pris peuvent donner lieu à des expériences absolument cauchemardesques, comme en témoigne Elizabeth Rigdon, une infirmière du Connecticut. Vers la fin de la quarantaine, Mme Rigdon a commencé à souffrir de douleurs intenses à la poitrine, qui l'ont incitée à consulter un cardiologue. Pendant un an, le médecin lui a répété avec insistance qu'il n'y avait pas lieu de s'inquiéter: l'angiogramme (radiographie des vaisseaux sanguins) était normal, de même l'électrocardiogramme — sauf à parler de «quelques modifications transitoires» notées durant l'épreuve d'effort, avait-il expliqué. «Si seulement tous mes patients avaient la chance d'avoir des artères comme les vôtres!», avait-il ajouté, en l'invitant ensuite à reprendre ses activités et à cesser de s'inquiéter ainsi sans raison, qu'elle s'imaginait des choses, que c'était sans doute ses «nerfs» qui lui avaient causé ces douleurs. Elle consulta un autre cardiologue, qui diagnostiqua, cette fois, un «syndrome X», type d'insuffisance coronarienne, plus fréquent chez les femmes que chez les hommes, qui résulte d'une oblitération des *petits* vaisseaux sanguins sous l'effet du stress physique et émotionnel (contrairement aux cardiopathies classiques observées chez les hommes, où l'oblitération survient dans les plus gros conduits de l'appareil vasculaire)[15].

Des histoires troublantes de cet ordre sont souvent rapportées dans les magazines, sans doute pour encourager les femmes à prendre en charge leur santé. Mais le message que les femmes semblent recevoir de plus en plus souvent est: «Ne faites pas confiance aux médecins» ou encore: «Ne prenez pas pour de l'argent comptant tout ce qu'ils vous disent». Si bien que, lorsqu'un problème de santé plus grave survient, elles ne savent plus vers qui se tourner. La perspective de s'entendre dire, par un praticien insensible et autoritaire qui ne se gêne pas pour lui laisser voir ostensiblement qu'elle lui fait perdre son temps ou que ses symptômes sont imaginaires, peut inciter même la femme la plus sûre d'elle-même à douter des messages que lui envoie son corps, bien qu'en général les femmes sachent déceler assez facilement une anomalie ou une perturbation physiologique.

Même dans les cas où des facteurs psychiques, aussi bien que des facteurs physiques, sont en jeu, confier ses tourments à un médecin est loin d'être inapproprié. Le cabinet d'un médecin, qu'il s'agisse d'un généraliste ou du spécialiste le plus réputé, devrait normalement être perçu comme un endroit rassurant où chacun peut faire état de n'importe quel problème *sans craindre d'avoir l'air ridicule*. Et si la source du problème s'avérait être d'ordre affectif plutôt que somatique, un médecin consciencieux devrait pouvoir, après un bref examen et un entretien rigoureux, avoir une idée de ce qui ne va pas et des moyens à prendre pour y remédier — ce qui est, malheureusement, assez rare de nos jours, quand les symptômes à traiter sont le moindrement complexes.

Les données dont nous disposons sur les effets qu'ont sur les femmes les tiraillements engendrés par la difficulté d'établir un juste équilibre entre leur rôle d'épouse (ou de conjointe), leur rôle de mère et leur rôle de travailleur sont loin d'être claires. Des études suggèrent néanmoins que les femmes qui travaillent, même si elles doivent parfois s'éparpiller dans toutes les directions, sont plus heureuses que celles qui restent depuis toujours à la maison; d'autres laissent entendre, par contre, que les mères qui travaillent sont plus vulnérables à toutes sortes d'affections reliées au stress, tels les maux d'estomac et la tension prémenstruelle, que les femmes de carrière sans enfant ou les femmes au foyer.

Qu'elles exercent ou non des fonctions à l'extérieur du foyer, un fait demeure cependant: elles se préoccupent toutes tellement des autres qu'elles en viennent à oublier complètement leurs propres besoins. La maladie devient alors inconsciemment, dans certains cas, le moyen (lire: un moyen *acceptable*) de se dégager de cette sollicitude exagérée. «Le simple fait de dire "Je suis malade" peut atténuer la culpabilité qu'elles ressentent à ne pas pouvoir se donner à cent pour cent à la maison et au travail», dit la psychologue Sylvia Pollack. Elles peuvent ainsi s'occuper un peu d'elles-mêmes...[16]» Le système médical fait si peu de cas, dit-elle, des problèmes d'ordre psychologique ou social que «les symptômes se perpétuent plutôt que de servir de signal». Avec les conséquences que l'on sait: «Ces femmes ne prennent jamais le temps de s'interroger sur les attentes démesurées qu'elles ont à l'égard d'elles-mêmes.»

Les femmes qui jonglent avec les rôles multiples et sont tiraillées par des visées contradictoires sont nécessairement soumises à un stress et à des conflits intérieurs plus prononcés que ceux auxquels les hommes ont à faire face. Des études physiologiques révèlent, en effet, que si la réaction de combat ou de fuite est sensiblement la même chez l'homme et chez la femme, les situations génératrices d'anxiété varient en fonction du sexe: chez l'homme, le niveau des hormones de stress aurait tendance à subir une hausse soudaine en réaction à une situation de compétition ou à un défi intellectuel; chez la femme, il augmente surtout lorsqu'elle est exposée à une situation particulièrement éprouvante sur le plan personnel. Les premières données d'une étude entamée il y a quelques années auprès d'un groupe de cadres de direction de l'usine Volvo, en Suède, suggèrent que les hommes commencent à se détendre après le travail aussitôt qu'ils franchissent le seuil de leur domicile, alors que les femmes qui ont les mêmes responsabilités continuent à être agitées après le travail et durant la soirée, en grande partie à cause de leurs responsabilités familiales[17].

Fait intéressant — inquiétant? —, les femmes commencent, au moment même où la médecine est de plus en plus réglementée, et l'autonomie des médecins de plus en plus menacée, à avoir un peu plus d'emprise sur le système de santé: en effet, plus de la moitié des étudiants qui s'inscrivent actuellement dans les facultés de médecine sont des femmes, ce qui n'empêche pas toutefois que la planification et la gestion des soins de santé soient encore et toujours une affaire d'hommes. Si la situation reste difficile pour les femmes, elle n'est pas moins déconcertante pour les hommes, qui peuvent être tentés de se liguer avec leurs collègues masculins pour préserver la traditionnelle «virilité» de la médecine. Les hommes ne pleurent pas, ne se plaignent pas, ne s'apitoient pas sur leur sort, ni ne révèlent leurs secrets — c'est bien connu. Leurs douleurs, ils les vivent à travers les sports, la difficile ascension de l'échelle professionnelle, ou au combat s'ils sont militaires, et, quand ça ne suffit pas, ils s'adonnent à l'alcool, au tabac, à la confrontation, s'immergent dans le travail, ou se suicident.

Les mêmes valeurs culturelles qui ont conduit certains esprits bien-pensants à cataloguer les femmes parmi «les êtres qui se répandent en émotion, inondant littéralement leur interlocuteur des problèmes et des complexes qui leur sortent par tous les pores de la peau[18]», n'autorisent pas davantage les hommes à interroger, et encore moins à montrer leurs émotions ou leur vulnérabilité. Le droit d'exprimer leurs limites leur étant pratiquement dénié, où peuvent-ils se réfugier quand ils sont sur le point de s'effondrer? Si la maladie leur fait peur, comment s'y prendront-ils pour le laisser savoir? Car, s'il faut se fier aux travaux publiés sur la question, les hommes s'inquiètent de leur santé autant que les femmes — ils sont tout simplement plus habiles à masquer leurs peurs. Encore faudrait-il que les femmes, aliénées aux valeurs en cours, cessent de montrer du mépris à l'endroit des hommes qui expriment ouvertement leurs obsessions ou leurs craintes face à la maladie!

Las des inégalités, certains hommes avisés commencent d'ailleurs à se rebeller contre un système patriarcal qui exige qu'ils se tiennent toujours bien droit, les dents serrées et encaissent chaque fois les coups — «comme un homme», justement. Le mouvement des hommes, qui connaît actuellement un grand essor, rejette l'idée que les «mâles», «les vrais», n'appellent pas à l'aide, ne souffrent pas psychologiquement et ne parlent pas de leurs sentiments. Depuis toujours, ce sont les femmes qui aident les hommes à briser le mur qui les empêche d'avoir accès à leurs sentiments les plus profonds. Des études ont montré que, de la même manière, les hommes sont plus disposés à parler d'eux-mêmes à des femmes médecins, qui passent en général plus de temps avec leurs patients, les interrompent moins souvent et se montrent moins autoritaires que leurs vis-à-vis masculins.

Les facteurs ethniques et culturels

L'extériorisation des conflits psychiques sous forme de symptômes somatiques est un phénomène universel; la maladie peut même servir de révélateur dans les sociétés où est brimée la libre expression des sentiments. Les règles qui gouvernent le subtil langage des émotions et de la maladie ne sont cependant pas les mêmes dans toutes les cultures.

Dans les cultures hispaniques, par exemple, où le machisme et le mépris de la maladie mentale sont pourtant monnaies communes, les hommes, aussi bien que les femmes, sont sujets à l'*ataques de nervios*, affection caractérisée par un ensemble de symptômes tels que maux de tête, tremblements, douleurs abdominales, palpitations, faiblesse musculaire, agitation et perte de contrôle[19]. Fait intéressant, les taux les plus élevés de troubles de somatisation se retrouvent chez les hommes de culture hispanique, l'une des quelques cultures où les plaintes somatiques inexpliquées chez les hommes sont aussi fréquentes que chez les femmes. Les pourcentages sont particulièrement élevés chez les Porto-Ricains — jusqu'à 10 fois supérieurs à ceux que l'on relève dans la population américaine —, chez qui l'on enregistre également une incidence élevée de dépression masquée, de troubles paniques et de dysfonctionnement général.

Si vous vivez en Angleterre et que quelqu'un vous demande comment vous allez, vous aurez appris sans doute, avec le temps, à répondre *«Just fine!»* même si vous ne vous sentez pas en très bonne forme, car les Anglais s'attendent à une certaine maîtrise et une grande réserve dans l'expression des malaises physiques et psychiques. Le fameux leitmotiv d'«encaisser-sans-broncher» semble d'ailleurs avoir pour effet de limiter les consultations médicales: les statistiques révèlent que, par comparaison avec les Américains, les Anglais ont deux fois moins souvent recours aux services médicaux, subissent moins de tests de dépistage et d'interventions chirurgicales et prennent moins de médicaments et de suppléments vitaminiques. «La probabilité qu'un patient se fasse dire qu'il est "malade", en Angleterre, est certes moins élevée [...] Il est assez peu probable, en effet, que l'on reçoive un diagnostic d'hypertension si l'on ne prend jamais la peine, par ailleurs, de demander à quelqu'un de prendre sa tension artérielle[20]!...», ironise Lynn Payer dans un ouvrage où elle se prête à une étude comparative des traitements médicaux dans quatre pays différents.

D'autres groupes culturels voient au contraire la maladie comme une composante de la vie de tous les jours qui, pour être intime, a tout à fait sa place dans la conversation. Si vous habitez, par exemple, dans l'Upper West Side de Manhattan, où la psychothérapie et le franc-parler sont la règle plutôt que l'exception, vous pourrez, sans craindre de contrevenir aux mœurs sociales, parler ouvertement de votre psychanalyse, de l'effet que vous font les antidépresseurs, de ce que vous pensez de la chimiothérapie ou des idées que vous défendez à propos de l'avortement.

En Inde, où, comme dans bien d'autres sociétés, une certaine discrétion est pourtant plus de mise que l'étalement des émotions, la maladie est un événement à caractère communautaire, ce qui sous-entend que les amis et les parents du malade joindront leurs forces pour venir en aide au malade en appliquant les principes d'une thérapie profane exploitant les vertus de certains aliments et de certains remèdes indigènes.

Dans certaines régions de la Nouvelle-Guinée, par contre, les personnes malades sont tenues de vivre en retrait de la communauté, de se couvrir le corps de cendres et de saletés, de se priver de nourriture et de s'isoler jusqu'à ce qu'elles soient complètement rétablies[21].

Pour conjurer la maladie, les Navajos de l'ouest des États-Unis, pour qui le corps est en harmonie avec l'environnement physique, procèdent, pour leur part, à toutes sortes de cérémonies en plein air où les membres de la tribu sont invités à se réunir pour former un cercle, symbole de perfection et de totalité[22].

Les études transculturelles reflètent, sans que les participants le soupçonnent la plupart du temps, la gamme extrêmement riche de valeurs, de traditions, d'attentes et d'attitudes qui gouvernent l'expression de la douleur et de l'angoisse chez l'être humain. La même variété s'observe aussi dans le rapport au phénomène de la maladie.

En Afrique orientale, par exemple, la fatigue cérébrale, qui se manifeste par des sensations de lourdeur, de bouillonnement ou de fourmillement dans le cerveau («comme si des vers vous grouillaient sans arrêt dans le crâne», explique-t-on), est un syndrome fréquent, associé en général aux efforts qu'exige tout apprentissage[23]. Il frappe en général les jeunes qui sont les premiers dans leur famille à avoir accès à l'alphabétisation, démarche qui suppose que le sujet se sépare de ses proches et de sa communauté pour se prêter à un processus non familier.

Dans le sud-est de l'Asie, certaines peuplades sont obsédées à l'idée que leurs organes génitaux puissent un jour se rétracter et s'invaginer dans leur abdomen: ce phénomène, qui peut prendre des proportions endémiques, est connu sous le nom de *koro* ou *suk-yeong*[24]. Une terreur soudaine s'empare des victimes, qui, toutes ensemble, se mettent à s'affoler; les hommes auront alors recours à tous les moyens possibles — crampons, ficelles, bandes élastiques, épingles à linge — pour empêcher leur sexe de se rétrécir, tandis que les femmes (plus rarement touchées par ce trouble étrange), obnubilées par le fantasme que leurs seins, leurs mamelons et les lèvres de leur vulve sont en train de disparaître, réagiront en affichant une frigidité soudaine.

Les médecins et les chercheurs formés selon la tradition occidentale pourront être tentés d'interpréter ces obsessions, pour le moins pittoresques, comme un symptôme de perversion. Or le phénomène va bien au-delà d'une simple altération temporaire de la perception du corps; ce qui est en jeu, en fait, c'est une angoisse de castration aiguë à formulation hypocondriaque. Dans la plupart des cas, les victimes de ce syndrome collectif retrouveront leur état de santé initial peu après qu'elles se seront assurées que le fléau s'est résorbé ou qu'il n'a jamais eu lieu. Pour saisir la portée dramatique de cette sensation physique de rétrécissement, souvent associée d'ailleurs à des changements physiologiques induits par le froid, l'effort physique, le vieillissement ou la maladie, il est essentiel de la replacer dans le contexte culturel où elle survient, contexte caractérisé ici fortement par des mœurs où la faiblesse sexuelle est fortement redoutée.

D'autres symptômes du même type sont reliés dans certaines sociétés primitives vivant sur le territoire asiatique à la manifestation d'esprits ou de fantômes, à des pouvoirs surnaturels, et parfois même à la croyance que la rétractation du pénis engendre la mort[25]. Dans certaines régions de l'Indonésie et de la Malaisie, par exemple, une vieille superstition veut que l'âme d'une femme qui meurt en couches devienne un esprit malicieux susceptible de se réincarner sous la forme d'un vampire et de venir arracher à son mari ses organes sexuels. On sait également que la peur de perdre son sperme (connue sous le nom de *dhat*) est une préoccupation courante chez les hommes dans certaines sociétés hindoues.

Fatigue cérébrale, *koro* et *dhat:* ce ne sont là que quelques exemples des syndromes transculturels auxquels notre système de santé commence à s'intéresser. La même bureaucratie médicale que celle qui, depuis longtemps, sous-estime les femmes est loin de tenir compte également des symptômes reliés à des croyances ou à des mœurs culturelles différentes des nôtres. Cette situation est tout particulièrement dramatique en territoire urbain, où vivent un très grand nombre d'immigrants, qui n'ont pas d'assurance-santé (il est intéressant de savoir que 43 % des immigrants qui ne sont pas encore naturalisés n'ont pas d'assurance-santé[26], par comparaison avec 16 % dans la population globale), fréquentent les cliniques et les hôpitaux des quartiers défavorisés dans l'espoir de trouver soulagement à des symptômes dont les médecins n'ont pas la moindre idée très souvent, pas plus d'ailleurs qu'ils sont au fait des croyances sur lesquelles ces malaises s'articulent.

Au nom de la rectitude politique, une nouvelle perspective, d'inspiration multiculturelle, est toutefois en train de pousser encore plus loin les transformations que le féminisme a suscitées dans les programmes des facultés de médecine. Une attention de plus en plus grande à ce que les psychiatres appellent «les langages de la détresse» est déjà perceptible dans certains cours offerts dans les centres médicaux des quartiers défavorisés et dans les hôpitaux urbains.

Un programme de ce type a été mis sur pied il y a quelques années au Mount Sinai Hospital, à New York[27]. Les cours, dispensés par des professeurs d'origines ethniques diverses, sont centrés sur les différences culturelles entre les Asiatiques, les Afro-Américains, les Latins et les Juifs orthodoxes, qui forment la majeure partie de la clientèle du Mount Sinai, dans le rapport à la maladie. On enseigne, par exemple, aux étudiants que: les patients d'origine asiatique peuvent omettre de mentionner à leur médecin qu'ils prennent certains remèdes à base de plantes médicinales qui pourraient interagir avec d'autres médicaments, tout simplement parce qu'ils ne les considèrent pas comme des médicaments; les Juifs orthodoxes consultent habituellement leur rabbin avant de se soumettre à une opération chirurgicale, laquelle ne devrait d'ailleurs jamais avoir lieu le jour du Sabbat; le syndrome du *naharat*, qui se manifeste chez les Iraniens par le mutisme, la morosité, le dégoût des aliments et divers symptômes d'inconfort physique (douleurs thoraciques, douleurs articulaires et problèmes digestifs), masque souvent une dépression plus profonde, qui peut résulter des bouleversements socioculturels résultant de leur séparation d'avec le milieu d'origine — information dont pourront être appelés à tenir compte les médecins pratiquant dans les régions où se sont établis un grand nombre de réfugiés iraniens depuis la révolution islamique et la guerre entre l'Iran et l'Irak.

Les chercheurs en psychiatrie, dont on a critiqué pendant longtemps la négligence à prendre en compte les minorités culturelles dans leurs études épidémiologiques, s'emploient depuis quelques années à corriger ces omissions, ouvrant ainsi la voie à une approche multiculturelle des soins de santé. Des efforts louables ont ainsi été réalisés dans la plus récente édition du *DSM* pour intégrer certains détails sur la façon dont la maladie, la souffrance et les symptômes somatiques peuvent se traduire chez certains groupes ethniques. Pour la première fois, apparaît à la fin du manuel un appendice où sont énumérés divers symptômes influencés par les mœurs culturelles; ces indications devraient aider les cliniciens à soigner leurs patients en tenant compte de croyances et d'attitudes autres que celles du monde occidental dans l'approche et l'appréciation des maladies.

Prenons l'exemple de la neurasthénie, syndrome d'épuisement nerveux beaucoup moins fréquent maintenant en Amérique du Nord, mais dont l'incidence est encore très élevée en Chine[28]. (La maladie mentale est à ce point stigmatisée en Chine qu'un diagnostic de maladie psychiatrique peut être un obstacle au mariage et peut affecter le statut de l'individu dans la communauté. Pour la même raison, la profession de psychiatre n'est pas très valorisée dans ce pays.) Les aspects somatiques et psychiques de la neurasthénie — faiblesse générale, maux de tête, fatigue et désespoir extrême — ne sont pas compatibles avec la médecine chinoise traditionnelle, qui aborde les questions de santé dans la perspective plus générale de l'«énergie vitale» (*ch'i*) et de l'équilibre biologique entre le *yin* et le *yang*. Le diagnostic de neurasthénie permet au patient de faire place dans ses rencontres avec le médecin soignant au récit d'événements traumatisants, à l'évocation de la perte d'un être cher ou à l'expression d'une profonde détresse émotionnelle, qui, autrement trouveraient difficilement à s'exprimer dans une société où la maladie mentale est sévèrement jugée.

Il ne faudrait pas croire cependant que les mœurs culturelles n'interviennent dans l'expression et l'interprétation des symptômes que dans les sociétés primitives ou les pays étrangers, ou que ce paramètre de la maladie n'a de pertinence que chez les immigrants. L'appréciation des phénomènes pathologiques et les jugements qui sont portés dans notre propre société, très diversifiée dans ses origines, à l'égard d'individus dont les valeurs s'enracinent dans un legs vieux de plusieurs générations est souvent infléchie, elle aussi, par certaines idées reçues ou partis pris.

Une étude menée par des chercheurs en anthropologie sociale[29] auprès de la clientèle d'une clinique, composée essentiellement de Noirs et de Blancs à très faible revenu, située en milieu rural dans les Appalaches, a ainsi mis en évidence un grand nombre de diagnostics inappropriés dus à une méconnaissance de certains facteurs culturels. Après avoir eux-mêmes interviewé les patients pour connaître la source de leur souffrance, les investigateurs ont observé que certaines mentions («haut sang», «faible», «étourdi», «muscles enflés», «mes nerfs...», «mon sucre...») revenaient très souvent dans le discours des patients pour exprimer des symptômes physiques et psychiques constituant, à l'évidence, un syndrome très complexe. Lorsqu'ils ont ensuite comparé ces symptômes aux diagnostics d'inspiration biomédicale qu'avaient déjà établis les médecins consultés avant l'enquête (lesquels venaient pour la plupart du nord-est des États-Unis), les chercheurs ont constaté que l'interprétation que ces derniers avaient faite des symptômes relevés et l'interprétation qu'ils en avaient faite eux-mêmes étaient passablement différentes. Ils furent à même de constater également les conséquences de ces diagnostics mal ciblés: tests inutiles, frustrations chez le patient aussi bien que chez le médecin et faible amélioration de la santé physique et mentale des patients.

Des études menées dans les années soixante et soixante-dix[30] sur le rapport entre la nationalité et le comportement face à la maladie suggèrent par ailleurs que certaines constantes peuvent être dégagées dans la comparaison des façons dont les patients d'origines ethniques différentes réagissent à la maladie, différences qui ne devraient pas être examinées et encore moins jugées en termes moraux, cela va sans dire.

L'hypocondrie augmente-t-elle avec l'âge?

La douleur et l'angoisse reliées au vieillissement doivent également être prises en compte. Les personnes âgées qui souffrent de maladies chroniques, par exemple, sont confrontées à des problèmes que les jeunes et les personnes en parfaite santé ne peuvent pas imaginer: incapacité physique, dysfonctionnement mental, baisse de revenus et de statut socioprofessionnel, isolement, perspective de devoir séjourner dans un hôpital ou en institution, de devenir un fardeau pour leurs proches, et ultimement de mourir. Le stress qui accompagne le vieillissement est énorme, et souvent terrifiant. Il n'y aurait donc pas à s'étonner qu'après 65 ans les gens s'inquiètent davantage de leur santé, se préoccupent davantage de leurs fonctions physiologiques et affichent des tendances à l'hypocondrie. Or les faits ne permettent pas d'établir de telles corrélations: si l'on se fonde sur les études effectuées sur la question, rien ne laisse supposer, en effet, que l'hypocondrie augmente avec l'âge.

Certes, les personnes âgées sont plus susceptibles que le reste de la population aux maladies organiques et à divers types d'affections chroniques, mais, lorsqu'il s'agit pour eux d'évaluer leur état de santé et leur bien-être, l'âge est largement supplanté par la personnalité parmi les facteurs qui influencent les perceptions personnelles. «Contrairement à la croyance générale, des manifestations telles que le désespoir, la dépression et l'hypocondrie sont loin d'être endémiques chez les personnes âgées; cette idée n'a pas vraiment de fondement dans la réalité», soutient le psychologue Paul T. Costa fils, du centre de recherche en gérontologie du National Institute on Aging. «Les personnes qui, à un âge avancé, se plaignent exagérément de leur état physique devaient, fort probablement, le faire depuis très longtemps déjà[31].»

Selon le psychologue Martin E. P. Seligman[32], qui a étudié de près la question de l'optimisme, la tendance à voir le verre à moitié vide ou à moitié plein change très peu avec l'âge. Par tempérament, les optimistes auront tendance à voir leurs malheurs comme des obstacles temporaires et surmontables, rien de plus que quelques malchances, tandis que les pessimistes se sentiront facilement désespérés ou désemparés face à l'adversité et verront les revers de la vie comme autant d'échecs personnels. Le chercheur a comparé, par exemple, pour chaque personne âgée qui faisait partie de l'échantillon, le journal personnel qu'elle avait tenu durant l'adolescence et le compte rendu qu'elle avait fait de sa vie récente pour les besoins de l'enquête. Conclusions? Les hommes et les femmes qui s'avéraient craintifs, déprimés et incertains d'eux-mêmes étaient déjà, à l'adolescence, craintifs, déprimés et incertains d'eux-mêmes. Ainsi, des femmes qui, à l'adolescence, avaient pris note que les garçons ne s'intéressaient pas à elles parce qu'elles ne se sentaient pas attirantes ou dignes d'être aimées ont écrit cinquante ans plus tard qu'elles ne se sentaient pas aimées lorsque leurs petits-enfants omettaient de leur rendre visite.

Une autre étude, menée cette fois auprès de sujets de classe moyenne qui résidaient en 1928 à San Francisco et qui ont été retracés et interrogés quarante ans plus tard pour les besoins de l'enquête, laisse entendre que ceux qui se sentaient le plus mal en point à un âge avancé étaient les mêmes qui, à l'âge de 30 ans, avaient recours à ce que Seligman appelle le «style explicatif pessimiste» (d'autres «une tendance à la névrose») pour décrire leur état de santé, trait de tempérament qui semble n'avoir aucun lien avec l'âge. La peur, la rumination, la timidité, l'anxiété, la colère et une faible estime de soi sont les caractéristiques les plus courantes de cette tendance. D'autres traits peuvent y être associés: une surveillance des moindres réactions biophysiologiques à des plaintes exagérées, des troubles hypocondriaques et une susceptibilité à la dépression. Ces personnes «entretiennent un système de croyances de type pessimiste, couplé à une propension à répéter que tout va mal, explique Seligman. Même quand tout va bien, le pessimiste reste hanté par un sentiment de catastrophe.»

Il ne s'agit pas ici de nier que des problèmes d'hypocondrie puissent se manifester chez les personnes âgées, mais de prendre conscience — avec un certain étonnement peut-être — que, compte tenu du taux élevé de maladies et de cas de troubles de débilité dans ce groupe d'âge, les attitudes ne changent pas tellement avec les années. De fait, des recherches suggèrent que les personnes d'âge avancé évalueraient même leur état de santé de façon beaucoup plus positive que ne le font les plus jeunes.

Les conclusions d'une étude de grande envergure, étalée sur de nombreuses années, auprès de plusieurs centaines d'hommes et de femmes dont l'âge variait entre 17 et 97 ans permettent de croire que les troubles cardiovasculaires, génito-urinaires et sensoriels augmentent avec l'âge; fait surprenant, toutefois, les plaintes somatiques relatives à des troubles diffus ne seraient pas plus nombreuses après qu'avant 65 ans[33]. «Cette absence de démarcation pourrait être attribuable au fait que les plaintes diminuent en proportion de l'incapacité qui survient avec l'âge, dit le psychologue-gérontologue Paul T. Costa fils: une plainte formulée par un sujet de 30 ans peut, selon toute vraisemblance, traduire une prise de conscience parfaitement justifiée chez celui qui en a 80.»

Plusieurs études sont venues renforcer l'idée que les personnes âgées feraient une évaluation très réaliste de leur bien-être physique et de leur santé (relativement stable) sur le plan mental. Au terme d'une étude épidémiologique menée par le National Institute of Mental Health (NIMH), les chercheurs ont pu conclure que les troubles mentaux de toutes sortes étaient beaucoup plus fréquents chez les groupes d'âge moins avancé, en particulier chez les sujets de moins de 35 ans, que chez les sujets plus âgés; le seul trouble qui était plus fréquent après 65 ans était le déficit cognitif. On laisse entendre également que la somatisation — terme général servant à désigner, dans ce cas-ci, les plaintes somatiques inexpliquées — ne serait pas plus fréquente à un âge avancé. Bien que les études menées par le NIMH ne comprenaient pas de tests spécifiques pour dépister les tendances hypocondriaques selon les groupes d'âge, les données recueillies suggèrent néanmoins que c'est entre

30 et 60 ans que l'hypocondrie atteindrait son intensité maximale, et non après. Le Dr Arthur Barsky arrive à des conclusions semblables: un test que son équipe a administré à des patients d'âges divers pour tenter d'évaluer la susceptibilité à l'hypocondrie révèle que les sujets les plus jeunes se disant convaincus d'être malades ou craignant de le devenir étaient plus nombreux que les sujets plus âgés, pourtant affectés par des maladies beaucoup plus graves.

Plusieurs facteurs peuvent être invoqués pour expliquer la discrétion ou le réalisme des personnes âgées quand il s'agit de parler de leur santé. Le premier facteur a trait à ce que les sociologues appellent le phénomène du «groupe de référence» ou ce que le gérontologue Stephen Crystal, de l'Université Rutgers, appelle le facteur «Henny Youngman» (N'importe Quel Jeune Homme)[34]. «Le cadre de référence par rapport auquel les personnes âgées évaluent leur état de santé ou leur bien-être est, bien entendu, très différent de celui des sujets plus jeunes. Elles jugent très souvent leur état en le comparant à celui de leurs propres amis, qui peuvent être dans une situation pire que la leur», explique le professeur Crystal. Les attentes par rapport à la santé diminuent nécessairement avec l'âge. Les gens plus âgés *ne s'étonnent pas* d'être fatigués après un exercice physique ou d'avoir des problèmes de digestion à la suite d'un repas copieux.

Un autre facteur qui peut atténuer la propension à l'hypocondrie chez les personnes âgées est l'effort auquel elles s'astreignent souvent pour échapper au stéréotype du «vieux grincheux» qui collectionne les symptômes comme on collectionne les timbres et qui rend fous ses médecins et ses enfants avec ses plaintes interminables.

Selon certains médecins spécialisés en gériatrie et d'autres professionnels de la santé qui sont continuellement en contact avec les patients plus âgés, nous sommes actuellement à un tournant important dans la façon dont la société voit et traite ce type de patient et dans la manière dont elle perçoit leurs capacités réelles. L'image du vieillard attendant de mourir est en train de faire place à une vision beaucoup plus sereine, dit le Dr Crystal, où l'accent est mis davantage sur le plaisir d'être grand-parent, la disponibilité pour certaines activités (exercice physique, sports, voyage), la vigueur, la vivacité d'esprit — en un mot le bonheur d'être en vie!

1. Voir Mack LIPKIN, JR., et Gerri S. LAMB, «The Couvade Syndrome: An Epidemiologic Study», *Annals of Internal Medicine*, nº 96, avril 1982, p. 509-511.
2. Voir Gary W. SMALL *et al.*, «Mass Hysteria among Student Performers: Social Relationship as a Symptom Predictor», *American Journal of Psychiatry*, nº 148, septembre 1991, p. 1200-1205.
3. Gary W. SMALL, entrevue réalisée le 7 février 1995.
4. Deborah TANNEN, *You Just Don't Understand: Women and Men in Conversation*, New York, Ballantine, 1990, p. 42.
5. Voir Gina KOLATA, «Man's World, Woman's World? Brain Studies Point to Differences», *New York Times*, 28 février 1995, p. C-1, C-7.
6. James W. PENNEBAKER, entrevue réalisée le 19 mars 1995. Voir aussi *The Psychology of Physical Symptoms*, New York, Springer-Verlag, 1982, p. 4-9.
7. Sherrie H. KAPLAN, entrevue réalisée le 10 avril 1995.
8. Voir Douglas DROSSMAN, «Psychosocial Factors in Chronic Functional Abdominal Pain», dans E. A. MAYER et H. E. RAYBOUL (dir.), *Basic and Clinical Aspects of Chronic Abdominal Pain,* New York, Elsevier Science Publishing, 1993, p. 271-280. Voir aussi Douglas DROSSMAN *et al.,* «Sexual and Physical Abuse in Women with Functional or Organic Gastrointestinal Disorders», *Annals of Internal Medicine*, nº 113, décembre 1990, p. 828-833.
9. Voir «Doctors Rarely Ask Patients about Abuse», *Washington Post Health*, 21 juillet 1992.
10. Voir Cynthia COSTELLO et Ann J. STONE (dir.), *The American Woman 1994-95: Where We Stand*, New York, Norton, 1994, p. 60-61 et 122.
11. Voir Leslie LAURENCE et Beth WEINHOUSE, *Outrageous Pratices: The Alarming Truth about How Medicine Mistreats Women*, New York, Fawcett Columbine, 1994, p. 338.
12. Voir Jacqueline M. GOLDING *et al.* , «Does Somatization Disorder Occur in Men?», *Archives of General Psychiatry*, nº 48, mars 1991, p. 231-235.
13. John M. SMITH, *Women and Doctors: A Physician's Explosive Account of Women's Medical Treatment, and Mistreatment, in America Today and What You Can Do about It*, New York, Atlantic Monthly Press, 1992, p. 27-28.
14. Il s'agit de l'Office of Research on Women's Health. Voir *ibid.*, p. 14-15.
15. Voir Robin MARANTZ HENIG, «Are Women's Hearts Different?», *New York Times Magazine*, 3 octobre 1993, p. 58-60.
16. Sylvia POLLACK (Beth Israel Medical Center, Newark), entrevue réalisée le 10 mars 1995.
17. Rapporté dans «We're Not Like Men», *Harvard Women's Health Watch*, octobre 1994, p. 6.
18. Richard RESTAK, *The Brain Has a Mind of Its Own: Insights from a Practicing Neurologist*, New York, Harmony, 1991, p. 121-122.
19. Mentionné dans Arthur KLEINMAN, *The Illness Narratives: Suffering, Healing, and the Human Condition*, ouvr. cité, p. 14.
20. Voir Javier I. ESCOBAR, «Somatic Symptom Index: A New and Abridged Somatization Construct», *Journal of Nervous and Mental Disease*, nº 177, 1989, p. 140-146. Du même auteur, voir aussi «Transcultural Aspects of Dissociative and Somatoform Disorders», *Psychiatric Clinics of North America*, nº 18, septembre 1995, p. 555-569.
21. Lynn PAYER, *Medicine and Culture: Varieties of Treatment in the United States, England, West Germany, and France,* New York, Henry Holt, 1988, p. 103.

22. Voir Andrew WEIL, *Health and Healing: Understanding Conventional and Alternative Medicine*, Boston, Houghton Mifflin, 1983, p. 43.
23. Voir Laurence J. KIRMAYER, «Somatization and Psychologization: Understanding Cultural Idioms of Distress», dans S. OKPAKU (dir.), *Clinical Methods in Transcultural Psychiatry,* American Psychiatric Press, à paraître.
24. Voir Robert E. BARTHOLOMEW, «The Social Psychology of "Epidemic" Koro», *International Journal of Social Psychiatry*, n° 40, 1994, p. 46-60.
25. Voir Raymond PRINCE, «Koro and the Fox Spirit of Hainan Island», dans Laurence KIRMAYER (dir.), *The Vulnerable Male,* publié dans la *Transcultural Psychiatric Research Review*, Montréal, McGill-Queens University Press, 1992, vol. XXIX, n° 2, p. 128-129.
26. Voir Monique P. YAZIGI, «Curing Sick Stereotypes», *New York Times*, «Education Life», 10 avril 1994, p. 7. Voir aussi le *New York Times* du 25 janvier 1995, p. A-13.
27. Voir *ibid.*
28. Voir Arthur KLEINMAN, *The Illness Narratives*, ouvr. cité, p. 108-110.
29. Craig KAPLAN *et al.* , «Somatization in Primary Care: Patients with Unexplained and Vexing Medical Complaints»,*Journal of General Internal Medicine*, n° 3, mars-avril 1988, p. 183.
30. On trouvera un compte rendu de ces études dans Robert KELLNER, *Somatization and Hypocondriasis*, ouvr. cité, p. 75-82. Voir aussi: Edward SHORTER, *From the Mind into the Body*, ouvr. cité; et David B. MORRIS, *The Culture of Pain*, ouvr. cité.
31. Paul T. COSTA, JR., entrevue réalisée le 16 février 1995.
32. Voir Martin E. P. SELIGMAN, *Learned Optimism*, ouvr. cité.
33. Il s'agit de l'étude intitulée*The Baltimore Longitudinal Study of Aging*. Voir Paul T. COSTA, JR., et Robert R. MCCRAE, «Hypochondriasis, Neuroticism, and Aging», *American Psychologist*, n° 40, janvier 1985, p. 19-28. Voir aussi Arthur J. BARSKY *et al.*, «The Relation between Hypochondriasis and Age», *American Journal of Psychiatry*, n° 148, juillet 1991, p. 923-928.
34. Stephen CRYSTAL, entrevue réalisée le 17 avril 1995.

Chapitre 8

La maladie comme mode de communication au sein de la famille

S'il y a tant de dilemmes familiaux que nous n'arrivons pas à résoudre, c'est parce que nous ne tenons pas compte de la dynamique familiale, nous refusons d'admettre que le comportement de chacun des membres de la famille influence directement et est influencé par celui des autres.

Salvador MINUCHIN,
Family Healing

Alexandre a deux ans et demi — et aime bien les pansements aux couleurs vives. Ses parents s'offrent-ils un petit moment de répit pour se relaxer, ou s'occupent-ils de manière un peu trop insistante du frère aîné, qu'il se met à harceler sa maman pour qu'elle change le pansement adhésif qu'il porte à l'index, comme cela s'est produit à plusieurs reprises au cours des vacances que nous avons passées avec lui et sa famille il y a quelque temps. Il lui est même déjà arrivé de demander des pansements — fluos s'il vous plaît! — plus d'une douzaine de fois au cours d'un week-end, rapporte son père, visiblement préoccupé par cette «mauvaise habitude». Et quand ce ne sont pas des pansements qu'il réclame, c'est du sirop contre la toux ou quelque autre remède pour soigner ses maux de tête ou ses maux de ventre; s'il est au plus mal, son émission de télé préférée fera tout à fait l'affaire... Ces «médicaments» agiront pendant quelques heures, puis il leur servira à nouveau son petit manège. C'est chaque fois le même scénario : Alexandre se lamente, maman court chercher le remède réclamé, et papa s'emporte : «Quand va-t-on cesser de répondre à tous ses caprices?!...»

Mais sont-ce vraiment des «caprices»? Car il ne m'a pas semblé qu'il jouait la comédie lorsque j'ai été à même de l'observer: il avait tout simplement besoin qu'on s'occupe un peu de lui, besoin qui prenait ici la forme d'un malaise physique authentique. Se faire soigner, c'est aussi se faire dorloter. Alexandre est-il pour autant un hypocondriaque en herbe? Serait-il prédisposé à la douleur chronique? Difficile à dire. Une chose est sûre cependant : les mécanismes lui permettant de composer avec les perturbations émotionnelles sont en place — et déjà à l'œuvre. De même, le fait de répondre sur-le-champ aux demandes de l'enfant pour calmer son anxiété a visiblement commencé à créer des dissensions entre les parents, qui, au cours des quelques jours que nous avons passés avec eux, ne semblaient pas pouvoir s'empêcher d'agir de la sorte avec leur enfant, ou l'un à l'égard de l'autre. Et pour dire vrai, Alexandre semblait ravi que l'on fasse aussi grand cas de lui.

J'ose espérer que je n'aurai pas transmis à mes enfants mes tendances obsessionnelles, ni mon hypocondrie; j'ai fait l'impossible en tout cas pour les en protéger, notamment en étant attentive à ne pas manifester une inquiétude exagérée lorsqu'ils étaient malades. Lorsque ma fille me montre l'ecchymose qu'elle s'est faite au bras ou une petite ulcération qui s'est développée dans sa bouche, j'essaie de prendre sur moi — après un petit moment d'affolement intérieur, je ne vous le cacherai pas — puis je lui dis de ne pas s'inquiéter, que c'en sera fait du petit bobo dans quelques jours. Et je ne m'en suis pas trop mal sortie jusqu'à maintenant! J'essaie également de ne pas me laisser aller à mes impulsions lorsqu'il m'arrive de jeter un coup d'œil à l'eczéma qui couvre sporadiquement les pieds de mon fils — et j'ai donné au pédiatre la permission de me rassurer à ce propos, de me redire que c'est une affection bénigne et qui va probablement passer avec le temps... Ce qui ne m'empêche pas de me faire du mauvais sang pendant que j'attends les résultats de leurs tests médicaux, comme je le fais pour toutes mes analyses de laboratoire. Je ne dois pas être le seul parent, j'imagine, qui, à la sortie de l'hôpital avec son enfant dans les bras, doit s'administrer une bonne dose d'hygiène mentale en se disant: «Elle vient d'avoir dix points de suture, mais ce n'est pas grave...»

J'ai été à même de constater néanmoins, en observant le comportement de mon fils, que les enfants découvrent très tôt le pouvoir de la maladie.

Un jour, alors qu'il était resté alité toute la journée à regarder calmement un vidéo, il se mit à hurler : «Aie! Mes yeux! Aie!», en plissant les paupières de douleur. «Où ça?» lui demandai-je aussitôt fébrilement en examinant attentivement ses grands yeux bleus. «J'ai mal! Ça brûle!», reprit-il, en pleurant. Je me rappelai soudain avoir lu quelques semaines auparavant un article à propos d'un médecin qui pratiquait des interventions extrêmement délicates chez des enfants atteints de tumeurs cérébrales. On y faisait allusion notamment au cas d'un petit garçon qui éprouvait une douleur si intense qu'il se frappait continuellement la tête sur le mur. Où avait-il mal déjà?... *Aux yeux!* Mon Dieu! Qu'est-ce que je dois faire?! Me rendre tout de suite à l'hôpital? Appeler le 911? Est-ce que je m'inquiète pour rien? Pendant que je brassais toutes ces questions dans ma tête, Michael se retourna sur le côté puis s'endormit. Lorsqu'il se réveilla, je ne pus m'empêcher de poursuivre mon interrogatoire : «Est-ce que tu as encore mal aux yeux? — Non... — En es-tu sûr? — Oui, maman. — En es-tu vraiment sûr? — OUI!» Quoi d'autre demander à un enfant de trois ans?... Les jours suivants, je surveillai de près l'évolution de sa «maladie». Il finit par retrouver son énergie, et moi mon sang-froid. Puis l'incident passa à l'oubli, du moins le croyais-je.

Un an plus tard, nous eûmes à traverser avec lui une nouvelle phase: au beau milieu de la nuit, Michael, refusant systématiquement de rester dans sa chambre, avait pris l'habitude de venir nous rejoindre au lit. Jusqu'à ce que mon mari décide de lui retirer ce «privilège». «Non, je n'irai pas dans ma chambre, riposta-t-il, parce que ma chambre, je la déteste! Je n'aime pas mon lit! Je n'aime pas mes jouets, non plus! Et puis je n'aime pas cette maison!» Je restais étendue, plus amusée que choquée, à écouter ses tirades. Chaque fois que l'épisode nous semblait terminé, il repartait de plus belle dans ses dénonciations : «Je n'aime pas mon pyjama. Je ne me sens pas bien dans ce pyjama!» ou «J'ai fait un mauvais rêve!...» Puis, un jour, il brandit son arme la plus puissante : «Mes yeux! Aie! J'ai mal aux yeux!» Il n'avait rien oublié.

L'apprentissage du langage de la douleur

On ne naît pas hypocondriaque, ce qui ne veut pas dire toutefois que l'on ne soit pas exposé dès l'enfance à le devenir. Quiconque a eu (ou a été en contact avec) des enfants sait combien se définit tôt le tempérament; en effet, à peine sont-ils sortis du sein maternel que les nouveau-nés laissent voir des traits de personnalité et de comportement bien à eux. Les enfants n'ont pas non plus le même bagage génétique ni la même susceptibilité physiologique à la maladie. Selon l'éminent psychologue Jerome Kagan, de Harvard, 15 % des enfants naissent avec des prédispositions à l'anxiété ou à la peur, en vertu d'un héritage neurobiochimique qui les rend particulièrement réceptifs aux sensations tactiles et sonores et facilement excitables lorsqu'ils sont confrontés à des éléments nouveaux ou peu familiers[1].

Tout au long de son développement, l'enfant est assailli par des douleurs physiques et psychiques dont il ne peut, bien sûr, saisir toute la portée. Le vocabulaire et l'expérience d'un tout jeune enfant étant encore assez limités, il n'est pas toujours facile pour les parents d'identifier la source du mal. Comment savoir si un jeune enfant est vraiment malade en l'absence d'indices tels qu'un début de fièvre ou un rash? Les douleurs associées à l'éruption des dents et aux otites sont souvent difficiles à distinguer des simples caprices. Il arrive aussi que les tout-petits expriment leur anxiété — celle que peut engendrer notamment l'absence des parents — par des symptômes somatiques. Obtenir d'un enfant de quatre ans une description précise de ce qu'il ressent n'est pas chose facile. «Qu'est-ce qui te fait mal? — Sais pas... — As-tu mal aux oreilles? — Non...» Et le lendemain, le pédiatre diagnostique une double otite. À mesure qu'ils découvrent des indices facilitant le décodage des signaux de détresse de leur enfant, les parents apprennent à connaître son tempérament et ses besoins particuliers.

Autour de l'âge de six ou sept ans, les enfants sont relativement en mesure de faire part de leurs malaises et de leurs difficultés, mais ils ne sont pas aptes encore à différencier la douleur physique de la douleur psychique comme peuvent le faire les adultes. Ne vous attendez donc pas à ce que votre enfant puisse, à cet âge, déterminer clairement s'il a mal au ventre ou s'il n'a pas envie d'aller à l'école parce que les copains se moquent de lui. Étant encore en processus d'apprentissage quant aux façons de verbaliser leurs sentiments, les enfants qui ont atteint l'«âge de raison» ont tendance à extérioriser leurs problèmes émotifs en empruntant des voies indirectes: certains feront une crise de colère, d'autres n'hésiteront pas à mordre ou à frapper un camarade, d'autres enfin se replieront sur eux-mêmes — ou exhiberont certains signes de malaise physique.

Les parents doivent faire en sorte d'inciter un enfant de cet âge à verbaliser le plus clairement possible ses sentiments et à apprendre à composer avec les situations terrifiantes ou désagréables auxquelles il est exposé. S'ils ne se préoccupent pas de lui apprendre comment laisser savoir aux autres qu'il est malheureux, l'enfant pourra avoir de la difficulté à faire la différence entre un symptôme physique et une inquiétude; or la connexion entre les deux phénomènes est essentielle à la guérison.

Les douleurs fantomatiques, qui semblent émerger de nulle part, sont un phénomène courant durant l'enfance et l'adolescence.

À mesure qu'ils grandissent, les enfants font l'expérience de ces malaises diffus qui envahissent différentes parties du corps, sans nécessairement être malades, au sens strict du terme. Les parents devraient tenir compte de ces manifestations. N'importe quel symptôme peut être une source d'inquiétude très profonde pour l'enfant. Heureusement, les douleurs diffuses sont en général causées par un stress temporaire, et non par une maladie organique.

La plupart des affections dont les enfants sont victimes se guérissent d'elles-mêmes; les maladies graves restent relativement rares — elles sont l'exception plutôt que la règle. Aussi les parents devraient-ils s'abstenir de courir chez le médecin au moindre symptôme; on ne devrait faire appel aux services médicaux qu'en dernier ressort, dit le Dr Robert S. Mendelsohn, selon qui 95 % des consultations auprès des pédiatres sont injustifiées, et même dangereuses sous certains aspects, car elles exposent les enfants aux risques reliés aux tests, aux rayons X, aux médicaments et même à certaines approches, qui, dans bien des cas, «ne pourront jamais remplacer, dit-il, le bon sens d'un parent bien informé[2]».

Un enfant qui se plaint de malaises persistants devrait toutefois, quel que soit son âge, faire l'objet d'un examen approfondi, de manière à pouvoir écarter toute possibilité qu'il soit atteint d'une affection médicale. Si, à en juger d'après les résultats des tests et des examens médicaux, les plaintes apparaissent démesurées ou non fondées, il y aura lieu alors de se demander si des causes affectives ne seraient pas à l'origine des symptômes. Un bon pédiatre devrait pouvoir aider les parents à déterminer s'il convient ou non de poursuivre l'investigation. Il faut s'enlever de la tête l'idée que l'enfant n'est pas exposé au stress, que c'est un problème d'adulte; certaines périodes de transition durant la croissance peuvent s'accompagner en effet de malaises de toutes sortes, qui devraient normalement se résorber d'eux-mêmes. Une mise en garde s'impose néanmoins : si des symptômes qui paraissent n'avoir aucun fondement physiologique persistent au-delà de quelques mois, ou s'ils s'aggravent ou commencent à interférer avec les activités habituelles de l'enfant, il est possible qu'un problème affectif — dépression, trouble panique, trouble obsessionnel — susceptible chez l'adulte de sous-tendre un problème d'hypocondrie affecte l'enfant.

Dépression. Il y a une vingtaine d'années, l'idée que la dépression puisse survenir chez un enfant paraissait complètement farfelue; il a fallu attendre jusqu'en 1980 pour que soit émis le tout premier diagnostic de dépression infantile, et pour que la recherche se penche ensuite sur le problème. En se fondant sur plusieurs études effectuées sur la question, il semble qu'une proportion de 2 % à 10 % des enfants âgés de 8 à 13 ans soient affectés, au cours d'une année donnée, par un trouble dépressif majeur, taux qui augmenterait à l'adolescence, en particulier chez les filles[3].

La dépression infantile n'a rien à voir avec ces périodes temporaires de tristesse ou de mécontentement que peuvent connaître les enfants; il s'agit d'une profonde détresse qui peut durer plusieurs semaines ou même plus. Comme chez l'adulte, ce trouble peut se manifester non seulement à travers la morosité, mais par divers autres symptômes, tels que le manque d'appétit, l'insomnie, l'agressivité, l'apathie ou le repli sur soi. Elle peut également s'exprimer sous forme de plaintes somatiques vagues telles que maux d'estomac, céphalées et troubles intestinaux. Les enfants affectés par une maladie chronique, l'asthme par exemple, souffrent souvent de dépression : ils peuvent avoir en outre l'impression que leur maladie est un facteur de stress supplémentaire au sein de la famille ou qu'elle en fait des êtres à part.

Trouble panique. Si le trouble panique, tel que défini au chapitre 3, n'est pas très fréquent chez l'enfant, les jeunes peuvent néanmoins avoir des réactions de stress excessives et afficher divers symptômes de panique : mains moites, battements de cœur, douleur thoracique, spasmes musculaires, tremblements, sentiment de catastrophe imminente, etc. Les statistiques révèlent que 10 % des enfants auraient eu, avant la troisième année du cours secondaire, une attaque de panique au moins[4].

Trouble obsessionnel-compulsif. Le trouble obsessionnel-compulsif émerge habituellement au milieu de l'adolescence, ce qui n'exclut pas toutefois qu'il puisse commencer à se développer à un âge plus précoce. La moitié des adultes qui souffrent de ce trouble disent que leurs toutes premières pensées récurrentes ou premiers comportements répétitifs remontent à leurs années de jeunesse[5]. Ces obsessions ou/et compulsions, dont la gravité ne doit pas être sous-estimée, n'ont rien à voir avec la «pensée magique», phénomène courant chez l'enfant : rituels du coucher, besoin de traîner avec soi sa petite couverture, superstitions (ne pas marcher sur les fentes des trottoirs par exemple), etc. Lorsqu'un enfant affiche fréquemment des comportements répétitifs, c'est-à-dire fortement ritualisés, il faut envisager la possibilité qu'il tente ainsi d'étouffer des peurs obsédantes ou une phobie quelconque. Il ne s'agit pas ici d'une simple crainte mais d'une peur envahissante et persistante, «que même les propos rassurants d'un parent, qui mettra par exemple l'enfant devant l'évidence qu'*il n'y a pas* de monstre qui se tapit sous le lit, ou qui promettra d'être de retour à une heure donnée, ne pourront éclipser[6]».

Hypocondrie. Le cycle peur-réconfort-attention médicale, caractéristique de l'hypocondrie chez l'adulte, est assez peu probable chez l'enfant en proie à des maladies imaginaires, celui-ci n'étant pas en mesure, avant un certain âge, de décider s'il y a lieu ou non de consulter un médecin. Il serait donc excessif de parler d'hypocondrie, d'autant que l'enfant se préoccupe davantage de voir sa douleur soulagée au plus tôt que d'imaginer le pire ou de s'interroger sur sa douleur. Les jeunes ne manifesteraient pas d'obsessions hypocondriaques (comme celles que peuvent nourrir les adultes) avant l'âge de 7 ou 8 ans, où commence à s'exercer la capacité, sur le plan cognitif, d'élaborer des scénarios hypothétiques et une représentation mentale du futur, s'il faut en croire certaines études sur le sujet[7]. Une perception réaliste du phénomène de la mort n'émergerait pas non plus avant l'âge de 10 ans environ (la moitié des élèves de quatrième année du cours élémentaire ne comprennent pas clairement la nature irréversible du phénomène de la mort, révèle une étude).

C'est entre l'âge de 12 et 18 ans que les jeunes seraient le plus en proie à l'anxiété[8]. L'adolescence est une période d'introspection intense, où l'attention aux émotions et aux sensations physiques est particulièrement marquée. C'est aussi le moment où une grande curiosité — et insécurité — à propos du corps et de la sexualité commence à transparaître. À cet âge, la peur de l'échec, l'incertitude liée au fait d'être accepté ou non par les pairs et la crainte de l'exclusion sont des préoccupations beaucoup plus importantes que le spectre de la maladie. Les filles aux prises avec un problème de dépendance auront tendance à masquer leur anxiété par rapport aux exigences de la vie adulte en se privant ou en se gavant de nourriture (on sait l'incidence de l'anorexie et de la boulimie à cet âge) plutôt que de graviter autour de l'hypocondrie. Les garçons seront portés très souvent, quant à eux, à extérioriser leur détresse par des conduites agressives ou d'autres types de comportements problématiques.

La plupart des enfants en santé vivent, à différents stades de leur développement, un ou plusieurs épisodes d'anxiété, de peur, de douleur diffuse ou d'inconfort, et peut-être même d'«hypocondrie», épisodes dont ils sortiront habituellement assez rapidement et sans trop de mal si les parents ont su soulager leur souffrance, les rassurer et les aider à cerner et à verbaliser leurs sentiments. Si des symptômes persistants ne signalent pas toujours un trouble physique ou psychique grave, ils devraient néanmoins alerter, dans tous les cas, les parents quant à la nécessité d'être plus attentifs à ce que leur enfant essaie d'exprimer, de faire preuve de plus de patience, de compréhension et de lui apporter un soutien indéfectible.

Certains parents sont plus habiles que d'autres à percevoir la dimension affective des malaises physiques qu'affichent leurs enfants : s'agit-il d'un moyen de se défendre de sentiments associés à des expériences terrifiantes sur le plan émotif? ou de devenir le centre d'attention au sein de la famille? de fuir une situation? de se dégager de responsabilités jugées fastidieuses ou difficiles à endosser? Il arrive aussi qu'une agressivité inconsciente alimente certains symptômes : l'enfant utilise alors sa douleur pour punir ses parents du rejet, de la pression ou de la rigidité qu'ils auront pu manifester à son endroit. Il est possible que l'enfant qui se retrouve à l'hôpital à chaque attaque de panique parce qu'il n'arrive plus à respirer trouve ainsi le soutien émotionnel qu'il ne peut recevoir autrement de ses parents.

Ceux-ci devront être attentifs à ne pas encourager indûment ce type de préoccupation, à défaut de quoi des tendances hypocondriaques pourront vraiment s'installer : une batterie de tests imposés à un enfant par des parents ou des médecins anxieux et peu perspicaces pourrait effectivement renforcer la conviction qu'il est malade.

La pédiatre Perri Klass décrit dans un article le cas de cette maman qui décide un soir de conduire à l'hôpital son fils de sept ans, qui s'est plaint toute la journée de douleurs abdominales atroces. Et si c'était une appendicite?..., s'inquiète la mère, sans toutefois perdre de vue le fait que son fils doit passer le lendemain un examen d'épellation — et que son mari a bien averti l'enfant que, si celui-ci n'améliorait pas son rendement scolaire, il lui serait interdit pendant une assez longue période d'utiliser l'ordinateur. Après examen, et les tests d'usage, la possibilité d'une appendicite est systématiquement écartée par le Dr Klass, qui ne retrouve pas non plus dans les symptômes pris en compte aucun syndrome traitable connu. «Est-ce que ce petit garçon fait semblant d'avoir mal à l'estomac pour pouvoir se soustraire à l'obligation d'aller à l'école le lendemain, ou la perspective d'avoir à passer le test d'épellation, d'avoir ensuite à confronter son père advenant un échec, et partant, de perdre son droit d'accès à l'ordinateur le terrifie tellement qu'il a mal à l'estomac?», s'interroge le Dr Klass. Dans les cas extrêmes, l'un et l'autre comportements peuvent traduire certains problèmes psychologiques. «Mais ces comportements pouvant s'appliquer, à un degré ou à un autre, à presque tout le monde, quand donc est-il indiqué, demande-t-elle, de cesser d'inquiéter son enfant à propos de ses malaises? Car il est toujours possible de le soumettre à un autre examen, puis à un autre examen encore jusqu'à ce que les maladies les plus improbables soient écartées — il n'y a plus de fin au processus[9]!»

Ces questions, les parents devraient toujours prendre le temps de se les poser quand leur enfant souffre de symptômes qui ne peuvent être reliés à aucune maladie organique connue. Pour certains d'entre eux, il peut assurément paraître beaucoup plus facile d'encourager l'enfant à jouer les malades que de fouiller dans leurs propres problèmes émotifs. En se centrant sur l'enfant malade, on se trouve inconsciemment à baisser le volume des tensions familiales ou à détourner une crise ou encore à masquer un autre problème (dépression, problème d'alcoolisme, conflits matrimoniaux, etc.).

Le Dr David Sherry, spécialiste de la douleur musculo-squelettique d'origine psychogène chez l'enfant, dit avoir observé que l'atmosphère familiale au milieu de laquelle vivaient les enfants éprouvant des symptômes chroniques était, dans la plupart des cas, très stressante, souvent même intenable. Il lui est arrivé plus d'une fois de découvrir qu'un facteur déstabilisant — mais habituellement voilé — était en cause : un divorce, le décès d'un proche ou la perspective d'un déménagement, par exemple. «Questionnez les parents, et ils vous diront presque toujours que tout va bien à la maison, dit le Dr Sherry : le petit apprend le violon, l'aînée prend des cours de danse classique... Et cetera. Un enfant que j'ai eu à soigner récemment pour une douleur inexplicable aux jambes m'a dit qu'il avait déjà plusieurs trophées à son actif: natation, course de fond, athlétisme[10]!» Ces enfants ont tous en commun, dit le spécialiste, d'être très conciliants, et d'être traités par leurs parents comme s'ils étaient plus brillants, plus forts et plus mûrs qu'ils ne le sont en réalité — des enfants à qui l'on demande trop, en somme. Ils sont exposés alors, plus que les autres, à tenir au sein de la famille des rôles qui ne correspondent pas à leurs capacités réelles, comme cette fillette de 10 ans qui est la meilleure amie de... sa maman! «Ces enfants peuvent se mettre en quatre pour satisfaire les besoins des autres — mais ils ignorent leurs propres besoins, explique-t-il. Ils ont de la difficulté à s'extraire de la famille surprotectrice à laquelle ils appartiennent pour pouvoir enfin devenir eux-mêmes.»

Le syndrome de Münchhausen

Il arrive souvent que, sans s'en apercevoir, les parents renforcent chez leur enfant certaines attitudes face aux malaises corporels ou à la maladie; avec un peu de perspicacité et des efforts soutenus, ils pourront toutefois corriger le tir.

Le cas est passablement plus compliqué toutefois lorsqu'un parent rend son enfant malade de façon délibérée, trouble grave connu des spécialistes sous le nom de *syndrome de Münchhausen par procuration*, car, ici, l'enfant sert de relais à l'expression de problèmes affectifs profonds chez le ou les parents.

Nous avons déjà parlé, au chapitre 2, du syndrome de Münchhausen, affection d'origine psychogène dans laquelle une personne en santé invente de toutes pièces une maladie somatique et utilise toutes sortes de subterfuges pour convaincre les médecins qu'il s'agit d'une véritable maladie — trouble à ne pas confondre avec l'hypocondrie. On prendra garde de ne pas confondre non plus le syndrome de Münchhausen par procuration (SMPP) et l'attitude du parent surprotecteur qui, inconsciemment, encourage son enfant à jouer le rôle du malade.

Les parents atteints du SMPP, en majorité des femmes semble-t-il, auront recours à tous les moyens possibles, même les plus invraisemblables, pour convaincre les professionnels de la santé que leur enfant est malade. Ils pourront, par exemple, dans les cas où le trouble n'est pas trop accentué, donner une description exagérée des symptômes d'une allergie dont souffre l'enfant. Dans les cas extrêmes, ils pourront adopter des comportement compulsifs carrément abusifs : réchauffer un thermomètre pour élever la température, faire avaler à leurs enfants (ou même leur injecter) des substances laxatives, sédatives ou diurétiques, contaminer leurs échantillons d'urine ou faire en sorte qu'ils cessent temporairement de respirer.

Les comportements insolites qui caractérisent le SMPP, lequel est maintenant classé officiellement parmi les sévices graves, ont reçu beaucoup de publicité au cours des dernières années; le grand public semble étrangement fasciné par l'idée absolument grotesque qu'un parent puisse rendre son enfant malade, acte qui va à l'encontre des impulsions et des principes moraux les plus élémentaires. Ce sujet dramatique a donné lieu à des comptes rendus accrocheurs dans les journaux et les magazines populaires, à des fictions télévisées, voire à un roman d'intrigue qui a connu un grand succès auprès des lecteurs. Si les maladies que s'infligent à eux-mêmes les patients atteints du syndrome de Münchhausen restent assez rares, en se fondant du moins sur les cas répertoriés dans les établissements de santé — environ 400 cas seraient diagnostiqués chaque année aux États-Unis parmi les patients hospitalisés —, le syndrome de Münchhausen par procuration (SMPP) serait par contre assez fréquent. Il faut dire que les pédiatres savent de mieux en mieux détecter les signes de sévices. Le Dr Herbert A. Schreier, du service de psychiatrie au Children's Hospital d'Oakland (Californie), fait état, dans un ouvrage qu'il a écrit en collaboration avec Judith A. Libow, des résultats d'une enquête menée à ce propos en 1991 auprès de 1200 pédiatres-neurologues et gastro-entérologues : l'enquête a mis en évidence, dit-il, 273 cas confirmés et 192 cas suspects de SMPP parmi la clientèle des 316 médecins qui ont accepté de participer à l'investigation[11].

Il n'est pas facile de décrypter les motifs des parents affectés par cette grave maladie, qui ne semblent tirer aucun profit tangible de leurs manœuvres (la garde de l'enfant ou l'extorsion d'argent d'une source donnée, par exemple). Selon le Dr Schreier, «les mères atteintes du SMPP ont un besoin insatiable de jouer le rôle du guérisseur héroïque». Une composante agressive dans le rapport avec les représentants du milieu médical, laquelle peut s'exprimer sous diverses formes — dépendance, besoin de contrôle ou de vengeance pour compenser des affronts ou des humiliations dont elles auraient déjà été victimes —, pourrait intervenir également dans le syndrome. Elles seraient particulièrement habiles à jouer les mères attentives, tout en s'intéressant à leur enfant non pas tellement en tant qu'individu que comme relais (une sorte de pion, très facile à manipuler) dans leur relation extrêmement ambivalente aux médecins.

La plupart des psychiatres s'accordent à dire que le SMPP donne à voir presque toujours des frontières mal établies, sinon inexistantes, entre le parent et l'enfant, un rapport fusionnel en quelque sorte dont les causes peuvent être très variées. Les parents affectés par le SMPP, de même que les patients qui souffrent de maladies qu'ils se seront eux-mêmes données, semblent avoir «une intuition très développée de ce qui se passe dans l'esprit des autres[12]», dit le psychiatre Berney Goodman. C'est cette «télépathie» qui gouvernerait le jeu du chat et de la souris qu'ils mettent en œuvre avec les personnes qui prennent soin d'elles ou de leur enfant dans les établissements de santé. Ils semblent déceler intuitivement le moindre comportement agressif ou méprisant de la part d'un membre du personnel de l'hôpital, ce qui pourra même les inciter à s'enfuir. «Les histoires qu'on raconte sur les patients atteints du Münchhausen sont souvent enjolivées par des épisodes de perte tragique ou de tentatives déçues d'obtenir la sympathie, et des soins supplémentaires, du personnel soignant», constate-t-il; le scénario typique met en scène un parent (parfois les deux parents) qui, lorsqu'il était enfant, requérait de l'attention ou des soins qui lui auront été refusés; à la place de la sollicitude attendue, il aura été accablé par l'isolement, l'abandon, ou aura été victime d'une situation d'abus. Or, en réalité, on retrouve assez souvent dans l'histoire médicale de ce type de patient une ou plusieurs hospitalisations durant l'enfance qui seront évoquées en général en termes très positifs : «Les médecins ont été très gentils avec moi» ou «Je me rappelle que l'infirmière m'avait apporté un cornet de crème glacée».

À côté des comportements sadomasochistes des victimes du syndrome de Münchhausen, ceux qui caractérisent l'hypocondrie ou la somatisation — beaucoup moins spectaculaires, certes — pourront sembler sans relief. Il faudra souvent compter néanmoins plusieurs mois, plusieurs années même, pour qu'un médecin en vienne à départager clairement les attitudes de parents mal avisés et celles de parents affectés par un trouble qui peut, à la limite, entraîner la mort de leur enfant. On retrouve cependant, tant chez les familles où la somatisation colore les interactions entre ses membres (dans les familles où des enfants souffrent d'une maladie organique ou de douleurs récurrentes inexpliquées, on retrouve d'ailleurs fréquemment des parents dont les besoins affectifs s'expriment par l'intermédiaire des mêmes symptômes ou de la même incapacité physique que ceux de leur enfant) que chez celles où survient le syndrome de Münchhausen, un surinvestissement de la relation à l'enfant, un attachement symbiotique qui finit par devenir problématique.

Il y a cependant des différences fondamentales entre un parent hypocondriaque ou hyper-anxieux et un parent atteint du SMPP. Les parents qui fréquentent souvent les cliniques et les hôpitaux et réagissent de manière excessive aux symptômes bénins de leur enfant n'adoptent pas *de façon délibérée* des comportements susceptibles de rendre leur enfant malade et ils se montreront soulagés, ne serait-ce que temporairement, qu'il prenne du mieux; ils n'insisteront pas outrageusement pour que leur petit malade soit soumis à des tests ou à des interventions fastidieuses ou invasives et seront ravis d'apprendre du laboratoire que les résultats sont négatifs. «Le parent hyper-anxieux saura tirer profit des services sociaux qui lui sont accessibles ou de consultations auprès d'un psychiatre — autant de moyens d'exprimer ses craintes, d'analyser ses problèmes et de prendre conscience de son degré élevé d'anxiété», explique le Dr Schreier. Contrairement au parent hyper-anxieux, le parent atteint du SMPP a tendance à nier qu'il a des problèmes personnels et même à mentir à propos de ses antécédents, de son histoire médicale et de ses expériences passées. Si le parent anxieux peut indisposer certains médecins, ses agissements ou ses interventions sont rarement perçus cependant comme une forme de contrôle ou de manipulation ou comme un comportement singulier; on ne peut en dire autant du parent atteint du SMPP.

Les mailles trop serrées du tissu familial

S'ils viennent au monde dans la plus parfaite candeur, les enfants se voient vite propulsés, bien malgré eux, dans l'arène familiale. D'événement en événement, de conflit en conflit, la famille, qui représentait naguère un espace privilégié d'intimité et de communication, devient peu à peu leur plus grande source de désappointement. Ils devront apprendre à composer avec des modèles de comportement qui, pour ne pas leur convenir, leur auront néanmoins été transmis de génération en génération («Son grand-père tout craché!»), comme ces objets hideux que l'on garde par-devers soi parce qu'on les a reçus en héritage. Les parents sont très attentifs à décoder les comportements problématiques de leurs enfants; ils le sont moins cependant quand il s'agit de voir de quelle manière ils ont pu y contribuer. De même, certains conjoints ne perdent pas une occasion de relever les petites manies ou les comportements agaçants de l'autre, sans jamais examiner les interactions qui les commandent dans la dynamique du couple. On oublie trop souvent, hélas! de mettre les choses en perspective, plutôt que de s'attacher à un détail du tableau.

On dit parfois, à la rigolade, que le traitement de choix pour guérir un hypocondriaque est de l'envoyer vivre sur une île déserte. Pour facétieux que soit ce raisonnement, il comporte une part de vérité s'il est vrai que l'hypocondriaque essaie, à travers ses symptômes, de *dire* quelque chose à des personnes qui l'ignorent, l'accueillent avec peu de sympathie ou refusent de l'entendre.

La maladie survient toujours à l'intérieur d'un contexte social donné, dont on ne saurait sous-estimer l'importance : il y a ceux qui s'occupent des autres et ceux dont on s'occupe, ceux qui sont attentifs aux autres et ceux qui reçoivent. De même, l'hypocondrie pourra susciter différents types d'attitudes à l'intérieur d'une même famille: les petits soins, le réconfort, la distance, le retrait ou la colère, pour n'en nommer que quelques-unes. De quelque manière qu'elle se caractérise, la façon dont une famille réagit aux plaintes somatiques de l'un de ses membres exercera indubitablement une influence sur la nature même et la gravité de la maladie ou de l'incapacité qui l'affecte.

Chaque famille s'appuie sur un ensemble de valeurs et de pratiques particulières, sur sa propre «culture», qu'elle a elle-même mises en place avec les années, pour donner sens à sa vie comme groupe ou comme «système» et pour assurer son bon fonctionnement. Mais il arrive parfois que, dans cette délicate entreprise qu'est le maintien de l'équilibre au sein de la cellule familiale — ce que certains thérapeutes appellent l'«homéostasie familiale» —, un membre de cette cellule devienne malgré lui le patient de service. Même si cette personne n'est pas nécessairement (comme cela se produit dans la plupart des cas) la personne la plus problématique de la famille, un consensus semble s'être établi tacitement autour d'elle pour qu'elle ait ou qu'elle *soit* «le problème». Ce sujet porteur de symptômes devient alors «le bouc émissaire, le souffre-douleur ou l'image christique de la famille — quelqu'un, en somme, sur qui peut être reporté le stress de tous et chacun, de manière que soit préservé l'équilibre du milieu[13]», comme le disait si bien le regretté Carl Whitaker, l'un des pionniers de la thérapie familiale.

Paradoxalement, de même que l'hypocondrie d'un enfant peut entraîner la dislocation complète de la famille, de même elle peut contribuer à en assurer la stabilité, protégeant ainsi ses membres de perturbations qui pourraient l'affecter encore plus gravement. Ainsi, les soins attentifs d'une épouse anxieuse pourront encourager la dépendance chez un mari distant qu'elle craint de perdre ou les migraines d'un enfant pourront s'accentuer une fois qu'il aura pris conscience que ses plaintes sont un bon moyen de détourner ses parents de leurs accrochages perpétuels et de les empêcher de se blesser l'un l'autre.

En s'appuyant sur la théorie des systèmes familiaux, telle qu'élaborée par le psychiatre Murray Bowen dans les années cinquante et soixante, des spécialistes de la thérapie familiale, dont Carl Whitaker, Virginia Satir, Jay Haley et Salvador Minuchin, ont façonné un tout nouveau champ d'exploration et d'analyse des comportements et des problèmes humains. Plutôt que de se contenter d'établir un diagnostic concluant à la présence ou à l'absence de troubles pathologiques, les thérapeutes de cette nouvelle école de pensée ont choisi de se concentrer sur les réactions du sujet à son environnement émotionnel. Comment est structurée la famille du patient? Comment les symptômes qui ont incité le sujet à chercher de l'aide s'inscrivent-ils dans les modèles d'interaction et de communication que semble privilégier sa famille? Qui mène dans la famille? Comment agissent les membres de la famille les uns à l'égard des autres? Voilà autant de questions que médecins et thérapeutes sont invités à se poser avant d'entreprendre un traitement.

Cette démarche favorise, comme on peut s'en rendre compte, non pas tant l'exploration de la dynamique du sujet que le repérage des mécanismes qui gouvernent la dynamique familiale, en s'attardant aux modèles de fonctionnement dont on sait qu'ils mènent invariablement à des situations de tension.

L'approche semblait faite sur mesure pour mettre en perspective les traits saillants de la dynamique familiale *face à la maladie*. La plupart des recherches dans ce domaine ont été inaugurées par le Dr Salvador Minuchin, pédiatre d'origine argentine dont les premiers travaux sur la somatisation, plus particulièrement sur le traitement des enfants asthmatiques, remontent aux années soixante-dix.

La théorie d'inspiration psychosomatique mise de l'avant dans les années trente par les disciples de Franz Alexander pour expliquer les symptômes de l'asthme, à savoir que cette affection était reliée à un problème sous-jacent de refoulement du cri de la mère victime de rejet, n'avait plus tellement la cote : la maladie paraissait «trop physique», disait-on, pour que seuls des facteurs affectifs soient en cause. On en était donc venu à penser que la détresse émotionnelle, conjuguée à des prédispositions génétiques, à une exposition à des allergènes et à d'autres éléments déclencheurs, tels que la cigarette, le rhume ou l'effort physique, était le facteur clé dans le déclenchement et le maintien de l'inflammation et de la constriction qui induisaient les respirations sifflantes, la toux et les halètements des asthmatiques. L'enfant asthmatique était considéré comme une victime passive du stress familial; la thérapie par excellence semblait alors de l'isoler de sa famille, de procéder en quelque sorte à une «parentectomie».

Pendant la cure, qui se déroulait à l'hôpital, la maladie s'estompait durant d'assez longues périodes, mais elle réapparaissait aussitôt que l'enfant remettait les pieds à la maison.

Plutôt que de se contenter de traiter les symptômes de l'asthme chez l'enfant, pourquoi n'inciterions-nous pas les parents à agir comme élément de stabilisation sur le plan affectif? s'est demandé le Dr Minuchin. En s'inspirant de l'approche systémique, il jeta alors les bases d'une étude sur cette nouvelle optique au Children's Hospital de Philadelphie[14], à laquelle furent invitées à participer un certain nombre de familles dont un enfant souffrait d'asthme, de diabète ou d'anorexie nerveuse — maladies qui pouvaient jouer un rôle dans l'écologie du milieu familial, présumaient les chercheurs. Dans un environnement sécurisant, spécialement conçu à des fins thérapeutiques, 45 parents furent graduellement sensibilisés à la nécessité de ne pas impliquer leur enfant dans leur façon de vivre et de résoudre leurs conflits personnels. Découvrant de nouvelles façons de communiquer et de composer avec les difficultés de la vie, les parents en vinrent graduellement à résoudre des problèmes qui les accablaient eux-mêmes depuis très longtemps et à panser des blessures qui, depuis l'enfance, les rendaient si vulnérables sur le plan affectif. On observa alors une nette régression, sinon une rémission complète, des symptômes chez leurs enfants dans presque tous les cas. L'étude fut par la suite appliquée à d'autres échantillons, avec autant de succès.

Poursuivant leur travail auprès de parents et d'enfants dont les symptômes somatiques pouvaient, selon l'hypothèse de départ, masquer une grande détresse intérieure, le Dr Minuchin et ses collègues en vinrent à constater que certains modèles transactionnels bien particuliers émergeaient peu à peu: la famille d'un enfant fragile ou récalcitrant, qui était atteint de diabète dit «psychosomatique», semblait fonctionner sensiblement comme celle d'un autre enfant atteint, pour sa part, d'anorexie psychosomatique, laquelle famille entretenait une dynamique semblable à celle d'un enfant souffrant d'asthme attribué, ici encore, à des facteurs psychosomatiques, constantes qu'on ne retrouvait pas cependant chez les familles d'autres enfants, dits «normaux», qui étaient en thérapie pour des raisons qui n'étaient pas reliées à la présence envahissante de symptômes physiques.

On en arriva à la conclusion que plusieurs modes d'implication ou de modèles transactionnels, et non un seul, doivent intervenir dans la dynamique familiale pour provoquer l'éclosion de certaines maladies, autrement dit que la conjonction de plusieurs types de mécanismes permettant à la famille d'oublier ou d'anesthésier une douleur plus profonde d'ordre affectif favorisent la somatisation. La rencontre des quatre caractéristiques suivantes créerait, selon le Dr Minuchin, un terrain favorable au recours à la maladie comme mode de communication entre les membres d'une même famille :

1. *L'intrication.* Dans les familles où l'intrication des membres est très prononcée, on observe, du fait même que leurs vies sont emmêlées, un surinvestissement de la vie de l'autre, qui amène à y faire intrusion sans vergogne : chacun s'immisce dans les pensées, les sentiments et les relations de l'autre, comme si elles lui appartenaient. Les frontières qui définissent l'espace personnel, l'intimité, dans ce type de famille sont si ténues que chacun empiète constamment sur l'espace de l'autre, comme s'ils étaient pris dans les rets d'un immense filet qui leur enlève tout espace de jeu. Des factions ne tardent pas à se former: la rivalité et l'hostilité s'installent petit à petit. Il peut arriver aussi qu'un parent se ligue avec l'un de ses enfants pour mener la guerre à son partenaire. Ou que les enfants s'associent à l'un des parents dans la critique des comportements d'un autre membre de la famille ou assument eux-mêmes le rôle de parent.
2. *La surprotection.* La surprotection favorise souvent le développement d'une hypersensibilité aux signes de détresse et une vigilance extrême à l'approche des situations de tension ou de conflit. Les interactions sont ici fortement colorées par le besoin de prendre soin de l'autre ou de le protéger — ou, à l'inverse, par le besoin d'être pris en charge, d'être chouchouté ou d'être protégé. Quelqu'un renifle? Tout le monde

se précipite pour offrir un mouchoir. La conversation vient de s'engager? Chacun se plaint de sa fatigue, de ses malaises, de ses petits bobos. Il est important de savoir qu'une attention exagérée des parents à l'endroit d'un enfant retarde non seulement la mise en place de son autonomie, mais aussi le développement de ses habiletés et de sa capacité à trouver à l'extérieur de la famille d'autres champs d'intérêt. Et l'enfant surprotégé se sentira à son tour responsable du bien-être de sa famille.

3. *La rigidité.* Les enfants qui gravitent autour de parents autoritaires vivent, comme ces derniers d'ailleurs, dans un état de stress permanent. La rigidité qui gouverne les liens familiaux incite, dans ce cas-ci, les membres de la famille à nier le moindre besoin de changement et à maintenir coûte que coûte le statu quo. Tout problème qui pourrait mettre en évidence la nécessité d'un changement (les négociations nécessaires à la définition de la marge d'autonomie d'un enfant, par exemple) sera vite étouffé. Même engagées dans une psychothérapie, ces familles auront tendance à se présenter comme étant des familles sans problèmes, sauf pour ce qui regarde les symptômes de l'enfant malade qui auront amené les parents à consulter un médecin. Le degré de stress étant très élevé dans ce type de famille, le moindre incident extérieur risque de miner ses mécanismes compensateurs et de précipiter l'apparition d'une maladie.
4. *L'incapacité à résoudre les conflits familiaux.* Ce quatrième volet donne à voir une famille dont le seuil de tolérance en cas de frictions est très bas. Les problèmes n'étant jamais résolus, ils refont constamment surface, menaçant chaque fois le fragile équilibre du milieu familial. Pour éviter d'avoir à reconnaître l'existence d'un problème et, conséquemment, la nécessité de négocier avec son conjoint pour corriger la situation, une épouse fera n'importe quoi pour éviter ou contourner tout conflit; un mari prendra la porte

aussitôt que sa femme essaiera d'aborder avec lui une question problématique; les membres de la famille se chamailleront sans arrêt, tout en faisant en sorte de s'interrompre fréquemment ou de faire bifurquer la discussion sur un autre sujet de manière à noyer le poisson.

Des recherches subséquentes sont venues corroborer les hypothèses du Dr Minuchin quant à l'implication de perturbations familiales dans les cas graves de somatisation chez l'enfant. Des études ont montré, par exemple, que les mères qui ont été par le passé victimes de sévices emmènent plus souvent leur enfant chez le pédiatre que celles qui n'ont été exposées à aucune forme de violence. Une autre suggère que les enfants dont les parents ont tendance à somatiser sont plus susceptibles de se retrouver eux-mêmes à l'hôpital, d'être atteints d'une incapacité et d'avoir un comportement suicidaire que les enfants atteints d'une affection médicale vivant au sein d'une famille «normale»[15]. Une autre recherche, menée cette fois auprès de 100 enfants, âgés de 3 à 20 ans, qui avaient été hospitalisés pour cause de douleurs musculo-squelettiques inexpliquées persistant depuis plus d'un an, a mis en évidence, dans 90 % des cas, des problèmes familiaux sous-jacents — alcoolisme, dissensions conjugales, violence, anxiété ou dépression chez l'un des parents — ou l'expérience d'un événement traumatique dans le passé; il est intéressant de remarquer que les deux tiers des enfants avaient comme modèle un parent ou un autre membre de la famille qui souffrait de douleur chronique[16].

Il n'est pas facile pour les familles touchées par ce type de problème, de prendre du recul. La résolution des symptômes peut faire éclore des problèmes que l'enfant craint de dévoiler. Que les parents prennent conscience que la douleur d'un enfant résulte du fardeau qu'ils lui font porter est déjà un pas dans la bonne direction; ils seront ainsi amenés à réexaminer leurs propres vies, et le haut degré de stress qu'ils entretiennent eux-mêmes. Prenant conscience de leurs propres difficultés, ils seront amenés — en passant, s'il le faut, par la thérapie individuelle ou la thérapie de couple — à trouver des moyens de les résoudre. Des parents plus en accord avec eux-mêmes et avec leur partenaire seront habituellement moins exigeants à l'égard de leurs enfants. Au bout du compte, tous les membres de la famille en sortiront gagnants.

L'ENFANT MALADE

Comment s'y prendre pour éviter que ses symptômes ne deviennent un second langage

La façon dont un enfant apprend à réagir à la maladie, comme à toute autre situation de la vie, détermine nécessairement son comportement à l'âge adulte. Il y a de fortes probabilités également qu'il développe plus tard les mêmes symptômes que ceux dont il a pu percevoir qu'ils retenaient à tout coup l'attention de ses parents ou auxquels ses parents étaient eux-mêmes le plus vulnérables*. L'enjeu est de taille, donc — ce qui ne facilite pas, loin de là!, la prise en charge de cette responsabilité. Car comment départager ici le «bon» du «mauvais»? Comment réagir aux plaintes d'un enfant sans pour autant l'inciter à y trouver plus tard un refuge? Où tracer la ligne de démarcation entre une compassion toute naturelle et une sollicitude excessive?

Voici quelques conseils qui devraient vous aider à y voir un peu plus clair.

- *Ne succombez pas à la tentation de trouver tout de suite un remède.* Toute douleur persistante devrait faire l'objet d'une consultation médicale. Si, après un examen médical minutieux, y compris une évaluation neurologique et musculo-squelettique, aucune maladie organique n'a pu être décelée, ne vous acharnez pas cependant à poursuivre l'investigation jusqu'à ce que vous soyez complètement rassuré. Si votre enfant ne vous semble pas vraiment malade, ne lui offrez aucun médicament, même s'il s'agit de placebos ou de bonbons, car il pourra s'habituer à compter sur un élément externe plutôt que sur des mesures qu'il aura lui-même mises en œuvre pour se guérir.

- *Quand votre enfant se plaint d'un malaise, sachez vous maîtriser et, surtout, pas de panique!* Si l'état de votre enfant vous inquiète, essayez de ne pas le laisser voir. Posez-lui quelques questions. Touchez-lui le front calmement pour vous assurer qu'il ne fait pas de fièvre. Si votre intuition vous dit qu'il n'y a pas de quoi vous inquiéter, encouragez-le à poursuivre ses activités comme il le ferait normalement. Rappelez-vous qu'une préoccupation exagérée à l'égard de sa santé peut devenir un obstacle à la conquête de son autonomie.
- *Sachez composer avec la situation d'une façon détachée.* Il est tout à fait naturel de voir à ce qu'un enfant malade trouve le repos, le soutien et l'attention dont il a besoin. Si, toutefois, chaque fois qu'il est malade, vous lui faites cadeau de nouveaux jouets, lui préparez ses aliments favoris et lui offrez toutes sortes de petites gâteries auxquelles il n'aurait pas nécessairement droit en temps normal, vous laissez savoir à cet enfant — de même qu'à ses frères et sœurs, s'il y a lieu — que la meilleure façon de retenir votre attention dans votre famille est de tomber malade.
- *Évitez vous-même d'invoquer le moindre petit malaise pour vous absenter de votre travail ou pour éviter d'avoir à répondre à certaines demandes ou à vous soumettre à certaines tâches désagréables.* Les parents peuvent ainsi, sans s'en apercevoir, afficher des comportements susceptibles de semer le germe de l'hypocondrie.
- *Ne vous fiez pas aux apparences.* Ne vous fiez pas seulement à ce que vous dit votre enfant pour évaluer la gravité de ses symptômes. Soyez attentif également aux signes non verbaux — ton de la voix, expression faciale, langage corporel — par lesquels il exprime sa douleur physique. Ses plaintes, son comportement, de même que le ralentissement de ses activités, traduiraient-ils une émotion, un sentiment ou un

problème affectif plus profond? Pourquoi ne veut-il pas aller à l'école? Votre famille traverse-t-elle une période difficile?

- *Ne craignez pas de vous poser les vraies questions.* Votre enfant se trouve-t-il en situation de totale dépendance seulement lorsqu'il est malade? Lui témoignez-vous plus d'affection quand il est malade qu'en temps habituel? S'il a des problèmes affectifs, craignez-vous de ne pouvoir l'aider à y trouver une solution? Avez-vous peur de voir votre enfant s'éloigner de vous à mesure qu'il prendra de l'âge?
- *Soyez bien informé, et agissez en conséquence.* Les statistiques révèlent que les maladies infantiles graves, tels le syndrome de mort subite, la maladie de Lyme et le cancer, sont des cas exceptionnels, et souvent impossibles à prévenir; mais bon nombre d'accidents, par contre, dont sont victimes les enfants peuvent être prévenus. Prenez donc les précautions qui s'imposent pour protéger votre enfant : ayez toujours de l'ipéca [médicament servant à provoquer le vomissement en cas d'intoxication] dans votre pharmacie; insistez pour qu'il porte un casque lorsqu'il s'adonne à certains sports qui pourraient être dangereux (bicyclette, planche à roulettes, patin à glace, patin à roues alignées, etc.), affichez à un endroit bien en vue les numéros de téléphone à composer en cas d'urgence, puis… détendez-vous!
- *Faites usage de votre bon sens.* Fiez-vous à votre instinct. S'il vous semble qu'il y a quelque chose qui ne va pas chez votre enfant, téléphonez au médecin. Si des maux d'estomac surviennent systématiquement les jours d'examen scolaire, pour disparaître comme par magie aussitôt que l'écolier s'installe devant le téléviseur, il y a de fortes probabilités pour que quelque chose d'autre qu'un trouble somatique soit en jeu.

* Des chercheurs de l'Université de la Caroline du Nord, sous la direction du psychologue William Whitehead, ont mis au point des échelles d'évaluation permet-

tant de déterminer jusqu'à quel point les comportements d'un sujet face à la maladie reproduisent ceux dont il a été témoin durant l'enfance. L'analyse des résultats révèle que les sujets dont les parents avaient tendance à s'absenter souvent du travail, à se dégager de leurs responsabilités sociales à la moindre occasion ou/et à faire grand cas de symptômes bénins (un épisode isolé de diarrhée, par exemple, ou un simple rhume) étaient effectivement plus susceptibles de souffrir d'hypocondrie. (Voir William WHITEHEAD *et al.*, «Modeling and Reinforcement of the Sick Role During Childhood Predicts Adult Illness Behavior», *Psychosomatic Medicine*, n° 56, 1994, p. 541-550.)

L'hypocondrie : une menace à la vie de couple?

Le rôle du bouc émissaire, autour de qui s'organise souvent la dynamique de la maladie, n'est pas toujours tenu par un enfant de la famille; l'un des époux ou des partenaires peut fort bien consentir sans s'en apercevoir à endosser la chape de l'être «problématique». Il peut même arriver que l'hypocondrie soit paradoxalement l'élément de cohésion du couple : l'un des partenaires s'inquiète et se plaint inlassablement, tandis que l'autre, celui ou celle qui sympathise, entoure la personne malade et lui prodigue sans relâche les soins les plus attentifs. Une préoccupation constante à l'égard des questions de santé peut, à l'inverse, être source de tension et de ressentiment, et ainsi porter atteinte à la relation amoureuse.

L'on ne s'engage jamais *délibérément* dans une relation problématique, pas plus que l'on ne crée de toutes pièces une famille dysfonctionnelle. Il faut se demander toutefois si l'attrait qu'on éprouve pour une personne, ces «atomes crochus» qui se mettent à vibrer presque instantanément entre elle et vous, est un pur accident du hasard — autrement dit, si l'amour est aussi aveugle qu'on le dit —, tant les couples semblent se former de manière toute naturelle en fonction d'une certaine complémentarité : l'un affiche une grande force intérieure, l'autre est plutôt fragile; l'un est sociable, l'autre timide; l'un est ambitieux, l'autre passif; l'un se plaint inlassablement, l'autre est stoïque.

Selon que l'enfance aura été une période de stabilité ou de grande turbulence, la relation amoureuse qui se noue entre deux êtres pourra raviver d'anciens sentiments de sécurité, de bien-être, de bienheureuse dépendance ou, au contraire, réveiller de vieux fantômes qu'on croyait à tout jamais disparus. Au mieux, l'expérience amoureuse sera une source de bonheur et de soutien mutuel, un espace affectif où les partenaires pourront, en toute sécurité, continuer de se transformer et d'évoluer. Au pire, elle donnera lieu à l'expression chaotique d'émotions reliées à d'anciennes frustrations, voie tortueuse où les effets négatifs de l'éducation reçue pourront se faire sentir au détour.

Il peut arriver que les troubles ou les tendances hypocondriaques dont a déjà souffert l'un des partenaires passent inaperçus durant les toutes premières années de vie conjugale. Plusieurs scénarios sont possibles, selon que les obsessions et les symptômes par lesquels se traduisent ses pulsions (1) restent voilés, (2) ne semblent pas retenir l'attention de l'autre, (3) suscitent la sympathie de l'autre, (4) ou sont pris au pied de la lettre par l'autre. La vie à deux est une expérience palpitante, mais aussi très prenante, qui, à ses débuts, s'alimente aux bonnes intentions des conjoints; le besoin de dépendance et les bouleversements affectifs qui auront pu naguère s'exprimer à travers l'hypocondrie pourront alors être compensés par l'exaltation que suscite cette grande aventure qu'est l'expérience amoureuse et ne resurgir que beaucoup plus tard. L'hypocondrie peut en effet prendre beaucoup de temps à émerger et à modifier la dynamique du couple.

Prenons le cas de Pascale et Marc.

Pascale se souvient très bien, me confie-t-elle, de l'époque où Marc se moquait de ses propres obsessions, de sa peur indomptable de la maladie, de ces «tumeurs qui germaient à tous les six mois», ironisait-il. Deux fois par année, au moins — en général, durant les périodes de stress intense —, une profonde anxiété à propos de sa santé l'assaillait.

Pascale avait été très sensible, aux tout premiers jours de leur relation, à ce trait de caractère de son compagnon. C'est en partie, d'ailleurs, ce qui l'avait attirée vers lui. La vulnérabilité de Marc, son côté souffreteux, la changeait des attitudes héroïques que l'on se croyait obligé d'afficher dans sa famille, à elle, simplement parce qu'on était «un homme».

À peine Marc venait-il de sortir d'un épisode hypocondriaque qu'il se demandait comment il avait pu, une fois encore, se laisser gagner par ses obsessions. «On savait fort bien, tous les deux, qu'il n'était pas vraiment malade, que ce n'étaient que des lubies, explique Pascale. On trouvait ça complètement ridicule! Il n'en avait pas, de problème de santé! Alors, tout ce qui nous restait à faire, c'était d'en rire...» Jusqu'à ce qu'elle se rende compte que le problème était beaucoup plus grave qu'elle ne le croyait. Marc avait beau essayer de cacher son anxiété, elle finissait toujours par se laisser deviner. «Je savais d'avance quand la crise allait survenir, dit Pascale. Marc devenait tout à coup très distant, devenait inatteignable; puis il se fâchait pour un rien, était d'humeur instable et passait des heures dans la salle de bain! Je sentais que quelque chose lui manquait, mais je n'arrivais pas à l'identifier.»

Pour éviter qu'il ne s'enferme dans ses symptômes durant ces périodes de profond marasme, elle lui fit, un jour, la proposition suivante : «Si la tension dure plus de deux jours, je vais te demander d'essayer de me dire ce qui te passe par la tête à ce moment-là.» Au début, Marc refusa de se prêter à ce jeu. Puis, en insistant un peu, Pascale finit par l'inciter à tenter de dire à haute voix ce qui le terrifiait. Elle essayait alors de le rassurer du mieux qu'elle le pouvait : «Les résultats des tests sont négatifs : tu vois, tu n'as pas à t'en faire! Tu t'inquiètes pour rien!» ou : «Le médecin ne m'a pas semblé très inquiet...» Mais ces remarques ne faisaient qu'attiser la rage intérieure qui le dévorait.

Pascale finit par se rendre compte que, quoi qu'elle dise («Regarde, Marc : moi aussi, j'ai des grains de beauté très foncés sur le bras...»), quoi qu'elle fasse, la situation demeurait la même. Comme si, une fois que l'hypocondrie avait fait son nid, Marc ne pouvait s'empêcher de s'y terrer. Il accueillait affectueusement Pascale, partageait avec elle ses préoccupations; l'instant d'après, il l'envoyait paître, purement et simplement.

Elle n'avait pas d'autre choix que d'attendre la fin de la tempête. Une fois l'épisode terminé, la vie reprenait son cours, comme si rien ne s'était passé. Le bonheur semblait à nouveau possible. Pascale ne vivait plus que pour ces moments de retrouvailles.

À l'instar de Pascale, mon mari n'a pas fait tellement de cas, lui non plus, de mes accès d'hypocondrie durant cette période exaltante qu'a été la période de nos fréquentations. Il faut dire que je m'étais remise depuis un bon moment — à tel point d'ailleurs que j'avais l'impression que cela ne m'était jamais arrivé — de cet épisode infernal où la ferme conviction d'être atteinte du lupus m'avait plongée dans une agitation insoutenable. Tout cela était bel et bien derrière moi. J'étais en amour, et débordante d'énergie. David ne prêtait pas plus d'attention qu'il n'en fallait aux signes avant-coureurs (telle ma peur de prendre l'avion) d'une prochaine crise. Je ne semblais pas l'indisposer non plus quand je lui montrais avec insistance telle tache ou tel petit bouton sur ma peau — de la même manière que je faisais mine d'ignorer, de mon côté, qu'il ramassait les talons de tous les tickets qui passaient entre ses mains et qu'il bourrait sa penderie de linge sale.

Nous avons évité de justesse un autre tremblement de terre la fois où j'avais cru être atteinte d'un cancer du sein; par chance, la tumeur s'était finalement avérée bénigne. Il avait suffi que les résultats de la biopsie tardent de quelques jours pour que je me mette à imaginer les pires scénarios. Comme toujours, David avait gardé son sang-froid et s'était montré très compréhensif. Il reste que *j'avais* bel et bien une protubérance dans un sein.

Jamais je n'oublierai non plus ce fameux vendredi soir où, peu avant de partir pour le New Jersey (nous avions projeté de passer le week-end au bord de la mer), j'avais reçu par l'entremise de mon répondeur un message concernant une analyse de sang qu'on m'avait faite quelques jours auparavant, afin de s'assurer que je ne souffrais pas, comme je le soupçonnais, d'un ulcère. Je m'empressai de téléphoner au médecin, qui prit soin de me rassurer aussitôt: il n'y avait pas de quoi s'alarmer, me dit-elle, mais, compte tenu du fait que les concentrations de globules blancs étaient un peu faibles, il valait mieux, par précaution, procéder à de nouveaux prélèvements.

Il n'en fallait pas davantage, ai-je besoin de vous le dire, pour que je tire aussitôt mes conclusions : j'avais la leucémie, j'en étais sûre! Comme le frère de ma grand-mère, qui était mort de cette terrible maladie à l'âge de 21 ans... Comme mon grand-père, emporté à l'âge de 80 ans... J'avais lu déjà quelque part que cette forme de cancer se caractérisait par une concentration anormale de globules blancs. Au fait, était-ce «plus bas» que la normale ou «plus haut»? Je ne le savais plus trop...

Comment réagirais-je lorsqu'on m'apprendrait que j'ai la leucémie? Dieu que c'était triste de mourir avant même d'avoir pu donner naissance à un enfant!... Je passai tout le samedi et le dimanche à me morfondre sans relâche à propos de ce possible diagnostic. David, lui, restait impassible. «Dans mon for intérieur, je savais, me dit-il plus tard, qu'il n'y avait rien de grave. J'avais devant moi une jeune femme dynamique, en parfaite santé, et dont personne — je dis bien *personne* — n'avait dit *à aucun moment* qu'elle était atteinte de leucémie! Tu es parvenue néanmoins à me communiquer tes doutes, ce vendredi-là. Tu t'examinais devant le miroir, l'air inquiet... Puis tu me demandais : "Est-ce que j'ai l'air d'une fille qui a la leucémie, moi?" ou encore : "Tu as vu cette petite tache brune? C'est sans doute une ecchymose... Qu'est-ce que tu en penses?" Tu as fini par gâcher tout le week-end! Comment en sommes-nous venus là? Jamais je n'aurais cru que c'était possible, à moins que quelque chose de vraiment sérieux ne survienne...»

Le lundi suivant, David m'accompagna chez le médecin, où j'appris avec soulagement que je n'aurais pas à me prêter à de nouveaux prélèvements: le médicament qui m'avait été prescrit pour guérir l'ulcère dont *je croyais* souffrir — car la radiographie n'en avait montré trace — avait temporairement fait baisser les concentrations sanguines de globules blancs, voilà ce qui s'était passé. La gastro-entérologue me conseilla de cesser de prendre le médicament et m'invita à me soumettre à un autre test sanguin dans deux mois, «par précaution». Tout serait probablement, d'ici là, revenu à la normale, m'avait-elle assuré. Ouf! Je n'allais pas mourir! La sentence était levée! Je ne pus m'empêcher de fondre en larmes.

«C'est après cet épisode, m'a confié plus tard David, que j'ai commencé à me douter que quelque chose n'allait pas, que tu étais peut-être un brin hypocondriaque, même si je ne savais pas très bien ce que ça voulait dire exactement. Mais comment se fait-il que le médecin n'a pas pensé, avant de te prescrire ce médicament, qu'il pourrait avoir cet effet?... Et comment peut-on laisser un message — et à un répondeur, de surcroît! — *un vendredi après-midi*! Il reste que ta réaction était vraiment hors de proportion par rapport à la réalité, non? Quand j'y pense : la leucémie! À partir de ce moment-là, je me suis mis à douter de tout ce que tu pouvais me dire à propos de tes symptômes.»

Que répondre? David avait tout à fait raison : ma façon de réagir était un signe non équivoque de ce qu'il fallait bien appeler, oui, mon hypocondrie.

Il serait illusoire, et assez naïf, de croire que, face aux préoccupations exagérées de son conjoint, on se réveille un beau matin et on lui dit son fait en moins de deux : «Ah! Ah! Je le sais maintenant : tu es hypocondriaque!» Les soupçons du conjoint pourront émerger graduellement ou germer lentement et silencieusement dans son esprit, rien n'enlèvera jamais toutefois à ce trouble mental son caractère foncièrement énigmatique. En effet, si le comportement de certains hypocondriaques correspond parfaitement à l'image de l'invalide cloué au lit et rongeant son frein, la plupart échappent à ce stéréotype. Il est difficile pour celui ou celle qui n'a jamais eu à faire face au problème de comprendre vraiment de quoi il s'agit; il peut être très troublant, par ailleurs, d'entrevoir la possibilité que les symptômes d'un conjoint qui semble assez bien portant puissent être le signe d'autre chose que d'une maladie somatique. Sans compter que les symptômes de l'hypocondrie ont tendance à fluctuer sans cesse selon les circonstances de la vie, les changements physiologiques et les tensions qui peuvent survenir à l'intérieur du couple. Il faut savoir aussi que, conjuguée à une dépression, l'hypocondrie peut varier au rythme des saisons, comme la dépression elle-même, que favorise un manque d'exposition à la lumière.

Le cycle hormonal a indéniablement, chez certaines femmes, une influence directe sur le bien-être physique et sur l'humeur; il peut arriver alors que les accès d'hypocondrie se développent à des moments bien précis du cycle. La grossesse peut également influer, de diverses manières, sur l'hypocondrie. Bien des femmes (moi, la première) disent avoir observé que leurs obsessions à propos de leur santé avaient diminué sensiblement lorsqu'elles étaient enceintes ou parce qu'elles étaient enceintes.

Annick, une jeune graphiste de 30 ans, mère d'un bambin de 3 ans, se rappelle avoir fait énormément d'anxiété durant plusieurs mois parce qu'elle n'arrivait pas à tomber enceinte, retard qu'elle eut tôt fait, comme à son habitude, d'attribuer à une anomalie physiologique ou à une maladie organique, me confie-t-elle. Elle en vint même à soupçonner qu'une tumeur ovarienne puisse être à l'origine du problème. Après trois mois d'essais improductifs, elle avait consulté un spécialiste rattaché à une clinique de fertilité, pour se faire dire simplement de revenir six mois plus tard. Le jour où elle apprit qu'elle était enceinte, plus aucun symptôme! Et, ajoute-t-elle, pas le moindre épisode d'anxiété à propos de sa santé ou de celle du bébé!

Anne-Marie, aspirante comédienne qui achève sa formation au conservatoire, a 34 ans. Depuis la vingtaine, elle a des accès d'hypocondrie et d'agoraphobie. Durant sa première grossesse, elle a été forcée, à cause de contractions survenues dès la 22e semaine, de garder le lit jusqu'au moment de l'accouchement. «Curieusement, je ne me suis pas inquiétée outre mesure, je me suis même sentie très sereine durant toute cette période — et dans une forme étonnante, compte tenu des circonstances!» se rappelle la jeune femme, qui a donné naissance à une petite fille en parfaite santé. «Tout le monde me félicitait d'avoir adopté une attitude aussi positive. Il faut que je vous dise que François, mon mari, est un bourreau de travail et qu'il s'impatiente facilement quand je deviens trop obsessive, il n'a pas osé, bien sûr, me faire les mêmes reproches quand je me suis retrouvée enceinte! Mon état de santé est devenu tout à coup quelque chose d'important pour lui. J'avais le droit, enfin! de ne pas me sentir bien...»

Les changements d'attitude que l'on peut observer chez une personne hypocondriaque durant sa grossesse s'expliquent de différentes façons. L'excitation et la joie qu'engendre la perspective de donner naissance à un enfant y jouent certes un grand rôle. Mais le facteur le plus important est, à n'en pas douter, le statut privilégié dont jouit la femme durant sa grossesse, la procréation étant une fonction universellement valorisée, qui lui vaudra d'ailleurs habituellement l'admiration et souvent même les louanges de son entourage. «L'arme la plus puissante que la maternité met à la disposition de la femme pour lutter contre l'hypocondrie est, dit la psychologue Susan Baur, la possibilité qui s'offre enfin à elle de sortir temporairement de cet état de grande confusion qu'engendre tout ce qui se rapporte à la question de la dépendance[17].» L'ambivalence qui torture si souvent les femmes — écartelées entre, d'un côté, leur désir d'être autonome et de s'accomplir sur le plan personnel et, de l'autre côté, le besoin de se sentir entourées, protégées, d'être en quelque sorte sous la dépendance de l'homme aimé — se trouve ainsi *temporairement* désamorcée, laissée en suspens.

Un autre facteur peut entrer en ligne de compte : le fait même que certains comportements, qui, d'ordinaire, feraient l'objet de remontrances, sont tolérés, voire encouragés, durant la grossesse. L'on *s'attend à ce que* la femme enceinte soit exigeante, qu'elle ait des moments d'impatience ou d'incertitude, ajoute Baur. Elle pourra réclamer, au beau milieu de la nuit, des cornichons au vinaigre et de la crème glacée aux pistaches ou s'empiffrer inconsidérément de pizza et de mousse au chocolat sans que le futur papa, plutôt amusé par ces bizarreries, ne trouve à redire. Son état l'autorise également, dans ces circonstances exceptionnelles, à satisfaire ses tendances hypocondriaques en se rendant chez le médecin aussi souvent qu'elle en a envie, sans craindre que l'on minimise ses symptômes ou que l'on n'en fasse trop de cas.

Il est à noter que les soins attentifs et la surveillance que les spécialistes recommandent en général à toute femme enceinte pour assurer le développement harmonieux de sa grossesse et le maintien d'un bien-être optimal, pour elle comme pour l'enfant — examens de routine, rendez-vous pris d'avance pour les consultations et les interventions à venir, régime alimentaire bien équilibré, exercice physique, supplémentation en vitamines — ressemblent, sur plusieurs points, au traitement que la sagesse médicale traditionnelle recommande, elle-même, pour calmer l'hypocondrie : mentionnons, entre autres, la recommandation faite au médecin traitant d'établir d'avance avec le patient qui souffre d'hypocondrie un calendrier de rendez-vous régulier, et ce, quels que soient les symptômes en cause, de telle sorte que ce dernier n'ait pas à s'inquiéter que son rétablissement puisse mettre fin à la relation qu'il a mis du temps à établir avec son médecin.

Bien des couples n'arrivent pas, à travers les hauts et les bas de l'hypocondrie, à accepter, pour ce qu'il est, le pas-de-deux que rythme souvent ce trouble psychopathologique. Plus l'hypocondrie s'ancre dans le couple et empiète sur la relation amoureuse, plus les conjoints sont exposés, à plus ou moins brève échéance, au désenchantement et aux tensions de toutes sortes. La distance et la désaffection s'installeront peu à peu, jusqu'à ce que, ne sachant plus comment y faire face, ils voient leur relation devenir proprement intenable. Car, même si, comme c'est le cas en règle générale, le partenaire bien portant n'est pas responsable des obsessions hypocondriaques de l'autre, il peut néanmoins, du seul fait qu'il est forcé de *réagir* à ces symptômes, se trouver pris malgré lui dans les mailles que ces obsessions tissent insidieusement entre eux et autour d'eux. Plus la structure du psychodrame sera rigide et prévisible, plus les figurants se sentiront piégés, incapables de s'y définir, jusqu'à ce que l'environnement émotionnel devienne inséparable du problème, comme tel.

Il arrive que l'hypocondrie serve temporairement d'élément de cohésion, comme il l'a déjà été mentionné. Le couple en vient à fonctionner en s'appuyant sur des modèles d'interaction gouvernés essentiellement par les symptômes hypocondriaques de l'un des deux partenaires : au début, la peur de l'un appellera le réconfort de l'autre, réconfort qui pourra se muer peu à peu en ressentiment, puis en colère, jusqu'à ce que, au terme de ce trajet infernal, le même sentiment — la colère, en l'occurrence — commande *aux deux pôles* les rapports du couple. Les fondations sont en pareil cas tellement ébranlées, et les problèmes de l'un tellement intriqués dans ceux de l'autre, qu'à la première querelle ou à la première occasion de désappointement tout pourra s'effondrer.

Revenons à Anne-Marie. Le répit auquel lui avait donné droit sa grossesse ne fut pas, malheureusement, de très longue durée. L'enfant avait à peine six mois que les obsessions de la jeune maman recommençaient à l'assaillir. Elle était parvenue, sans efforts particuliers, à retrouver son tour de taille, mais elle éprouvait continuellement une très grande fatigue et des douleurs articulaires très accablantes. «Je n'avais pas bonne mine. J'avais un air hagard. J'avais vieilli, beaucoup vieilli, je m'en rendais compte… Qu'est-ce qui m'arrivait? Je n'arrivais plus à me reconnaître», confie-t-elle. Elle n'avait pourtant que 30 ans, et n'était pas si malheureuse, somme toute : elle adorait sa petite fille, elle avait repris ses cours au conservatoire, et une récente audition au théâtre de sa localité lui avait laissé de grands espoirs.

C'est précisément à cette époque qu'Anne-Marie, voyant qu'elle n'arrivait pas à guérir un mal de gorge qui la faisait souffrir depuis un bon moment déjà — juste assez pour qu'elle commence à s'affoler —, se mit dans la tête qu'elle était atteinte du sida. N'avait-elle pas eu quelques aventures durant ce fameux été qu'elle avait passé en Europe, une dizaine d'années auparavant? L'un de ses partenaires d'alors devait être porteur du virus... Et s'il fallait qu'elle l'ait transmis à son tour à son enfant?!... Un léger rhume, une tache inhabituelle sur l'avant-bras, une impression d'épuisement, le moindre signe d'alarme l'incitait à courir à pieds joints à la clinique. Et ce, même si elle savait qu'il était assez peu probable, compte tenu de son nouveau style de vie, qu'elle soit un sujet à risque: elle vivait avec le même homme depuis cinq ans, et la probabilité que le virus du sida resurgisse après dix ans était assez faible, lui avaient expliqué deux médecins qu'elle avait cru bon consulter. L'un d'eux avait néanmoins suggéré que l'on procède à de nouvelles analyses sanguines, démarche qui terrifiait tellement Anne-Marie qu'elle n'y avait pas donné suite.

Un peu plus tard, ses craintes se déplacèrent sur la maladie de Lyme; elle se prêta, cette fois sans crainte, aux tests de dépistage, lesquels s'avérèrent d'ailleurs négatifs. Elle insista pour qu'un second test lui soit administré (elle avait lu quelque part que l'interprétation des tests de dépistage de cette maladie étaient souvent mal faite et donnait lieu à des diagnostics erronés). François s'était montré, pendant un certain temps, extrêmement compréhensif. Mais sa patience commençait à être à bout. Il ne pouvait s'empêcher d'associer ces obsessions à celles qu'avait manifestées Anne-Marie durant la période de leurs fiançailles à propos de maux d'estomac, qu'elle avait immédiatement reliés au cancer.

Ses préoccupations devinrent graduellement une source de conflit entre elle et son mari. Toujours le même scénario : Anne-Marie reprenait du mieux, recommençait à s'occuper avec grand plaisir de sa fille et retournait avec joie à ses activités professionnelles, puis un nouveau symptôme venait déclencher les vieux mécanismes hypocondriaques; folle d'inquiétude et rapidement survoltée, elle se tournait vers François, qui lui suggérait invariablement — mais avec une froideur de plus en plus perceptible — de prendre avis auprès d'un autre médecin. Il en vint d'ailleurs lui-même à être de plus en plus fatigué, perturbé, confus même. Il sentait bien que leur relation s'effritait, sans savoir toutefois comment limiter les dégâts. Il commença à passer de plus en plus de temps au bureau. Il n'avait plus la force d'attendre que la tempête passe, comme il l'avait fait pendant des années, car il savait maintenant que ces beaux moments, coincés entre deux moments de crise, ne tarderaient pas à tourner au vinaigre. Il prit de plus en plus ses distances, à tel point qu'Anne-Marie commença à craindre sérieusement de le perdre à tout jamais.

Voilà un scénario que doit connaître par cœur n'importe quel lecteur, n'importe quelle lectrice, qui a été confronté à des difficultés d'ordre conjugal. Vous vous mettez à avoir des doutes soudainement. Puis vous vous demandez : Mais est-ce bien la même personne que celle avec qui j'ai décidé un jour de partager ma vie?! Comment a-t-on pu être assez aveugles pour croire qu'on pourrait vivre ensemble!

L'hypocondrie peut porter un dur coup à une relation amoureuse: c'est un véritable éteignoir, qui, à la longue, peut tuer l'amour. Car il est difficile de se maintenir dans une relation où l'autre vous dit constamment: «Je suis une marchandise avariée... comment peux-tu m'aimer?» Il n'est pas facile, non plus, de tenir le rôle du conjoint bien portant. Vous connaissez des gens qui aiment se faire rappeler jour après jour, semaine après semaine, que la maladie peut les frapper à tout moment, qu'ils sont condamnés à vieillir et qu'ils vont inéluctablement mourir un jour?...

L'hypocondrie incite souvent à l'égoïsme : «Il n'y a aucun problème, dit celui ou celle qui endosse le statut de malade, que tu puisses avoir qui soit pire que le mien.» Il faut bien être conscient cependant qu'en prenant ses distances par rapport à son conjoint, parce que ses troubles hypocondriaques paraissent trop déstabilisants ou trop menaçants, on sabote au départ toute possibilité de communication ou de conciliation. Les conjoints des hypocondriaques se trouvent souvent écartelés entre, d'une part, la croyance que les malaises de leur partenaire ne sont pas réels et qu'ils peuvent être facilement maîtrisés, et, d'autre part, la conviction profonde que la personne de qui ils sont un jour tombés amoureux est vraiment terrifiée et réellement malheureuse. Ne sachant trop s'il vaut mieux faire face au problème ou ne pas s'en préoccuper, ils opteront souvent pour la solution la plus facile : ne pas s'impliquer et prendre ses distances. En maintenant le statu quo, ils se feront, sans s'en apercevoir, le complice de l'autre. La souffrance et l'isolement ne pourront que s'accentuer à mesure que la relation se dégradera.

Nous en étions presque arrivés à ce point de non-retour, mon mari et moi, après cinq ans de mariage, soit peu après la naissance de notre deuxième enfant. David était à bout : il ne se sentait plus capable de me soutenir constamment à travers cette difficile expérience qu'est celle de l'hypocondrie. J'étais, quant à moi, torturée par la culpabilité et par une rage intérieure si forte que je n'arrivais plus à m'intéresser à autre chose qu'à mes symptômes. Je dois avouer également qu'au fond de moi j'en voulais à mon mari de ne pas tenir compte davantage de mes malaises.

«Les deux premières années, je ne me suis pas inquiété plus qu'il ne faut, m'a-t-il confié plus tard. Puis je me suis aperçu, un beau jour, que la même litanie revenait encore et encore… J'admets que si l'on m'avait contraint, à l'époque, de dire ce que je pensais vraiment de toutes tes maladies, j'aurais probablement répondu que c'étaient des lubies, rien de plus — des inventions, purement et simplement. Je me souviens de m'être dit à moi-même: “Si seulement j'avais mis sur papier le nom de toutes les maladies qui l'ont fait paniquer au cours des dernières années; elle serait bien obligée d'admettre que ça ne tient pas debout!” Une fois c'était ta cheville! À un autre moment ton estomac! Puis l'intestin! Et le canal carpien! Et tes cheveux qui n'arrêtaient pas de tomber, disais-tu! Puis ta prétendue sclérose en plaques! Sans parler de ton lupus! Je me disais que tu serais mieux à même, de cette manière, de te rendre compte de tes exagérations sans monter sur tes grands chevaux, comme tu le faisais chaque fois que le sujet venait sur le tapis.

«Selon moi, tu refusais de te souvenir de certaines choses, comme j'ai pu le constater à plusieurs occasions lorsque je t'entendais faire le récit de ton histoire médicale à tes amies ou à un médecin. Quand tu t'es mise à t'affoler à cause de tes cheveux, alors là, j'en ai eu assez! C'est la goutte qui a fait déborder le vase.

«Cette situation-là nous obligeait à tenir parfois des conversations tellement grotesques! C'était franchement pathétique par moments! J'essayais de te rassurer en te disant que ta chevelure ne paraissait pas plus clairsemée qu'avant — que tu t'inquiétais pour rien, quoi! Alors, là, tu traversais la chambre en trombe et tu venais me mettre ta brosse à cheveux sous le nez! Chaque matin, tu t'écriais en pointant le doigt en direction de l'oreiller : "Regarde! Regarde donc! Tu vois bien que je continue de perdre des cheveux!"

«Puis on allait rendre visite à tes parents, qui tentaient, à leur tour, de te réconforter. Ce que ça pouvait me faire suer!»

La discorde entre deux époux ou deux partenaires amoureux n'est pas ce qu'il y a de plus édifiant à voir... Il n'y a pas de limite aux ressources que chacun peut déployer pour atteindre l'autre en plein cœur. Les couples qui se trouvent pris dans les rets de l'hypocondrie — comme dans toute autre situation problématique qui, à mesure que les années passent, accaparent toute leur attention et toutes leurs énergies — composent avec la situation du mieux qu'ils le peuvent, et avec les moyens que leur propre personnalité et leur propre histoire leur permettent de mettre en œuvre. Les trois modèles suivants sont autant de variations sur ce thème.

Le syndrome de Humpty-Dumpty. Il arrive qu'une personne en parfaite santé et de tempérament très affable développe subitement des symptômes d'hypocondrie : c'est ce que le psychiatre Charles Ford, de l'Université de l'Alabama a appelé le «syndrome de Humpty-Dumpty[18]». Le sujet problématique est souvent, dans ce cas-ci, un individu très consciencieux et dévoué, qui s'est marié très jeune et a dû subvenir aux besoins, financiers et autres, de sa famille, de ses parents, de ses frères et sœurs ou d'autres personnes qui étaient dépendants de lui. Il pourra avoir été forcé, dans son enfance, souvent à cause de la mort ou de la maladie d'un parent, d'endosser très tôt des responsabilités. Puis se produit un jour un événement dramatique — maladie ou accident — qui forcera cette «bonne personne» à prendre conscience pour la première fois de ses propres besoins, chose dont il n'avait pas jusque-là la moindre idée. Du coup, ses défenses, déjà très fragiles, tombent, et il commence à se percevoir comme un véritable handicapé. Ses proches et les médecins qui le soignent auront beau mettre en œuvre tous les moyens possibles pour lui venir en aide, il n'y aura rien à faire, comme si son identité s'était à jamais fracturée. Avec toutes les séquelles de cette désintégration progressive : dépression chronique, problèmes sexuels, tensions matrimoniales et dégradation de sa situation financière.

Le cas d'Emilio nous servira ici d'exemple.

Emilio, mécanicien de 40 ans d'origine porto-ricaine, était tout jeune encore quand il fut forcé de suivre sa famille en Amérique. Sans avoir pu achever son cours secondaire, il fut brusquement projeté dans le monde du travail. À l'âge de 20 ans, il était déjà marié, et, quelques années plus tard, père de trois enfants, qui ont atteint aujourd'hui l'âge de l'adolescence. Il y a trois ans, un médecin lui recommandait une intervention chirurgicale pour soulager des douleurs lancinantes, attribuables, selon le spécialiste, à une hernie discale. Il se prêta sans discuter à l'opération. Sans grand succès toutefois, car la douleur ne fit que s'aggraver, pour se propager ensuite au dos et à la poitrine. «C'était comme si on m'avait planté des aiguilles dans le cœur!», explique-t-il. Un interniste le référa alors à un cardiologue, qui diagnostiqua un «prolapsus mitral», anomalie potentiellement grave (quoique certains médecins prétendent qu'elle est abusivement diagnostiquée) affectant la valve qui régule le flux sanguin entre les deux cavités du cœur. Emilio prit conseil auprès d'un deuxième, puis d'un troisième cardiologues, qui contestèrent tous deux le diagnostic. Il décida néanmoins de faire confiance au premier spécialiste et de commencer à prendre un médicament ralentissant le rythme cardiaque.

Il devint cependant de plus en plus anxieux, à tel point qu'il ne se rendait plus nulle part sans être accompagné. À deux reprises, il se retrouva à l'hôpital, sûr qu'il faisait un infarctus. «Quand je sens un pincement au cœur, dit-il, tout mon corps se met à trembler. Puis je me mets à avoir peur. Les docteurs m'ont dit que ce n'était rien de grave. Mais, moi, pendant ce temps-là, je ne peux plus vivre comme avant...»

Il y a un an, Emilio a dû quitter son emploi. Sa femme, qui travaille dans une manufacture de sacs à main, doit maintenant subvenir aux besoins de la famille. Pendant ce temps-là, Emilio passe ses journées à se faire du souci et à calculer comment ils pourraient, avec le petit salaire de sa femme et ses maigres prestations d'invalidité, arriver à joindre les deux bouts. Le manque d'argent (et la perspective de devoir vendre leur maison), est devenu un facteur de tension continuelle et de frictions occasionnelles avec sa femme. «On n'avait pas l'habitude de se chicaner comme ça... Maintenant, ça n'arrête plus! On dirait que mes enfants et ma femme me prennent maintenant pour un bon-à-rien. Oui, ça doit être ça.»

La compassion démesurée. Cette fois, le sujet problématique semble tirer avantage, sur le plan personnel, à ce que son ou sa partenaire continue d'être malade. Le malade est aux petits soins : on fait bouffer ses oreillers, s'empresse d'aller lui chercher sa tasse de thé et se tient prêt à répondre à toutes ses autres demandes et à écouter ses doléances, l'incitant ainsi inconsciemment à se maintenir dans son statut d'invalide. En se montrant exagérément dévoué à l'autre, le «sympathisant», qui fait preuve d'une compassion sans bornes, fait dévier la relation qu'il entretient avec la personne malade vers ce que le Dr Minuchin appelle «l'amour en cage», cage qui risque de se transformer à chaque instant en geôle pour la famille tout entière.

Le cas d'Hélène illustre bien cette situation.

«Toute notre existence était organisée en fonction de la maladie de mon père, se souvient Hélène. Son arthrite était pratiquement le quatrième membre de la famille! Ma mère répondait aux moindres caprices de mon père. Elle lui servait ses repas au lit, lavait et repassait tous ses vêtements, le reconduisait partout où il voulait aller et s'occupait du budget. Après sa retraite, ç'a été encore pire! Il faisait quelques degrés de température? Voilà une belle excuse, encore une fois, pour garder le lit — et se faire servir, é-vi-dem-ment! Il ne faisait jamais rien par lui-même!» Mais, ironie du sort, c'est sa mère, et non son père, qui, un jour, tomba gravement malade. Une tumeur au cerveau. Comment une telle chose pouvait-elle être possible?!... Ce fut un choc terrible pour toute la famille.

Hélène, qui venait tout juste de se marier, décida d'emménager avec ses parents pour pouvoir prendre soin d'eux, devenant ainsi la courroie de transmission entre son père et sa mère, qui n'étaient plus en mesure d'assumer leurs rôles respectifs : «Mon père semblait confus, et exigeait, encore et toujours, beaucoup d'attention — même plus que ma mère n'en demandait! Je pense qu'elle essayait, en fait, de continuer à lui servir de force d'appui.»

Pendant des années, Hélène en voulut à son père, qui est mort il y a plusieurs années d'un infarctus, peu de temps d'ailleurs après le décès de sa femme. En s'appuyant sur l'expérience qu'elle a acquise lorsqu'elle a dû elle-même répondre aux exigences du rôle de parent, et sur les ressorts d'une longue thérapie, elle en est venue peu à peu à examiner sous un tout autre angle la relation assez singulière qu'entretenaient ses parents. Son père n'était peut-être pas le seul à blâmer..., se disait Hélène. Si sa mère avait agi autrement, il aurait bien été forcé de sortir de sa passivité. Cela l'arrangeait, au fond, qu'il dépende totalement d'elle. Cette situation lui donnait un sentiment de pouvoir, de compétence, et lui donnait l'impression de jouer un rôle important au sein du couple. Mais cette symbiose avait fini par saper leur relation, Hélène en était bien consciente maintenant.

L'étrange rapport qu'avaient noué ses parents expliquait sans doute pourquoi elle s'était sentie si seule durant toute son enfance et son adolescence, solitude qui avait eu pour effet d'inhiber son besoin d'exprimer ses propres désirs et sentiments. Elle ne pouvait s'empêcher de se demander cependant pourquoi sa mère avait besoin d'avoir autant de pouvoir ou qu'est-ce qui, face à son mari, l'incitait à se comporter de manière aussi infantile.

À quoi servait de leur jeter le blâme? Et pouvait-elle se le permettre, de toute manière? S'ils ne lui avaient pas manifesté plus d'amour, en était-elle venue à se dire, c'est qu'ils n'en étaient pas capables — ce qui, à tout considérer, les avait rendus sans doute beaucoup plus malheureux qu'elle ne l'était elle-même.

L'intolérance. Dans la plupart des couples dont l'un des deux partenaires est aux prises avec des troubles hypocondriaques, le ressentiment et la colère sont habituellement contrebalancés par des regains de passion et de tendresse : on se dit que l'autre va finir par redevenir soi-même, et l'on est prêt à tout pour sauver sa relation. Il est d'autres cas, par contre, où les défenses que les conjoints érigent l'un contre l'autre sont si fermes qu'ils n'ont plus aucun moyen de se rejoindre. Un fossé a fini par se creuser entre eux avec le temps. Ils sont constamment aux aguets et ont cessé depuis longtemps de se confier l'un à l'autre. L'un d'eux — celui ou celle qui est «en pleine forme» — refoule une grande agressivité et même un certain mépris à l'égard des obsessions de l'autre, l'hypocondriaque, qui, pour sa part, est profondément habité par le remords et le sentiment d'être inadéquat, mais ne se sent pas la force de réagir, et finit par disparaître derrière ses symptômes. Cette dynamique est un cas type de violence psychologique qui, à moins que le couple n'y mette fin, pourra dégénérer en violence physique puis mener tout droit au divorce.

L'histoire de Marie-Claire et d'Alain est très éclairante à ce propos.

Marie-Claire a 42 ans. Elle est, par nature, assez nerveuse et tendue. Elle avait à peine 16 ans quand sa mère est morte du diabète. Peu après ses études secondaires, cherchant désespérément à quitter la maison familiale, où elle était devenue en quelque sorte la domestique de son père et de son frère, elle emménagea avec son fiancé, Alain, qui travaillait comme vendeur. Une semaine avant leur mariage, elle commença à ressentir des douleurs à la poitrine et à avoir des palpitations, symptômes qui, après examen médical, se révélèrent sans gravité. Marie-Claire était convaincue, me dit-elle, que son corps tentait ainsi de lui signaler un danger imminent.

Peu de temps après, elle donna naissance à un premier, puis à un deuxième enfant, et quitta la ville où elle avait grandi pour aller vivre avec sa petite famille dans une banlieue éloignée. Alain étant constamment en voyage, elle se retrouvait souvent seule à la maison, seule aussi pour prendre soin et voir à l'éducation des enfants. Elle prit l'habitude de les emmener à la bibliothèque municipale chaque après-midi; pendant qu'ils s'amusaient dans la salle de jeu spécialement aménagée pour les petits, elle en profitait pour potasser dans les manuels de médecine, les encyclopédies et les revues médicales. C'est ainsi qu'elle prit connaissance d'un article relatant l'histoire d'une actrice qui avait été atteinte subitement d'une tumeur oculaire, laquelle était passée inaperçue lors des premiers examens médicaux auxquels elle n'avait pas manqué de se soumettre. Marie-Claire se sentit envahie aussitôt par une peur atroce, indescriptible. Puis son œil se mit à élancer. Elle n'arrivait plus à s'enlever de la tête l'histoire qu'elle venait de lire. Elle ressentit également, un peu plus tard dans la journée, de violents maux de tête, ce qui l'incita à prendre rendez-vous au plus tôt avec un neurologue. L'examen ne révéla rien d'anormal. Elle insista pour qu'on lui fasse passer une scanographie. Elle apprit plus tard que leurs assurances ne couvraient pas en entier les frais de cet examen. Alain était furieux.

Marie-Claire en vint à se convaincre plus tard que sa vésicule biliaire, cette fois, ne fonctionnait pas normalement. Après quoi ce fut l'épisode où elle redoutait d'avoir développé un ulcère. Et plus tard une anxiété incontrôlable à propos de ses ovaires. Un interniste lui prescrit alors des Valium et lui conseilla de prendre rendez-vous avec un psychiatre. Ce qui ne mit pas fin pour autant à son besoin constant de s'assurer par une série de tests qu'elle n'avait rien d'anormal. «J'ai passé tellement de radiographies que je dois rayonner dans l'obscurité!» dit-elle, en riant. «Ce qu'il y a de plus absurde dans tout ça, ajoute-t-elle, c'est que j'ai une peur atroce des rayons X : on ne sait jamais... ça pourrait provoquer un cancer... Mais c'est plus fort que moi : il faut que je sois sûre à 100 % qu'il n'y a rien qui va de travers!»

Mais les effets les plus graves de ses troubles hypocondriaques, c'est sa fille et son fils qui les ont subis. «J'ai pourtant été extrêmement attentive à ce que mes problèmes ne se répercutent pas sur eux. J'ai dû les énerver avec toutes mes maladies. Voilà maintenant qu'Élise saigne du nez! Ça m'inquiète! Je suis toujours rendue chez le pédiatre! Mon mari passe son temps à me dire que je vais finir par la rendre folle — "aussi folle que toi" qu'il me dit…»

Marie-Claire lui trouvait toutes sortes d'excuses : «Alain travaille fort, vous savez!» ou : «Lui, quand il est malade, il ne s'en fait pas comme moi. C'est pour cela qu'il s'impatiente et me crie par la tête quand je m'inquiète pour le moindre petit bobo. Il n'y a pas longtemps, il a appris qu'il souffrait du diabète. Mais jamais vous ne l'entendrez se plaindre! Lui, quand il ne se sent pas bien, il s'enferme dans la chambre, éteint la lumière et demande qu'on lui fiche la paix.»

Lorsque son père commença à souffrir d'Alzheimer, elle prit les dispositions nécessaires pour qu'il vienne vivre avec eux, ce qui, bien sûr, n'eut pas l'heur de plaire à son mari. Après un certain temps, exaspérée par les accrochages continuels auxquels donnait lieu cette cohabitation, elle dût se résoudre à placer son père dans une maison de repos. Les choses se replaceraient, croyait-elle. À tort… N'ayant plus à prendre soin de son père, elle ne tarda pas à se laisser happer par ses vieux fantasmes et recommença à se laisser envahir par une anxiété profonde à l'égard de sa propre santé. Un jour, elle eut une attaque de panique, qu'elle associa tout de suite à un début d'infarctus. «Mon mari n'y a pas porté attention. Quand je reviens de la clinique, maintenant, il ne prend même plus la peine de me demander ce qu'a dit le médecin. Et si j'ai le malheur de chercher un peu de réconfort auprès de lui, il me repousse violemment: "Si tu penses que j'ai du temps pour tes simagrées!"»

Marie-Claire a vraiment à cœur de prendre du mieux et de mettre, autant que faire se peut, une sourdine à ses obsessions — «pas tellement pour Alain, dit-elle, résignée, que pour [ses] deux enfants». Elle prend depuis quelque temps un nouvel antidépresseur. «Je sais qu'une bonne partie de mes problèmes sont d'ordre psychologique, reconnaît-elle. Alain dit que je "fais exprès", que c'est moi qui m'arrange pour être malade. Peut-être. Mais qu'est-ce que je peux y faire? C'est plus fort que moi! Il n'a pas l'air de me croire quand je lui dis que j'ai hâte, autant que lui, que ça cesse.»

*

L'expérience de la maladie met toujours à rude épreuve la vie matrimoniale. Les conjoints ignorent, quand ils s'engagent «pour la vie» dans une relation, qu'à n'importe quel moment du parcours la maladie peut survenir — souvent beaucoup plus tôt qu'ils ne sauraient l'imaginer.

Toute maladie sérieuse qu'un couple peut être appelé à surmonter s'accompagne d'imprévus, parfois même de complications, et est source de stress. Des études laissent entendre que même chez les couples les plus harmonieux, la satisfaction que l'on peut tirer de la vie conjugale lorsque la santé de l'un des deux partenaires se met à dégénérer (celui des deux conjoints qui se porte bien serait le plus susceptible de se plaindre d'une altération de la relation conjugale à la suite d'une maladie), facteur qui serait même susceptible, dans certains cas, de favoriser le divorce[19]. Peu de couples sont vraiment préparés à faire face aux changements que pourrait entraîner la maladie de l'un ou de l'autre conjoint : nouveaux besoins sur le plan affectif, réaménagements à apporter à la vie quotidienne, agitation intérieure, peur, épuisement, etc.

L'hypocondrie ferait plus de ravages encore, semble-t-il. Lorsque l'un des conjoints croit que l'autre exagère la gravité ou la portée de ses malaises, ou met en doute la vraisemblance des symptômes, il y a fort à parier que le ressentiment ne tardera pas à s'installer dans le couple. Celui des deux partenaires qui se porte bien ne sait pas toujours ce qu'on attend de lui. Il arrive souvent en effet que les voies de communication aillent en sens inverse. L'hypocondrie peut, certes, représenter un terrain miné et, comme tel, extrêmement périlleux, mais en sachant désamorcer patiemment un après l'autre les explosifs qui dorment sous la surface, on finira par trouver certains îlots où il est possible d'évoluer en toute sécurité. S'ils veulent vieillir ensemble, il est essentiel que les partenaires apprennent à interpréter le langage de l'autre, dans la maladie comme dans la santé, et qu'ils trouvent de nouvelles façons de communiquer.

Une personne que vous aimez souffre d'hypocondrie. Saurez-vous lui parler?...

Ne lui dites pas...

- *«Ce que tu peux être hypocondriaque! Cesse de t'inquiéter! Tu n'as rien d'anormal!»* Évitez à tout prix ce type de remarque, car le mot «hypocondriaque» a encore aujourd'hui une connotation négative : l'individu qui se voit affublé de cette épithète pourra avoir l'impression que vous le soupçonnez de mentir ou d'afficher de faux symptômes. Il y a de fortes probabilités pour que, de toute manière, il ne vous croie pas, car il est bel et bien convaincu que quelque chose ne va pas — et, effectivement, «quelque chose» ne va pas.
- *«Cesse de faire cette tête!»* Une telle remarque implique que la douleur et la souffrance de l'individu à qui vous vous adressez sont sous la dépendance de sa volonté. Or, lorsque l'anxiété et la dépression sont en cause, comme c'est le cas dans la plupart des cas de troubles hypocondriaques, il ne suffit pas de «décider» que tout va bien pour que le problème disparaisse.
- *«Tu devrais voir un psychothérapeute...»* L'hypocondriaque a besoin de s'accrocher à la certitude qu'une maladie organique est à l'origine de ses problèmes, précisément parce qu'il veut éviter de se voir confirmer par un spécialiste que ses problèmes sont d'ordre psychique. Lui laisser entendre qu'il pourrait souffrir de dépression ou de tout autre trouble mental ne fera qu'accroître son anxiété : ce ne serait qu'ajouter un élément de plus à la liste des maladies redoutées.
- *«Arrête de t'en faire avec ça! C'est probablement le stress.»* C'est déjà beaucoup mieux... mais l'effet réconfortant de ce type de remarque ne sera malheureusement que temporaire, car l'hypocondriaque a un besoin constant d'être

rassuré. Le baume que vous aurez ainsi mis sur ses blessures durera tout au plus une heure, au mieux une journée. Que vous répétiez cette phrase une fois ou cinquante fois, c'est du pareil au même : cela ne contribuera en rien à résoudre le problème.

Vous lui ferez beaucoup plus de bien si vous...

- Prenez un ton chaleureux, empathique, de telle manière que la personne que vous voulez réconforter n'ait pas l'impression que vous désapprouvez son comportement. Évitez tout ce qui peut porter atteinte à son estime d'elle-même; un manque de délicatesse à cet égard ne ferait qu'aggraver les symptômes. Retenez-vous de trop dorloter cette personne qui vous est chère, et ne vous autorisez jamais à jouer avec ses phobies.
- Suggérez avec beaucoup de gentillesse que les symptômes pourraient être reliés au stress ou à un conflit quelconque, surtout si, à votre connaissance, un événement ou un traumatisme récent aurait pu effectivement avoir des effets déstabilisateurs. Si cette approche ne donne aucun résultat, n'insistez pas : l'hypocondrie ne s'installe pas ni ne disparaît pas du jour au lendemain.
- Faites part d'une expérience personnelle ou d'un événement bouleversant sur le plan émotif qui aura favorisé, chez vous, l'éclosion de symptômes physiques. Le fait de savoir que quelqu'un d'autre «est passé par là» a toujours un effet apaisant.
- Encouragez cet être qui vous est proche à verbaliser ses peurs à propos de la maladie et de problèmes de santé qui l'affectent. Manifestez un intérêt encore plus vif lorsque la conversation prend un tour plus personnel, plutôt que d'être centrée uniquement sur les malaises ou les affections

somatiques — tout en tenant compte de vos propres limites et de celles de votre patience. Il ne s'agit surtout pas de jouer les thérapeutes : un investissement exagéré pourrait ici saper complètement vos énergies et vous affecter vous-même sur le plan émotif. Rappelez-vous bien que cette personne, qu'il s'agisse d'un ami, d'un membre de votre famille ou de votre parenté ou encore de votre conjoint, a besoin d'abord et avant tout de reprendre confiance en elle et de compter sur sa propre capacité à résoudre ses problèmes, plutôt que de s'installer dans un rapport de dépendance malsain.

1. Jerome KAGAN, entrevue réalisée le 2 octobre 1995. Voir aussi *Galen's Prophecy*, New York, Basic Books, 1994.
2. Robert S. MENDELSOHN, *How to Raise a Healthy Child ... in Spite of Your Doctor*, Chicago, Contemporary Books, 1984, p. 7.
3. Voir Daniel GOLEMAN, «Childhood Depression May Herald Adult Ills», *New York Times*, 11 janvier 1994, p. C-1, C-10.
4. Selon Mina K. DULCAN et Charles W. POPPER, *Concise Guide ot Child and Adolescent Psychiatry*, Washington D.C., American Psychiatric Press, 1991, p. 115.
5. Selon Judith L. RAPOPORT, *The Boy Who Couldn't Stop Washing : Experience and Treatment of Obsessive-Compulsive Disorder*, ouvr. cité, p. 7.
6. Norma DOFT, *When Your Child Needs Help : A Parent's Guide to Therapy for Children*, New York, Harmony, 1992, p. 33.
7. Voir, entre autres, Michael VASEY *et al.,* «Worry in Childhood : A Developmental Perspective», *Cognitive Therapy and Research*, nº 18, 1994, p. 529-549.
8. Voir Mina K. DULCAN et Charles W. POPPER, *Concise Guide to Child and Adolescent Psychiatry*, ouvr. cité, p. 167.
9. Perri KLASS, *A Not Entirely Benign Procedure : Four Years as a Medical Student*, New York, Plume, 1987, p. 125-126.
10. David SHERRY, entrevue réalisée le 15 mai 1995.
11. Herbert A. SCHREIER et Judith A. LIBOW, *Hurting for Love : Münchausen by Proxy Syndrome*, New York, Guilford Press, 1993, p. 62-63.
12. Berney GOODMAN, «The Body's Mind», *Thinking Allowed*, PBS Telivision Series, Berkeley, Thinking Allowed Productions, 1994.
13. Augustus V. NAPIER, avec la collaboration de Carl A. WHITAKER, *The Family Crucible*, New York, Harper and Row, 1978, p. 54.
14. Voir Salvador MINUCHIN *et al.,* «A Conceptual Model of Psychosomatic Illness in Children», *Archives of General Psychiatry*, nº 32, août 1975, p. 1031-1038. (De Salvador MINUCHIN, voir aussi *Family Healing : Tales of Hope and Renewal from Family Therapy*, New York, Touchstone, Simon and Schuster, 1993.)
15. Voir : Richard LIVINGSTON, «Children of People with Somatization Disorder», *Journal of the American Academy of Child and Adolescent Psychiatry*, nº 32, mai 1993, p. 536-544; Richard LIVINGSTON, Amy WITT et G. Richard SMITH, «Families That Somatize», *Journal of Developmental and Behavioral Pediatrics*, nº 16, février 1995, p. 42-46.
16. Voir David SHERRY *et al.,* «Psychosomatic Musculoskeletal Pain in Childhood», *Pediatrics*, nº 88, décembre 1991, p. 1093-1099.
17. Susan BAUR, *Hypochondria : Woeful Imaginings*, ouvr. cité, p. 83.
18. Voir Charles V. FORD, *The Somatizing Disorders : Illness as a Way of Life*, New York, Elsevier Biomedical, 1983, p. 192-193.
19. Voir Jane E. BRODY, «Ilness as a Marriage Threat», *New York Times*, 8 juin 1994, p. C-11.

Chapitre 9

La relation médecin-patient: un élément crucial du traitement

Rédiger des ordonnances est chose facile;
arriver à s'entendre avec ses patients en est une autre.

Franz KAFKA, *« Un médecin de campagne »*

La famille, lorsqu'elle sait se montrer compatissante et accueillir sans condescendance ni agressivité — en sachant lire au-delà des plaintes exprimées — un proche qui vit sous l'emprise de peurs tenaces reliées à la maladie, peut indiscutablement contribuer à son mieux-être: ce témoignage d'amour ne peut que l'aider à trouver la force de surmonter ses difficultés et le courage de chercher de l'aide auprès d'un spécialiste. Mais, malgré tout l'empressement dont ils peuvent faire preuve, les membres de la famille ne sont pas en mesure de lui donner les soins et l'assurance que seul un médecin, habilité de par sa formation et son expérience à jongler avec les symptômes, saura lui prodiguer.

En procédant à tous les examens nécessaires, en étant attentif aux plaintes du patient, en prenant en compte à la fois les signes de souffrance du corps et ceux de l'esprit, le médecin devrait pouvoir, en effet, mieux que quiconque, décrypter les signes de ce trouble si énigmatique qu'est l'hypocondrie et trouver avec son patient le moyen de faire la part du réel et du fantasme, des symptômes graves et des symptômes bénins. La relation médecin-patient peut être une source inestimable de réconfort, d'apaisement, de soulagement et de connaissance. Dans l'idéal… Car la réalité est souvent tout autre.

Il faut savoir que l'hypocondriaque est plongé presque en permanence dans un état d'incertitude et se sent ballotté d'instant en instant entre un bien-être relatif et un profond sentiment de malheur ou de malaise imminent. Commence-t-il à se sentir un peu mieux qu'il appréhende aussitôt l'instant où prendra fin ce moment de bien-être inespéré. On comprendra facilement qu'il puisse préférer parfois s'installer dans la maladie que de supporter l'angoisse insupportable qu'engendre ce doute perpétuel. Du fait même qu'il passe sa vie entre «les hauts» et «les bas», l'hypocondriaque a, plus que tout autre, besoin des médecins, tout en redoutant l'immense pouvoir dont ils disposent. Car ils sont les seuls à pouvoir légitimer son statut de malade (ce qui le terrifie en même temps) ou le lui retirer (ce qui l'inquiète énormément). Faut-il s'étonner, dès lors, qu'entre médecins et hypocondriaques les relations soient si difficiles, et si décevantes.

Le patient hypocondriaque peut donner les pires cauchemars à son médecin, car il met sans cesse à l'épreuve les aptitudes mêmes dont le médecin tire sa valorisation sur le plan professionnel: l'aptitude à dissiper les symboles et l'aptitude à vaincre la maladie. C'est, de toute évidence, un patient difficile et exigeant: il vient demander conseil, mais conteste, l'instant d'après, le diagnostic du médecin, qu'il n'hésitera pas à opposer au diagnostic d'un autre médecin, et d'un autre encore… Extrêmement anxieux, souvent même désespéré, il attend du médecin qu'il pose un diagnostic définitif à partir d'un tableau clinique pour le moins ambigu ou qu'il traite illico des symptômes rebelles à toute thérapeutique. L'embarras dans lequel le met cette situation pourra engendrer chez le clinicien un sentiment de confusion ou d'impuissance qui peut être source de grande frustration. Il pourra être tenté d'en finir au plus tôt avec ce type de patient, de retarder le moment de lui retourner un appel ou de le référer à quelqu'un d'autre; contraint par l'obligation de «faire quelque chose», comme le réclame avec insistance le patient, il pourra même aller jusqu'à le soumettre à une série de tests diagnostiques et d'interventions exploratoires invasives.

Tels ces enfants exigeants qui finissent par imposer leurs quatre volontés à leurs parents et devant qui ceux-ci céderont, ne serait-ce que pour ne plus avoir à les entendre gémir, les patients hypocondriaques sont particulièrement habiles à convaincre leur médecin de faire ce qu'ils (pensent qu'ils) veulent, ce qui peut parfois d'ailleurs tourner à leur désavantage. Les patients présentant des symptômes graves inexplicables subiraient effectivement de deux à trois fois plus d'interventions chirurgicales que la moyenne, ce qui les expose plus que les autres, par le fait même, aux maladies iatrogéniques, c'est-à-dire provoquées par un traitement médical inapproprié. On a rapporté de nombreux cas où, par pure ignorance, par appât du gain ou simplement par un souci tout humain de calmer l'anxiété du patient, des médecins ont inutilement procédé à l'ablation d'organes, mutilé des tissus sains, implanté des prothèses, pratiqué des anesthésies, injecté des substances médicamenteuses, et ainsi porté préjudice, quelquefois même entraîné la mort, d'un nombre trop élevé de patients.

Le Dr Mack Lipkin fils, interniste au New York University Medical Center et président de l'American Academy on Physician and Patient, société vouée à l'amélioration de la relation médecin-patient, s'est intéressé durant les années soixante-dix, au traitement des troubles somatiques. «On reconnaît souvent les patients qui souffrent de troubles de somatisation à leur abdomen, dit-il. À voir les multiples cicatrices qui leur balafrent le ventre, on présume tout de suite que ces personnes se sont soumises à de multiples chirurgies exploratoires; il n'est pas rare qu'elles se soient fait enlever l'utérus, la vésicule biliaire et une partie de l'intestin ou qu'elles aient subi une ou plusieurs interventions visant à dégager un nerf comprimé. Et il n'est pas dit d'ailleurs que ces opérations aient mis fin à leur souffrance! Ces pauvres gens ont le corps complètement meurtri — un véritable champ de bataille... Il s'agit souvent de patients dont le médecin aura traité les symptômes avant même d'avoir eu la confirmation qu'une maladie organique était en cause[1].»

Comment des professionnels dont la fonction est avant tout de soulager la douleur humaine peuvent-ils être aussi négligents? vous demandez-vous sans doute à l'instant. Le médecin qui en vient, pour une raison ou une autre, à exciser des tissus biologiquement sains n'est certes pas mal intentionné. Il a fort probablement pris au départ cette décision en toute bonne foi. Et tant le médecin que le patient ont probablement examiné à fond le problème, et en ont discuté longuement, avant de procéder à une intervention. Pourtant, «quelque chose» n'aura pas, mais pas du tout, marché. Si bien que le patient hypocondriaque — patient difficile et troublé, comme on l'a dit —, qui a le plus grand besoin de l'aide des médecins, est celui à qui la médecine a le moins à offrir, quand elle ne lui est pas carrément préjudiciable.

L'effet thérapeutique d'une relation de confiance

On a déjà dit de la relation médecin-patient qu'elle était la clé de la réussite de la pratique médicale; tout l'art de la médecine, et partant, la qualité des soins prodigués reposeraient sur l'aptitude du médecin et du patient — que celui-ci soit malade ou bien portant, qu'il s'agisse d'un hypocondriaque, d'un alcoolique, d'un drogué ou d'un agresseur sexuel, qu'il ait tendance à changer de médecin comme il change de chemise ou qu'il soit capable de stabilité — à établir un rapport de confiance mutuelle authentique et durable. Lorsque la maladie ou l'anxiété vous accablent, il n'y a pas que votre corps qui soit en danger; si vous êtes gravement atteint physiquement ou psychologiquement, c'est votre être tout entier que vous mettrez entre les mains du médecin, en retour de quoi celui-ci vous fera profiter de son savoir et vous prodiguera soins et compassion. Que votre médecin ait de l'empathie ou de l'aversion pour vous, ou que vous éprouviez ce type de sentiment à son égard, il est tenu, de par les règles de sa profession, de poser un diagnostic pertinent et de prescrire un traitement qui puisse, dans la mesure du possible, soulager vos douleurs et diminuer votre souffrance, et ce, qui que vous soyez[2].

De la relation qu'entretiennent le médecin et son patient dépend en très grande partie, dans des conditions d'exercice normales, le processus de guérison. «Le remède le plus fréquemment utilisé pour soulager le mal du patient en médecine générale est, de loin, le médecin lui-même[3]», disait le célèbre psychanalyste et psychiatre d'origine hongroise Michael Balint. La façon dont un médecin s'investit dans sa relation au patient — le ton, le style, l'atmosphère dans laquelle il *s'administre* lui-même comme «remède» —, dit Balint, a en soi une valeur thérapeutique aussi grande, sinon plus grande que le traitement médical lui-même, comme l'ont montré de nombreuses études sur la question. (Rappelons que le Dr Balint et sa femme, Enid, mettaient sur pied en Angleterre, durant les années soixante, des séminaires hebdomadaires réunissant une dizaine de médecins de pratique générale invités, sous la conduite d'un spécialiste de la santé mentale, à réexaminer en profondeur le problème de la relation médecin-patient. La popularité de ces groupes de discussion, qui, pour la première fois, tentaient de faire le point sur les facteurs psychiques pouvant intervenir dans l'administration des soins primaires, fut telle qu'ils s'étendirent à toute l'Europe de l'Ouest, pour gagner récemment des adeptes aux États-Unis chez les spécialistes de la médecine familiale.)

Le Dr Balint s'est employé durant toute sa carrière à sensibiliser les professionnels de la santé à la dimension psychique des interactions qui s'établissent entre médecins et patients. D'autres auteurs avaient, avant lui, attiré l'attention du milieu sur le fait que même l'administration d'une préparation pharmaceutique ne contenant que des produits inertes, c'est-à-dire ne contenant aucun ingrédient actif sur le plan biochimique, peut avoir un effet thérapeutique — ce qu'on a appelé l'«effet placebo» —, si le sujet est sous l'impression que la personne qui lui administre ce produit prend soin de lui. Depuis Hippocrate, les praticiens bien avisés ont su reconnaître que leur comportement, à lui seul, même la seule imposition des mains, pouvait avoir une valeur curative, car n'oublions pas que, bien avant l'apparition des vaccins, des antibiotiques et autres produits du génie pharmaceutique moderne, les patients devaient s'en remettre entièrement à leur médecin pour se soigner.

Même à notre époque, où la biotechnologie connaît un essor inestimable, dont on aurait pu craindre qu'il vienne bouleverser complètement les enjeux de la pratique médicale, la dimension psychologique de la relation médecin-patient — plus précisément *la qualité du rapport humain* que cette relation devrait garantir — demeure l'une des armes les plus puissantes dont la médecine dispose pour vaincre la maladie. La preuve n'est plus à faire que des traitements dont l'efficacité a été démontrée scientifiquement ont un effet encore plus grand lorsque le patient a profondément confiance en son médecin et que celui-ci fait preuve d'optimisme quant à l'issue du traitement. Les vertus curatives d'une bonne relation médecin-patient seraient même encore plus grandes qu'on ne l'avait présumé: l'effet placebo a été retrouvé, en effet, lors de toutes récentes études, chez une proportion de 30 % à 60 % des patients soumis à la médication ou à un autre type de traitement à visée thérapeutique auquel le médecin et le patient croyaient fortement[4].

Certains chercheurs n'ont pas manqué d'ailleurs de critiquer la surenchère dont le traitement placebo fait l'objet, sous prétexte qu'elle dévalue indirectement la capacité des scientifiques à déterminer les effets bénéfiques des ingrédients actifs des médicaments ou de thérapies particulières. L'effet placebo résultant essentiellement de facteurs d'ordre psychique, on a souvent tendance à croire, invoquent-ils en outre, que le patient qui y répond favorablement n'est pas vraiment malade. «Plutôt que de s'intéresser à l'effet placebo en tant qu'il ouvre des avenues passionnantes à l'étude des interactions entre le corps et l'esprit et de s'attacher à rechercher de quelle manière il peut accélérer le processus de guérison, dit le Dr Andrew Weil, la plupart des médecins et des chercheurs le voient comme un obstacle — un élément à prendre en compte, certes, mais pour aussitôt l'éliminer[5].» Le Dr Weil, un ancien de Harvard, a publié plusieurs ouvrages sur la médecine holistique; il est au nombre des quelques médecins qui soutiennent que la communauté médicale a encore des progrès à faire dans la connaissance et l'appréciation du phénomène de l'effet placebo, le plus efficace des médicaments qu'un médecin puisse offrir à ses patients.

Le rôle précis que joue le médecin sur ce plan est effectivement bien énigmatique. L'amélioration ou même la disparition des symptômes sous l'action d'une préparation pharmaceutique dépourvue pourtant de tout principe actif ou d'un régime dont l'efficacité sur le plan médical n'a jamais pu être démontrée a pendant longtemps été attribuée aux pouvoirs magiques que l'on prêtait jadis à la médecine. Sinon, comment expliquer que l'effet puisse s'exercer tout autant chez les patients qui remettent en question la motivation, l'empathie et l'expertise des médecins?

L'inconscient du sujet se trouve ici sollicité, explique le Dr Jay Katz, ancien clinicien qui se consacre maintenant entièrement à l'enseignement de l'éthique médicale à la faculté de droit de l'Université de Yale, dans un ouvrage sur l'«espace silencieux» dans lequel se déploie la relation médecin-patient. «Au fond, les patients s'attendent à rien de moins qu'à des miracles, dit-il, tout en étant conscients que les miracles n'arrivent pas souvent.» Ils entretiennent, envers et contre tout, une image idéalisée du médecin: c'est celui qui peut *tout*, rien de moins. Ce qui n'est pas sans rappeler la toute-puissance que l'enfant prête à ses parents. «Il ne faut pas oublier, dit le Dr Katz, que la médecine s'est constituée à l'origine dans l'espace même de la magie et du sacré; le lien qui s'est ainsi établi dans l'esprit des gens, depuis des temps immémoriaux, entre ces figures d'autorité que sont le médecin guérisseur, le prêtre, le magicien, le père ou la mère est si fortement investi qu'il est pratiquement impossible à défaire.»

Le transfert positif que fait le patient sur son médecin vient confirmer, dit le Dr Katz, *l'alliance thérapeutique* qui s'est instaurée entre eux, alliance absolument essentielle à la guérison. L'effet proprement magique de cette relation sur le patient ne tient pas tant à l'engagement qu'a pris le médecin de faire l'impossible pour le guérir qu'à la promesse qu'il a faite, de par leur alliance tacite, «de *ne jamais l'abandonner à lui-même* — promesse d'une présence attentive et sincère qui, par l'espoir, la sécurité et le réconfort qu'elle procure, vient pallier les limites du savoir médical[6]».

Et que se passera-t-il si, pour une raison ou une autre, le lien — appelez-le «alliance» ou «transfert» — ne se noue pas? Car, si le médecin peut agir lui-même comme placebo et avoir une influence décisive sur la guérison du patient, il s'ensuit que, comme tout remède énergique, la moindre chose ou la moindre remarque que fait le médecin peut avoir des effets indésirables; elle pourra même exercer, comme la cortisone, la chimiothérapie ou tout autre traitement médicamenteux administré en dose excessive, une action toxique. Comme l'écrivait en 1957 le Dr Balint, «le manque d'information sur les risques associés à la relation médecin-patient, qui, de tous les “médicaments”, est le plus souvent employé, est aussi déplorable que terrifiant», lacune qui, quarante ans plus tard, ne fait que commencer à retenir l'attention des chercheurs. «Pas la moindre ligne de conduite à ce propos dans les manuels de médecine! s'étonne-t-il. Comment le médecin, considéré ici comme “traitement”, doit-il “doser” ses interventions? Sous quelles formes et à quelle fréquence peut-il administrer sa propre “potion”? Comment déterminer la “dose curative” et la “dose d'entretien” ? [...] Quelles sont les “allergies” susceptibles de se présenter? Aucun manuel n'en souffle mot[7]!»

Tout le monde s'accorde à reconnaître que les interactions entre médecin et patient influencent directement l'évolution du traitement — pour le meilleur et pour le pire. Elles prennent une importance encore plus grande, on le comprendra facilement, lorsque le médecin a affaire à un hypocondriaque. Aucun patient n'est plus susceptible de s'égarer dans le champ extrêmement complexe des soins cliniques high-tech que cet être anxieux, craintif et sensible à toute variation physiologique et à toute information médicale qu'est l'hypocondriaque. Tout en sachant orienter de manière pertinente l'investigation biomédicale, le médecin appelé à traiter ce type de patient devrait idéalement faire preuve d'un sens aigu de la responsabilité professionnelle, d'une grande compassion à l'égard de la profonde souffrance qui accable le patient, d'une vigilance constante à l'égard de tout ce qui pourrait mettre en danger la santé de cet être inquiet et enfin d'une aptitude toute particulière à tolérer l'incertitude.

Il arrive trop souvent, malheureusement, que le moindre espoir de collaboration productive, d'alliance efficace, s'éclipse rapidement dans le tumulte déclenché par les luttes de pouvoirs malsaines qui peuvent s'engager entre médecin et patient quand vient le temps de déterminer s'il s'agit ou non d'une maladie *organique*. La relation privilégiée qui était censée, au départ, venir aider l'hypocondriaque à démystifier ses symptômes et à calmer son angoisse dégénère alors en une confrontation insupportable: d'un côté, un clinicien perplexe et frustré, incapable de trouver ce qui ne va pas chez son patient; de l'autre, un patient qui se sent rejeté et incompris — et souvent plus mal en point qu'avant.

«Pourquoi, dans de nombreux cas, le traitement prescrit n'agit-il pas comme prévu? s'interroge le Dr Balint. Qu'est-ce qui peut bien occasionner inutilement autant de souffrance et d'irritation? Pourquoi tant d'efforts improductifs? Pourquoi, en somme, le médecin et le patient, qui ont fondamentalement besoin l'un de l'autre, n'arrivent-ils pas à parler le même langage?» Voilà autant de questions et de dilemmes qui ont de quoi laisser perplexes. Pour être en mesure de bien comprendre ce qui souvent ruine le rapport du patient hypocondriaque à son médecin, ou inversement, et suggérer des pistes pour corriger cette situation, il est important de bien examiner les deux côtés de la médaille.

Le point de vue du patient

Les médecins, naguère enfants chéris du système, sont subitement tombés en disgrâce au cours des dernières décennies. Après s'être refusés pendant des années à mettre en doute la bonne volonté de ceux qui avaient charge de les soigner, de peur qu'ils ne leur refusent l'accès à leur giron, les consommateurs de services médicaux se sont un jour risqués, dans la foulée de la mise en question générale de maintes figures d'autorité dont les années soixante ont été le théâtre, à douter des bons sentiments qui avaient présidé à cette idylle. Finie l'ère de la foi inébranlable en la médecine, de la déférence obligée à l'égard des autorités médicales et de la croyance aveugle en cette vérité que le médecin est l'unique détenteur de la vérité, valeurs qui avaient commencé à émerger au lendemain de la Deuxième Guerre. L'époque est à la défense des droits — de ceux du patient, dans ce cas-ci.

L'avènement de l'ordinateur ayant rendu possible le traitement de très grandes quantités de données, le public s'est vu autoriser l'accès à des renseignements, jusque-là inaccessibles, sur l'éventail étonnant de traitements disponibles, sur les écarts importants dans la facturation des services médicaux, sur des cas flagrants d'erreurs diagnostiques et autres boîtes de Pandore. Les études sur l'efficacité des traitements les plus variés ont, par ailleurs, commencé à fleurir, aidant ainsi les consommateurs médicaux à faire le tri entre les traitements efficaces et ceux qui ne s'appuient sur aucun fondement objectif[8]. (Ils ont pu apprendre notamment, par la prestigieuse Rand Corporation, qu'un tiers au moins des mesures thérapeutiques auxquelles avaient recours les médecins étaient peu, sinon aucunement, efficaces.) Les médecins, qui, depuis longtemps, avaient pu échapper aux effets contraignants du marasme économique, se voyaient pour la première fois forcés de rendre des comptes. Du coup, les consommateurs ont dû faire face à une réduction de la couverture des soins de santé, à une augmentation des franchises et à des honoraires de plus en plus élevés.

Désillusionnés quant aux merveilles de la haute technologie et aux promesses d'une médecine hors de prix, mais forts d'un nouveau savoir, ils ont décidé de prendre le taureau par les cornes et de laisser savoir aux autorités qu'ils en avaient assez des médecins paternalistes et assoiffés de pouvoir. Le dénigrement systématique est alors devenu un moyen d'action non seulement toléré mais allant de soi. Tandis que la confiance entre patient et médecin continuait à s'éroder, des chercheurs universitaires ont commencé à examiner de près cette dyade souvent problématique et à analyser en profondeur la dynamique qui la sous-tend, jetant ainsi les bases d'une nouvelle discipline qui allait permettre d'évaluer la teneur et le bien-fondé des critique des consommateurs. L'une après l'autre, des études ont mis en évidence l'insatisfaction du public non pas tant à l'égard d'un manque de compétence des médecins que de certaines de leurs attitudes. On leur reprochait notamment:

- de ne pas savoir écouter,
- d'être insensibles aux besoins réels du patient,
- de se montrer parfois irrespectueux,
- de ne pas savoir communiquer.

Une étude bien connue du milieu s'est penchée sur plus de 1000 lettres adressées à une grande mutuelle du Michigan[9]. Les plaintes le plus fréquemment formulées avaient trait surtout au(x):

- manque de compassion des médecins (des patients se plaignaient, par exemple, de ce que leur médecin ne daigne même pas les regarder durant la consultation, qu'il les traitait de façon humiliante ou qu'il utilisait un jargon médical incompréhensible);
- manières brusques du personnel médical, en particulier dans la façon de s'adresser au patient.

Il ressort d'autres études que:

- les médecins interrompent le patient peu après qu'il a commencé à parler;

- les patients ne peuvent trouver le moyen durant la consultation de parler à leur médecin que de la moitié de leurs symptômes[10];
- dans 50 % des cas, médecins et patients ne s'entendent pas sur le problème majeur à traiter;
- l'omnipraticien type donne des consultations de 7 minutes, en moyenne, au patient, en comparaison de 11 minutes il y a vingt ans[11];
- un pourcentage significatif de patients comprennent mal les recommandations des médecins ou oublient ce qui leur a été conseillé dans les minutes qui suivent leur départ du bureau du clinicien.

Comme on le voit, le mécontentement général associé de manière générale aux services médicaux n'a pas à voir avec l'incompétence des médecins, ce qui n'empêche pas toutefois ces derniers de redouter les procès en responsabilité médicale, devenus de plus en plus courants, et les primes d'assurance astronomiques à débourser. Les fautes médicales, les diagnostics erronés et autres erreurs professionnelles peuvent survenir à l'occasion; mais, conscients du fait que, pour une vie perdue, des centaines de milliers d'autres sont sauvées ou prolongées, le public se montre plus tolérant sur ce front. On est en droit de se demander cependant qui, sinon les consommateurs de services médicaux eux-mêmes, dénoncera les abus plus subtils — humiliations, insinuations, indifférence — dont sont souvent victimes les patients, car ces manquements ne sont pas assez spectaculaires pour faire la une des journaux.

Les médecins eux-mêmes, les plus avant-gardistes comme les plus conformistes, n'ont pas manqué de faire leur autocritique à l'occasion. Constatation étonnante, près de la moitié des médecins pratiquant sur le territoire américain regretteraient, selon une enquête, leur choix de carrière et s'orienteraient autrement si c'était à refaire.

Le Dr Edward Rosenbaum, ancien directeur du service de rhumatologie à l'Oregon Health Sciences University, n'a pas craint de faire son propre examen de conscience dans un ouvrage paru il y a quelques années[12], ouvrage dont a d'ailleurs été tiré le film *The Doctor* en 1991. L'acteur William Hurt y joue le rôle du chirurgien immunisé contre l'ardent besoin qu'ont ses patients d'être soutenus psychologiquement, jusqu'à ce qu'il soit lui-même atteint d'un cancer de gorge. Le film est basé sur des faits vécus, ceux-là précisément auxquels a été confronté le Dr Rosenbaum après qu'il eut reçu, à l'âge de 70 ans, un diagnostic de cancer du larynx. Appelé ainsi à changer de rôle, le rhumatologue découvre l'envers de la médaille — les soins impersonnels et distants qu'il reçoit à son tour comme patient —, expérience qui le transformera complètement tant sur le plan personnel que sur le plan professionnel.

L'une des scènes les plus émouvantes de l'œuvre est celle où le spécialiste se prépare pour une scanographie. Au moment où il s'apprête à s'allonger sur l'étroite table en acier, qu'on n'aura d'ailleurs pas pris le temps de recouvrir d'une alèse de papier, deux jeunes techniciennes commencent à faire des commentaires sur son anatomie. «Ça ne marche pas, il a le cou trop large», lance froidement l'une d'elle en tentant de placer un bloc en caoutchouc sous la tête du patient. «Merde! maintenant, ce sont les épaules qui sont trop larges!», dit l'autre.

En s'en retournant chez lui, le patient revoit en mémoire, avec un certain malaise, la scène de l'examen, scène dont le caractère grotesque viendra réveiller de vieux, et bien tristes, souvenirs. D'abord, celui d'un petit garçon essayant, de peine et de misère, un veston, et entendant le vendeur dire à sa mère en haussant les épaules: «Non, ça ne va pas! Il a le cou trop large», à la suite de quoi la mère — *sa* mère, on l'aura deviné —, en furie, sortira en coup de vent du magasin. Il se remémorera ensuite les propos que lui avait rapportés la jeune Émilie, alors qu'elle n'avait que 13 ans: «Elle a de gros nichons pour son âge!», s'était exclamé un médecin, commentaire qu'elle avait reçu comme une insulte et n'avait jamais pu oublier. Puis ce collègue qui, en présence de ses patients, «parlait d'eux comme s'ils n'étaient pas là».

Il ne s'agit pas tant, pour ce qui nous occupe ici, de faire le procès de la médecine actuelle que de se demander pourquoi les hypocondriaques ont si souvent tendance à choisir des médecins qui ne leur conviennent pas, c'est-à-dire qui ne tiennent pas compte de la personnalité bien particulière de ce type de patient, qui ne font aucun effort particulier pour favoriser la communication avec eux et qui ne semblent avoir, en définitive, qu'un seul souci: leur emploi du temps. Les patients hypocondriaques confondraient-ils «autorité» et «autoritarisme»?

Si un médecin se contente de les écouter avec empathie sans pour autant poser de diagnostic absolu ni leur prescrire de tests supplémentaires, ils ne tarderont pas à mettre en doute sa compétence. «J'ai beau être bien disposée au départ, explique une patiente, qui est travailleuse sociale, si le médecin me dit que tout va bien, que je suis en parfaite santé, il faut absolument que je trouve quelque chose d'autre qui ne va pas. Il est trop jeune... Ou manque d'expérience... Ou trop vieux pour être à la fine pointe de la recherche... Toutes les excuses sont bonnes pour que je me laisse aller à douter de tout et de tout le monde. En fait, je ne sais trop quel type de médecin il me faudrait. De toute manière, quel que soit le médecin que je consulte, ça ne marche jamais!»

L'expérience m'a appris, à moi aussi, qu'il n'est pas facile pour un hypocondriaque de trouver le médecin qui lui convienne. J'en prendrai pour exemple l'incident suivant, vécu au cours d'une période extrêmement éprouvante de ma vie.

Je souffrais, depuis un bon moment déjà, de douleurs articulaires au poignet lorsque j'ai décidé de consulter une orthopédiste. Après m'avoir gentiment rassurée, en me disant que je n'avais rien à craindre — ce que je me suis empressée, bien entendu, de nier dans mon for intérieur —, elle m'a suggéré de consulter un chirurgien («le meilleur dans sa spécialité») afin de déterminer s'il n'y aurait pas lieu d'opérer la main qui me faisait tant souffrir. Mes radiographies, ma scintigraphie osseuse et mon dossier médical sous le bras, je m'amenai donc chez l'éminent chirurgien. Sans dire mot, il me tâta les poignets, puis, à l'aide d'un mètre ruban, tenta d'apprécier leur degré de motilité, pour conclure:

«Le poignet gauche est de 20 % moins flexible que le poignet droit.

— Et puis? Qu'est-ce que je dois en conclure? lui demandai-je.

— Difficile à dire... Il ne s'agit ni d'une anomalie d'ordre mécanique ni d'une anomalie d'ordre structurel. Je ne peux donc rien faire pour vous.»

Rassemblant tout mon courage, je me risquai à lui poser *la* question qui me préoccupait depuis un bon bout de temps déjà:

«Est-ce que ce pourrait être un signe précoce d'un problème rhumatologique — de... lupus, par exemple?

— Possible..., me répondit-il, visiblement embarrassé, en haussant les épaules et en me regardant droit dans les yeux.»

À peine m'étais-je levée de ma chaise que je sentis des sueurs froides traverser tous mes pores. La pièce s'assombrit. Quelques secondes plus tard j'étais étendue de tout mon long sur le sol. Pendant quelques instants, plus rien!

Lorsque je repris conscience, une infirmière était à mes côtés. Le «grand spécialiste» avait disparu. Profondément humiliée, et encore un peu secouée, je me levai brusquement, je ramassai mes affaires, puis, après avoir laissé savoir à l'infirmière que je me sentais capable de retourner chez moi par mes propres moyens, je me dirigeai en hâte vers la porte. Elle m'intercepta aussitôt pour me demander de lui régler tout de suite les frais de l'examen: «Ce sera 95 $.» Le «meilleur dans sa spécialité» avait fait son travail.

Cet incident me jeta dans la plus grande confusion, non seulement à propos de mon état de santé, mais par rapport à moi-même, en tant qu'individu: je me sentais tout à coup complètement déboussolée, détraquée, niée — rien de plus qu'une pauvre hypocondriaque qui ne valait pas la peine qu'on s'occupe d'elle, et méritait même d'être punie pour se laisser aller à de tels comportements.

Une fois oubliées les blessures dont souffrait mon fragile ego, il me vint à l'esprit que même ce chirurgien distant pouvait être victime, lui aussi, de cette grave maladie dont était atteint le système médical.

Nous, les hypocondriaques, attendons tellement des médecins! Trop sans doute! Nous nous attendons à ce qu'ils sachent, tous, poser un diagnostic clair et infaillible, prescrire *le* traitement qui corresponde le mieux à nos symptômes et faire en sorte que le mal s'atténue, sinon disparaisse complètement. Nous nous attendons aussi et surtout à ce qu'ils inspirent la confiance et le respect. À ce qu'ils ravivent l'espoir, calment l'anxiété, dissipent l'incertitude. On voudrait en outre qu'ils se montrent capables de déceler un problème affectif, et même d'agir comme thérapeute au besoin.

Pas facile de satisfaire à toutes ces exigences! Et il n'est pas dit que le clinicien de rêve qui saura vous faire rire pendant qu'il vous examine le fond de la gorge ou qu'il soigne votre entorse puisse être en même temps le chirurgien de premier ordre que vous aimeriez voir dans la salle d'opération si votre enfant avait besoin d'une appendicectomie ou votre père d'une angioplastie.

De toute évidence, notre société attend trop de la profession médicale: en accordant aux médecins des attributs divins, elle ne fait que propager l'idée qu'ils sont infaillibles et ont une touche miraculeuse. En se faisant les dispensateurs des promesses surannées de la haute technologie, ces disciples d'Hippocrate «acceptent aveuglément la charge de soigner tous les maux du genre humain[13]», comme le souligne le Dr Katz. Il ne faut pas s'étonner dès lors que ces demi-dieux, détenteurs de mystérieux pouvoirs, ne veuillent pas quitter leur piédestal.

La démythification de la profession médicale a eu toutefois certains effets pervers, dont le moindre n'est pas la dégradation de la relation médecin-patient. Les patients en sont venus à se percevoir comme d'innocentes victimes, et les médecins comme les représentants du Mal, alors qu'en vérité ces derniers sont la proie — trop humaine — d'une société qui exige de la médecine plus qu'elle ne peut donner.

Les patients ne se sont-ils pas laissés séduire, eux aussi, par les attraits de la «biomédecine» et n'ont-ils pas laissé entendre qu'ils voulaient désormais qu'on ait recours pour les soigner aux nouveaux remèdes vantés par les adeptes de cette approche? En cette époque de soin ultra-sophistiqués, les médecins ont beaucoup plus de difficultés qu'on ne pourrait le croire à convaincre leurs patients qu'il vaut mieux dans certains cas être vigilant et «voir venir». La moitié des gens qui consultent un médecin s'attendent à se voir prescrire des tests de laboratoire, et les trois quarts espèrent se voir remettre une ordonnance pour des médicaments, me signalait en entrevue l'interniste Kurt Kroenke, auteur d'une étude réalisée par l'Uniformed Services University de Bethseda (Maryland). «Il est beaucoup plus simple, bien entendu, de donner au patient ce qu'il désire, ironise-t-il. Le premier réflexe de bien des médecins est donc de prescrire un test de laboratoire ou de rédiger une ordonnance...[14]»

Le patient hypocondriaque doit, comme les autres types de patients, apprendre à se montrer un peu plus compréhensif à l'endroit des médecins, forcés de porter l'aura dont on a bien voulu les entourer et de se rendre dignes de cette vénération, et reconnaître que ses attitudes récalcitrantes peuvent affecter la capacité d'un médecin à exercer son savoir-faire.

Le point de vue du médecin

À en juger par les statistiques, la relation médecin-patient se dégraderait dans 16 % des cas environ, soit un cas sur six. Il apparaît un peu trop simple cependant d'en imputer toute la faute aux médecins. Car la détérioration de cette relation ne s'explique pas uniquement par quelque conflit de personnalité occasionnel; elle a à voir également avec la terreur qu'inspirent souvent aux médecins certains patients particulièrement difficiles — ceux qui, aux dires du Dr James E. Groves, se montrent particulièrement exigeants, dépendants, hystériques, manipulateurs, séducteurs, autodestructeurs ou hypocondriaques[15]. Ces patients, qu'on dit «haineux», peuvent en effet provoquer chez les personnes qui sont appelées à les traiter des sentiments intenses, et extrêmement bouleversants, de rage, de découragement, d'impuissance, qui, dans certains cas, pourront donner lieu à des comportements agressifs. Ou engendrer chez le clinicien un état d'ambivalence troublante l'amenant à adopter des attitudes gouvernées tantôt par le désir d'éviter ou de référer à quelqu'un d'autre ce type de patient, tantôt par l'attrait, l'attachement ou le souci authentique de mettre fin à la détresse du patient ou de lui prodiguer les meilleurs soins possibles.

La perception qu'a le médecin de son patient a inévitablement une influence sur les soins que ce dernier se verra dispenser. Il est légitime de se demander si le patient qui est perçu au départ comme étant un patient «difficile» ne sera pas affecté par le scénario d'épuisement dans lequel le médecin pourrait se trouver enfermé. Le praticien qui n'arrive pas à cerner la source du malaise et de l'agressivité que lui inspire un patient pourra exprimer ses frustrations en ayant recours à des procédés abusifs: rudesse, surmédication, fréquence exagérée des consultations, prescription de démarches diagnostiques invasives, etc. Les auteurs d'une étude menée en 1993 auprès de 1000 patients fréquentant quatre centres médicaux universitaires différents ont été amenés à conclure que les sujets qu'on disait «difficiles» — soit 15 % environ de l'échantillon — se sont avérés être deux fois plus exposés que les sujets perçus comme étant moins récalcitrants à souffrir de troubles mentaux tels que: dépression, abus des drogues, troubles alimentaires, hypocondrie et autres troubles de somatisation[16]. Comme on pouvait s'y attendre, les patients «difficiles» (1) étaient malheureux autant que leurs médecins pouvaient être frustrés, (2) ils se retrouvaient deux fois plus souvent que les autres types de patients chez le médecin ou au service des urgences, (3) et se plaignaient davantage de la piètre qualité des soins reçus.

Les hypocondriaques entretiennent souvent avec leur médecin un rapport tendu, d'une force explosive dangereuse. Leur acharnement à surveiller leurs moindres symptômes, leur propension à l'égocentrisme (ou à ce qui est perçu comme tel), leur méfiance chronique, leurs représentations ou leurs comportements irrationnels et leurs exigences démesurées créent une impression d'*urgence* qui risque toujours de mettre à l'épreuve la patience et l'autorité du médecin traitant. Ces patients sont de véritables tyrans, affirment certains médecins. La dynamique qui gouverne ce type de relation est d'un grand intérêt pour la recherche, car, comme le souligne le Dr Donald R. Lipsitt, directeur du service de psychiatrie au Mount Auburn Hospital, à Cambridge (Massachusetts), «elle met en évidence, dans toute leur démesure, les écueils auxquels est exposée toute relation médecin-patient[17]».

La majorité des patients se sentiront soulagés d'apprendre que le problème qui les avait amenés au départ à consulter un médecin se révèle bénin ou moins grave qu'ils ne le craignaient. Ainsi en est-il également du patient hypocondriaque, quoique, dans ce cas-ci, il ne s'agisse que d'un sursis, car le doute ne tardera pas à saillir à la première occasion — il peut s'agir de quelque heures, aussi bien que de quelques jours ou de quelques semaines plus tard — et à venir ainsi invalider l'effet apaisant que les paroles du médecin ou les résultats négatifs d'un test diagnostique auront pu procurer. Il arrive même que le patient soit si attaché à ses symptômes que dès qu'il commence à prendre du mieux, de nouveaux symptômes font irruption à nouveau. «Les doutes du médecin — qui, malgré tous les moyens qu'il aura mis en œuvre pour tenter de convaincre l'hypocondriaque qu'il n'est pas malade, ne peut jamais être sûr à 100 % de son diagnostic — sont, dans ce cas-ci, l'exact corollaire de ceux du patient», dit le Dr Arthur Kleinman. «Son diagnostic est soumis à la loi des probabilités, comme le sont tous les phénomènes biologiques, ajoute-t-il. [...] Le patient hypocondriaque fait naître immanquablement le doute dans l'esprit du clinicien, ce qui met ce dernier dans l'embarras et peut même l'indisposer grandement; c'est peut-être ce qui explique, en partie, pourquoi les médecins trouvent les hypocondriaques si agaçants[18].»

Il reste que les cliniciens ne se montrent pas tous aussi perplexes face au patient hypocondriaque récalcitrant. Certains semblent posséder néanmoins les traits innés qui les rendent particulièrement vulnérables au patient hypocondriaque et les prédisposent à s'engager à long terme avec lui dans une relation contre-productive où les tests diagnostiques excessifs, les hospitalisations inutiles et les maladies iatrogéniques tiennent lieu de mode de communication[19].

Ainsi, le médecin omnipotent qui a besoin de l'admiration inconditionnelle de ses patients à seule fin d'entretenir sa soif de toute-puissance pourra trouver assez éprouvantes les remises en question auxquelles le patient hypocondriaque pourrait le contraindre — celles qui auraient trait, par exemple, à la dépendance, à l'insécurité, à l'agressivité.

Le Dr Charles Ford, qui n'a pas craint d'aborder cette difficile question dans un ouvrage qu'il publiait il y a une dizaine d'années, suggère que, à l'instar des sujets hypocondriaques, les médecins présenteraient très fréquemment des traits obsessionnels-compulsifs:

- ils ont tendance à s'astreindre à de fortes exigences, quand ils ne visent pas tout simplement la perfection (ne leur a-t-on pas appris à être très méticuleux dans l'exercice de leur profession, à ne négliger absolument aucun détail lorsqu'ils examinent un patient?);
- la capacité à inhiber tout sentiment de satisfaction, à maîtriser ses émotions et à cacher sa vulnérabilité est perçue comme allant de soi chez un membre de la profession médicale (ce qui pourrait expliquer peut-être pourquoi ils ont plus que leur part de problèmes psychologiques, comme le laissent croire les taux élevés de dépression, de suicide, de dépendance à l'alcool ou aux drogues — sans compter un usage abusif des sédatifs et des tranquillisants, de cinq fois supérieur, semble-t-il, aux taux relevés dans la population — ou de problèmes matrimoniaux chez les membres du corps médical, si on compare ces taux à ceux que l'on observe dans la population en général) [20];
- lorsqu'ils se trouvent confrontés à leur propre anxiété, anxiété qui s'alimente souvent, ne serait-ce qu'en partie, aux mêmes sources que celle de leurs patients (s'ils ont, par exemple, dominé leurs peurs, en particulier celle de la dépendance ou de la maladie), ils ont tendance à faire appel inconsciemment à des mécanismes de défense très rigides.

Ces traits de personnalité interviennent inévitablement dans leur rapport aux patients qui souffrent d'hypocondrie; d'où le malaise ou l'antipathie que les médecins peuvent éprouver lorsqu'ils ont à transiger avec ces patients extrêmement exigeants, en plus d'être méfiants.

On ne peut nier que la personnalité du médecin y soit pour quelque chose dans la difficulté à entretenir une relation saine avec un patient hypocondriaque. Il semble néanmoins que les obstacles à une relation productive soient plutôt reliés à la formation et à l'expérience clinique des médecins, facteurs qui ont bien peu à voir en fin de compte avec la qualité des liens qu'ils établissent avec leurs patients.

La plupart des étudiants qui s'engagent dans la profession médicale sont motivés par un profond désir de connaître et une volonté authentique de venir en aide à autrui. Mais l'expérience traumatisante qu'ils vivent durant leur internat — manque de sommeil, isolement, tâches subalternes, bas salaires, longues heures de travail, lourde bureaucratie — donne un coup dur à leur idéalisme.

Selon Terry Mizrahi, qui a passé trois ans à observer les agissement du personnel d'un service de médecine interne dans un grand hôpital universitaire du sud des États-Unis, l'immersion violente des jeunes internes dans le milieu hospitalier et clinique serait, en grande partie, responsable du manque de compassion qui leur sera plus tard reproché, une fois qu'ils auront été reçus médecins; le processus de sensibilisation à ce nouveau milieu se déroule, dit-il, dans un cadre rigide et s'inscrirait dans un système hautement hiérarchisé complice d'une nouvelle mentalité, qui est loin de donner au patient la place qu'il mérite: la «mentalité GROP (pour *«Getting Rid of the Patients»*: se débarrasser du patient)», manifeste en particulier, dit-il, dans les hôpitaux publics surpeuplés, où le manque de personnel et le manque de lits obligent les internes, comme les externes, à expédier les patients. Les qualificatifs dont sont affublés les patients dans ce type d'établissement sont, dit l'investigateur, à faire dresser les cheveux sur la tête.

Dans un contexte aussi déshumanisé, être efficace est synonyme de «renvoyer» ou de «transférer». La solidarité entre pairs devient le suprême idéal, et le patient le suprême ennemi, sur qui l'on pourra décharger toute son hostilité et ses frustrations — surtout s'il est le moindrement récalcitrant. Partout où cette mentalité consternante est à l'honneur, le patient idéal est, bien sûr, l'individu conciliant qui souffre d'une affection sérieuse mais *curable* ou, pour reprendre les mots d'un interne, «qui est malade comme un chien, mais finit par prendre du mieux».

Le processus de détachement ou de désensibilisation auquel, d'entrée de jeu, doivent se soumettre ces aspirants-médecins est renforcé par l'apprentissage d'un jargon médical qui ne fait qu'accroître le fossé entre eux et leurs patients. Ils devront s'habituer rapidement à manier les abréviations, les sigles, les acronymes et les codes, langue d'initiés si affolante pour le patient, sans parler des allusions condescendantes ou des euphémismes irrespectueux (du type: «la petite vieille du 230») qui viennent trop souvent ponctuer le style en usage dans certains hôpitaux, déplore Mizrahi.

Pour renforcer l'argument selon lequel les hôpitaux publics sont devenus aux États-Unis de véritables dépotoirs pour patients indésirables, l'auteur tente de décrire l'inénarrable réunion où des internes râlaient contre le nombre effarant de patients qui leur venaient des maisons de retraite. Ah! ce que c'était pénible, disait l'un, d'être «pris» à s'occuper de «cinq UTI complètement déshydratés» (lire: «cinq patients souffrant d'infection urinaire»). «Y a pas grand-chose à faire… S'il doit y avoir un désastre, t'es bien obligé de composer avec ça, toi aussi!», juge-t-il nécessaire de commenter. L'autre: «Aucune satisfaction là-dedans! Ni gratification... Tu viens à peine de faire une intraveineuse qu'il faut que tu recommences! Une demi-heure que ça te prend, chaque fois! Puis au moment même où tu t'apprêtes à les renvoyer chez eux, tu t'aperçois qu'ils ont développé des plaies de lit[21]!»

Dans un ouvrage publié en 1987, où elle raconte l'expérience qu'elle a vécue durant sa formation clinique, le Dr Perri Klass, une ancienne de Harvard, s'intéresse, entre autres, à la fascination des étudiants et des enseignants des facultés de médecine pour les maladies en «-ome» (le suffixe *ome*, qui signifie «tumeur», apparaît dans les noms de toutes les maladies qui se manifestent par une tumeur), syndrome pour le moins singulier auquel elle a donné le nom de «fascinome». Elle veut faire référence ici à cette tendance très forte dans certaines universités à survaloriser les dignostiqueurs infaillibles, étudiants particulièrement doués que l'on encouragera à se spécialiser ou à joindre les rangs des chercheurs. Ce qui revient à suggérer, en somme, aux étudiants que les «maladies rares sont des cas de chance dans le fourre-tout de la médecine clinique[22]». L'auteur s'inquiète de ce que l'accent soit ainsi porté sur les cas complexes, biais qui risque de miner l'intérêt des étudiants en médecine pour les affections plus courantes et — corollaire obligé de cette édifiante mentalité — pour les confrères et consœurs qui ont choisi ou auraient l'intention de choisir la médecine générale, moins bien cotée selon toute apparence…

Comment voulez-vous alors que ces aspirants-médecins placent *le patient* en tête de leurs préoccupations et lui accordent toute l'attention qui lui est due? s'interroge Mizrahi. Et comment espérer qu'ils soient capables d'accueillir dans les règles de l'art ces parias qui prétendent souffrir d'une affection médicale, quand ils ne souffrent que de problèmes émotifs?!… Il y a très peu de temps, d'ailleurs, que les facultés de médecine américaines ont fait place dans leurs programmes d'études à des cours permettant aux étudiants de se sensibiliser aux problèmes des hypocondriaques et des «somatiseurs» — lesquels représentent pourtant rien de moins que le tiers, et dans certains cas, la moitié de leur clientèle future! Ce qui donne à penser que les médecins qui sont actuellement de service dans les hôpitaux n'ont jamais reçu de formation sur ce plan, sauf à parler des quelques paragraphes que les auteurs de manuels auront bien voulu y consacrer. Et encore!…

«Presque à chaque semaine une patiente vient me demander de pratiquer une hystérectomie, que je jugerai inutile après examen, ou une autre m'appelle, tout affolée, pour me faire part de divers symptômes, qui, selon elle, n'ont rien à voir, avec ce que je crois être, pour ma part, une simple infection chronique à la levure!», me confie une gynécologue du New Jersey. «Nous n'avons reçu aucune formation à la faculté pour faire face à ce type de problème, invoque-t-elle. Oui, bien sûr, j'ai fait un stage en psychiatrie, mais je n'y ai entendu parler que des schizophrènes et des psychotiques. Rien, absolument rien, sur la névrose! J'étais loin de savoir à l'époque que j'aurais presque à chaque jour à traiter ce type de patient! Je ne sais trop comment leur venir en aide, d'ailleurs... Et plutôt que d'entraîner ces patientes dans une relation improductive, j'aime mieux les référer à quelqu'un d'autre — ou faire en sorte qu'elles ne veuillent plus de moi comme spécialiste!»

C'est une chose de reconnaître un problème d'anxiété ou de phobie, c'en est une autre d'*aider le patient à y faire face*, m'ont confié de nombreux cliniciens. Très peu se risquent d'ailleurs à établir un diagnostic de «trouble mental». Ils redoutent soit de blesser leur patient, soit de tirer sur un fil qui risque de découdre encore davantage la toile fragile de leurs inhibitions, en abordant franchement la question. Mais pourquoi donc ces patients leur font-ils perdre ainsi leur temps? clament ces cliniciens. Les hypocondriaques, les dépressifs, les névrotiques, ce n'est pas leur affaire, disent-ils, mais celle des thérapeutes, des médecines «douces».

Il n'est pas facile, il faut en convenir, d'orienter l'entretien avec un patient de manière à s'assurer qu'il convient de le référer à un psychiatre. Certaines compagnies d'assurance ont prévu des entrées spéciales sur les formulaires de demande de prestation où le médecin peut signaler ce qu'il soupçonne être un trouble d'ordre mental plutôt que somatique, tels les troubles paniques, la dépression et, dans certains cas, l'hypocondrie. «Ce n'est pas parce que je *pense* que mon patient a un problème d'ordre psychiatrique qu'il en a un pour autant. Je m'appuie sur quoi pour dire ça?!», risque un spécialiste de la médecine interne. «Il faudrait d'abord que je lui pose certaines questions, non?, que je lui demande, par exemple: "Selon vous, est-ce qu'il est possible que vous souffriez d'une maladie qui n'a pas été ou n'a pu être diagnostiquée?" ou "Êtes-vous obsédé par la peur de la mort?" Et s'il me répond oui, eh bien je ne suis pas sûr d'être vraiment qualifié pour savoir comment traiter ce type de problème...»

Il n'y a pas que la peur de la réaction du patient qui intervient dans la tendance des médecins à s'abstenir de poser des diagnostics psychiatriques, il y a aussi la couverture qu'offre la police d'assurance du patient, comme l'avoue franchement cet autre interniste: «Je crains toujours de poser un diagnostic autre qu'un diagnostic de trouble *physique*, même si je sais reconnaître les signes de dépression ou d'hypocondrie, ou quoi que ce soit d'autre. Car il est peu probable qu'un trouble d'ordre mental soit couvert au même taux que le taux où le sont les affections proprement médicales — et je ne veux pas prendre ce risque, ni pour mon patient ni pour moi.»

Une réforme aux conséquences alarmantes

La douloureuse réforme du système de distribution des soins médicaux à laquelle on assiste depuis quelques années oblige les médecins à s'ajuster continuellement à de nouvelles conditions de travail. Mais ils ne sont pas les seuls à faire les frais de ce branle-bas de combat. Les patients en sont gravement affectés, eux aussi. Une étude révèle que 25 % des patients se prévalent aux États-Unis de 50 % de tous les services médicaux accessibles, dont la majeure partie ne répondraient d'ailleurs pas à leurs besoins. Ces «grands utilisateurs», comme on les appelle, souffrent de troubles d'ordre psychique que les médecins n'arrivent pas à cerner dans plus de la moitié des cas. Si bien que, tandis que le pays s'oriente vers un système de soins censés être «accessibles à tous», les personnes qui souffrent d'hypocondrie ou de troubles de somatisation — que l'on accuse de faire un mauvais usage des services médicaux — se voient réduire encore davantage l'accès à ces services.

Après avoir fantasmé, comme on les invitait à le faire, sur les prodiges de la biotechnologie, censée lever bien des incertitudes et les tirer du doute, les médecins, aussi bien que les patients, subissent maintenant le contrecoup de leurs illusions. Leurrés par les faux espoirs que les technologies de pointe et la perspective de salaires faramineux semblaient autoriser, bien des médecins ont abandonné les soins généraux pour aborder des spécialités telles que la neurochirurgie ou la cardiologie. Aujourd'hui, après des années de vaches grasses, l'État et l'industrie biomédicale sont contraints, pour reprendre en main les leviers de contrôle d'une machine qui s'est dangereusement emballée, d'en revoir les rouages et de trouver le moyen de réduire sa consommation d'énergie et les coûts qui y sont associés. Mais, devant la nécessité de se serrer la ceinture, ne devrait-on pas mettre l'accent sur la médecine préventive et revenir à des méthodes plus traditionnelles plutôt que de jouer les héros?

L'offre dépasse de beaucoup la demande, semble-t-il, en ce qui concerne les spécialistes — ceux-ci représenteraient en effet 70 % du nombre total de médecins pratiquant en territoire américain —, alors que l'on manque de candidats sur la ligne de front. Tous ces spécialistes ont acquis un savoir et se sont familiarisés avec des techniques de traitement sophistiquées auxquelles ils pourront rarement faire appel, pour bon nombre d'entre eux. Sans compter qu'ils se trouvent souvent, comme les patients eux-mêmes, pris dans le labyrinthe des réseaux privilégiés et des mutuelles.

Que la clientèle ne sache plus où donner de la tête est tout à fait compréhensible dans ce contexte. Bombardés chaque jour de nouveaux termes auxquels ils ne comprennent strictement rien et forcés de mettre le pied dans un système où l'éventail des traitements disponibles rétrécit comme une peau de chagrin et dans lequel il est de moins en moins facile de se connaître, les patients sont non seulement déroutés mais affolés, terriblement affolés. On se languit du bon vieux médecin de famille qui vous appelait ou vous rendait visite à la maison et savait résoudre avec une grande simplicité les problèmes de tous les membres de la famille, comme le veut une certaine vision romantique de la pratique médicale. Mais, on continue, en même temps, de rechercher le spécialiste le mieux coté quand vient le temps de consulter un médecin. «Non seulement le patient s'inquiète-t-il aujourd'hui de perdre le généraliste avec qui il a établi au fil des ans une solide relation de confiance, mais il se demande s'il arrivera jamais à avoir accès au spécialiste qui lui semble le plus en mesure de répondre à ses besoins[23].»

Les controverses que soulèvent les médecines parallèles (les médecines «douces», comme on les appelle aussi) ne font qu'ajouter à la confusion, déjà si grande, qui entoure actuellement la question des soins de santé. Encore faudrait-il s'entendre sur une définition de cette approche. On a coutume de s'y référer lorsque la méthode employée n'a pas fait l'objet d'une investigation scientifique rigoureuse, quoique ce critère soit bien près lui-même de devenir caduc, quand on sait que les National Institutes of Health (NIH) tentent, depuis quelques années, d'intégrer divers types de traitements non conventionnels à l'arsenal thérapeutique de la médecine officielle. En effet, depuis 1992, l'Office of Alternative Medicine des NIH, mis sur pied par directive du Congrès américain, a soumis à l'attention de ses membres des dizaines d'approches thérapeutiques dites «parallèles» pour qu'ils puissent les apprécier à leur juste valeur, ce qui a permis de faire ressortir, par exemple, les mérites de la musicothérapie dans le traitement des patients atteints de lésions cérébrales, ou du yoga auprès des sujets affectés par des troubles obsessionnels.

La convergence des pratiques de la médecine institutionnelle et des médecines parallèles, attendue depuis longtemps déjà, ouvre des perspectives emballantes. Mais c'est souvent ceux-là même qui ont déclenché la révolution qui en sortent le plus ébranlés. Un Américain sur trois ferait appel, à des degrés divers, aux méthodes non conventionnelles pour traiter leurs maladies, nous apprenait il y a quelques années une étude menée par des chercheurs de Harvard; l'étude a permis d'observer toutefois que les mêmes patients résistaient à parler à leur médecin de leurs petites incursions du côté des médecines douces. Ce rapport ambivalent à cette figure d'autorité qu'est le médecin n'est pas sans rappeler les émotions conflictuelles de l'adolescent rebelle face aux lois parentales.

Un exemple flagrant des effets insidieux des bouleversements que connaît actuellement le système médical est le cas de l'actrice Gilda Radner, morte tragiquement à l'âge de 42 ans d'un cancer de l'ovaire — cas qui devrait convaincre tout hypocondriaque, habitué ou non des cabinets médicaux, de l'importance d'une relation médecin-patient stable et harmonieuse. Radner, qui a été accablée pendant près d'un an par une grande fatigue et des douleurs abdominales aiguës, qui l'ont obligée à se soumettre à d'innombrables tests, jusqu'à ce qu'un cancer soit finalement détecté, serait peut-être vivante aujourd'hui si elle avait été suivie par un médecin avec qui elle se serait sentie totalement en confiance. S'appuyant sur le dossier médical et les antécédents familiaux de sa patiente, il aurait pu, à la lumière d'informations qu'elle lui aurait transmises au sujet d'une tante, d'une cousine ou de sa grand-mère maternelle ou paternelle ayant été affectée par la même maladie, apprécier le degré de gravité de ses symptômes et, qui sait? intervenir alors qu'il en était encore temps.

À défaut de pouvoir s'appuyer sur une telle relation, Radner s'est soumise à des consultations à la chaîne, assez pour faire le tour complet du carrousel médical (gastro-entérologues, gynécologues, internistes, médecins d'inspiration holistique), substituant un diagnostic à un autre, puis un médicament à un autre, sans oublier les suppléments alimentaires, les concoctions de toutes sortes, jusqu'à ce qu'un médecin adepte des médecines «douces» lui suggère un lavement (qui n'avait rien de très doux) «pour nettoyer complètement l'intestin», suggestion qui lui parut plutôt inquiétante et l'incita à revenir à la médecine traditionnelle. Elle demanda alors conseil à une interniste, qui lui prescrivit des injections de gammaglobuline pour atténuer les symptômes de ce qu'elle croyait être le virus Epstein-Barr, en plus d'un laxatif.

«À un moment donné, j'ai commencé à me demander s'il était possible de faire plaisir à autant de monde à la fois!», écrit Radner dans son autobiographie, terminée peu de temps avant sa mort, en 1991. «Est-ce que je prends le citrate de magnésium?... Peut-être que le lavement au café me ferait du bien, après tout?... Est-ce que je devrais parler à mon interniste du traitement que le naturopathe m'a recommandé?... L'Est et l'Ouest! Mon corps à la croisée de la médecine orientale et de la médecine occidentale! J'avale l'une et j'expulse l'autre[24]!»

Le virage qu'est en train de prendre le système médical est une occasion unique de prendre la vraie mesure des choses. Mais, d'ici à ce que les groupements d'intérêt en arrivent à des solutions de compromis et qu'un consensus clair s'établisse à l'échelle du pays, la fragmentation du système va continuer à produire, à coups de messages incohérents et d'impulsions contradictoires, des effets nocifs sur la santé des gens.

Deux tendances, dont on ignore encore l'impact, se dessinent présentement. L'une, d'inspiration biopsychosociale, met surtout l'accent sur la recherche des causes d'ordres divers qui favorisent l'éclosion de telle ou telle maladie dans un milieu donné, prône la prévention et reconnaît qu'un changement de mentalité, et donc de comportement, est nécessaire au sein de la communauté médicale si l'on veut améliorer la qualité des soins. L'autre, plus sinistre, considère la maladie ni plus ni moins comme une *business*; l'heure est aux fusions et aux réseaux, ce qui laisse présager une augmentation des contraintes imposées actuellement aux professionnels de la santé dans la gestion du temps et de l'argent. Ce nouveau type de *management* risque, selon plusieurs, de faire du médecin un agent de surveillance, une sorte de police de la santé chargée d'écarter les indésirables (lire: les «somatiseurs») et de limiter le «magasinage» d'un clinicien à l'autre (et la possibilité d'avoir une autre opinion), d'un type de traitement à l'autre ou d'une approche à l'autre. On a beaucoup entendu parler des économies importantes qui pourraient être réalisées si les médecins savaient mieux déceler les problèmes émotifs de leurs patients, mais on craint en revanche que le coût des cours ou sessions de perfectionnement du personnel médical soit si élevé que cette nouvelle approche ne soit pas rentable sur le plan financier. Les sujets hypocondriaques pourraient, dès lors, se voir refuser l'accès aux services médicaux.

Former un nouveau type de médecin?

Décrypter les causes profondes des préoccupations d'un patient hypocondriaque demande du temps, de l'énergie et de la patience. On pourra faire valoir en contrepartie l'argument que le temps alloué à nouer, dès les premières rencontres, une relation de confiance avec un patient profondément troublé réduit, en définitive, le coût du traitement.

Le Dr Mack Lipkin, qui se spécialise dans le traitement des patients «difficiles» référés par d'autres médecins, dit accorder au minimum quatre rencontres de soixante minutes chacune à ces nouveaux patients. Chaque fois il prend le temps de faire un examen médical, mais aussi d'écouter, d'échanger avec le patient, de le rassurer, de calmer son anxiété et finalement de lui proposer un plan de traitement, démarche qui freine dès le départ la propension à multiplier les consultations pour se rassurer, et, par le fait même, les épreuves, tests et interventions à répétition qui, non seulement engendrent des coûts supplémentaires, mais risquent à la longue d'être dommageables pour sa santé. La plupart des patients hypocondriaques sont en assez bonne santé, constate le spécialiste; ce dont ils ont besoin, c'est de se sentir en processus de croissance ou d'adaptation sur le plan psychologique, d'entrer en relation avec quelqu'un selon un mode *autre que ceux qui s'articulent sur la maladie ou la peur*, avec lesquels ils sont si familiers. L'instauration d'une saine collaboration entre médecin et patient devrait donner lieu à une expérience positive dont les effets salutaires sur le plan affectif rejailliront nécessairement sur les autres aspects de la vie du patient.

Le Dr Balint a été à même de constater il y a quelques années que l'aptitude à percevoir les besoins réels des patients et à y répondre par divers moyens n'est pas un don inné, pas plus d'ailleurs qu'elle n'est dans tous les cas le fruit de l'expérience ou de l'intuition. Mais cet art s'apprend, et peut donner des résultats étonnants. Les interventions d'un médecin sensibilisé par une formation appropriée à reconnaître le stress émotionnel chez un patient et à y faire face peuvent en effet avoir une portée considérable[25].

Une étude minutieusement contrôlée auprès de 648 patients et de 68 omnipraticiens et internistes appelés à traiter ces patients révèle que plus le patient consent à aborder avec son médecin des questions délicates, reliées à sa vie personnelle, plus s'atténuent les symptômes d'ordre psychique et l'incapacité générale. Les médecins qui avaient été sensibilisés à mieux percevoir et à mieux traiter les problèmes d'ordre affectif ont éprouvé, à le faire, une satisfaction personnelle beaucoup plus grande, si l'on en juge d'après leurs commentaires, que les médecins du groupe témoin. Au grand étonnement des chercheurs, aucune corrélation directe n'a pu être établie entre l'amélioration de l'état des patients et les effets d'un traitement particulier. Il semble plutôt que ce soit l'investissement de la relation médecin-patient, comme tel, qui ait exercé une action thérapeutique. Les éléments les plus déterminants dans l'enclenchement du processus de guérison avaient trait à des actes très simples, mais qui témoignaient d'une grande prévenance à l'endroit du patient: écouter attentivement, compatir aux sentiments de tristesse et d'isolement, prendre en considération les signes et les symptômes manifestes et leur donner un nouveau sens, se faire l'avocat du patient, etc.

Certains médecins craignaient, au début de l'étude, qu'en se montrant plus attentifs aux aspects psychologiques des troubles ou des malaises de leurs patients ils mettent au jour des conflits intérieurs qui entraînent par la suite des consultations interminables et difficiles à diriger, craintes qui se sont avérées non fondées au terme de l'étude. Les patients pris en charge par des médecins qui avaient reçu une formation spéciale les aidant à mieux gérer ce type de situation auraient connu un stress émotionnel moins grand durant une période pouvant aller jusqu'à six mois après la fin des consultations, sans que la fréquence ou la durée des visites qu'ils rendaient à leur médecin n'aient augmenté pour autant.

À l'instar d'autres partisans d'une plus grande sensibilisation des omnipraticiens aux troubles mentaux, le Dr Kroenke soutient que les progrès notables que l'on observe dans l'établissement du diagnostic psychiatrique et dans le domaine de la pharmacologie devraient permettre, dans 80 à 90 % des cas, aux omnipraticiens de traiter aussi bien les problèmes psychosociaux que les symptômes proprement somatiques dont souffrent leurs patients, «ce qui ne veut pas dire, ajoute-t-il, qu'ils vont se mettre à soigner les schizophrènes, les grands déprimés ou les personnes suicidaires, que l'on s'entende bien là-dessus[26]». Les patients qui ne sont pas disposés à entreprendre une psychothérapie seront beaucoup moins réticents, selon lui, à parler d'un problème affectif ou à prendre un médicament s'ils ont affaire à un médecin généraliste — avec qui ils sont censés avoir établi depuis un certain temps une relation de confiance et voir plus souvent — plutôt qu'à un psychiatre. Il semble en outre que plus les médecins deviennent familiers avec l'art de composer avec les problèmes affectifs de leurs patients, moins ils ont tendance à prescrire de tests et d'interventions, ce qui amortit le coût du traitement (surtout quand on sait qu'une scanographie coûte au moins 600 $ et le procédé d'imagerie par résonance magnétique autour de 1000 $, comparativement à 75 $ en moyenne pour une session de psychothérapie) et réduit les risques de complications.

La capacité du médecin à percevoir des symptômes de détresse émotionnelle ne doit pas être sous-estimée, comme ont pu le constater des chercheurs en psychiatrie au terme d'une étude menée auprès de patients souffrant de malaises persistants et inexplicables sur le plan physiologique. Après évaluation des cas soumis, les investigateurs ont pu confirmer les diagnostics de troubles de somatisation établis par 56 médecins spécialisés en médecine familiale à propos de 70 patients, à la suite de quoi une stratégie de traitement a été suggérée à chacun des praticiens. Un an plus tard, tous les patients ont rapporté qu'ils se sentaient mieux physiquement et psychologiquement. (Deux hypothèses ont été retenues pour expliquer cette amélioration: soit qu'ils aient tout simplement commencé à récupérer une fois terminés tous les tests et examens auxquels se soumettent en général les sujets atteints de ce type de troubles, soit que le fait de n'avoir plus à se soumettre aux tests diagnostics «prescrits inutilement par des médecins, néanmoins bien intentionnés» aient amené peu à peu les patients à se percevoir autrement que comme des personnes «malades», comme incline à le croire le coordinateur de l'étude, G. Richard Smith.) Détail non négligeable, les frais médicaux annuels pour le traitement de ces patients ont été réduits en moyenne de 50 %, et ce, pendant deux années consécutives[27]. Cela dit, les médecins qui n'ont pas de formation psychiatrique doivent rester extrêmement prudents et se garder d'appliquer des recettes aux patients souffrant d'une profonde détresse psychologique.

Les pressions exercées pour intégrer la santé mentale à la médecine générale commencent déjà à porter fruit. Divers questionnaires ou tests d'évaluation sont actuellement mis à l'essai dans divers établissements médicaux pour faciliter l'appréciation du bien-être physique en relation avec la qualité de vie ou le dépistage des troubles mentaux qui affecteraient le plus fréquemment la clientèle des établissements de soins primaires. Ces outils d'évaluation fournissent, dans le premier cas, de précieux indices sur l'équilibre émotif et l'état d'esprit du patient, de même que sur l'influence possible de la maladie sur leur vie sociale et sur leur rendement professionnel et, dans le deuxième cas, permettent de repérer des cas possibles de troubles de l'humeur, de troubles anxieux, de boulimie, d'anorexie, de troubles somatoformes ou d'alcoolisme.

Il faut saluer aussi les changements que l'on tente d'apporter depuis quelques années dans les programmes d'études des facultés de médecine, en vue de former des médecins plus compatissants, plus conscients de l'importance des relations interpersonnelles dans l'exercice de leur profession, notamment en sensibilisant davantage les étudiants à la dynamique d'une relation médecin-patient productive ou en les incitant à donner des cours de médecine préventive aux élèves des écoles publiques.

Les progrès sont particulièrement impressionnants dans le domaine de la médecine familiale, spécialité qui a commencé à prendre forme dans les années soixante comme solution de rechange à la médecine interne, que d'aucuns jugeaient trop exclusivement centrée sur les organes, et pas assez sur la personne. L'Université s'enorgueillit d'avoir donné et de continuer à donner une formation approfondie couvrant tout le champ des problèmes de santé susceptibles de se présenter chez les individus ou leurs familles depuis leur entrée dans le monde jusqu'à leur décès, à ces hommes et ces femmes qui ont décidé de mettre leurs aptitudes et leurs connaissances au service des familles et de la communauté. Il faut savoir que les spécialistes de la médecine familiale reçoivent trois années de formation supplémentaires après l'obtention de leur diplôme, au cours desquelles ils ont été appelés à se perfectionner en pédiatrie, en obstétrique et en gynécologie notamment.

«Nous essayons de sensibiliser les internes à l'idée que ce n'est pas un morceau de chair, ni un cœur ou un estomac qu'ils auront à traiter, mais un être humain à part entière, et que tout ce que cette personne éprouve physiquement influence — et est influencé — par ce qu'elle éprouve mentalement[28]», me disait en entrevue le Dr Joseph Connely, qui coordonne depuis plus de quinze ans le programme de l'internat en médecine familiale au St. Josephs Medical Center, à Stamford (Connecticut), l'un des trois établissements qui participent à la vaste étude du Dr Brian Fallon sur l'hypocondrie (toujours en cours au moment de la rédaction de la version originale de cet ouvrage). L'enseignement qui est dispensé à cet hôpital est un bon exemple d'une intégration fructueuse de la psychiatrie, des sciences comportementales et des soins généraux. Le programme est axé sur la participation d'un psychiatre au perfectionnement des internes, qui a charge de les familiariser avec le diagnostic, le traitement et le counseling psychiatriques à court terme et de les guider dans leurs rapports avec les patients.

«Dès qu'un médecin se trouve en situation de se dire "Non, je n'y arrive pas. Je ne crois pas être en mesure d'aider ce patient. Je ne sais plus quoi faire...", c'est habituellement à ce moment-là qu'intervient la dimension psychothérapeutique du traitement», dit le psychiatre Robert Feinstein, un disciple de Balint, qui enseigne au St. Josephs. Il s'agit, en somme, pour le praticien, de prendre conscience de son ambivalence et d'éviter qu'elle n'affecte le traitement. «Il n'y a rien de répréhensible à dire à un collègue:

"Je ne me sens pas à l'aise avec ce patient!" Il faut se garder cependant, cela va de soi, de laisser flotter une telle ambiguïté en présence du patient[29].» Les interventions de type psychothérapeutique auxquelles le médecin de famille peut avoir à se prêter dans ce contexte se déroulent en grande partie en présence d'un praticien de la santé mentale; on ne dépasse jamais cinq séances, après quoi le médecin décide s'il y a lieu de poursuivre le traitement du patient ou de le référer à un spécialiste.

Selon le Dr Lipkin, qui consacre une grande partie de son temps à conseiller les internes en ce qui concerne le traitement des hypocondriaques et des patients atteints de troubles de somatisation, les médecins appelés à traiter ce type de patients ont tous peur de la même chose: que l'hypocondriaque ou le somatiseur soit ou devienne *vraiment* malade. «Il faut bien se garder de croire qu'une tendance à somatiser chez le patient l'immunise contre toute maladie organique, dit le Dr Lipkin. Les somatiseurs meurent, eux aussi…» Il s'emploie lui-même à convaincre les jeunes médecins de l'importance d'être attentif à tout nouveau symptôme ou à l'apparition de nouveaux types de comportement chez le patient. Tout en se rappelant que, d'une fois à l'autre, les plaintes des patients ne sont jamais formulées de la même manière, et ce, même si elles se rapportent au même système organique; les symptômes de maladie grave sont habituellement rapportés sur un ton bien particulier qu'il faut savoir déceler.

Le Dr Lipkin évoque, pour illustrer son propos, le cas d'une patiente dans la trentaine qui, depuis des années, se plaignait de crampes intestinales et d'une peur phobique de trouver du sang dans ses selles qui l'avait entraînée dans une enfilade sans précédent de consultations et de tests médicaux, dont huit lavements au baryum au cours de la même année! Après qu'elle ait eut commencé à consulter le Dr Lipkin, elle lui téléphona un soir, tout affolée et profondément accablée par des douleurs insupportables à l'estomac. «Cette fois, me suis-je dit, sa voix *n'est pas la même,* il y a quelque chose de net, de décidé, dans le ton qui me dit que quelque chose de sérieux est en train de lui arriver.» Il lui conseilla de se rendre le plus tôt possible à l'hôpital le plus proche, où l'on diagnostiqua quelques heures plus tard une diverticulite, douloureuse inflammation de l'intestin nécessitant une intervention chirurgicale. «J'ai été surpris de constater combien elle a su faire face à la situation dès qu'une *véritable* urgence est survenue, et je pense que cette démarche lui a donné confiance. Elle a appris à travers cette démarche qu'elle savait interpréter les signes que lui faisait son corps et que c'est grâce à la relation de confiance qu'elle avait établie avec son médecin qu'elle avait pu, ce soir-là, réclamer son aide — et lui, venir à sa rescousse.»

Tous les efforts qui ont été déployés depuis quelques années pour réexaminer la façon dont la médecine se pratique dans notre pays ont ouvert la voie à une profonde remise en question dont on peut souhaiter qu'elle ait consacré, une fois pour toutes, la priorité du principe voulant que chaque patient soit *unique*. Si l'avenir se développe comme le prévoient les plus optimistes d'entre nous, les services médicaux devraient, au XXIe siècle, être financés de façon beaucoup plus équitable et rentable, et permettre à tous de se prévaloir de soins guidés par un plus grand humanisme, tout en préservant les acquis des médecines parallèles et du savoir-faire traditionnel. Les pourvoyeurs de cette médecine nouvelle, des hommes et des femmes d'origines ethniques diverses, dont la moitié auront choisi de faire carrière dans la médecine familiale, la médecine interne et la pédiatrie, seront aussi attentifs aux besoins psychologiques et sociaux de leurs patients qu'ils le sont à la dernière ligne de leur bilan financier ou de celui de leur établissement. Le vieux modèle de la relation médecin-patient, où le premier abusait de son autorité et le second s'abandonnait à sa passivité, sera devenu une relique, à laquelle on aura substitué un nouveau modèle mettant en avant le modèle de la participation mutuelle, en vertu duquel le médecin et le patient discutent des options médicales qui *leur* sont offertes et prennent *ensemble*, comme le feraient les partenaires à statut égal de toute société, les décisions qui s'imposent.

L'intérêt renouvelé de la médecine pour une conception moins dualiste du corps et de l'esprit et pour les soins préventifs et les thérapies de type traditionnel s'accorde bien, heureusement, à «l'époque», une époque où la réalité économique impose son impitoyable loi. Promouvoir *la santé* a toujours été plus facile que de traiter la maladie. Aussi les compagnies d'assurance médicale ont-elles commencé, au cours des dernières années, à rembourser les souscripteurs qui participent à des programmes de traitement où ils sont tenus de se soumettre à un ensemble de mesures susceptibles de faire rétrocéder des symptômes de maladie cardiaque (réaménagement du régime alimentaire, exercice physique, méditation et groupes de soutien). Les assureurs font preuve d'une ouverture de plus en plus grande en ce qui concerne également les approches thérapeutiques parallèles et les mesures préventives, telles que l'examen visant à apprécier le bien-être général de l'assuré, c'est-à-dire non seulement son état physique mais tous les autres aspects de sa vie.

Qu'on les appelle «biopsychosociales», «holistiques», «parallèles» ou «comportementales», ces nouvelles approches de la santé sont encourageantes pour le consommateur de services médicaux, en particulier pour tous ceux d'entre nous qui expriment leur stress par la voie de la somatisation. Bonne nouvelle pour les hypocondriaques! Les médecins de demain devraient selon toute vraisemblance être beaucoup plus sensibles à la dimension sociale de la maladie et de la médecine, moins rebelles aux réformes radicales et plus altruistes — bel exemple à donner, comme par une sorte de choc en retour, à leurs mentors, qui en viennent de plus en plus à se rendre compte que la médecine ne consiste pas seulement à traiter les causes biologiques de la maladie. Ayant été amenés à prendre conscience, eux aussi, que la souffrance qui accable les patients aux prises avec des problèmes de somatisation est tout aussi réelle que celle des personnes qui souffrent de maladies chroniques, plusieurs de ces praticiens plus âgés prennent maintenant beaucoup plus au sérieux ce type de patient et tentent de leur venir en aide.

Le Dr Gerald Weissmann, professeur au New York University Medical Center et directeur du service de rhumatologie du même établissement, est au nombre de ceux qui ont été témoin de ce tournant[30]. Tout en se disant sceptique quant à l'efficacité de quelque programme d'étatisation ou de rationalisation des soins de santé que le gouvernement pourrait être tenté actuellement de mettre en place, il ne peut que se réjouir, dit-il, de ce retour à ce qu'il appelle «une vision plus pastorale de la médecine», où médecin et patient cherchent ensemble à saisir toutes les composantes de l'expérience de la maladie (douleur, anxiété, répercussions de la maladie sur la vie familiale, etc.), où les malades peuvent se prévaloir des moyens de traitement les plus efficaces de l'arsenal médical moderne, tout en utilisant les ressources des thérapies ou/et des groupes de soutien où les personnes physiquement bien portantes mais qui souffrent d'une grande détresse psychologique ne sont pas exposées à des chirurgies exploratoires nuisibles et où les hypocondriaques et les personnes souffrant de somatisation peuvent parler en toute sincérité de leurs malaises pour arriver à résoudre les problèmes profonds que masquent leurs symptômes. Car, dit ailleurs celui qui s'alimente à cette vision idyllique de la médecine, «le symptôme n'est jamais un produit de l'imaginaire, il est le signe d'une profonde blessure». Les patients souffrant de troubles somatoformes éprouvent physiquement et mentalement une souffrance bien réelle «qui appelle non seulement l'attention des médecins, mais sollicite aussi leur plus profonde compassion[31]».

La relation médecin-patient
De quelques principes fondamentaux

N'oubliez jamais que l'homme ou la femme que vous pourrez être appelé à choisir comme médecin de famille est la toute première personne à qui vous ferez part de votre souffrance et de vos inquiétudes lorsque vous vous sentirez mal en point et que c'est elle qui, en dernière analyse, aura à déterminer comment atténuer ou traiter le mal qui vous afflige. N'oubliez pas non plus que c'est elle qui vous servira de guide ou d'intermédiaire lorsqu'il s'agira de vous orienter dans le labyrinthe des soins spécialisés. Il est donc indispensable — surtout si vous souffrez d'hypocondrie — que vous établissiez avec elle une relation solide et durable, fondée sur une confiance mutuelle.

Voici quelques suggestions qui devraient permettre, d'un côté comme de l'autre, d'entretenir une relation satisfaisante.

Comment choisir votre médecin

Prenez tout le temps nécessaire pour choisir le médecin qui corresponde le mieux à vos critères, car tout le reste en dépend. Il arrive souvent que les sujets hypocondriaques attendent de souffrir effroyablement et d'être dans un état de profonde détresse pour entreprendre cette démarche. Or c'est *avant* que ces crises d'anxiété ne surviennent, autrement dit au moment où l'on se sent le plus en possession de ses moyens et que tout va pour le mieux, qu'il faut s'y mettre.

1. *Informez-vous.* Commencez d'abord par vous renseigner auprès de vos parents et amis: ils seront mieux à même que des personnes qui ne vous connaissent pas de vous recommander un médecin qui réponde à vos besoins. Informez-vous ensuite auprès des organismes profession-

nels de votre localité des ressources médicales disponibles. Vous pourrez prendre conseil également auprès d'autres professionnels de la santé que vous connaissez. Prenez note de tous les noms recueillis et vérifiez dans l'annuaire officiel des médecins et spécialistes, habituellement établi à l'échelle nationale (ce document peut être consulté dans toute bonne bibliothèque) si les médecins qui vous ont été recommandés ont les qualifications voulues. Si vous avez des doutes à propos de la compétence d'un praticien auquel on vous a référé, l'organisme chargé dans votre province ou votre pays de délivrer les certificats et permis médicaux devrait pouvoir vous dire si cette personne est habilitée à exercer la médecine ou si des mesures disciplinaires ont déjà été prises à son endroit pour faute ou négligence professionnelle.

2. *Prenez rendez-vous avec deux ou trois médecins généralistes.* Téléphonez au bureau du médecin et demandez d'avoir une entrevue d'une quinzaine de minutes, dont vous assumerez vous-même les honoraires: voilà du temps et de l'argent bien investis, vous pouvez en être sûr. Cette première rencontre vous permettra d'en apprendre beaucoup sur ce médecin, quels que soient les sujets que vous abordiez avec lui. L'état du lieu où il vous reçoit, la façon dont le personnel et le médecin lui-même vous auront accueilli, sa manière de communiquer (le médecin vous regarde-t-il pendant qu'il vous parle? vous semble-t-il chaleureux? affable? vous écoute-t-il attentivement?) et l'intérêt qu'il porte à vos problèmes ou à vos symptômes en disent déjà beaucoup sur la qualité de ce praticien et sur le degré de qualité des soins que vous pouvez en attendre. Répétez ensuite l'expérience avec un ou deux autres médecins, avant de faire votre choix, en assumant ici encore les frais de ces consultations.

3. *Posez des questions.* N'oubliez pas que *vous* êtes, dans ce cas-ci, le «consommateur» et que c'est *vous* qui, au cours de cette rencontre, menez l'interrogatoire. Voici quelques exemples de questions que vous pourriez poser au médecin pour connaître la façon dont il procède habituellement avec ses patients:

   - À quelle fréquence devrai-je passer des tests de dépistage?
   - Est-ce que je peux communiquer avec vous en cas d'urgence?
   - Est-ce que je peux, à l'occasion, vous apporter des articles sur des sujets médicaux pour qu'on en discute? Et seriez-vous disposé vous-même à me recommander certains articles qui pourraient m'aider à en savoir davantage sur des questions qui pourraient me concerner plus directement?
   - S'il arrivait que vous me prescriviez (ou qu'un médecin d'une autre spécialité me prescrive) une intervention chirurgicale, seriez-vous prêt à examiner le pour et le contre de la stratégie recommandée et à me suggérer, s'il y a lieu, des solutions de rechange?
   - Avez-vous objection à ce qu'un ami ou un membre de ma famille m'accompagne lors de mes consultations?

4. *Demandez-vous quel type de médecin vous recherchez et quel type de rapport vous aimeriez pouvoir instaurer avec lui lors des consultations.* Que vous choisissiez un homme ou une femme, jeune, d'âge moyen ou d'âge avancé, sociable ou réservé, n'oubliez jamais que l'intégrité et la capacité à se montrer compatissant sont des qualités beaucoup plus déterminantes chez un médecin qu'un style flamboyant. Il est important que vous laissiez aussi savoir, au départ, à cette personne quel type de rapport vous aimeriez pouvoir établir avec elle: il vous sera ainsi beaucoup plus facile de l'instaurer.

La relation médecin-patient se présente en général sous l'une ou l'autre des formes suivantes, quoique le rapport «idéal» soit habituellement assez flexible pour être modulé selon les circonstances et les besoins affectifs:

- *La relation active/passive*, modèle traditionnel où le médecin est perçu comme celui qui détient le savoir et l'autorité, et le patient comme celui qui se comporte en enfant bien élevé qui accepte sans broncher le diagnostic de cette autre figure du père et exécute ses ordres sans dire un mot. Les sujets hypocondriaques, qui ont tendance à se percevoir comme des êtres faibles et démunis, s'inscrivent souvent dans ce type de rapport, bien que ce ne soit pas le modèle relationnel le plus fructueux dans leur cas. Le patient qui résiste ou renonce à prendre toute responsabilité sur le plan médical est plus susceptible de critiquer une stratégie thérapeutique qui se sera révélée inefficace que celui qui prend une part active au traitement.
- *La relation conviviale.* Dans ce cas-ci, le médecin et le patient entretiennent des rapports amicaux; il peut même arriver qu'ils se tutoient, qu'ils échangent certaines confidences et qu'ils se fréquentent à l'occasion. Si une telle proximité peut paraître rassurante, il est toujours beaucoup plus recommandable de garder une certaine distance entre patient et médecin. Pour son propre bien, et celui du médecin, un patient ne devrait pas pouvoir avoir accès à ce dernier à tout moment du jour et de la nuit, sur un coup de tête ou un simple coup de téléphone.
- *La participation mutuelle.* Ce troisième modèle suppose un engagement entre partenaires égaux qui décident de faire équipe en vue de la réalisation d'un but commun — assurer le bien-être et le développement personnel du patient en veillant à sa santé physique, émotionnelle et

mentale —, tout en accomplissant chacun de leur côté les fonctions ou les tâches qui leur reviennent. Dans ce type de relation, le patient devrait avoir accès à toute l'information qu'il est en mesure d'assimiler intellectuellement et psychologiquement; il devrait également s'attendre à participer à la prise de décision, de même qu'au traitement et aux soins.

5. *Choisissez une personne capable de grande sollicitude.* Les sujets hypocondriaques ont besoin d'un médecin sensible, patient et compétent, qui ne se laisse pas facilement ébranler par l'incertitude, l'ambiguïté et la peur, qui est en mesure de les aider à mieux comprendre leurs symptômes et la nature réelle de leurs troubles, de percevoir leurs besoins, de montrer de l'empathie et d'avoir à cœur leur mieux-être. Il ne devrait jamais les mettre dans l'embarras ni les inquiéter inutilement ou leur donner l'impression que leurs obsessions sont ridicules.
6. *Soyez attentif à l'importance qu'il accorde à votre histoire médicale.* La majorité des diagnostics sont établis à partir de l'«histoire de cas», c'est-à-dire des symptômes et de l'évolution de la maladie tels que décrits par le patient. Au cours de l'entrevue initiale, d'une durée de 45 à 60 minutes environ, le médecin devrait vous écouter attentivement lui parler de l'évolution de vos symptômes et de vos antécédents familiaux, tout en notant au passage d'autres indices — votre physionomie générale et l'expression de votre visage, par exemple. Un médecin qui ne vous accorde pas toute l'attention à laquelle vous avez droit, qui semble distrait ou pressé, manque à sa tâche.
7. *Observez la façon dont se passe l'examen physique.* L'examen physique n'est pas seulement un outil diagnostic; c'est aussi le moyen par lequel s'instaure la relation thérapeutique. Le médecin devrait normalement examiner différentes parties

du corps ; il devrait examiner attentivement la tête, la figure et le cou, ausculter le cœur et les poumons, palper l'abdomen et, éventuellement, effectuer un toucher rectal et examiner les organes génitaux. Vous avez droit à votre intimité: l'examen devrait donc normalement se dérouler à porte fermée et vous devriez avoir le corps recouvert, sauf pour les parties du corps à examiner. Vous avez également le droit de savoir, à chaque étape de l'examen, ce que fait exactement le médecin et pourquoi il le fait. Si l'examen se déroule trop rapidement et que cela vous inquiète, laissez-le-lui savoir.

CE QUE LE MÉDECIN ATTEND DE VOUS

Il n'est pas toujours facile de se confier à un médecin. Il peut arriver qu'on se sente craintif ou confus, ou trop souffrant pour avoir envie d'amorcer le dialogue. Il est de votre responsabilité néanmoins de fournir à votre médecin toutes les informations pertinentes sur votre état physique et sur les symptômes qui vous incommodent.

1. *Une consultation bien préparée.* Avant la consultation, faites une liste des questions que vous aimeriez poser au médecin et des préoccupations dont vous aimeriez lui faire part. Abordez en premier les questions qui vous préoccupent le plus. (Des études suggèrent que le symptôme le plus sérieux est habituellement celui que le patient aborde en troisième lieu. Brisez cette habitude.) Évitez de surprendre le médecin en toute fin d'entrevue ou de consultation en attirant subitement son attention sur une tout autre maladie que celle pour laquelle vous êtes venu le consulter.
2. *Une description aussi complète que possible de vos malaises.* Parlez en toute franchise de vos symptômes, de ce qu'ils pourraient signaler selon vous, des médicaments que vous

prenez régulièrement, des autres médecins que vous avez consultés et des diagnostics qu'ils ont posés après examen. Laissez savoir également au médecin tout ce que vous savez de vos antécédents familiaux et de votre propre histoire médicale. Examinez avec lui les facteurs de risque qui pourraient être reliés à vos habitudes de vie et faites-lui part de tout problème qui vous préoccupe.

3. *Une description précise des symptômes.* Donnez une description aussi exacte et complète que possible de vos symptômes et de vos douleurs: à quel moment ils sont apparus, depuis quand ils vous affectent et jusqu'à quel point ils perturbent votre vie quotidienne. L'un des problèmes que les médecins rencontrent le plus souvent est de ne pas pouvoir obtenir des renseignements clairs et précis de leurs patients. Ils se plaignent également des exagérations de ces derniers, de leurs dénégations, de leur distraction et de leurs oublis. Une description approximative et/ou incomplète des symptômes ou des réponses évasives aux questions du médecin compliquent passablement la tâche, déjà très exigeante, d'avoir à poser un diagnostic adéquat.
4. *Un problème à la fois.* Tout diagnosticien digne de ce nom aime aller au fond du problème: l'identifier, le comprendre et le traiter. Mais il arrive que le patient le bombarde de toutes sortes de données ou de renseignements, de telle sorte que le médecin n'a même pas le temps d'assimiler ni d'interpréter durant la consultation l'information transmise. Présentez donc une à une vos plaintes somatiques, même s'il est possible qu'elles fassent partie d'un même syndrome. De grâce! évitez de parler de tous vos problèmes en même temps.
5. *De la patience et des attentes réalistes.* Ne vous attendez pas à ce que vos symptômes et vos préoccupations disparaissent tous du jour au lendemain. Plutôt que d'attendre avec impatience le jour de votre complète guérison, soyez attentif à chaque pas en avant, à chaque signe d'amélioration, et

réjouissez-vous d'avoir de plus en plus d'emprise sur vos symptômes ou de retrouver peu à peu vos énergies.

6. *Une écoute active et conséquente.* Laissez le médecin vous faire part de ses réactions et de son estimation de votre état de santé, sans vous sentir coupable ou rester sur la défensive. Assurez-vous d'avoir bien compris ses recommandations. S'il y a quelque chose que vous ne comprenez pas bien ou qui continue de vous inquiéter, n'hésitez pas à lui en faire part. Et suivez ses conseils.

*

Ne vous attendez pas *toujours* à ce que le médecin dise exactement ce que vous rêvez d'entendre. S'il arrivait toutefois qu'il ne dise *jamais* rien de ce que vous aimeriez l'entendre dire et que vous ne vous sentiez pas vraiment à l'aise avec lui, il faudrait peut-être songer à changer de médecin. Lorsque quelque chose ne va pas, il vaut mieux voir ailleurs — mais pas trop souvent. Rappelez-vous que le «magasinage» en cette matière mène inévitablement, un jour ou l'autre, faute d'informations suffisantes, à des soins de mauvaise qualité.

Sources: Paul J. DONOGHUE et Mary E. SIEGEL, *Sick and Tired of Feeling Sick and Tired*, New York, Norton, 1992; Donald M. VICKERY et James F. FRIES, *Take Care of Yourself: The Complete Guide to Medical Self-Care*, Reading, Massachusetts, Addison-Wesley, 1993; Peter H. BERCZELLER, *Doctors and Patients: What We Feel about You*, New York, Macmillan, 1994.

1. Mack LIPKIN, JR., entrevue réalisée le 15 septembre 1993.
2. Voir Eric J. CASSELL, *The Nature of Suffering: And the Goals of Medicine*, New York, Oxford University Press, 1991, p. 68.
3. Michael BALINT, *The Doctor, His Patient, and the Illness*, New York, International Universities Press, 1957, p. 1; 1972 (édition révisée). (L'American Balint Society, dont le siège est situé à Santa Rosa, en Californie, est vouée au développement de la recherche et de la formation inspirées des principes de Balint.)
4. Voir le compte rendu de Daniel GOLEMAN, «Placebo Effect Is Shown to Be Twice as Powerful as Expected», *New York Times*, 17 août 1993, p. C-3.
5. Andrew WEIL, *Health and Healing*, Boston, Houghton Mifflin, 1988, p. 207, 218.
6. Jay KATZ, *The Silent World of Doctor and Patient*, New York, Free Press, 1984, p. 192, 194.
7. Michael BALINT, ouvr. cité, p. 1.
8. Voir Robert H. BROOK, «Quality of Care: Do We Care?», *Annals of Internal Medicine*, n° 115, 15 septembre 1991, p. 486-490.
9. Voir le compte rendu de Daniel GOLEMAN, «All Too Often, the Doctor Isn't Listening, Studies Show», *New York Times*, 13 novembre 1991, p. C-1, C-15.
10. Données extraites de publications préparées à l'intention des membres de l'American Academy on Physician and Patient, société qui consacre ses efforts à établir les normes professionnelles régissant le rapport médecin-patient; elle œuvre aussi dans le domaine de la recherche et de l'éducation.
11. Selon Daniel GOLEMAN et Joel GURIN (dir.), *Mind-Body Medicine: How to Use Your Mind for Better Health*, ouvr. cité, p. 432.
12. Edward E. ROSENBAUM, *A Taste of My Own Medicine: When the Doctor Is the Patient*, New York, Random House, 1988.
13. Jay KATZ, ouvr. cité, p. 200.
14. Kurt KROENKE, entrevue réalisée le 21 septembre 1993.
15. Voir James E. GROVES, «Taking Care of the Hateful Patient», *New England Journal of Medicine*, n° 298, avril 1978, p. 883-887.
16. S. R. HAHN *et al.*, «Psychopathology and the Difficult Patient in Primary Care: Recognition, Prevalence, and Impairment», communication présentée dans le cadre de la «Seventh Annual NIMH International Research Conference on Mental Health Problems in the General Health Care Sector», tenue du 20 au 22 septembre 1993.
17. Donald R. LIPSITT, entrevue réalisée le 19 octobre 1993.
18. Arthur KLEINMAN, *The Illness Narratives: Suffering, Healing and the Human Condition*, ouvr. cité, p. 197.
19. Voir Edwin CASSEM, «When Symptoms Seem Groundless», *Emergency Medicine*, 15 juin 1992, p. 191-199.
20. Voir Charles V. FORD, *The Somatizing Disorders: Illness as a Way of Life*, New York, Elsevier Biomedical, 1983, p. 210, 223-225.
21. Voir Terry MIZRAHI, *Getting Rid of Patients: Contradictions in the Socialization of Physicians*, New Brunswick, New Jersey, Rutgers University Press, 1986, p. 36, p. 68-76.
22. Perri KLASS, *A Not Entirely Benign Procedure: Four Years as a Medical Student*, New York, Plume, 1987, p. 70.
23. Robin TONER, «The Family Doctor Is Rarely In», *New York Times*, «Week in Review», 26 février 1994, p. 1.

24. Gilda RADNER, *It's Always Something,* New York, Simon and Schuster, 1989, p. 67.
25. Voir Debra L. ROTER *et al.*, «Improving Physician's Interviewing Skills and Reducing Patient's Emotional Distress: A Randomized Clinical Trial», *Archives of Internal Medicine*, n° 155, 25 septembre 1995, p. 1877-1884.
26. Kurt KROENKE, entrevue citée.
27. Voir G. Richard SMITH *et al.,* «Patients with Multiple Unexplained Symptoms», *Archives of Internal Medicine*, n° 146, janvier 1986, p. 69-72. Pour une analyse détaillée des données, voir T. Michael KASHNER *et al.*, «An Analysis of Panel Data», *Medical Care*, septembre 1992, p. 811-820, et «Enhancing the Health of Somatization Disorder Patients», *Psychosomatics*, n° 36, octobre 1995, p. 462-470.
28. Joseph CONNELY, entrevue réalisée le 15 février 1994.
29. Robert FEINSTEIN, entrevue réalisée le 15 février 1994.
30. Voir Gerald WEISSMANN, *The Doctor Dilemma*, Knoxville, Tennessee, Whittle Direct Books, Grand Rounds Press, 1992.
31. ID., «The Flight into Sickness», *New Republic*, 6 avril 1992, p. 41.

Chapitre 10

Comment choisir le traitement le mieux approprié

Pour guérir, il importe d'abord et avant tout de croire que l'on va guérir.

SÉNÈQUE

La décision d'entreprendre une thérapie pour atténuer ou éliminer les symptômes de l'hypocondrie est une décision éminemment personnelle; il serait donc mal venu — que l'on soit le conjoint, le père, la mère ou le médecin de la personne concernée — d'imposer un mode de traitement à quiconque est aux prises avec ce type de problème, à moins que ses comportements soient jugés menaçants pour elle-même ou pour son entourage, auquel cas il faudra, sans hésiter, avoir recours aux services d'un professionnel de la santé mentale. Suivre une thérapie suppose un investissement psychologique et financier importants, auquel il faut consentir durant une période de temps indéterminée; d'où l'importance d'être bien renseigné avant de s'y engager.

Dans bien des cas, la prise de conscience d'une susceptibilité particulière aux troubles hypocondriaques suffit, à elle seule, à amorcer un processus de changement. Le seul fait d'apprendre qu'il y en a d'autres qui sont aux prises avec le même problème que soi fait aussi beaucoup de bien. Car, au-delà de l'ensemble bien défini de critères diagnostiques rassemblés sous le titre de «Troubles somatoformes» dans le *Manuel diagnostique et statistique des troubles mentaux*, l'hypocondrie est une réalité de tous les jours avec laquelle bien des gens sont appelés à composer, à tel point d'ailleurs qu'on peut se demander s'il n'est pas abusif de la classer parmi les troubles relevant du traitement psychiatrique. La ligne de partage entre le trouble mental et la névrose légère est loin d'être évidente, en effet, dans certaines situations. Plusieurs variables peuvent entrer en ligne de compte: la perception qu'on a de la détresse émotionnelle qu'engendrent les symptômes hypocondriaques, leur gravité, leur fréquence, leur durée et les répercussions qu'ils entraînent sur les activités journalières.

Si le message que j'entendais transmettre dans cet ouvrage a été bien compris, vous devez savoir maintenant que la plupart d'entre nous éprouvent ou éprouveront, à un moment ou l'autre de leur existence, des doutes ou des craintes plus ou moins prononcés à propos de leur santé ou de douleurs inexplicables. Il vous revient maintenant de tenter d'évaluer, à la lumière des informations dont vous disposez, votre propre susceptibilité à cette affection qui accable les êtres humains depuis que le monde est monde.

Ceux qui ne connaissent que des épisodes occasionnels d'hypocondrie estiment peut-être qu'ils pourront, en essayant de se raisonner un peu ou en s'allégeant de leur anxiété par de fréquents échanges avec un proche, souvent même en se moquant de leurs obsessions — oui, en s'en moquant! —, éviter de s'y engouffrer. L'humour, dont j'ai volontairement omis de parler dans ces pages (les comiques ont déjà assez ridiculisé les hypocondriaques!...), peut, assurément, dans certains cas, exercer une action salutaire: rire un peu de soi-même, tourner au ridicule sa propre tendance à broyer du noir et à se faire du souci à propos de tout — de tout ce qui nous échappe en particulier —, tendance qui, plus on s'inquiète, ne fait d'ailleurs que s'aggraver, est souvent une façon très saine de prendre une distance par rapport à ses problèmes ou de les mettre en perspective.

D'autres préféreront, pour une raison ou une autre, faire appel à un médecin ou à un psychothérapeute. Peut-être êtes-vous arrivé vous-même au point où, comme cela m'est arrivé à un certain moment, vous avez l'impression que le combat à livrer contre cette peur chronique n'aura jamais de fin. Peut-être des membres de votre famille ou des amis vous ont-ils déjà laissé savoir qu'ils en ont assez de vos jérémiades ou d'avoir à vous rassurer continuellement. Peut-être un ou plusieurs médecins vous ont-ils recommandé de consulter un spécialiste, votre degré de stress contribuant selon eux à accentuer vos symptômes physiques. Ou peut-être avez-vous eu l'impression, à la lecture de cet ouvrage, de vous voir dans une glace. Que faire alors?

Quel que soit le type de traitement que l'on entrevoie, il importe d'abord et avant tout que la personne dont on entend solliciter l'aide fasse preuve de beaucoup d'empathie, de compréhension et de sensibilité — sans condescendance —, à l'égard de la souffrance physique et émotionnelle qui accompagne les épisodes hypocondriaques. On pourra trouver du soutien auprès de son conjoint, d'un ami, d'un parent ou d'un membre du clergé. Peut-être se sentira-t-on plus à l'aise avec son médecin de famille ou tout autre professionnel de la santé (généraliste, homéopathe, infirmière, etc.) en qui l'on a une confiance indéfectible.

Il existe également dans les grandes villes des groupes ou associations d'entraide qui peuvent être d'un grand secours, à la condition cependant d'avoir accès à un organisme qui ne se contente pas de légitimer le plus petit symptôme, mais qu'il ait à offrir en outre des moyens concrets d'y faire face. Plusieurs des personnes que j'ai interviewées m'ont dit avoir trouvé beaucoup de réconfort et de soulagement à travers divers programmes ou groupes de soutien destinés aux patients qui souffrent, par exemple, de douleur chronique; elles y ont appris à mieux maîtriser leur douleur et à réinterpréter leurs symptômes grâce à des techniques inspirées de l'approche cognitivo-comportementale (dont les grandes lignes ont été présentées au chapitre 4 et sur laquelle nous reviendrons dans les pages qui suivent). D'autres associations viennent en aide aux personnes qui souffrent de troubles phobiques; les sujets en proie à une très grande anxiété pourront tirer profit des mesures apprises lors des rencontres de groupe pour briser les modes de pensée et de comportement destructifs qui les gouvernent. Il en est aussi qui œuvrent auprès des personnes qui souffrent de dépression, de troubles paniques et de troubles obsessionnels-compulsifs primaires ou secondaires, isolés ou en concomitance. Des cliniques spécialisées dans le traitement de l'hypocondrie commencent également à voir le jour dans certaines localités. Pour obtenir plus d'informations, on pourra consulter l'association ou la société d'entraide pour la santé mentale de sa région.

Si vous êtes de ceux qui opteraient plutôt pour la psychothérapie, vous aurez à vous poser quelques questions avant de faire un choix définitif: Quel type de traitement répondrait le mieux à mes besoins? Est-ce que je me sentirais plus à l'aise avec un thérapeute qui m'aiderait à mettre au point des moyens pratico-pratiques de corriger mes façons de penser et d'agir ou ai-je besoin plutôt de revenir sur des événements passés, de sonder l'enfance, de mettre au jour d'anciens traumatismes? Je veux aller au fond des choses ou en parler un peu avec quelqu'un? Prendre des médicaments ou m'en remettre à mes propres moyens?

Vous devriez pouvoir trouver des éléments de réponse dans les pages qui suivent.

Questions et démarches préliminaires

Les techniques thérapeutiques — techniques psychodynamiques, techniques de modification du comportement, méthodes inspirées de la psychologie cognitive, thérapie familiale, dynamiques de groupe — n'ont cessé de se multiplier depuis le début des années soixante, à la faveur d'une diversification sans précédent des écoles de pensée et des orientations de la psychologie contemporaine, en même temps que déferlaient sur le marché une panoplie de nouveaux médicaments censés révolutionner le traitement psychiatrique des troubles mentaux. L'éventail de services offerts à ceux qui cherchent une forme quelconque de soutien psychologique est maintenant si vaste qu'il est devenu très difficile de s'y retrouver.

De même qu'il n'y a pas une seule cause à l'hypocondrie (on pourrait en dire autant de tous les autres troubles qui affectent le psychisme), de même il n'y a pas de traitement privilégié qui permette de dissiper tous les symptômes, quoique certaines approches soient mieux appropriées que d'autres à certaines personnes: le même traitement ne s'applique pas, par exemple, à l'hypocondriaque inavoué qui a peur de développer une maladie donnée ou qui est obsédé par un aspect bien particulier de son apparence physique et au sujet qui n'arrive pas à composer avec la douleur autrement que dans l'angoisse ou qui a systématiquement recours à la maladie comme moyen d'entrer en contact avec les autres.

D'autres facteurs sont à prendre en considération avant d'entreprendre une thérapie: la motivation et le désir profond d'apporter des changements à sa vie, entre autres, et des considérations plus pratiques telles que le coût des séances et le temps que l'on peut y accorder.

Quel que soit le type d'approche choisi, les personnes qui sont ambivalentes face à la thérapie ne progressent pas autant que celles qui croient fermement au bien-fondé du traitement pour lequel elles ont opté — cela a été maintes fois démontré.

Il est fortement recommandé à toute personne qui souffre d'hypocondrie et qui se sent prête à entreprendre un traitement pour venir à bout de ses symptômes d'entrer d'abord en contact avec un psychiatre, ne serait-ce que pour la consultation initiale. Pour la très simple raison que, de tous les professionnels de la santé mentale, ils sont les seuls habilités, de par leur formation et leur expérience — quatre ans de formation en médecine générale, trois ans de spécialisation en psychiatrie, et un an au moins de pratique générale dans un hôpital — à pouvoir déterminer si une maladie organique est en cause ou non dans les problèmes évoqués par le patient, et, s'il y a lieu, à prescrire les tests les mieux appropriés pour le vérifier, tout en possédant les connaissances qui permettent d'identifier les syndromes et les maladies mentales les plus complexes.

Il n'est pas indispensable, pour cette première rencontre, que le psychiatre en question soit spécialisé dans le traitement de l'hypocondrie ou de tout autre trouble de somatisation. Si, après examen, son diagnostic vient corroborer l'hypothèse de troubles hypocondriaques, il pourra ensuite, avec le patient, évaluer l'acuité du problème et déterminer s'il y a lieu d'avoir recours au traitement médicamenteux, de le référer à un psychothérapeute ou à un travailleur social, de privilégier une approche ou d'en conjuguer plusieurs.

Au cours de cette entrevue, il est de toute première importance que le patient laisse savoir au spécialiste tout ce qui le trouble physiquement et psychologiquement. Pour pouvoir établir un diagnostic pertinent, ce dernier a besoin de connaître également: le degré d'intensité des douleurs ressenties, les réactions à d'autres types de traitements déjà entrepris dans le passé, les raisons qui motivent le choix d'un type particulier de thérapie, enfin les buts visés et les attentes. Il arrive qu'un questionnaire semblable à celui qui est présenté en appendice soit soumis au patient.

Tout renseignement de nature à aider le psychiatre à clarifier la nature du problème, à mieux circonscrire les symptômes et à détecter des signes de maladie organique devrait être communiqué en toute franchise.

Parmi les questions que le psychiatre pourrait être amené à se poser — et éventuellement à poser au patient —, on retiendra les suivantes:

1. *Est-ce que l'idée d'être atteint maintenant ou plus tard d'une maladie grave et d'en mourir préoccupe beaucoup le patient?* Il convient de déterminer, avant toute chose, s'il s'agit bien d'un problème d'hypocondrie, et, le cas échéant, comment il se manifeste.

2. *Advenant qu'un diagnostic d'hypocondrie soit posé, depuis combien de temps le patient souffre-t-il de cette affection?*
Si l'affection dure *depuis moins de six mois*, il est possible qu'il s'agisse, comme c'est souvent le cas, d'une réaction à un stress trop intense ou à des problèmes psychologiques qui n'ont jamais été verbalisés, plutôt que de troubles émotifs profonds ou de troubles obsessionnels chroniques. On parlera alors d'«hypocondrie transitoire».
Si un nouveau patient dit se préoccuper constamment de sa santé *depuis un an ou plus*, sans jamais avoir été incommodé toutefois auparavant par ce type d'obsessions, il y a lieu de soupçonner que des événements assez récents aient pu déclencher le processus. Il arrive en effet que, à la faveur de certaines situations ou événements perturbateurs, émergent certaines craintes à coloration morbide. (Tel cet homme marié, dans la cinquantaine, qui, malgré des tests de dépistage du VIH qui s'étaient chaque fois révélés négatifs, s'inquiétait nuit et jour depuis deux ans, à la suite d'une aventure d'un soir, d'être atteint du sida. Une psychothérapie l'a aidé à mettre au jour le profond sentiment de culpabilité qui l'habitait depuis cette aventure et à prendre conscience de graves problèmes conjugaux qui couvaient depuis un certain nombre d'années, à la suite de quoi ses peurs irrationnelles se sont graduellement estompées et il s'est senti capable de réaménager d'autres aspects de sa vie personnelle.)

3. *Est-ce que le patient a été soumis à un examen médical rigoureux et à un bilan complet permettant d'écarter toute possibilité qu'une affection médicale difficile à diagnostiquer soit à l'origine des symptômes?*
Il est important de s'assurer en effet qu'ont été administrés préalablement les tests de laboratoire et les examens nécessaires permettant d'affirmer en toute certitude que la peur et les symptômes persistants du sujet ne peuvent s'expliquer par aucun facteur physiologique. Après avoir pris connaissance de l'histoire médicale du patient, le psychiatre pourra

juger bon d'entrer en contact avec le médecin traitant ou le médecin de famille ou de prescrire des tests de laboratoire pour éliminer tout doute relié à la possibilité qu'une maladie grave puisse être invoquée pour expliquer les symptômes. S'il s'avérait qu'une maladie organique soit en cause, le psychiatre, en accord avec le médecin personnel du patient, aura à déterminer si les symptômes relevés traduisent une réaction normale ou démesurée par rapport à la cause.

4. *Est-ce que d'autres symptômes de troubles mentaux — trouble panique, trouble obsessionnel-compulsif ou dépression majeure — affectent le patient en même temps que l'hypocondrie?*
Si ce devait être le cas, il est fort possible que le traitement du ou des troubles sous-jacents atténue ou dissipe en même temps les manifestations hypocondriaques. Certains médicaments peuvent aider à traiter de façon efficace ce type de problème, comme on le verra plus loin.

5. *Des facteurs socioculturels peuvent-ils être invoqués pour expliquer la tendance du patient à exprimer somatiquement ses conflits intérieurs?*
Ainsi, les efforts et les attentes qui sous-tendent la difficile expérience de l'intégration à un nouveau milieu sont, pour beaucoup d'immigrants, une source de troubles émotifs intenses, qui s'expriment différemment selon les cultures. Les Latino-Américains auront tendance, par exemple, à exprimer leurs émotions à travers des plaintes et des affections somatiques, tandis que les immigrants originaires du nord de l'Europe traduiront souvent leurs préoccupations sous forme de culpabilité et d'humeur dépressive.

6. *Le patient a-t-il subi durant son enfance un traumatisme quelconque (sévices, agression, rejet, abandon) qui aurait pu le prédisposer à exprimer ses sentiments à travers des symptômes corporels plutôt qu'à les exprimer verbalement?*
Dans un cas pareil, une psychothérapie pourrait être justifiée.

7. *La peur de la maladie qui habite le patient aurait-elle une signification symbolique?*
Nos peurs sont toujours modulées, de quelque manière, par nos expériences et accentuées par des pulsions inconscientes. (Prenons le cas de cette jeune femme de 30 ans, terrifiée à l'idée d'être atteinte d'un cancer du sein. Elle sera amenée à travers une thérapie psychodynamique à découvrir que cette obsession paralysante est reliée à la peur de la mort, ce dont elle a parfaitement conscience, mais aussi à la peur, *inconsciente* cette fois, que son compagnon — qui l'a trompée peu de temps avant — n'en vienne à la détruire, comme femme. Le sentiment d'être inadéquate et l'impression d'avoir été atteinte dans son être le plus profond feront resurgir d'anciens souvenirs: son père passant son temps à la réprimander pour tout et pour rien lorsqu'elle était adolescente et s'amusant à la taquiner à propos de changements physiques qui commençaient à se manifester, ses seins naissants par exemple, et qui, subitement, avait pris ses distances lorsqu'elle avait atteint l'âge de la maturité sexuelle. À mesure qu'elle lèvera le voile, avec l'aide de sa psychothérapeute, sur les déterminants inconscients de ses troubles hypocondriaques, ses symptômes diminueront d'intensité, et s'atténuera progressivement sa peur du cancer.)

8. *Retrouve-t-on dans l'histoire familiale du client des antécédents de troubles mentaux (dépression, attaques de panique, hypocondrie, trouble obsessionnel-compulsif, psychose), facteur qui pourrait suggérer que ses symptômes hypocondriaques puissent être reliés à une susceptibilité héréditaire aux états anxieux ou dépressifs?*
Le comportement d'un parent ou d'un enfant peut parfois avoir des effets «toxiques» sur les autres membres de sa famille. Le travail du psychiatre consiste précisément à faire le tri entre les facteurs psychiques et les facteurs biologiques — les interactions du corps et de l'esprit, en somme — qui

ont pu intervenir dans le développement d'une susceptibilité manifeste à l'hypocondrie.

A. Traitement de l'hypocondrie associée à d'autres troubles mentaux (dépression, trouble panique, trouble obsessionnel-compulsif)

Si, après évaluation psychiatrique, il y a lieu de déduire que les signes d'hypocondrie s'accompagnent de symptômes d'un autre trouble mental (voir la chapitre 3) qui pourrait être traité efficacement en recourant à certains médicaments ou à un type particulier de psychothérapie, il y a de fortes chances pour que le traitement du trouble sous-jacent réduise aussi de beaucoup les symptômes hypocondriaques. Les traitements les plus couramment appliqués dans l'un et l'autre cas sont les suivants, expliqués ici dans leurs grandes lignes.

Hypocondrie associée à une dépression majeure

La dépression, qui, de tous les troubles mentaux, est le plus facile à traiter, se résorbe souvent d'elle-même en moins de six mois. Des études ont montré toutefois que les effets conjugués d'un traitement médicamenteux adéquat et d'une psychothérapie rigoureusement menée accélèrent la résorption des symptômes, tout en réduisant les risques ou la fréquence de récidives.

Le premier effet des médicaments dits «antidépresseurs» les plus couramment employés de nos jours est de ramener à leurs concentrations naturelles les taux de neurotransmetteurs dans le cerveau — car il semble que la dépression perturbe l'équilibre de ces substances chimiques dans le cerveau —, d'où l'impression de bien-être qui est associée aux antidépresseurs. [Les *neurotransmetteurs* ou *neuromédiateurs* sont des substances chimiques libérées par les terminaisons des cellules nerveuses sous l'influence d'une excitation, excitation que ces messagers chimiques transmettent à leur tour à d'autres cellules nerveuses en se fixant chacun à un récepteur bien spécifique; l'excitation est ensuite transmise des nerfs aux muscles et aux différents organes. Les neurotransmetteurs plus connus sont l'acétylcholine, la noradrénaline, l'adrénaline, la sérotonine et l'histamine.]

Il est bon de savoir que les effets de la plupart des antidépresseurs peuvent prendre de six à huit semaines à s'installer. Le psychiatre pourra voir, à l'usage, si un type d'antidépresseur convient ou non au patient, et modifier l'ordonnance s'il y a lieu.

Le tableau suivant (voir encadré intitulé: «Antidépresseurs usuels») regroupe sous trois grandes catégories les médicaments qu'un psychiatre pourrait être amené à prescrire pour traiter à long terme une dépression majeure:

- les *tricycliques*, antidépresseurs classiques [les tricycliques empêchent les cellules nerveuses du cerveau de réabsorber — de «recapter» — les neurotransmetteurs, comme le font habituellement ces cellules, ce qui a pour effet d'augmenter le nombre de ces substances excitantes dans le cerveau, et ils accélèrent ou ralentissent l'activité des récepteurs des cellules nerveuses];
- les *inhibiteurs spécifiques de la recapture de la sérotonine (ISRS),* nouveaux médicaments sur lesquels on fonde beaucoup d'espoir [les ISRS empêchent les cellules nerveuses du cerveau de recapter le neurotransmetteur appelé «sérotonine»];
- les *inhibiteurs de la monoamine oxydase (IMAO)*, moins souvent prescrits à cause des risques (notamment l'hypertension) associés à une possible interaction avec d'autres médicaments et avec certains aliments [les IMAO bloquent l'action d'une enzyme, la monoamine oxydase, qui est responsable de la dégradation des neurotransmetteurs].

ANTIDÉPRESSEURS USUELS

CATÉGORIES	INGRÉDIENT ACTIF	Appellations commerciales	Effets secondaires possibles	Contre-indications
TRICYCLIQUES	CLOMIPRAMINE	Anafranil, Apo-Clomipramine*	Bouche sèche Constipation Gain de poids Somnolence	Non recommandés aux personnes qui souffrent de rétention urinaire ou de troubles cardiovasculaires
	DÉSIPRAMINE	Norpramin, Pertofrane*		
	IMIPRAMINE	Tofranil, Apo-Imipramine*, Impril*, Novo-Pramine*		
	NORTRIPTYLINE	Pamelor, Aventyl*		
ISRS	FLUOXÉTINE	Prozac	Nausées et étourdissements Maux de tête Problèmes sexuels	
	FLUVOXAMINE	Luvox		
	PAROXÉTINE	Paxil		
	SERTRALINE	Zoloft		
IMAO	PHÉNELZINE	Nardil	(Voir contre-indications)	Risques d'hypertension et d'autres effets indésirables s'il est consommé en même temps que certains médicaments ou certains aliments. Surdosage très dangereux

* N.D.T. Autres dénominations commerciales ajoutées à l'intention des lecteurs canadiens.

D'autres antidépresseurs, qui n'apparaissent pas dans le tableau, peuvent également être prescrits, dont: la venlafaxine (Effexor), qui inhibe la recapture de la sérotonine *et* de la norépinéphrine, le néfazodone (Serzone) et le bupropion (Wellbutrin).

Des études ont montré que, dans les cas où le sujet hypocondriaque souffre en même temps de dépression majeure, le traitement pharmacologique a souvent pour effet de faire disparaître complètement les symptômes d'hypocondrie. Dans les cas de dépression moins aiguë, diverses formes de psychothérapie — conjuguées ou non à des médicaments antidépresseurs —, en particulier les approches qui favorisent l'exploration des relations interpersonnelles passées et présentes susceptibles d'être à l'origine des états dépressifs du patient ou qui encouragent celui-ci à revoir et à modifier le cas échéant certains de ses comportements, s'avèrent en général très efficaces.

Dans les cas très graves, c'est-à-dire où le patient ne répond ni à la psychothérapie ni aux antidépresseurs, le psychiatre pourra juger utile de recourir à la sismothérapie (électrochocs). Le traitement, qui a beaucoup été amélioré depuis les années cinquante, où il était tombé en disgrâce, semble revenir à la mode. Il serait sans danger en règle générale et donnerait des résultats rapides dans le traitement de la dépression (le taux de succès rapporté par certains chercheurs se situerait entre 75 % et 85 %).

Hypocondrie associée au trouble panique

Les médicaments qui se sont avérés le plus efficaces jusqu'à maintenant dans le traitement du trouble panique sont:

- les *antidépresseurs tricycliques*: par exemple, l'imipramine (voir le tableau pour les appellations commerciales et les effets secondaires);
- les *benzodiazépines*: par exemple, l'alprazolam (Xanax) ou le clonazépam (Rivotril, Klonopin).

On estime à environ 15 % de la population l'effectif des patients qui consomment des benzodiazépines aux États-Unis. Ces substances aident à réduire l'anxiété et les attaques de panique. Elles ne sont cependant pas sans danger, dans la mesure où, administrées à raison de trois doses par jour, elles peuvent entraîner à long terme une dépendance. L'interruption brutale d'un traitement aux benzodiazépines peut provoquer des symptômes de sevrage, tels que nausées, tremblements, insomnie, agitation et souvent même une anxiété encore plus grande qu'auparavant. L'imipramine (antidépresseur tricyclique), absorbée habituellement en une seule dose quotidienne, ne s'accompagne pas de symptômes aussi accablants lors de l'interruption du traitement, en règle générale. (La dose initiale pour atténuer les symptômes du trouble panique est normalement de 10 mg, puis elle est augmentée graduellement jusqu'à ce qu'elle atteigne 125-190 mg par jour.) Si les effets des benzodiazépines commencent à se faire sentir habituellement dans les heures ou les jours qui suivent le début du traitement, ceux de l'imipramine peuvent n'être perceptibles qu'après un mois suivant le début du traitement, et souvent même davantage.

La thérapie cognitivo-comportementale, seule ou combinée à un traitement médicamenteux, peut également aider le patient à briser le cycle infernal qu'est le trouble panique; il n'est pas rare d'ailleurs que les symptômes d'hypocondrie disparaissent en même temps que les attaques de panique.

Hypocondrie associée au trouble obsessionnel-compulsif

Depuis le milieu des années quatre-vingt, le traitement pharmacologique du trouble obsessionnel-compulsif (OC) a été considérablement amélioré, grâce, entre autres, à la mise au point de ces antidépresseurs «nouvelle vague» que sont les inhibiteurs spécifiques de la recapture de la sérotonine (ISRS) — dont les plus connus sont la fluoxétine (Prozac) et la fluvoxamine (Luvox) — et les tricycliques, tels que la clomipramine (Anafranil). La fréquence et l'intensité des obsessions qui assaillent les patients victimes du trouble OC, de même que la compulsion à répéter inlassablement certains gestes ou rituels qu'ils mettent souvent en œuvre pour conjurer ces obsessions, diminueraient de façon significative chez 60 % à 70 % des patients sous l'influence de ces médicaments. À la condition, bien entendu, de surveiller de près le dosage. (Il est recommandé de faire un essai d'une durée de douze semaines au moins — *sous la surveillance d'un spécialiste*, cela va de soi —, lequel devrait permettre d'établir la posologie la plus adéquate.)

La thérapie comportementale, sous la conduite d'un psychiatre ou d'un psychologue ayant une longue expérience dans le traitement des obsessionnels, peut également donner de bons résultats auprès des patients capables de tolérer une exposition répétée aux situations redoutées et de se conformer à la directive de ne pas laisser place aux réactions compulsives.

B. Traitement de l'hypocondrie primaire: trois types de thérapie

Il y a à peine dix ans, le traitement de l'hypocondrie dite «primaire», c'est-à-dire non associée à d'autres troubles mentaux, ni consécutive à la perte d'un être cher ou à un événement traumatique, était considéré comme une entreprise extrêmement difficile, sinon carrément vouée à l'échec: ni la médication ni la psychothérapie n'arrivaient à faire céder les symptômes. On se contentait de recommander aux médecins «d'offrir leur appui moral au patient, d'établir un calendrier de visites régulières et d'éviter autant que possible de prescrire des tests ou examens diagnostiques inutiles».

Contrairement à la croyance qu'entretiennent plusieurs médecins, généralistes comme internistes, et nombre de psychologues et de psychiatres, des traitements efficaces existent pour atténuer ou faire disparaître les symptômes de troubles hypocondriaques: de nouveaux médicaments et des approches innovatrices permettent en effet actuellement de réduire l'anxiété reliée à l'état de santé et à la maladie et de soulager ainsi les maux d'un grand nombre de patients accablés par toutes sortes de malaises.

Trois méthodes de traitement ont été utilisées jusqu'à maintenant avec succès dans le traitement de l'hypocondrie primaire: la thérapie psychodynamique, la thérapie cognitivo-comportementale et le traitement psychopharmacologique. Quoi qu'en pensent certains puristes, le traitement qui s'avère le plus efficace dans bien des cas est la combinaison de diverses stratégies et techniques empruntées à plusieurs approches — celui qui consisterait, par exemple, à avoir recours dans un premier temps à la médication pour atténuer les symptômes, puis à encourager dans un deuxième temps le patient à entreprendre une psychothérapie pour explorer plus en profondeur le terrain familial dans lequel a pris racine sa peur de la maladie, ou de compléter une approche de type systémique appliquée au cadre familial par des techniques comportementales.

Lorsque vous vous mettez en frais de chercher un thérapeute, n'oubliez jamais que chacun défend une théorie et une méthode, autrement dit que tout thérapeute a, jusqu'à un certain point, ses partis pris. Le but d'une psychothérapie, quelle qu'elle soit, est, bien entendu, d'aider un patient à atténuer ses symptômes, à mieux maîtriser sa peur et à mettre en place des façons plus efficaces et plus satisfaisantes de composer avec la situation; il reste que l'orientation du thérapeute, qu'il soit puriste ou qu'il ne craigne pas l'éclectisme, guide inévitablement son approche du traitement, influence le choix des méthodes, l'incite à rechercher tel ou tel type d'information et dicte la façon dont il amènera ses patients à apporter à leur vie les changements souhaités.

La grande question demeure: *Quel type de thérapie choisir?* Le développement qui suit est divisé en trois parties, qui correspondent aux trois approches qui orientent aujourd'hui les modes de traitement les plus courants de l'hypocondrie dite primaire. Les fondements théoriques qui sous-tendent ces approches ont été présentés au chapitre 4. Chaque stratégie de traitement est d'abord présentée sommairement puis illustrée par le cas d'un patient selon qui la stratégie en question s'est révélée très efficace. Vous serez ainsi mieux à même d'en voir les ressemblances et les différences. Souvenez-vous toutefois que la trajectoire de chaque individu est unique, qu'elle constitue une mosaïque infiniment complexe, et que la thérapie ne prétend pas être une science exacte: un traitement qui s'est révélé fructueux pour une personne peut fort bien se révéler inopérant chez une autre, même si les antécédents, l'éducation et les symptômes sont analogues par ailleurs.

La thérapie psychodynamique

Le sujet hypocondriaque qui souhaite apporter des changements décisifs à sa vie en modifiant en profondeur certains traits de caractère, de manière à pouvoir mieux se confronter à ses peurs et dompter ses obsessions, devrait trouver dans l'approche psychodynamique un mode de cheminement qui lui convient. La plupart des thérapies d'inspiration psychodynamique s'appuient sur la conviction que l'hypocondrie est fondamentalement liée à une perturbation profonde, habituellement enracinée dans l'enfance (traumatisme précoce, rapports tendus avec les parents, etc.), dont les effets se feraient sentir sur plusieurs plans: faible estime de soi, problèmes d'adaptation ou de rendement, tendance à s'empêcher de réussir, qu'il s'agisse de conquérir son indépendance, d'entretenir une relation amoureuse, de mener une carrière satisfaisante ou simplement de s'accorder le droit d'être heureux.

La relation qui s'instaure entre le thérapeute et le client à travers la communication verbale et non verbale est le moteur de la thérapie psychodynamique. Elle sert de relais pour mettre à nu et ressaisir les représentations conscientes et inconscientes qui peuvent être à l'origine des peurs vaines ou des obsessions qui rongent l'hypocondriaque.

La forme la plus célèbre et peut-être la plus ambitieuse de cette stratégie de traitement est la *psychanalyse*. Si la psychanalyse traditionnelle, telle qu'elle se pratiquait il y a un siècle environ, n'est plus tellement en vogue aux États-Unis, ses principes fondamentaux et sa méthodologie continuent d'inspirer la pratique de bien des psychiatres et psychologues.

La technique psychanalytique, élaborée à la fin du siècle dernier par Sigmund Freud, vise à réveiller et à ramener à la conscience les représentations et les affects qui ont été refoulés dans l'inconscient, refoulement qui se traduit souvent par divers symptômes somatiques. La méthode repose d'abord et avant tout sur l'exploitation du *transfert* — c'est-à-dire du lien affectif que le patient établit avec son analyste, lien nécessairement coloré par les relations que le patient ou l'«analysant» a entretenues avec d'autres personnes dans le passé et qui pourraient donc resurgir dans le contexte de la cure — et sur l'exploration de la *résistance* opposée au traitement, ensemble de mécanismes de défense qu'élabore inconsciemment le patient pour entraver le progrès de l'analyse. Pour (re)trouver un certain équilibre sur le plan affectif, le patient est invité à refaire le chemin qui l'a conduit à ce qu'il est actuellement; ce faisant, il est amené, à mesure que progresse l'analyse, à se remémorer les événements et à découvrir les fantasmes qui ont pu être une source de conflit intérieur, et à essayer de comprendre ce qui se passe en lui, réappropriation qui est déjà un premier pas vers la «guérison». Dans sa forme la plus rigoureuse, la thérapie psychanalytique exige que le patient rencontre son analyste quatre ou cinq fois par semaine durant quatre ans ou plus.

L'efficacité d'une psychanalyse est très difficile à évaluer de façon concrète. Si certains comptes rendus souvent anecdotiques suggèrent qu'elle donne d'excellents résultats dans la résolution de l'hypocondrie, aucune étude systématique ne rend compte toutefois, à l'heure actuelle, du taux de succès de cette technique.

La thérapie psychodynamique, qui ne suscite pas autant de résistance dans notre milieu que la psychanalyse, repose sensiblement sur les mêmes principes de base, à la différence toutefois que les sessions sont moins fréquentes — et le processus moins intense, par le fait même. Appliquée au traitement de l'hypocondrie, cette approche pourra être centrée sur la mise au jour de la signification symbolique des préoccupations excessives du sujet à l'égard de sa santé ou d'une maladie en particulier, laquelle ne saurait se faire sans un effort d'introspection de plus en plus grand, seule façon de prendre conscience des éléments qui font l'objet d'un refoulement et entretiennent les conflits. Le thérapeute y joue habituellement un rôle plus actif et prend plus souvent la parole que dans la cure psychanalytique, et l'entretien est plus directement centré sur les problèmes actuels du patient. Ce contexte moins rigide peut laisser place également à un certain soutien moral de la part du thérapeute et même à une certaine sensibilisation du patient à des façons de calmer son inquiétude et de relâcher certains mécanismes de défense. Des rencontres hebdomadaires, à raison de une à trois séances par semaine durant deux à cinq ans, devraient permettre d'escompter un progrès réel.

À quel point cette méthode est-elle efficace? Les données que fournissent les quelques travaux consacrés à la question restent ambiguës, sinon contradictoires, et exigeraient, par conséquent, d'être longuement débattues. Les pourfendeurs de l'approche psychodynamique tentent de faire valoir l'argument selon lequel le succès de la méthode, de quelque ordre qu'il soit, ne fait que confirmer la valeur de l'effet placebo — l'effet positif de l'espoir que met le patient dans le traitement — plutôt que celle du traitement, comme tel.

Des données émanant d'études méta-analytiques (où sont fondus en un seul et même ensemble les résultats issus de plusieurs études de plus petite envergure) indiquent néanmoins qu'un grand nombre de patients auraient fait des progrès notables grâce à la thérapie psychodynamique. L'une de ces études, fondée sur un échantillon de 2000 cas, suggère que 50 % des patients environ auraient vu leur état s'améliorer après la huitième séance et 75 % après six mois de traitement seulement[1]. Ce qui ne veut pas dire pour autant que tous les sujets ont fait des progrès ou que les progrès réalisés ont été aussi importants dans un cas comme dans l'autre; on laisse entendre que l'état du patient se serait même aggravé dans 10 % des cas[2].

La recherche sur l'efficacité de la thérapie d'inspiration psychanalytique dans le traitement de l'hypocondrie est, encore à ce jour, assez sommaire; si l'on se fonde sur les quelques études menées sur le sujet durant les années soixante, un faible pourcentage de sujets hypocondriaques auraient vu leur état s'améliorer de façon significative.

Les vertus thérapeutiques de la psychothérapie dans le traitement de l'hypocondrie n'ont pas été estimées jusqu'à maintenant à leur juste valeur, soutiennent des spécialistes de la question: les cliniciens ont tiré des conclusions hâtives de pronostics peu encourageants établis à partir de cas chroniques, peu représentatifs de l'effectif réel des patients hypocondriaques, et de méthodes traditionnelles qui n'ont rien à voir avec les nouvelles stratégies auxquelles font maintenant appel les psychothérapeutes, stratégies où sont mises à profit les vertus conjuguées de l'introspection, de l'identification des facteurs de stress qui interviennent juste avant l'éclosion des symptômes et de l'examen approfondi des représentations inconscientes et des sentiments qui déclenchent les épisodes de terreur associés à la maladie.

L'on doit se contenter de conclure, pour l'instant, que certains patients hypocondriaques bénéficient indiscutablement du travail qu'ils accomplissent sur eux-mêmes en analyse — leur estime de soi et leur bien-être général, notamment, s'en trouveraient améliorés, sans que les préoccupations obsessionnelles à l'égard de la maladie disparaissent nécessairement pour autant —, tandis que d'autres restent réfractaires aux effets de cette démarche. La thérapie psychodynamique serait particulièrement d'un grand secours dans les cas où l'hypocondrie est reliée à un traumatisme récent ou à la perte d'un être cher.

VINCENT : L'AUTRE SAVOIR

Vincent est professeur d'université, et père de trois enfants. Il avait 41 ans quand il a commencé à être incommodé par toutes sortes de frayeurs reliées à la maladie. Les premiers germes de l'anxiété sont apparus, en fait, peu de temps après qu'il eut appris que son taux de cholestérol avait augmenté. Il se rappelle avoir lu le rapport du laboratoire comme on lit, affolé, les instructions de désamorçage d'un bâton de dynamite. La folle du logis s'était tout de suite emballée: il s'était vu foudroyé au beau milieu d'un cours par un accident cardiaque — comme son grand-père, prend-il grand soin de mentionner, qui avait fait un premier infarctus à l'âge de 43 ans, puis un second, vingt ans plus tard, qui lui avait été fatal. «Hypercholestérolémie»: ce mot avait, à lui seul, chamboulé toute sa vie. Il s'était mis à vivre dans la hantise perpétuelle de la mort subite. Son estomac n'avait pas tardé à réagir violemment. Puis divers symptômes, qu'il n'arrivait plus à contrôler, avaient commencé à l'accabler. Pris de panique, il s'était prêté à tous les examens possibles et imaginables, des plus simples aux plus sophistiqués (épreuve d'effort, lavement baryté, sonographie, imagerie par résonance magnétique), sûr qu'on finirait par détecter les signes d'une maladie insidieuse. Bien à tort, d'ailleurs, car les résultats furent négatifs, du premier au dernier.

Malgré les encouragements des médecins («Arrêtez de vous en faire! Tout va bien. Continuez à vivre comme le faisiez avant, tout simplement!», lui avaient dit l'interniste et le cardiologue, aussi bien que le gastro-entérologue), il ne pouvait s'enlever de la tête l'idée que, compte tenu de ses antécédents familiaux, ses frayeurs n'étaient pas aussi irrationnelles qu'on essayait de l'en convaincre.

Pour avoir déjà suivi une psychothérapie, il était cependant à même de s'apercevoir que des signes de dépression affleuraient à nouveau et que la machine à broyer du noir avait, malgré lui, recommencé à tourner. Sa femme commençait, du reste, à montrer des signes d'impatience. «J'en étais arrivé au point où je prenais moi-même ma tension artérielle lorsque je me retrouvais seul dans mon bureau, me raconte-t-il. Et, pour ne pas qu'Hélène s'aperçoive que je rendais assidûment visite à mon médecin, je réglais les frais d'honoraires en argent liquide. J'avais besoin d'aide, je m'en rendais bien compte.»

Sur la recommandation d'un ami, Vincent prit rendez-vous avec un psychologue de formation psychanalytique. L'idée d'une thérapie de type psychodynamique ne lui déplaisait pas: les séances seraient ainsi moins fréquentes (trois par semaine tout au plus), car, faute de temps et d'argent, il ne pouvait entrevoir la possibilité de faire une psychanalyse.

La première séance le rassura. Le thérapeute, un homme dans la soixantaine, dégageait une impression de force et de sérénité, et il ne manquait pas d'humour. Il n'était pas du type à porter des jugements, ni à essayer de lui en imposer, raconte Vincent. Il se sentit aussitôt en confiance. Le divan ou le face-à-face? Le divan. «Je trouve que ça facilite l'association libre», m'explique-t-il.

Et qu'attendait Vincent de ces séances? Sûrement pas des commentaires bienveillants et encourageants à propos de son état de santé: ça n'avait jamais eu aucun effet sur lui — aucun! Comment un simple rapport de laboratoire faisant état d'un taux de cholestérol un peu élevé avait-il pu le mettre dans un tel état, comment un symptôme aussi bénin avait-il suffi à bousiller complètement sa vie? Voilà ce qu'il voulait savoir. Cette nouvelle devait réveiller chez lui d'anciennes peurs, d'une portée et d'une signification beaucoup plus profondes qu'il ne le paraissait, se disait-il.

Au hasard d'une séance, il en était venu à parler de son grand-père, auquel il était très attaché, et qui était vite devenu son modèle d'identification: c'était l'une des seules personnes qui lui avait témoigné un amour inconditionnel, souligne Vincent. Il devint de plus en plus évident, à mesure que progressait sa psychothérapie, que son anxiété n'était pas un symptôme passager: elle signalait, sous forme de malaises persistants, et bien réels, un trait de caractère installé depuis longtemps. «J'ai longuement parlé avec mon thérapeute de ce terrible sentiment d'impuissance et d'humiliation que mes nouveaux symptômes, que je n'arrivais absolument pas à maîtriser, avaient engendré en moi, dit-il. Je me sentais tellement diminué physiquement, et moralement. Comme si tout mon être était soudainement pris en défaut.»

Six mois après le début de sa psychothérapie, ses douleurs abdominales avaient disparu, et le temps à s'inquiéter de mourir terrassé par un arrêt cardiaque avait diminué des trois quarts. Vincent fut amené, au cours des deux années que dura sa thérapie, à remuer certains événements pénibles qu'il croyait pourtant avoir assimilés quinze ans auparavant, lorsque, à peine sorti de l'université et sans emploi, il avait souffert d'une profonde dépression qui l'avait incité à entreprendre une psychanalyse.

Combien d'événements heureux et malheureux, de souvenirs exaltants et troublants, se sont ravivés à travers ces séances! Son père, si distant. Sa mère, étouffante. Les accès de panique de son frère cadet. Sa difficulté à s'adapter à son nouveau milieu de vie quand il lui avait fallu s'exiler dans le Nord-Est pour les besoins de sa formation universitaire. La solitude extrême qu'il avait vécue tout au long de cette période. Ses inhibitions sexuelles, sa difficulté à voler de ses propres ailes depuis toujours. Parmi d'autres...

Il avait beaucoup été question d'autonomie, de problèmes de séparation et de sexualité au cours de sa précédente thérapie, mais jamais d'hypocondrie. Les pièces du puzzle finirent, là encore, par se mettre en place. Il se rappela que son grand-père et sa mère étaient de grands hypocondriaques. Il était clair, disait-il, qu'il avait hérité des obsessions de sa mère pour tout ce qui regarde la maladie: «Ma mère était sensible aux moindres variations de mon état de santé, aux moindres transformations des fonctions ou des traits de mon corps. Je me souviens même que j'avais dû, pour la calmer, me soumettre à une cystoscopie (examen de la vessie à l'aide d'un instrument qui doit être inséré par le pénis) alors que j'avais à peine cinq ans! Elle me croyait atteint d'une maladie grave parce que j'urinais très souvent. Deux jours après l'intervention, les conduits urinaires étaient tellement irrités que j'avais l'impression d'expulser des lames de rasoir! Tout cela pour apprendre qu'il ne s'agissait que d'un trouble bénin affectant les valvules urétrales! Elle a fini par me convaincre que j'étais un enfant fragile, plus faible que les autres — différent, quoi!»

L'accompagnement attentif et l'esprit d'à-propos de son psychothérapeute ont aidé Vincent à dissocier, avec le temps, de la légère anomalie physiologique qu'avait mise en évidence un test de routine les attributs qui le caractérisaient comme être humain, autrement dit à démêler les fils qui maintenaient dans une confusion et un enchevêtrement malsains ces deux réalités tout à fait différentes qu'étaient l'évaluation de son état de santé et l'évaluation de sa valeur personnelle en tant qu'individu. «Il a toujours été clair, *dans ma tête!,* qu'il est infantile de rêver d'être invincible ou immortel. Je sais maintenant, mais *d'un tout autre savoir,* que je vais mourir un jour, mais qu'il est complètement absurde, et mortifère!, de me laisser paralyser par cette vision, comme je l'ai fait pendant si longtemps, plutôt que de jouir à chaque instant de ce qui m'est accessible.»

Ce changement d'attitude a sauvé de justesse ma vie matrimoniale, qui commençait à se ressentir de ces obsessions. «Hélène ne pouvait plus supporter de m'entendre me plaindre, comme je le faisais à tout propos. Dans sa famille, on fait très peu de cas des petits bobos de tous et chacun. Elle a été élevée à souffrir en silence et à entrevoir la mort avec force et dignité. J'aimerais parfois qu'elle se montre un peu plus compatissante, qu'elle me soutienne davantage lorsque je suis malade ou angoissé, mais enfin... J'ai appris avec le temps à accepter les choses comme elles sont, à ne pas trop attendre de la vie. Elle a toujours été indifférente à ma douleur. Elle m'a soutenu tout au long de ma thérapie — pas de mon hypocondrie!»

Il lui arrive encore aujourd'hui, confie Vincent avec sa sincérité habituelle, de voir surgir de manière intempestive ses anciens fantômes. Il s'est déjà demandé, au plus fort d'un épisode d'hypocondrie, s'il ne devrait pas mettre à l'essai ces «médicaments miracles» dont on vantait tant les vertus, pour se rendre compte, en dernière analyse, que ce n'était pas pour lui. «Des illusions en comprimés, voilà ce que c'est! Je n'ai jamais aimé les raccourcis. Peut-être ai-je besoin de me mortifier?!...» Puis viendront les vraies raisons: «J'aime bien atteindre par moi-même les objectifs que je me suis fixés, même si je dois y mettre tout ce que j'ai. C'est souvent douloureux, mais tellement plus gratifiant. En thérapie, tu es amené petit à petit à retisser les fils de ton histoire et à découvrir toutes sortes de liens entre les événements que tu as vécus. C'est passionnant! Dans quelle autre circonstance, dites-moi, a-t-on le loisir de parler aussi librement de ses fantasmes, de ses inhibitions, de sa colère, de ses désillusions, de sa relation à sa mère, de ces sentiments étranges mais tout à fait normaux que tout le monde éprouve mais dont personne ne parle, de peur de heurter l'autre?»

La thérapie cognitivo-comportementale

La thérapie cognitivo-comportementale puise, comme son nom l'indique, à deux courants de la psychologie contemporaine: la psychologie cognitive et le béhaviorisme ou psychologie du comportement, dont les méthodes, très différentes mais non incompatibles, comptent aujourd'hui beaucoup d'adeptes — qu'elles soient appliquées seules ou conjuguées en une seule et même démarche. Axées sur l'«ici-maintenant» plutôt que sur la lente descente dans l'inconscient et l'exploration des causes profondes des symptômes, les deux approches sont utilisées pour traiter ou soulager un grand nombre de troubles psychologiques, qui peuvent parfois se manifester par une maladie somatique.

La thérapie comportementale, dont l'élaboration initiale remonte aux années soixante, vise essentiellement à fournir au patient des moyens de surmonter à court terme ses peurs et de résoudre les difficultés qui l'empêchent d'atteindre ses objectifs personnels. La thérapie cognitive, plus récente, vise, quant à elle, à amener le sujet à remettre en question sa façon de penser la réalité et les conflits interpersonnels et à les remplacer par des pensées plus positives; en adoptant un mode de pensée ou de perception plus adéquat, il se trouve nécessairement amené à modifier son comportement.

Ces deux approches attireront plus particulièrement les personnes qui ont en vue un objectif bien précis ou la résolution d'un problème particulier, sans s'engager pour autant dans une trop longue thérapie — les progrès peuvent commencer à se manifester après six à douze séances, disent les spécialistes de la méthode — ni recourir aux médicaments. Elles répondent aussi davantage à l'objectif de rationalisation des coûts qui sous-tend actuellement la politique médicale.

L'hypocondrie sera certes abordée différemment par un praticien de la thérapie comportementale qu'elle ne le serait par un psychanalyste ou par un psychologue rompu à l'approche psychodynamique. Le thérapeute abordera, cette fois, le problème sous l'angle du comportement acquis résultant d'un amalgame de renforcements *positifs* (l'attention des proches ou celle des médecins, par exemple) et de renforcements *négatifs* (le fait, par exemple, de se rendre compte qu'une fois rétabli de sa maladie l'on n'a plus droit à la même attention ni aux mêmes marques d'affection que lorsqu'on était malade), autrement dit de «récompenses» et de «punitions» que nous valent les attitudes et les comportements que nous adoptons tout au long de notre existence.

Certains hypocondriaques évitent systématiquement de pénétrer dans un hôpital, de rendre visite à une personne malade ou de se prêter à un examen médical: ces démarches sont une source d'anxiété trop grande, qu'ils préfèrent contourner. Plus ils évitent de se confronter à ces situations, plus leur peur s'intensifie; chaque comportement d'évitement vient confirmer en quelque sorte le danger associé à la situation. Avec ce type de patients, on fera appel aux méthodes fondées sur les principes de l'exposition et de la prévention de la réaction habituelle à la situation redoutée, pierre angulaire de l'approche comportementale. Le patient pourra être invité alors à visiter un service d'oncologie, à travailler auprès de sidatiques, à lire une série d'articles sur le cancer, à prendre rendez-vous avec un médecin, ou autres démarches du genre.

En «s'autorisant» ainsi à se laisser envahir par la peur et l'inconfort, tout en se retenant de donner libre cours aux rituels ou aux comportements répétitifs (s'examiner sans arrêt, se plaindre inlassablement de ses peurs, etc.), le sujet hypocondriaque apprend peu à peu, de façon très concrète, qu'en s'exposant aux situations qu'il redoute, et en consentant à ce qu'elles s'intensifient temporairement, il peut arriver à vaincre ses peurs.

L'hypothèse du thérapeute cognitiviste est la suivante: les signes et les symptômes somatiques sont perçus par le sujet hypocondriaque comme étant beaucoup plus dangereux qu'ils ne le sont en réalité ou comme annonçant une maladie donnée dont le degré de probabilité est nettement surestimé; le sujet est convaincu en outre qu'il ne peut rien faire pour changer le cours de sa maladie. La thérapie consistera alors à aider le sujet à revoir et à corriger cette distorsion dans sa façon de penser et l'interprétation erronée ou abusive qu'il fait de ses sensations physiques (lorsqu'il déduit, par exemple, du moindre petit mal de tête qu'une tumeur cérébrale est en train de se former, ou qu'il ne peut s'empêcher de se soumettre à un examen pour identifier la source de maux d'estomac, de peur qu'une tumeur tout hypothétique ne se métastase et ne devienne inopérable, réaction qui traduit une crainte persistante de se trouver dans une situation catastrophique si l'on omet de se prêter à une suite de démarches spécifiques).

Le thérapeute s'emploiera alors à aider le sujet hypocondriaque à prendre conscience de cette façon inadéquate d'appréhender le réel et de réagir à ses symptômes, puis à mettre en place de nouvelles façons de composer avec les incidents malheureux qui peuvent survenir dans le cours de l'existence. Il l'encouragera à réduire le stress émotionnel auquel le condamnent ses obsessions et à adopter une attitude plus rationnelle (par exemple, en se disant à soi-même qu'un mal de tête peut simplement être le signe d'une fatigue oculaire ou d'un stress trop intense), démarche qui l'obligera à se rendre compte des effets négatifs d'une attention obstinée à ses moindres symptômes.

Des thérapeutes-chercheurs de l'Université d'Oxford rapportent avoir réussi chez 90 % des sujets d'un échantillon, en faisant appel à des techniques inspirées de l'approche cognitivo-comportementale, à faire disparaître ou à réduire les attaques de panique; la méthode se serait avérée efficace également à atténuer les troubles hypocondriaques[3]. L'étude, coordonnée par le Dr Paul Salkovskis, donne à penser que les sujets en proie aux états de panique, aussi bien d'ailleurs que les sujets hypocondriaques, interprètent systématiquement leurs sensations corporelles comme des indices de catastrophe imminente; mais, tandis que le patient qui est sujet au trouble panique redoutera, au beau milieu d'une attaque, d'être sur le point de faire un infarctus, l'hypocondriaque s'inquiétera d'être atteint d'une maladie encore plus insidieuse et plus menaçante.

L'anxiété croissante et plus menaçante qui accompagne les attaques de panique se traduit par divers symptômes physiques — sensation d'étouffement, oppression, transpiration — qui augmentent le sentiment de terreur. De la même manière, l'anxiété créée par l'attention de l'hypocondriaque au moindre signe suspect peut l'amener à traiter de façon biaisée les informations que ses sens lui transmettent, en ne retenant par exemple que celles qui le confirment dans ses craintes. Il peut s'ensuivre une sorte d'hypervigilance à l'égard de tout changement physiologique et de manifestations somatiques auxquelles il n'aura jamais porté attention auparavant; ou une compulsion à examiner ou à tâter sans relâche la partie du corps qui est endolorie; ou encore une inclination à enregistrer de manière très sélective les informations à caractère médical qui lui seront transmises. Voilà autant d'attitudes qui nourrissent l'anxiété associée à tout ce qui se rapporte au corps ou à la maladie et la propension à élaborer des scénarios catastrophiques.

Bien que l'on reconnaisse que la méthode cognitive et la méthode comportementale puissent toutes deux contribuer à réduire les symptômes hypocondriaques, des données récentes suggèrent que les séances de thérapie comportementale axées sur l'exposition à des situations dont la portée anxiogène diminue graduellement donnent des résultats supérieurs aux séances de thérapie cognitive; il semble en outre qu'une thérapie comportementale *suivie d'*une thérapie cognitive donne de meilleurs résultats que la séquence inverse[4].

Le psychologue Stephen C. Josephson, professeur au département de psychiatrie de l'école de médecine de l'Université Cornell, grand spécialiste de la thérapie comportementale, soutient qu'elle constitue le traitement tout désigné pour des troubles tels que le trouble obsessionnel-compulsif, la peur d'une dysmorphie corporelle et l'hypocondrie. Le thérapeute appelé à traiter un sujet hypocondriaque devrait, dit-il, l'inciter d'abord et avant tout à briser deux modèles de comportement particulièrement néfastes: (1) la peur exagérée qu'il éprouve en réponse à des sensations d'inconfort physique ou à des informations en rapport avec la maladie; (2) la compulsion à soulager l'anxiété liée à ces préoccupations en mettant en œuvre des comportements tels que l'auto-examen répété, les consultations en série, etc. «Le défi à relever pour le thérapeute dans ce cas particulier est non seulement d'orienter tout le traitement en fonction d'une fin bien particulière — celle-là même qui justifie de maintenir un patient en contact avec la source de son anxiété —, mais également de nouer avec le patient un rapport d'une qualité telle que celui-ci arrive à se convaincre qu'il vaut la peine de poursuivre jusqu'au bout le traitement, qui, en soi, peut susciter beaucoup d'anxiété[5].» (Voir encadré: «La méthode comportementale. Un aperçu de la méthode».)

On aurait noté des progrès sensibles, et durables — notamment une diminution de la gravité et de la fréquence des symptômes et un abrègement de la durée des épisodes d'anxiété — chez 75 % des patients auprès de qui cette technique a été mise à l'essai. Sur quels critères se fonde le chercheur pour conclure à une amélioration? «Lorsque le patient ne consacre plus qu'une heure — plutôt que cinq heures, comme il le faisait avant — à examiner ses taches de rousseur, ou qu'un autre patient qui, lui, avait peur de bouger ses membres, commence à faire de l'exercice, ou qu'il cesse de perdre une énergie et un temps précieux à se préoccuper de sa santé, vous pouvez vous dire que quelque chose est en train de se passer, que la thérapie se déroule bien.»

La thérapie comportementale
Un aperçu de la méthode appliquée au traitement de l'hypocondrie

Vous envisagez de suivre une thérapie comportementale? Voici un aperçu des techniques auxquelles pourrait faire appel le ou la thérapeute avec qui vous aurez décidé d'entreprendre ce traitement.

1. Votre dossier médical sera examiné attentivement, avec la collaboration de votre médecin généraliste, à la suite de quoi vous serez invité à estimer la teneur et l'intensité réelle de vos craintes, de vos compulsions et de vos comportements d'évitement.
2. Vous apprendrez à utiliser divers moyens vous permettant de mieux faire la différence entre avoir peur de la maladie et être atteint d'une maladie.
3. Vous serez invité par votre thérapeute, avec le consentement de votre médecin traitant, à ne pas entrer en contact pendant une période de quatre-vingt-dix jours environ avec votre médecin ou tout autre professionnel de la santé pour des motifs tels que le besoin de vous rassurer, l'envie de faire faire un bilan de santé, le désir de vous prêter à des tests ou à une intervention diagnostiques — sauf en cas de force majeure, cela va de soi.
4. Vous pourrez avoir à tenir un journal personnel où devront être notées les situations qui vous auront fait craindre d'être en mauvaise santé ou d'être atteint d'une maladie grave et à cerner les pensées, les images ou les représentations que vous essayez de masquer ou qui vous rendent anxieux.
5. Des techniques destinées à réduire l'anxiété (techniques respiratoires, exercices de relaxation, etc.), de même que des stratégies inspirées de l'approche cognitive vous aidant à mieux composer avec vos frayeurs, à penser et à réagir autrement quand l'anxiété vous gagne, pourront vous être proposées.
6. Vous serez invité à vous confronter graduellement, avec l'aide de votre thérapeute, à diverses situations que vous aurez jusque-là contournées, ce qui, de réussite en réussite, devrait vous aider à vous rendre compte que vous êtes en bien meilleure santé que vous ne le croyez.
7. Vous pourrez être sensibilisé à diverses techniques (réécouter une cassette sur laquelle auront été enregistrées vos

plaintes, par exemple) incitant à mettre un terme graduellement à vos comportements répétitifs ou à certains rituels auxquels vous avez peut-être l'habitude de vous adonner et à une série d'«exercices» ou de «devoirs» visant à vous exposer à des situations que vous redoutez et à apprendre à ne plus réagir comme vous le faites habituellement, ce qui devrait contribuer à en atténuer la charge anxiogène (ainsi, plutôt que de sortir le thermomètre pour prendre votre température, vous devrez vous contenter de vous toucher le front brièvement).

8. Vous pourrez avoir à consulter un psychiatre ou un psychopharmacologue, advenant le cas où un traitement médicamenteux vous soit suggéré comme complément à la thérapie.

Source: Stephen C. JOSEPHSON et Eric A. HOLLANDER, *OCD Newsletter,* nº 4, 1990, p. 5-8.

SYLVIA: UN ACTE DE FOI

Sylvia ne s'est jamais sentie bien dans sa peau. Elle n'a rien oublié des allusions malveillantes de certains camarades de classe ou de gamins du voisinage à sa corpulence et à son visage empâté. À l'âge de 12 ans, elle avait fait un pacte avec Dieu: elle ne deviendrait jamais une femme! À l'adolescence, elle avait fini par céder aux diktats du milieu et par se laisser maigrir jusqu'à ce qu'elle ne dépasse plus 40 kilos et que sa poitrine, qu'elle trouvait «dégoûtante», s'aplatisse. Elle était devenue filiforme — et n'en était pas peu entraînée.

Tout au long de l'adolescence, elle avait eu en outre à combattre toutes sortes de fantasmes obsédants (où apparaissait, par exemple, une jeune fille qui voyait son nez s'allonger indéfiniment, ou une autre déféquant par la bouche) qu'elle n'arrivait pas à réprimer. Pour arriver à mettre fin à ces visions affolantes, qui la jetaient dans une angoisse insupportable, elle en était venue à faire toutes sortes de trocs avec elle-même. Elle s'en voulait d'être en proie à des représentations aussi grotesques, ce qui l'avait peu à peu incitée à renouer, bien malgré elle, avec ses anciennes habitudes et à recommencer à se détester.

Ses parents, qui n'étaient pas sans soupçonner que leur fille avait des problèmes affectifs, avaient tenté de lui venir en aide. Ils avaient fait ce qu'ils avaient pu, compte tenu des circonstances. Son père était avocat. «Un vrai bourreau de travail — continuellement insatisfait!», commente Sylvia. Sa mère, toujours très effacée, ne semblait pas très heureuse dans son rôle de femme de maison. C'était une femme extrêmement anxieuse. Un jour, elle avait amené ses trois filles (de tout jeunes enfants à l'époque) chez le psychiatre, pour s'assurer qu'elle les éduquait correctement. Sylvia, sage et bien élevée, s'était arrangée pour mystifier tout le monde ce jour-là. «Des problèmes tout à fait normaux chez un enfant de cet âge», avait conclu le spécialiste.

Les années de collège avaient été particulièrement difficiles: éloignement de la maison, isolement, difficulté à établir des relations avec des garçons de son âge et problèmes de drogue. «Je "trippais" au LSD! Est-ce possible! Ma phase "existentialiste", sans doute! J'étais persuadée que nous étions venus au monde pour souffrir, que j'étais condamnée à vivre éternellement dans la douleur — même après ma mort. Alors, qu'est-ce que j'avais à perdre? me disais-je.» Jusqu'à ce qu'elle se retrouve un soir à l'hôpital, et le lendemain dans le bureau de la psychologue du collège. Diagnostic: dépression. Ordonnance: voir un psychiatre, qui pourrait lui prescrire des antidépresseurs. Non! il n'en était pas question! Elle s'y refusait absolument.

C'est peu de temps après qu'avaient commencé, à la suite d'une hernie discale survenue un soir d'hiver où elle s'était mise en frais de transporter, seule, une malle très lourde, ces insupportables maux de dos et ces spasmes atroces qui allaient lui faire souffrir le martyre durant les quinze années suivantes et l'amener peu à peu à concentrer toute son attention sur sa douleur et sur la peur de perdre complètement l'usage de ses jambes.

Prétextant un séjour temporaire chez un oncle, elle avait fini par quitter l'université, pour ne plus jamais y revenir. Puis s'était amorcée l'infernale odyssée qui l'avait conduite d'un spécialiste à l'autre, avec tout l'arsenal de tests et d'examens que ces consultations en série peut supposer, racontant chaque fois son histoire dans l'espoir que quelqu'un en vienne à lui dire autre chose que: «Ce n'est rien de grave: une élongation musculaire, tout au plus» ou «Des ligaments étirés» ou encore «Un disque qui frotte sur un nerf». Aucun diagnostic qui la satisfasse non plus du côté des médecines douces. Homéopathie, hypnose, médecine holistique, réflexologie, massothérapie — elle avait tout essayé, mais sans grand résultat. Proie facile des cliniciens en mal de diagnostics, elle s'était même fait dire qu'elle souffrait d'un cancer du sein, ce qui l'avait terriblement, et bien inutilement, bouleversée.

Sa vingtaine, elle l'avait passée dans la plus grande confusion, à changer d'emploi constamment, à suivre des cours du soir, à combattre ses états dépressifs et à tenter d'oublier ses douleurs, allongée sur un matelas étendu par terre dans sa chambre à coucher. Le mal avait fini par s'étendre à la vessie, ce qui lui avait valu quelques autres consultations d'urgence et plusieurs cathétérismes et interventions exploratoires qui n'avaient jamais abouti au diagnostic effroyable qu'elle s'attendait chaque fois de recevoir.

Sur les conseils de ses parents, elle avait entrepris une psychothérapie. En cours de thérapie, elle avait appris par son père que sa grand-mère, qu'elle n'avait pas eu la chance de connaître, souffrait de troubles obsessionnels-compulsifs graves. «Elle passait son temps, lui avait-il confié, à compter le nombre d'assiettes qu'il y avait dans l'armoire de la cuisine ou le nombre de robes accrochées dans sa penderie.» Elle s'était suicidée, avait-il fini par lui révéler. Sylvia s'était vue aussitôt vouée au même sort. Jugeant que des antidépresseurs lui feraient le plus grand bien, sa thérapeute l'avait référée à un psychiatre. C'est ainsi que Sylvia avait été amenée à mettre à l'essai plusieurs types d'antidépresseurs, dont certains firent effet plus que d'autres, sans toutefois mettre fin à ses obsessions hypocondriaques.

Sa rencontre avec Didier marqua un tournant décisif dans sa vie. Elle avait 29 ans lorsqu'ils se sont rencontrés. Malgré des débuts difficiles, où elle redoutait jour après jour de perdre son nouvel amoureux, et des comportements malhabiles visant inconsciemment à l'éloigner, sans compter plusieurs épisodes de maladie qui auraient pu (le voulait-elle inconsciemment?) inquiéter avec raison son compagnon, cette relation lui avait permis d'entrevoir, pour la première fois de sa vie, la possibilité d'avoir accès au bonheur. Mais les maux de dos n'avaient pas tardé à reprendre de plus belle. Cette fois, par contre, elle était bien décidée à prendre le taureau par les cornes. C'est alors que, sur la recommandation de son psychiatre, elle avait pris rendez-vous avec un spécialiste de la thérapie comportementale.

Prenant en compte les douleurs articulaires de la patiente, celui-ci lui proposa une nouvelle médication à base de clomipramine, conjuguée à des séances de thérapie. Le médicament contribua effectivement à réduire ses obsessions, tout en occasionnant cependant de la somnolence. La psychothérapie s'échelonna sur trois ans: à un rythme intensif durant les deux premières années, puis à un rythme plus souple durant la troisième. Tablant sur la confiance indéfectible qu'elle avait en son psychiatre, Sylvia était prête à faire l'impossible pour que l'entreprise porte fruit.

Il avait une façon bien à lui de procéder. Pas de mise en garde pour ceci ou cela, pas d'hésitation à prendre position, pas de conseils prudents à propos des antidépresseurs, de l'exercice physique ou des interventions chirurgicales. Rien de tout cela, non. Il avait été clair là-dessus: elle ne devait pas compter sur lui pour la rassurer, pour la réconforter à tout moment. Pas question de jouer les consolateurs. De l'orienter vers une nouvelle relation de dépendance. Car, une fois qu'aurait été enclenché le processus, elle se serait attendue, lui avait-il expliqué, à ce que, chaque fois, il vole à son secours. Elle avait vite compris que «cette drogue-là», il ne consentirait pas à la lui administrer.

Elle devait respecter les consignes les plus singulières et se prêter à toutes sortes de démarches inhabituelles; c'était ses «devoirs» du soir. D'abord, elle devait s'abstenir de téléphoner ou de rendre visite à un médecin. Elle devait se retenir également de se plaindre de ses symptômes ou de chercher du réconfort auprès de quiconque.

Un autre «exercice», plutôt surprenant celui-là, consistait à se frapper le dos contre le mur.

«Tu dois faire tous les exercices qu'il te soumet, explique-t-elle. Il faut que tu sois prête à faire l'impossible pour dominer tes peurs — mêmes les plus tenaces, celles qui sont si fortes que tu crains qu'elles finissent par te détruire. Ce qu'il m'en a fait voir! À certains moments de la thérapie, je sentais une angoisse épouvantable m'envahir. Je restais là, devant lui, sans pouvoir me réfugier, comme je le faisais d'habitude, dans mes petites manies ou mes pensées morbides. C'est comme si la même séquence, le même monologue se répétait sans arrêt dans ma tête: "J'ai fait quelque chose de mal - Je suis punie - Ça fait mal - Il y a quelque chose qui ne va pas en moi - Je ne peux pas faire aucun exercice à cause de mon dos - Je vais m'ankyloser - Je vais engraisser - Didier va me quitter."

«Ce que j'ai appris en thérapie, c'est justement une autre façon de composer avec mes obsessions. Maintenant, je sais que je peux faire appel à d'autres mécanismes; ils sont inscrits en moi, font partie désormais de mon être le plus intime. Mais il faut y croire, y croire profondément. Toute l'entreprise exige de toi un immense acte de foi! C'est ce qui te permet de justement croire que les techniques de ton thérapeute vont donner des résultats. Je n'aurais pas été capable, sans cette confiance absolue, de faire toutes les choses terrifiantes qu'il m'a invitée à faire. Dès que tu commences à te sentir un peu mieux dans ta peau, ça t'encourage, ça te donne envie de continuer.

«Ce qui se passe, en fait, c'est que lorsque tu réussis à faire ce qu'il te demande de faire, tu t'aperçois que tu n'es pas si mal en point que tu le pensais: tu commences à croire que tu n'es pas en si mauvaise santé que tu l'avais imaginé. Tu te rends compte aussi que tu peux, bien plus facilement que tu le croyais, t'enlever de la tête certaines pensées ou certaines images troublantes. Que tu peux composer avec tes émotions. Tu ne passes plus ton temps à faire toutes sortes de choses bizarres pour t'enlever ta culpabilité, pour te racheter ou pour empêcher que quelque chose de terrible ne t'arrive. Tu découvres petit à petit d'autres façons de tenir tête à tes fantômes. Tes vieux mécanismes de défense, tu n'en veux plus à un moment donné, tu vois que tu t'empoisonnes l'existence à fonctionner de la sorte. Après être passée par tout ça, tu n'es plus la même personne, c'est sûr...»

Aujourd'hui, Sylvia est travailleuse sociale. Elle vit toujours avec Didier, qui a su l'accompagner de main de maître à travers cette expérience exigeante qu'est toute psychothérapie. Elle arrive depuis trois ans à se passer d'antidépresseurs. «Mes anciens fantasmes me reviennent encore, de temps à autres, mais maintenant je sais que j'ai le pouvoir de les chasser — ça change tout!»

Le traitement psychopharmacologique

Révolutionnaires! magiques! emballants!, les nouveaux remèdes que propose la neuropsychiatrie ont créé beaucoup d'émoi depuis quelques années. Ils sont loin pourtant de faire l'unanimité. La mise en marché du Prozac, premier-né d'une nouvelle famille d'antidépresseurs au nom un peu rébarbatif — les «inhibiteurs spécifiques de la recapture de la sérotonine» (ISRS) —, a suscité un branle-bas sans précédent dans le milieu médical. Sans même savoir comment agissent exactement ces psychotropes nouvelle vague sur le plan biochimique, comment ils peuvent être assez puissants pour modifier, avec un minimum d'effets indésirables, les taux de sérotonine, nombre de médecins se sont mis à vanter les effets spectaculaires du Prozac dans le traitement des symptômes de divers types de maladies, élargissant ainsi bien au-delà de ce que son concepteur, Eli Lilly, avait en vue, le champ d'application du médicament.

De nombreuses études ont effectivement laissé entendre que les ISRS, dont de nouveaux dérivés sont approuvés régulièrement par la Food and Drug Administration pour le traitement *de la dépression et du trouble obsessionnel-compulsif,* seraient efficaces également dans le traitement de divers autres troubles ou syndromes (l'anorexie, la boulimie, l'alcoolisme, le trouble panique, le trouble anxieux, le syndrome prémenstruel, la peur d'une dysmorphie corporelle et l'hypocondrie), de même que certains problèmes psychologiques moins sévères, tels que le manque d'estime, le sentiment de rejet et certains problèmes d'inhibition.

Le Prozac a fait son apparition dans les pharmacies en 1988. Depuis lors, des millions d'Américains ont mis à l'essai les petites gélules blanches et vertes à base de fluoxétine. Jamais auparavant un psychotrope n'avait provoqué un tel engouement. On estimait en 1996 à plus de 10 millions le nombre de patients qui s'étaient vu prescrire cet antidépresseur depuis le début de sa mise en marché; c'est, à l'heure actuelle, le médicament le plus vendu aux États-Unis, après le Zantac (un anti-ulcéreux). Les pilules «magiques» de Lilly ont fait des petits depuis: Zoloft, Paxil et Luvox, qui accaparent, eux aussi, une part de plus en plus grande du marché.

Des observateurs inquiets n'ont pas tardé à réagir et à attirer l'attention du corps médical et du grand public sur les dangers de la surmédication et l'émergence d'une nouvelle forme de tolérance — d'une légalisation déguisée, en quelque sorte — des toxicomanies. Il n'en fallait pas plus pour que s'amorce à la grandeur du pays un débat public sur la question. Les premières accusations portèrent sur le danger que, en levant certaines inhibitions, le Prozac incite les patients suicidaires ou violents à donner libre cours à leurs pulsions, comme le faisaient craindre certains cas rapportés. Les arguments invoqués (par l'Église de Scientologie, surtout) s'étant avérés plutôt minces sur le plan scientifique, le débat finit par s'essouffler et passa aux oubliettes.

Puis parut l'ouvrage de Peter Kramer vantant les effets incomparables du médicament vedette sur l'humeur[6]. Introduisant la notion de «pharmacologie cosmétique», le psychiatre y laissait entendre ni plus ni moins que tous les gens «normaux» devraient avoir recours aux médicaments contribuant au mieux-être. Les médias n'allaient certes pas laisser passer une aussi belle occasion d'ameuter la population et de lui servir les reportages les plus croustillants. C'est ainsi qu'une petite ville d'une région agricole de l'État de Washington, nommée pour l'occasion «capitale du Prozac», gagna en un rien de temps une notoriété à laquelle elle était loin de s'attendre. Et pour cause: un thérapeute, se faisant le chantre du nouvel élixir, l'avait prescrit à la plupart de ses patients (près de 700 personnes) en collaboration avec un médecin de la localité. Plusieurs confessèrent ensuite avoir ajouté du Prozac à la pâtée de leurs animaux domestiques (chiens et chats «de tempérament difficile»...). On en vint à découvrir également qu'un grand nombre de professionnels n'hésitaient pas à avaler quotidiennement leur dose de Prozac pour accroître leur «performance».

Le concepteur du produit incriminé réagit aussitôt en lançant une campagne d'information dénonçant le rôle des médias dans toute cette affaire, notamment l'exagération injustifiée des vertus thérapeutiques du Prozac et la banalisation de la dépression, pour laquelle le médicament avait été spécifiquement et exclusivement mis au point. L'intervention de Lilly ne réussit pas toutefois à contenir le flot de reportages négatifs sur son dernier-né. Les critiques se mirent à fleurir aussi rapidement qu'avaient fusé les éloges: l'action des «nouveaux» ISRS n'avait rien de vraiment révolutionnaire, clamait-on tout à coup, en comparaison des antidépresseurs de la génération précédente (les tricycliques); 40 % des patients sous Prozac n'avaient-ils pas rapporté des problèmes sexuels, ironisait-on par ailleurs; et que penser des données préliminaires d'une étude menée par des chercheurs canadiens voulant que le Prozac ait accéléré la croissance de tumeurs chez des souris[7]? (Les investigateurs ont constaté en effet que le rythme de croissance de tumeurs mammaires et la taille d'autres types de tumeurs avaient augmenté chez des rongeurs à qui avaient été administrées des doses d'amitriptyline (Elavil) et de fluoxétine (Prozac) équivalentes à celles que l'on prescrit couramment aux humains. Aucune étude n'a encore mis en évidence cependant, à ce jour, les effets cancérigènes des antidépresseurs sur l'humain. D'autres recherches sur le phénomène sont en cours présentement.)

Le Dr Brian Fallon, qui a collaboré à l'élaboration du présent ouvrage, est le premier à avoir tenté, dans le cadre d'essais cliniques réalisés sous sa direction par des chercheurs de l'Université

Columbia, de traiter l'hypocondrie primaire (non associée à une dépression majeure ou à un autre trouble mental) en ayant recours à des médicaments. Après douze semaines à peine de traitement, 70 % des patients ont montré, dit-il, des signes d'amélioration; certains ont même vu disparaître complètement leurs symptômes sous l'effet d'une dose quotidienne de Prozac. La posologie minimale de 20 à 40 mg utilisée normalement dans le traitement de la dépression a suffi, dans plusieurs cas, à atténuer les préoccupations reliées à l'hypocondrie; dans la plupart des cas, toutefois, les doses se situant entre 60 et 80 mg (habituellement prescrites pour traiter le trouble obsessionnel-compulsif), se sont révélées plus efficaces.

Le Dr Fallon a obtenu en 1993 une subvention de un demi-million de dollars du National Institute of Mental Health pour mener à bien une étude échelonnée sur cinq ans visant à évaluer l'efficacité de la fluoxétine, molécule active du Prozac, dans le traitement de l'hypocondrie et la durée à long terme des effets de cette substance (il s'agit de déterminer en somme si les symptômes réapparaissent ou non une fois le traitement interrompu). C'est la première fois que les autorités fédérales américaines allouaient des fonds à la recherche d'un traitement pour l'hypocondrie[8].

Le Dr Robert Westner et le Dr Russell Noyes fils rapportent, de leur côté, avoir obtenu des résultats très encourageants avec l'imipramine pour combattre les symptômes d'un syndrome appelé «phobie de la maladie», forme particulière d'hypocondrie où le sujet craint d'être victime d'une maladie grave, tout en étant parfaitement conscient de la nature irrationnelle de cette appréhension[9]. Quant à savoir si l'imipramine peut soulager les symptômes des sujets qui sont convaincus, sans preuves médicales à l'appui, d'être atteint d'une maladie grave, c'est une tout autre question, qui est loin d'être résolue. L'imipramine serait efficace également chez les patients qui souffrent de certains types de syndromes douloureux déjouant tout diagnostic médical. Une étude effectuée auprès de patients qui, tout en ayant un cœur et des vaisseaux sanguins en très bon état, souffraient de douleurs thoraciques chroniques, suggère que l'imipramine pourrait réduire de moitié la fréquence des douleurs[10].

DANIÈLE: DES OBSESSIONS PAR INTERMITTENCE

Danièle se rappelle fort bien quand a commencé à se développer sa peur de la maladie: c'est à la suite d'un message publicitaire qu'elle avait vu à la télé à propos d'une campagne de souscription en faveur des enfants victimes des maladies rénales. Les images étaient extrêmement émouvantes, mais aussi terriblement affolantes. Elle devait avoir huit ou neuf ans. Elle se souvient que, cette nuit-là, elle était allée dormir avec ses parents, tant elle était terrifiée à l'idée de pouvoir connaître un jour le même sort que ces pauvres petits malades. Dans les mois qui avaient suivi, elle avait commencé à élaborer toutes sortes de scénarios morbides, auxquels était venue se greffer, autour de l'âge de 11 ans, une peur atroce de ce qui lui arriverait après sa mort. Ses parents avaient beau la rassurer sur son état de santé, rien n'y faisait. Sa mère ne semblait-elle pas elle-même très craintive? se disait-elle. N'avait-elle pas l'habitude de crier à la catastrophe chaque fois qu'un événement inattendu survenait?

Puis avaient commencé les leçons de ballet classique, qui, malgré tous les efforts et toute la discipline qu'elles exigeaient, allaient devenir le principal centre d'intérêt de l'adolescente et, plus tard, une véritable passion — assez forte pour éclipser pendant plusieurs années les préoccupations qui avaient commencé de germer à propos des maladies infantiles et de l'horizon angoissant de la mort. Cette période exaltante avait commencé à s'assombrir vers la fin de ses études secondaires, comme en témoignaient ses étranges habitudes alimentaires: de la laitue au vinaigre pendant plusieurs jours, et soudainement une envie de s'empiffrer de tout ce qui lui tombait sous la main. Entre le début de ses études collégiales, qui l'avaient obligée à quitter le foyer familial, et le moment où elle avait décroché son premier contrat avec un corps de ballet réputé, son anxiété à propos de la maladie n'avait fait que s'accentuer. Puis elle s'était accrue toujours davantage à mesure que les exigences de sa carrière l'avaient obligée à mettre entre parenthèses tout ce qui était extérieur aux deux pôles autour desquels gravitait désormais toute sa vie: la danse et la diète. Jusqu'à ce que l'épuisement la force à quitter la compagnie.

Elle avait sollicité l'aide d'un médecin, qui l'avait référée à une travailleuse sociale, avec qui elle avait pu aborder franchement, pour la première fois, la question de son anorexie et des exigences démesurées de son métier. Elle s'était vite rendue compte qu'elle avait besoin de respirer pendant quelque temps. Une blessure au tendon d'Achille l'avait forcée à mettre à exécution, plus rapidement que prévu, son projet de laisser la danse temporairement.

Elle avait ensuite emménagé avec une ancienne camarade de classe. En conjuguant deux emplois, un comme serveuse dans un grand restaurant et un autre comme chorégraphe à temps partiel, elle arrivait à survivre. C'est à cette époque que Jean-Claude, un musicien, est entré dans sa vie — première éclaircie dans cette sombre période de sa vie. Mais l'anxiété avait à nouveau refait surface au moment où elle s'était trouvée enceinte: était-il sensé, se demandait-elle, de mettre au monde un enfant quand on est aussi mal dans sa peau? Mais Jean-Claude désirait tellement cet enfant qu'elle avait fini par se résoudre à cette nouvelle perspective.

Au quatrième mois de la grossesse, ils avaient dû changer d'appartement. Cette fois, c'est une banale histoire d'éclats de peinture qui tombaient du plafond qui l'avait replongée dans l'angoisse. N'avait-elle pas lu dans le journal que le plomb contenu dans la peinture était extrêmement dangereux pour le fœtus? Ils avaient même fait appel à un inspecteur, qui avait suggéré quelques solutions pour venir à bout du problème avant la naissance de l'enfant. Mais elle ne pouvait s'empêcher de s'inquiéter du plus petit microgramme de plomb qu'on avait pu détecter et d'imaginer le pire pour son enfant: problèmes de développement, atteintes cérébrales, etc. Elle en était même venue à porter un masque et des gants de caoutchouc et à laver chaque jour les parquets de l'appartement. N'en pouvant plus, elle était allée vivre chez sa sœur jusqu'à la fin de sa grossesse.

«Est-ce que j'avais raison ou pas de m'inquiéter? me demande-t-elle. Est-ce qu'il était justifié ou complètement fou d'agir de la sorte? Je ne le savais trop... D'autant que bien des personnes de mon entourage, sans compter la télévision et les journaux!, et même ma gynécologue, étaient d'avis, eux aussi, qu'il y avait lieu de se préoccuper des risques de contamination au plomb.» Mais il n'y avait pas que la peur des effets toxiques du plomb. Elle s'inquiétait également du nouveau rôle qui l'attendait: ferait-elle une bonne mère, elle qui n'était déjà pas une femme ni une épouse extraordinaires? «J'étais tellement déprimée au cours de cette période que j'ai même pensé au suicide», confie-t-elle.

En 1991, Danièle donnait naissance à une adorable petite fille. Cet événement avait comblé de bonheur la jeune maman et l'avait motivée à mieux prendre soin d'elle. Sur les conseils de sa gynécologue, elle avait néanmoins consulté un psychiatre, qui avait diagnostiqué une phobie de la maladie associée à des tendances obsessionnelles. Il était hors de question qu'elle prenne des antidépresseurs, car elle tenait à allaiter son enfant. Elle avait donc opté pour une thérapie comportementale. La thérapie lui avait fait le plus grand bien, reconnaît-elle aujourd'hui.

Mais, quelques mois plus tard, ses obsessions avaient repris de plus belle — à propos du sida, cette fois. Sur les conseils d'une amie, qui avait elle-même été affectée de troubles obsessionnels intermittents depuis l'adolescence, elle s'était décidée à prendre rendez-vous avec un psychiatre pour examiner avec lui la possibilité de recourir, comme l'avait fait sa copine, aux antidépresseurs. C'est dans ces circonstances que le traitement à la fluoxétine (Prozac) a été amorcé. Sans grand résultat toutefois, du moins au début. Le médecin crut bon alors d'augmenter petit à petit la dose: 20 mg, puis 40 mg et enfin 60 mg. Six semaines plus tard, les effets bienfaisants de l'antidépresseur commençaient à se faire sentir: moins d'idées obsédantes, une plus grande facilité à éclipser les images inopportunes et une moins grande tension intérieure. Étant moins tendue et moins facilement irritable, elle pouvait, dit-elle, faire face aux difficultés, notamment aux affrontements avec son mari, sans s'emporter, comme elle le faisait d'ordinaire.

Et sa phobie du plomb? C'est de l'histoire ancienne! dit aujourd'hui la jeune femme de 29 ans avec un haussement d'épaules. La confiance lui revenant peu à peu, elle a même renoué avec la danse. Elle ne jure plus que par la fluoxétine. «Si l'effet peut durer!» dit-elle.

1. Données extraites de Frederic I. KASS, John M. OLDHAM et Herbert PARDES, *Columbia University College of Physicians and Surgeons: Complete Home Guide to Mental Health*, New York, Henry Holt, 1992, p. 83.
2. Mentionné dans Jack ENGLER et Daniel GOLEMAN, *The Consumer's Guide to Psychotherapy*, New York, Fireside, Simon and Schuster, 1992, p. 30.
3. Voir Hilary M. C. WARWICK et Paul M. SALKOVSKIS, «Hypocondriasis», *Behavior Research Therapy*, n° 28, 1990, p. 105-117. Voir aussi: Hilary M. C. WARWICK et Isaac MARKS, «Behavioural Treatment of Illness Phobia and Hypochondriasis», *British Journal of Psychiatry*, n° 152, 1988, p. 239-241; et Richard STERN et Margaret FERNANDEZ, «Group Cognitive and Behavioural Treatment of Hypochondriasis», *British Medical Journal*, n° 303, 16 novembre 1991, p. 1229-1232.
4. Voir Sako VISSER et Theo K. BOUMAN, «Cognitive-Behavioural Approaches in Treatment of Hypochondriasis», *Behaviour Research Therapy*, n° 30, mai 1992, p. 301.
5. Stephen C. JOSEPHSON, entrevue réalisée le 11 février 1994.
6. Peter D. KRAMER, *Listening to Prozac ...* , ouvr. cité, p. X.
7. Voir Lorne BRANDES *et al.*, «Stimulation of Malignant Tumor Growth by Antidepressant Drugs at Clinically Relevant Doses», *Cancer Research*, n° 52, 1er juillet 1992, p. 3796-3800.
8. Les premiers résultats de cette étude pilote ont été publiés dans la *Journal of Clinical Psychopharmacology*, décembre 1993.
9. Voir R. WESNER et R. NOYES, «Imipramine: An Effective Treatment for Illness Phobia», *Journal of Affective Disorders*, 1991, p. 43-48.
10. Voir Richard O. CANNON III *et al.*, «Imipramine in Patients with Chest Pain Despite Normal Coronary Angiograms», *New England Journal of Medicine*, 19 mai 1994, p. 1411-1417.

Épilogue

L'autre nuit, j'ai fait un rêve étrange — un vrai rêve d'hypocondriaque. Je suis allongée sur un lit d'hôpital. Un médecin s'approche du lit puis, en se penchant vers moi, me dit d'une voix grave: «Désolé... Impossible de tout enlever.» Puis cette deuxième scène: le crâne enveloppé de bandages, je m'anime, je gesticule, je suis complètement désemparée. Il y a beaucoup de monde autour de moi: des membres de ma famille, des amis, des connaissances. Je me mets à pleurer, puis je m'exclame: «Ça y est, c'est fini! Mais c'est injuste! Mourir? Déjà?! Mais je n'ai pas assez vécu... Pas assez de bonheur encore!» Personne ne réagit. Personne n'a le réflexe, non plus, de s'approcher de moi pour me consoler, me rassurer. Tout le monde reste figé. Pas un mot. On me regarde avec un air de pitié, attendant que je parte — heureux que je parte!

Je me suis réveillée en sueurs. Repassant dans ma tête la séquence du rêve, j'éprouvais, pêle-mêle, les sentiments qu'il faisait surgir à l'état brut: sentiments d'affolement, de rage, de solitude, de désespoir, et cette impression d'être repliée sur moi-même — tous si familiers et si insolites. Car je n'avais pas éprouvé de tels sentiments depuis au moins deux ans. J'ai cru bon en prendre note dans mon journal. Ce n'est que beaucoup plus tard cependant que j'en saisirais toute la portée.

Ce rêve a non seulement réveillé l'angoisse associée à d'anciens épisodes d'hypocondrie, ceux-là mêmes qui m'avaient donné l'idée d'écrire ce livre, mais il m'a obligée à faire face à une terrible réalité: si la sombre terreur que nourrissait mon hypocondrie n'avait plus d'emprise sur moi, les mauvais esprits qui m'avaient naguère instillé leurs poisons n'étaient pas pour autant disparus, ils rôdaient encore tout près. Cette terreur, elle m'habitait donc encore... Elle s'était simplement endormie dans les profondeurs de mon inconscient. Quelque chose l'avait tenue en joug, l'avait empêchée d'émerger à nouveau: le filet de sécurité d'un médicament? l'absence de traumatisme immédiat? le fait de m'absorber dans un travail très exigeant? des défenses beaucoup plus solides, que la maturité et la croissance personnelle, comme j'aimais à le croire, m'avaient aidée à former? Difficile à déterminer...

C'est toujours une expérience extrêmement éprouvante de voir se raviver une ancienne douleur. Si pénible que puisse être la sensation que fait naître une blessure (lorsqu'on vient de se couper le doigt, par exemple), jamais nos sens ne pourront, une fois enclenchés les mécanismes de cicatrisation, restituer exactement la douleur ressentie à ce moment-là. De même, le message condensé, mais clair — un cadeau de l'inconscient, peut-être — que cette réminiscence m'avait permis de recevoir était venu paradoxalement renforcer la certitude que *jamais* ne me serait restituée sous sa forme initiale la terreur que m'avaient déjà inspirée mes troubles hypocondriaques. Car une fois que vous savez, dans votre for intérieur, qu'il est en votre pouvoir d'étouffer vos peurs, d'éclipser vos idées fixes, de vous délester de vos obsessions, quelque chose d'autre commence à transparaître: l'aptitude à faire le point sur tel ou tel aspect de votre vie, à devenir plus créatif et à tirer du plaisir de vos relations avec les autres — l'aptitude à être heureux, en somme.

Aussitôt qu'il entrevoit la possibilité d'avoir à nouveau prise sur l'existence, l'être en redemande, guette la moindre embellie. Il rassemble les forces qu'il lui reste pour se débarrasser de ses vieilles chimères, n'épargne aucun moyen pour donner réalité à ce nouvel espoir: il repasse par les lieux où s'est inscrite son histoire, réexamine ses liens familiaux, essaie de donner un nouvel élan à ses relations, apprend à faire confiance à son médecin, ne craint plus de partager son expérience avec d'autres personnes qui ont fait le même voyage et, s'il le faut, trouve le moyen de déjouer ses neurones.

Une chose est sûre: ce n'est pas en sabotant sa vie, comme le font parfois les êtres trop sensibles à la précarité de la vie humaine et au caractère inéluctable de la mort, que l'on trouve le bonheur. Paralysés par l'effroi que ces réalités font surgir et incapables désormais de tirer du plaisir de la vie et d'en procurer aux autres, ils n'auront pu entendre la voix qui, à chaque instant de l'existence, nous demande: Qu'est-ce qui t'empêche de vivre *autrement*? Il nous est tous arrivé, un jour ou l'autre, de nous laisser absorber totalement par une difficulté, au point d'oublier tout le reste — et jusqu'à la possibilité d'y trouver une issue. Comme ces automobilistes qui pestent contre les mélodies ahurissantes que leur crache la radio sans jamais s'arrêter à penser qu'il suffit de peser sur un petit bouton pour changer d'«air».

J'en suis venue à croire qu'aussitôt qu'une personne hypocondriaque prend conscience de la façon dont ses obsessions affectent son bien-être et celui de ses proches et qu'elle découvre qu'il est tout à fait possible de modifier ces représentations, elle trouvera le moyen de s'en sortir. On peut regretter toutefois, comme le souligne Wendy Kaminer dans un ouvrage sur l'autoguérison[1], qu'ait été autant banalisée en cette ère dont le maître-mot est, encore et toujours, la *croissance* — la «croissance personnelle» autant que les autres variantes du concept —, l'idée qu'il faut consentir à un long voyage intérieur pour se libérer d'anciens traumatismes ou pour mettre fin à l'autodestruction. Kaminer s'insurge contre tout ce prêt-à-panser, ces programmes-en-douze-étapes, ces solutions-rapides-et-infaillibles, et autres clichés du genre, et contre tous ces talk-shows et ces «*reality shows*» où des personnes dysfonctionnelles mettent à nu leurs secrets les plus intimes.

Ce qui est plus profondément en jeu, ici, c'est la banalisation de la souffrance, par le biais de l'idée insidieuse que, étant *tous* dysfonctionnels, nous sommes *tous* soit en voie de guérison soit au stade de la dénégation; nous devons *tous* être tolérants à l'égard de nous-mêmes; nous devons *tous* travailler à découvrir notre «enfant intérieur»; nous devons *tous* nous «prendre en charge», et cetera. Comment peut-on en venir, par exemple, s'insurge l'auteur, à abuser de la métaphore au point de comparer la souffrance que peut entraîner une relation de «codépendance» à la souffrance incommensurable que peut éprouver tout survivant de l'Holocauste!

Ce monnayage grotesque de la douleur psychique est un problème qui m'a beaucoup préoccupée moi-même dès que j'ai eu jeté sur papier les premiers mots de cet ouvrage. Je ne voulais surtout pas tomber dans le piège du «comment-être-heureux-tout-en-étant-hypocondriaque» ou des stratégies de traitement par étapes graduées, pas plus que je ne voulais travestir mon témoignage en truffant le texte de mots d'ordre, de réussites confirmées ni de recettes éprouvées. «*Ce n'est pas* un manuel d'autoguérison», ai-je eu à répéter si souvent aux personnes de mon entourage, comme si j'avais à m'excuser de quelque chose. Car, si j'avais la ferme conviction que ce que l'expérience — la mienne et celle des autres — m'avait appris pourrait, dans une certaine mesure, vous être utile, à vous, lecteur ou lectrice, je n'ai jamais eu la prétention de connaître le fin mot de l'énigme, d'avoir réponse à tout.

J'ai passé trois ans à examiner sous tous ses angles le problème de l'hypocondrie en vue d'écrire ces pages. Laissez-moi vous dire toutefois que, malgré toute l'attention que l'on s'efforce d'y apporter, il ne se laisse pas circonscrire facilement: chaque fois que je mettais le doigt sur quelque chose de tangible, que je croyais avoir enfin cerné quelque caractéristique ou vérité universelle, j'avais l'impression, au moment de les ressaisir qu'elles m'échappaient à nouveau. Car le phénomène dépasse de beaucoup les limites de la définition qu'en donne la psychiatrie moderne, de même que son diagnostic est beaucoup plus difficile à établir que le laissent supposer les critères d'identification de ce «trouble mental», tels qu'établis par les rédacteurs du *DSM*.

Si perverse et destructrice que puisse être l'hypocondrie, elle ne saurait, à l'évidence, être réduite à un trouble ou à une perturbation de la relation entre le corps et la psyché. Elle est trop intimement liée à la condition même de l'être humain pour être l'objet d'une telle simplification. Pour peu que l'on soit sensible et intelligent, il faut être un tantinet hypocondriaque, non? pour rester en vie. À moins d'être parfaitement inconscient, de nier la réalité ou d'être une machine à avaler la vie. C'est précisément en raison de son caractère ordinaire, de sa banalité même, que les gens ont ce petit sourire en coin dès que vous prononcez le mot d'hypocondrie; c'est aussi ce qui explique que sa description clinique n'ait pratiquement pas changé depuis 2000 ans.

La vie peut nous sembler, par moments, grotesque et absurde. Même les plus hardis et les plus optimistes auront été ébranlés, à un moment ou l'autre, que ce soit à propos de leur mode de vie, de leurs relations, de la façon dont se déroule leur carrière ou même de la destinée humaine, par cette effroyable question: À quoi bon? ou À quoi sert de...? Nous avons tous besoin d'un exutoire à nos problèmes existentiels. Ceux qui sont croyants s'appuient sur la certitude que la souffrance est une occasion d'accéder à une relation plus profonde et plus pure avec l'Être divin, en vertu d'un pacte, d'une alliance d'une nature bien particulière; en se détachant de la réalité temporelle, ils s'en remettent à un principe supérieur, extérieur à eux-mêmes. L'amour, le travail, ou les causes qui peuvent nous tenir à cœur représentent d'autres lieux possibles de ressourcement. Mais il est aussi des exutoires plus dangereux, sinon plus problématiques: les sectes religieuses, l'alcoolisme, la boulimie — et la maladie. L'hypocondrie pourrait bien être, de ce point de vue, la forme d'extériorisation la plus authentique de nos peurs: un regard dirigé tout droit vers l'abîme, un face-à-face avec l'incertitude, une confrontation directe avec les périls qui nous menacent. Sans écran de protection, sans filet de sécurité, faut-il ajouter.

J'ai cru pendant longtemps que j'étais la seule à me sentir aussi fragile, à me croire aussi vulnérable, à avoir des idées fixes, à souffrir sans répit. Et je savais exactement pourquoi, du moins le croyais-je: je n'arrivais pas à oublier la mort tragique de mon amie Toby, survenue alors que nous roulions un jour d'hiver en région montagneuse, sur une route très accidentée. C'est moi qui étais au volant de la Chevy de mes parents quand nous sommes entrées en collision avec une semi-remorque au détour d'une courbe, qu'un immense banc de neige m'avait empêché de voir. Toby est morte sur le coup. Et je m'en suis sortie avec des blessures mineures. J'avais 17 ans.

Cet accident est la pire chose qui me soit arrivée dans ma vie. Aujourd'hui encore, soit vingt-cinq ans plus tard, j'ai de la difficulté à en parler sans me sentir envahie par une insupportable culpabilité, laquelle a fait germer en moi des sentiments si accablants de honte, de désespoir et de haine à l'égard de moi-même qu'elle ne m'a jamais quittée. Je suis d'abord restée sous le choc, complètement hébétée, au cours des mois qui ont suivi l'accident. Puis, pendant plusieurs années, je n'ai eu en vue qu'une chose: me punir, en ne m'autorisant plus à être la femme bien portante, solide moralement et très heureuse que j'étais avant l'accident. Cette culpabilité, je me suis mise à la vivre dans tout mon corps, l'exorcisant au début de la vingtaine en me laissant crever de faim au cours d'un long épisode d'anorexie, et, plus tard, en entretenant la conviction que je serais terrassée par une maladie grave ou par quelque incident ou accident fatal.

Après plusieurs années de thérapie, j'ai fini par sortir du brouillard qui avait jusque-là enveloppé ma vie, par dégager la toile de fond sur laquelle était venus se greffer mes mille et un symptômes. Malgré tous les efforts d'introspection et de compréhension que je consentais à fournir, je sentais bien toutefois que je n'arrivais pas à désamorcer en moi ce besoin d'autopunition qui m'habitait, pas plus que mes obsessions hypocondriaques, ce qui m'a amenée à faire l'essai d'un antidépresseur, qui s'est révélé dans mon cas efficace. Plus tard m'est venue l'idée d'entreprendre la rédaction de ce livre, projet qui m'a permis de rencontrer beaucoup d'hommes et de femmes qui avaient souffert ou qui souffraient encore de malaises que j'étais parfaitement à même de comprendre.

S'ils n'avaient pas survécu, comme moi, à un accident tragique, tous avaient néanmoins été profondément affectés par une forme ou une autre de ce qu'il convient d'appeler le «syndrome du survivant» — syndrome que peut développer quiconque a été exposé à un père alcoolique, à une mère déprimée, à des sévices corporels, à une forme ou une autre de violence émotionnelle, à un traumatisme ou à des blessures répétées — qui les avait laissés extrêmement fragiles sur le plan affectif et incapables de supporter désormais toute perspective inéluctable qui puisse peser sur leur vie.

Je me suis rendu compte que je n'étais pas la seule à développer les plus vilains symptômes quand ça allait mal, à ne pas pouvoir faire face à un stress trop intense, à ne pas laisser la joie se frayer trop facilement un chemin vers le cœur.

Les entretiens que j'ai pu avoir avec eux m'ont rappelée à cette vérité que nous sommes tous des êtres d'une grande complexité et m'ont confirmé que l'équation qui s'était inscrite en moi à mon insu entre la mort de Toby et mon hypocondrie n'était qu'un élément parmi d'autres d'une mosaïque affective qui ne se laissait pas aussi facilement circonscrire que je n'aurais pu le concevoir. Personne ne sort indemne d'un traumatisme, ce qui ne signifie pas pour autant que les séquelles d'un événement traumatique (mon anorexie et mes symptômes d'hypocondrie, par exemple) soient les mêmes pour tous. Quant à savoir pourquoi j'ai développé une peur aussi tenace de vivre — et de mourir—, cela restera toujours pour moi une énigme.

Je pourrais certes en voir la cause immédiate dans les suites tragiques de mon accident de voiture. Ou l'associer plutôt à la propension qu'avait mon père à céder à son anxiété et à être dur pour lui-même, trait de caractère que j'ai indiscutablement intériorisé. Ou à une préoccupation précoce à l'égard de mon apparence: je n'aimais pas mon nez, mes cheveux fins, mes sourcils en broussailles et trop foncés. Ou encore à cet attrait pour le danger, qui m'a habitée durant toute ma vie; à cette tendance à flirter avec le désastre — quoi d'autre aurait pu m'inciter à traverser l'Europe et l'Amérique centrale en auto-stop, surinvestissant des relations qui n'en valaient pas le coup et abusant naïvement des drogues? —, trait de caractère que mon hypocondrie est venue, d'une certaine manière, contrebalancer. Je pourrais invoquer aussi la mort d'une cousine éloignée, jeune femme adorable qu'un lymphome a emportée à l'âge de 25 ans, ou cette ancienne camarade de classe morte d'une tumeur maligne au cerveau un an après son mariage; ou mon grand-oncle Charlie qui, après avoir été admis à la faculté de médecine, a diagnostiqué lui-même sa leucémie et est décédé avant même d'avoir pu terminer ses études universitaires.

Comment ne pas être touchée, et terrifiée quelque peu, par de tels événements! Et de ne pas se dire que cela pourrait nous arriver, à nous aussi... Ceux qui ont de bons mécanismes de défense occulteront cette question en entretenant, pour eux et pour leurs proches, l'espoir que tout aille pour le mieux dans le meilleur des mondes. L'hypocondriaque essaie de se dire la même chose, mais n'y croit pas vraiment. Il s'acharne à dompter ses obsessions, mais, tôt ou tard, se surprend à se tâter le cou, à faire la navette entre les cabinets médicaux, à multiplier les occasions d'avoir à se soumettre à une biopsie — autant de comportements qui traduisent une incapacité profonde à oublier pendant quelque temps qu'ils sont des êtres mortels.

Si vous avez de la chance, comme j'en ai eu moi-même, vous finirez par vous réveiller un beau jour et par entrevoir, non seulement en rêve ou en pensée mais au plus profond de vous-même, combien il est insensé, et on ne peut plus paradoxal, de passer sa vie à se préparer au jour où l'on se tordra de douleur, où l'on recevra du laboratoire une nouvelle alarmante, où l'on apprendra que l'on est atteint, oui, vraiment atteint d'une grave maladie. Est-ce sensé de se torturer ainsi jusqu'à 120 ans?

Certes, le pire arrive parfois bien avant le temps, même si l'on met toutes les chances de son côté en s'abstenant de fumer, en buvant modérément, en faisant de l'exercice, en s'alimentant convenablement, en portant sa ceinture de sécurité et en se soumettant de temps à autre à un examen médical. Mais ces cas restent rares. Il ne faut donc pas s'affoler inutilement.

Il ne s'agit pas pour autant de nier la réalité de la maladie, ni de faire écran à la douleur des gens qui doivent l'affronter quotidiennement; il y a de fortes probabilités d'ailleurs pour que nous ayons à la côtoyer de plus en plus, compte tenu de l'allongement de l'espérance de vie, et partant, de l'incidence des maladies chroniques reliées au vieillissement (qui est de 33 % actuellement). Peut-être devrions-nous toutefois être un peu plus attentifs à ceux et celles qui trouvent, à travers l'éprouvante expérience de la maladie, la force de se remettre en question, de revoir leurs habitudes de vie, de réaménager du tout au tout leur existence, et en tirer quelques leçons.

J'ose espérer, au terme de cet ouvrage, être parvenue à mes objectifs: effacer un stigmate, briser certains mythes, jeter un peu de lumière sur une affection énigmatique, qui refuse de se laisser saisir autrement que dans sa singulière complexité. Si ce livre vous a appris à être plus tolérant à l'égard de vous-même ou de quelqu'un que vous côtoyez quotidiennement ou à accorder à votre relation à votre médecin toute l'attention qu'elle mérite, je pourrai me dire qu'il valait la peine d'entreprendre ce projet.

Ce n'est pas en s'enfermant dans la morosité que l'on sort de l'hypocondrie; continuer à se tourmenter est, au contraire, le moyen le plus sûr de donner prise à la plaisanterie voulant que sur la tombe de tout hypocondriaque soit écrit: «Je vous avais bien dit que j'étais malade!» Cette affection n'a rien de drôle, encore moins lorsqu'une personne qui souffre d'hypocondrie doit combattre une maladie grave, épreuve qui l'obligera à puiser à ces ressources inestimables que sont l'amour, le bonheur et le sentiment d'une vie accomplie — toutes choses dont elle n'a pas la moindre idée — pour faire face au pire.

Je ne vous dirai pas que j'ai réglé tous mes problèmes, que je n'ai plus en horreur les analyses de sang, que les notices nécrologiques ne me donnent plus la nausée et que je ne consulte maintenant mon médecin que lorsque c'est absolument nécessaire, mais beaucoup de choses se sont améliorées. Il y a belle lurette que je n'ai pas ruminé mes peurs à propos du lupus, quoiqu'il m'arrive encore de temps à autre de me palper le cou à la recherche de quelque ganglion hypertrophié, mais la personne qui s'examine ainsi n'est plus l'être désespéré qui était naguère aux prises avec ses obsessions morbides: c'est un être qui, tout simplement, a besoin temporairement de s'assurer que *tout va bien*.

Au début, je redoutais qu'en mettant un peu plus de joie dans ma vie je puisse encore moins supporter la perspective de la maladie; je suis sûre maintenant du contraire. Je me suis aperçue qu'en utilisant mes énergies à des fins moins destructrices et plus gratifiantes, je me sentais non seulement plus en vie, mais aussi plus satisfaite de moi-même, plus en possession des moyens que m'a donnés la maturité. Il m'est arrivé à quelques occasions de passer près de l'hôpital où j'ai vécu ces heures difficiles, mais combien décisives, que j'évoquais au début du livre et de regarder fixement le bâtiment en me demandant: M'est-il *vraiment* arrivé de croire que je serais moins malheureuse en dedans qu'en dehors de ces murs?

C'est souvent pas à pas et sans se rendre compte des progrès accomplis que l'hypocondriaque arrive à voir le bout du tunnel — pas nécessairement donc par des revirements spectaculaires, des révélations fracassantes ou des événements décisifs. Les signes d'amélioration peuvent d'ailleurs se manifester au moment où vous vous y attendez le moins: au moment d'embrasser votre enfant le soir ou d'échanger avec une personne de votre entourage, pour vous rendre compte aussitôt que *cela fait longtemps* que vous n'aviez pas pris le temps de le faire; ou alors que vous roucoulez avec votre conjoint et que vous vous mettez à rêver de vivre éternellement, non pas parce que vous avez peur de mourir mais parce que vous êtes heureuse de vivre.

Moments fugaces, mais qui valent leur pesant d'or. Comme tout le monde, j'aimerais bien vivre jusqu'à 90 ans. Mais j'en suis venue à me dire que la qualité vaut beaucoup mieux que la quantité, en cette matière comme en toute autre, et que si je n'ai sur le temps aucun pouvoir, je dispose de tous les moyens nécessaires pour donner à ma vie la texture qu'il me plaît de lui imaginer. De cette manière, lorsqu'elle se retirera, il n'y aura pas lieu de regretter de n'avoir pas vécu comme il le fallait, de ne pas avoir su faire ceci ou cela, de ne pas avoir aimé et été aimée suffisamment. Si j'avais à mourir aujourd'hui, j'espère que mes enfants n'hésiteraient pas un instant à dire de leur maman hypocondriaque: «Elle aimait tellement la vie!»

1. Wendy KAMINER, *I'm Dysfunctional, You're Dysfunctional: The Recovery Movement and Other Self-Help Fashions*, Reading, Massachusetts, Addison-Wesley, 1992.

Appendice

Êtes-vous hypocondriaque?

Test d'auto-évaluation

Comment savoir si vos préoccupations à l'égard de votre état de santé ou de la maladie en général sont disproportionnées par rapport à la réalité?

Imaginons, par exemple, que vous souffriez du diabète ou que vous ayez fréquemment des crises d'asthme: qu'est-ce qui vous dira que vous vous en faites un peu trop, que vos inquiétudes sont démesurées? Ou supposons qu'une femme dans la quarantaine, bien portante, commence à faire son auto-examen des seins à toutes les deux semaines plutôt qu'une fois par mois, comme elle en avait l'habitude: est-elle simplement plus prudente ou plus sensible que les autres, ou serait-elle en proie à une anxiété excessive? Et, à tout considérer, un certain degré de conscience et de vigilance à l'égard de sa santé n'est-il pas souhaitable — que l'on soit malade ou pas?

Certains tests ont été élaborés par des spécialistes de la santé mentale pour faciliter le dépistage des sujets à risque avant d'entreprendre une étude sur une question donnée. L'un de ces tests vous est ici proposé dans une version simplifiée.

Mis au point en 1980 par le Dr Robert Kellner, professeur de psychiatrie à la faculté de médecine de l'Université du Nouveau-Mexique et chef de file de la recherche sur l'hypocondrie, l'IAS (*Illness Attitude Scale*: Échelle d'évaluation des attitudes face à la maladie) est un test normalisé et fiable, jugé très utile par nombre de spécialistes pour faire ressortir les traits caractéristiques du comportement d'un sujet face à sa propre santé et pour déterminer si les craintes qu'il manifeste à l'égard de la maladie traduisent une appréhension tout à fait normale des risques qui peuvent y être associés ou une vigilance pathologique.

Vous êtes donc invité à répondre à chacune des 15 questions suivantes en vous fondant sur ce que vous ressentez *en général* (et non pas uniquement sur ce que vous avez ressenti ou vécu récemment). Si vous souffrez présentement d'une grave maladie, qui a fait l'objet d'un diagnostic médical, essayez de vous rappeler comment vous vous sentiez ou comment vous réagissiez dans telle ou telle circonstance *avant* que vous ne tombiez malade. Une fois que vous aurez rempli le questionnaire, vous pourrez comparer vos résultats avec ceux de sujets d'autres groupes qui s'y sont prêtés, eux aussi.

Mais avant de commencer, lisez attentivement l'avertissement qui suit.

AVERTISSEMENT

Le test IAS est un outil diagnostique parmi des dizaines d'autres auxquels ont recours les spécialistes de la santé mentale pour repérer chez leurs patients ou chez les sujets qui composent l'échantillon d'une étude les signes d'une susceptibilité à l'hypocondrie ou à d'autres troubles somatoformes. Il faut savoir qu'il existe par ailleurs des centaines d'autres instruments d'évaluation permettant d'apprécier le degré de susceptibilité aux troubles obsessionnels, à la dépression, au trouble panique — à tout type de comportement, en somme, qui dévie de «la norme». De même que les médecins généralistes ou spécialisés dans le traitement de pathologies spécifiques recourent à certains tests de dépistage (analyse d'urine, test sanguin, etc.) avant de poser un diagnostic, de même les psychiatres et les psychologues se servent d'outils spécifiquement définis pour leurs besoins pour déterminer quel type de thérapie devrait le mieux convenir à un patient.

Le recours aux tests psychologiques ne fait pas l'unanimité, loin de là. On reproche notamment aux cliniciens, qu'aveugle souvent une foi indéfectible dans la capacité de la Science à dénouer les fils enchevêtrés du comportement humain, d'accorder une trop grande importance aux résultats des tests psychologiques, au risque d'oublier complètement que les personnes à qui les tests sont administrés et que les évaluations établies à partir d'une auto-entrevue sur papier ne disent pas nécessairement la vérité. Parfaitement conscients de la chose, les chercheurs en santé mentale intègrent presque toujours maintenant à leurs articles ou à leurs études une série de remarques ayant trait aux limites de l'étude présentée, qu'il s'agisse des imperfections de l'échelle d'évaluation utilisée ou d'éléments tels qu'un échantillon trop limité, des distorsions possibles reliées aux attitudes ou aux propos biaisés de l'intervieweur, une mémoire défaillante, et autres écueils du genre.

Tout imparfaits que soient les tests psychologiques, on s'accorde néanmoins pour reconnaître qu'ils sont très utiles, à l'instar des classifications des troubles mentaux, pour dépister les problèmes d'ordre affectif et les troubles psychopathologiques, pour apprécier leur degré de gravité et pour élaborer une première stratégie de traitement.

Les tests d'évaluation destinés au dépistage des tendances hypocondriaques sont tout particulièrement délicats à administrer, car il est toujours possible qu'une maladie organique non diagnostiquée vienne fausser complètement les résultats — car celui ou celle que l'on soupçonne d'être hypocondriaque peut fort bien souffrir d'une pathologie somatique bien réelle. Les résultats du questionnaire suivant seront donc d'autant plus pertinents que vous aurez, au préalable, passé un examen médical approfondi et reçu un bilan de santé en bonne et due forme, de manière à vous assurer qu'aucune maladie physique sous-jacente ne soit responsable de votre perception actuelle de votre état de santé ou de vos craintes à propos de la maladie en général.

Questionnaire IAS simplifié
Êtes-vous exposé au risque de souffrir d'hypocondrie?

Lisez bien chaque question, et essayez d'y répondre le plus spontanément possible. Inscrivez sous la colonne de votre choix le chiffre qui correspond à votre réponse (Non = 0; Rarement = 1; Quelquefois = 2; Souvent = 3; La plupart du temps = 4). Faites ensuite le total des points pour chaque partie du questionnaire.

	Non	Rarement	Quelquefois	Souvent	La plupart du temps
	0	1	2	3	4
1. Est-ce que votre état de santé vous inquiète?					
2. Craignez-vous d'être un jour atteint d'une grave maladie?					
3. Est-ce que la pensée d'être un jour atteint d'une grave maladie vous fait peur?					
Total des points pour les questions 1-3:					
4. Lorsque vous ressentez une douleur, craignez-vous que ce soit le signe d'une grave maladie?					
5. Si une douleur dure une semaine ou plus, consultez-vous un médecin?					
6. Si une douleur dure une semaine ou plus, craignez-vous d'être atteint d'une grave maladie?					
Total des points pour les questions 4-6:					
7. Croyez-vous être atteint présentement d'une maladie physique qu'aucun médecin ne serait parvenu à identifier correctement?					
8. Lorsque votre médecin vous dit que vous ne souffrez d'aucune maladie physique, doutez-vous de son diagnostic?					
9. Dans les minutes qui suivent votre examen médical, commencez-vous à vous demander si vous n'auriez pas attrapé une autre maladie?					
Total des points pour les questions 7-9:					

	Non	Rarement	Quelquefois	Souvent	La plupart du temps
	0	1	2	3	4
10. Est-ce que les avis de décès communiqués par les médias, de même que les notices nécrologiques et les funérailles sont des choses qui vous perturbent?					
11. Est-ce que la perspective de la mort vous affole?					
12. Avez-vous peur de mourir dans un proche avenir?					
Total des points pour les questions 10-12:					
13. Lorsque vous entendez parler d'une maladie, par l'entremise des médias ou d'un membre de votre entourage, vous arrive-t-il de développer aussitôt des symptômes semblables à ceux de cette maladie?					
14. Lorsque vous éprouvez physiquement une étrange sensation, avez-vous de la difficulté à vous concentrer sur autre chose?					
15. Lorsque vous éprouvez physiquement une étrange sensation, cela vous inquiète-t-il?					
Total des points pour les question 13-15:					

Quel est votre pointage?

Additionnez maintenant les nombres qui apparaissent sur chacune des lignes intitulées «Total des points» pour chaque groupe de questions et inscrivez le total dans le tableau ci-dessous.

Aspect de l'hypocondrie	**Partie du questionnaire**	**Pointage**
Préoccupations en rapport avec la maladie en général	Questions 1-3	
Préoccupations en rapport avec la douleur	Questions 4-6	
Croyances qu'entretient le sujet à propos de son état de santé	Questions 7-9	
Peur de la mort	Questions 10-12	
Préoccupations en rapport avec l'état physique	Questions 13-15	

Comparez maintenant vos résultats avec les moyennes enregistrées chez d'autres groupes de personnes, tels qu'ils apparaissent dans le tableau de la page suivante.

Groupe I:
Sujets hypocondriaques (sujets qui répondent aux critères diagnostiques de l'hypocondrie)

Groupe II:
Clientèle d'un médecin (sujets choisis au hasard parmi les patients réguliers d'un clinicien spécialisé en médecine familiale)

Groupe III:
Groupe d'employés (sujets choisis au hasard parmi les employés d'une entreprise)

Le premier chiffre indique la moyenne enregistrée auprès de chaque groupe pour chaque aspect de l'hypocondrie évalué; les chiffres entre parenthèses indiquent les pointages à partir desquels ces moyennes ont été établies.

Où vous situez-vous?

	Groupes servant de points de comparaison					
	I		II		III	
	Sujets hypocondriaques		**Clientèle d'un médecin**		**Employés**	
Aspect de l'hypocondrie	*Moyenne*	*(Pointages)*	*Moyenne*	*(Pointages)*	*Moyenne*	*(Pointages)*
Préoccupations en rapport avec la maladie en général	9	(6-12)	4	(1-7)	2	(0-4)
Préoccupations en rapport avec la douleur	10	(8-12)	5	(2-8)	3	(1-5)
Croyances qu'entretient le sujet à propos de son état de santé	8	(5-11)	2	(0-4)	1	(0-3)
Peur de la mort	8	(4-12)	1	(0-3)	1	(0-3)
Préoccupations en rapport avec l'état physique	8	(5-11)	4	(2-6)	2	(0-4)

Si les résultats que vous avez obtenus s'inscrivent dans la moyenne de *plus de deux aspects* de l'hypocondrie figurant dans la colonne des «Sujets hypocondriaques», il y a lieu d'en déduire que vous êtes exposé au risque de souffrir d'hypocondrie. Dans le cas contraire, il y a tout lieu de croire que votre situation n'est pas problématique ou que vos symptômes sont légers.